Basic cooking

Alles, was man braucht, um schnell gut zu kochen

Sabine Sälzer   Sebastian Dickhaut

Basic cooking

Inhalt

basic

Einfach kochen

Mehr nicht

Basics sind das weiße T-Shirt und das kleine Schwarze. Die Edel-Schuhe aus London und der scharfe Schal aus dem Indienladen. Und natürlich die Smokingjacke vom Opa. Hab' ich nur ein Teil an, ergibt sich der Rest von selbst. Egal, ob ich was Warmes will oder was zum Angeben.

Moment, ist das nicht ein Kochbuch? Ja klar. Bruschetta mit Tomaten und Spaghetti mit Zitronensahne, Omas Schweinebraten und Franks Mousse au chocolat, feurige Mojo aus Spanien und Mayo aus der eigenen Küche – alles Basics. Alles das, was immer paßt und ohne das der eigene Stil nur Mode wäre. Koch' ich mir ein Teil, kommt der Rest von selbst. Egal, ob ich was Warmes will oder was zum Angeben.

Ein Kochbuch wollten wir machen, endlich mal wieder. Keine Bibel, kein Lexikon, keinen Kunstband. Keine 1000 Rezepte. Keine 2000 Varianten. Nur über 100 Lieblingsessen, Na-endlich-Gerichte und Basic-Rezepte, die einen auf eine Million von Einfällen bringen können. Gerne auch auf ein paar dumme.

Ein Kochbuch ist es geworden, für eine Küche voller bärenhungriger Freunde und für die einsame Insel mit angespülter Bordküche. Ein Buch darüber, daß Essen lebenswichtig ist und daß es deswegen nicht immer so wichtig genommen werden muß. Einfach lesen, die Lust kommt dann von selbst. Be basic. Mehr nicht.

basic
Know How

„Essen macht Spaß!" Wissen wir. „Einkaufen auch." Ach ja?

Warum soll's uns schlechter gehen als denen im Fernsehen? Morgens mit dem Kaffee durchs Loft tanzen, mittags fröhlich den Auflauf ins Rohr schieben, abends mit Freunden an der langen Tafel lachen. Ist doch klasse! Hat aber einen Haken: Wir müssen erst mal einkaufen. Und dabei haben wir noch keinen im Werbefernsehen gesehen.

Niemand, der am Regal entlanghetzt, der sich zum Salat vorboxt oder beim Wein zuerst aufs Preisetikett schaut. Machen wir aber fast jeden Tag. Und das kann ganz schön stressig sein. Es geht aber auch lässiger.

Klar, der große Genuß kommt erst beim Essen. Aber so ein bißchen Vorfreude, die dürfen wir uns sogar schon im Supermarkt gönnen. Wenn wir uns vorher ein bißchen schlau gemacht haben. Und die drei Basics des schlauen Einkaufens kennen:

Ich weiß was. Ich plan' was. Und jetzt mach' ich's!

Schlau kaufen

75 Prozent der US-Amerikaner wissen nachmittags noch nicht, was sie abends essen. Clever?

Einfach nur mal shoppen gehen kann richtig gut tun. Nach Lust und Laune zugreifen und dabei vielleicht auf ein Lieblingsstück fürs Leben stoßen, das hat schon was. Aber wer auch seine Lebensmittel täglich beim Einkaufsbummel zusammensucht, der hat das bald nur noch satt. Weil schon am nächsten Tag immer das Falsche im Kühlschrank steht. Weil das Geld so schnell weg ist. Schlauer ist, wer vorher sagt:

Ich weiß was

Klingt ja wie in der Schule. Aber erst mal geht's um die eigene Küche. Wer weiß, daß die noch eine Paprika, den Reis vom Vortag und eine Flasche Sojasauce zu bieten hat, dem kommt vielleicht schon eine Idee fürs Abendessen. Und wer dann noch einen guten Laden für frischen Fisch kennt, kann die selbstkreierte Reispfanne schon auf die Karte setzen.

Der echte Lebenskünstler hat immer ein paar Standards zu Hause, aus denen sich ein gutes Essen machen läßt. Sie werden auf den nächsten Seiten vorgestellt. Zusammen mit unseren Rezepten sind sie Stoff genug, um nach einer halben Stunde Supermarkt zu Hause die große kulinarische Oper hinzulegen.

Mühelos gut zu sein, das heißt auch: wissen, was gut ist. Eine Geldfrage? Und Geschmackssache? In Ordnung. Aber dann wollen wir wenigstens wissen, was nicht gut ist. Harte Linsen sind nicht gut. Weswegen ein Linsengemüse aus der Dose, verfeinert mit Aceto balsamico, auf die Schnelle immer besser ist. Auch zähes Fleisch ist nicht gut. Und wer am Billigkotelett nur lustlos knabbert und dann doch den Pizza-Mann rufen muß, der wäre mit dem guten Stück vom Bio-Schwein sogar günstiger dran gewesen. Auch Äpfel im Frühsommer kommen weder gut noch günstig. Aber das ist ja nur praktisch: Denn immer dann, wenn Früchte oder Gemüse ihre Saison haben, schmecken sie nicht nur am besten, sondern gibt es auch besonders viele davon zu ganz besonders guten Preisen. Erst recht, wenn sie aus dem eigenen Land kommen. Da freut sich dann auch die grüne Seele in uns.

Ich plan' was

75 Prozent aller US-Amerikaner haben um vier Uhr nachmittags noch keine Ahnung, was sie abends essen werden. Oft wird es dann ein aufgewärmtes Fertigmenü aus dem Supermarkt. Irgendwie nicht sehr souverän und kreativ.

Da plane ich lieber ein bißchen. Früher wurden Speisezettel für die ganze Woche geschrieben. Heute reicht es, sich über den aktuellen Tag und sein Essen ein paar Gedanken und Notizen zu machen. Der Einkaufszettel ist dafür immer noch das beste Stück. Es kann die Rückseite vom letzten Kassenbon sein oder ein Blatt im Extra-Einkaufsbuch. Hauptsache, das Ding schafft es ohne Verluste bis zur Ladenkasse.

Clevere Einkäufer teilen sich die Arbeit ein: eine Zettelecke für die Metzgersfrau, eine für den Gemüsetürken, eine für den Supermarkt. Und wenn's nur dieser ist: eine Ecke fürs Kühlregal, eine für den Obststand, eine für die Käsetheke.

Und jetzt mach' ich's

Das heißt: losgehen und zugreifen. Und wenn mir etwas in die Quere kommt, was besser paßt oder günstiger als das Geplante ist: nehmen. Als echter Basic-Koch kenn ich mich da ja aus, weiß was, hab' mir was überlegt. Und genieße auch schon mal den Luxus, dies alles wieder zu vergessen. Schließlich weiß ich über die wichtigsten Grundregeln Bescheid und mag das Spiel mit den Variationen.

Drei Goldregeln fürs Einkaufen

1 Iß vorher was Ordentliches

Wer hungrig in den Laden geht, kauft sich satt. Zu teuer. Allerdings: Wer vorher bis zum Anschlag ißt, mag gar nicht mehr ans Essen denken und schaut, daß er schnell nach Hause kommt. Auch nicht gut, denn:

2 Zeit nehmen, aber nicht Zeit lassen

Wenn es geht, nicht in letzter Minute einkaufen, weil dann schnell zum Erstbesten gegriffen wird. Und das ist oft teurer. Beim lockeren Bummel landet dafür mehr im Korb, als man will. Also konzentriert einkaufen und:

3 Kuck mal da unten

Rechtes Regal, Augenhöhe – 500 g Kaffee für mehr als 6 €. Bitte mal bücken – das Pfund für 4 €. Jetzt noch nach links drehen – ach, da ist ja das Mehl. Wo man zuerst hinschaut, ist es am teuersten. Günstiger wird's auf den zweiten Blick. Und was man eigentlich will, findet man erst nach längerem Suchen. Also aufpassen, sonst ist der Korb gleich voll mit Ungewolltem zu Höchstpreisen.

Think big

Singles wissen es, leider: Je kleiner etwas abgepackt wird, desto teurer ist es. Da ist's manchmal schon fast egal, ob man die große oder kleine Packung Toast kauft. Und auch lose Lebensmittel kommen oft günstiger als zerkleinerte und abgepackte.

Cool basics

„Liebe Basics, es ist ein bißchen kühl hier, aber dafür ist das Essen bestens. Viele Grüße, Euer Kühlschrank.“

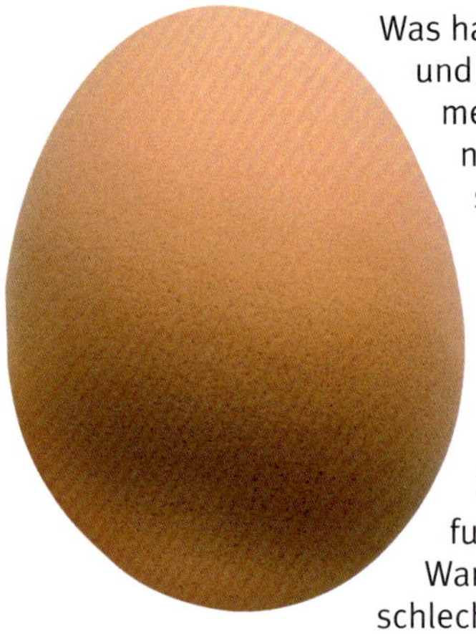

Was haben Sultaninen und Sauerkraut gemeinsam? Daß sie nicht in den Kühlschrank müssen. Weil sie auf eine Weise haltbar gemacht worden sind, die ganz Clevere noch in kühlschranklosen Zeiten erfunden haben. Waren gar keine schlechten Zeiten, denken wir beim Naschen unserer lecker eingelegten Oliven. Aber gut, daß sie vorbei sind. Sonst wäre unser Prosecco dazu jetzt ganz schön warm.

Eine Küche ohne Küchenschrank ist heute noch eher auszuhalten als ein Haushalt ohne Kälte aus der Steckdose. Denn die hat für Taufrischfanatiker und Kühlungsuchende im Alltag immer etwas auf Lager. Das Klima dabei reicht vom mäßigen Winter im Kühlschrank bis zum arktischen Tief im Froster. Und manche Lebensmittel mögen sogar Frühlingstemperaturen.

Klimaforschung im Kühlschrank

Von 0 bis 6 Grad reichen die Temperaturen im üblichen Kühlschrank. Dabei gilt für die Minibar mit Eisfach wie für den Luxuskühler mit Champagnerzone: Hinten und unten ist es immer kälter als vorne und oben. Also Fisch am besten ganz unten auf die Platte stellen und nach hinten zum Verdampfer schieben. Ausnahmen? Drei: Direkt beim Eisfach ist es auch dann besonders kalt, wenn es ganz oben liegt. Und in den Gemüsefächern unten ist es wärmer, als man denkt – denn die Platte darüber stoppt die nach unten absinkende Kaltluft. Und: In der Kühlschranktür herrscht gemäßigtes Klima, das mit jedem Öffnen mäßiger, also wärmer wird. Dann noch das Eisfach: Das Grundmodell kühlt auf 0 Grad, taugt also nur für Eiswürfel. Sobald etwa Fett oder Zucker ins Spiel kommen, sinkt nämlich der Gefrierpunkt von Lebensmitteln. Ein-Sterne-Fächer reichen dann immerhin für 1–3 Tage, zwei Sterne für maximal zwei Wochen, drei Sterne stehen für -18 Grad und damit Tiefkühlqualität.

Arktisches Tief mit drei Sternen: der Gefrierer

18 Minusgrade und mehr herrschen in Gefriergeräten, eine Bitterkälte, bei der man sich kaum rühren mag. Und so läuft das Leben im Tiefkühler auch in Zeitlupe ab, was heißt, daß es länger erhalten bleibt. Was aber nicht heißt: ewiges Leben. Luft und Wasser tun hier weiter, wenn auch stark gebremst, ihre Arbeit. Das langsamere Altern der Lebensmittel im Kälteschlaf läßt sich aber noch weiter runterfahren, wenn sie gut und damit luftdicht verpackt sind. Was sonst passiert, kann man im halboffen abgelegten Beutel mit TK-Fritten sehen: Da stecken dann bald nur noch ein paar ausgetrocknete Pommes und viel Eis drin. Gerne wird gesagt, daß TK-Gemüse mehr Nährstoffe enthält als das Grün vom Gemüsemann. Stimmt, wenn der Händler mit altem Zeug Geld macht und es dabei behandelt wie Kohle. Sonst aber kommt's frisch immer noch besser. Klar, Erbsen oder Blätterteig aus dem Tiefkühler sind wirklich praktisch, und für die drei Teller Suppe zuviel ist er auch der ideale Ort. Aber: Frisches Fischfilet oder ein zartes Steak sind nicht unbedingt Basics für den TK-Vorrat – die sollten lieber gleich in die Pfanne.

Manche mögen Frischluft

Viele Obst- und manche Gemüsearten mögen als echte Sonnenkinder auch in der Küche keine Kühlschranktemperaturen. Einige wie Bananen vertragen überhaupt keine Kälte, manche verlieren dabei wie Tomaten ihr Aroma für immer, andere mögen es auf Dauer nicht zu kalt, werden aber durch kurzes Kühlen vor dem Servieren erst richtig erfrischend – Melonen zum Beispiel.

Die kleine Vorrats-etikette

Was die Lager-Hinweise der Hersteller bedeuten

- Gekühlt aufbewahren: im Kühlschrank
- Kühl aufbewahren: nicht unbedingt im Kühlschrank, sondern besser an einem kühlen Ort bei maximal 18 Grad
- Bei Zimmertemperatur aufbewahren: bei 18 - 22 Grad, also im Küchenschrank
- Vor Wärme schützen: verträgt etwas höhere Grade, aber nicht gerade neben der Heizung
- Trocken aufbewahren: in einem luftdichten Gefäß nicht gerade über dem Herd
- Lichtgeschützt aufbewahren: in Dosen, dunklen Gläsern, hinter Türen

Der gekühlte Grundvorrat – was wo, wie und wie lange frisch bleibt

Oben und Mitte

ein Käse fürs Brot und zum Überbacken (wie Gouda), ein Käse zum Reiben (wie Parmesan), ein Käse zum Naschen (wie Camembert, Blauschimmel, Rotschmier), nach Lust und Laune Frischkäse, Mozzarella etc.
Wie: in luftdichter Dose, Schnittfläche in Folie bzw. ganz mit Papier oder feuchtem Tuch bedeckt. Kräftige Sorten extra. Frischkäse, Mozzarella in Verpackung
Wie lange: je nach Sorte 3 Tage bis 2 Wochen bzw. bis MHD

Milch, Sahne, Joghurt, Crème fraîche, Quark; Kefir, Buttermilch, saure Sahne, Mascarpone
Wie: eher in der Mitte als oben lagern; nach dem Anbrechen gut verschließen, stets mit sauberem Löffel abnehmen
Wie lange: bis MHD, nach dem Öffnen 2–5 Tage

Unten bzw. an kältester Stelle

Fleisch, Wurst, Fisch
Wie: Fleisch und Fisch ohne Verpackung, auf Teller oder in Schale nicht ganz luftdicht abgedeckt; Geflügel extra; Wurst ohne Verpackung in möglichst getrennten, nicht zu vielen Lagen in luftdichter Dose; Räucherwaren extra
Wie lange: Hackfleisch knapp 1 Tag, Geflügel und kleingeschnittenes Fleisch 1–2 Tage, übriges Fleisch 2–3 Tage, gegart 3 Tage; Fisch frisch 1–2 Tage, geräuchert, gebeizt, mariniert nach dem Anbrechen 2–3 Tage, gegart 2–3 Tage; Wurst 2–4 Tage, Räucherwaren 1 Woche und länger

Tür

Butter, Eier, angebrochene haltbare Konserven, angebrochene Getränke
Wie: in jeweiligen Fächern
Wie lange: Butter und Eier bis MHD

Gemüsefach

Gemüse wie Lauchzwiebeln bzw. Lauch, Möhren, Kohl und Rüben aller Art als Basics, bei Salaten halten Chinakohl, Romana oder Chicorée länger; Pilze und Suppengrün für alle Fälle; ansonsten nach Saison, Lust und Laune
Wie: lose, Empfindliches nicht ganz luftdicht in Folie oder feuchten Tüchern; Grün entfernen
Wie lange: Blattgemüse und Pilze 2–3 Tage, Wurzelgemüse wie Möhren oder Rüben 1–2 Wochen, übriges 1 Woche

Kräuter wie Basilikum, Petersilie und Schnittlauch kommen immer gut; Dill, Estragon, Kerbel, Kresse, Oregano, Rosmarin, Salbei, Thymian für Specials
Wie: in Folie oder feuchtes Tuch gewickelt
Wie lange: Zartes 2–3 Tage, sonst 4–7 Tage

Frische Beeren
Wie: von anderen Lebensmitteln getrennt, Beeren nicht zu dicht, am besten in einer Lage mit feuchtem Tuch abgedeckt
Wie lange: 1–3 Tage

Tiefkühlgerät

Erbsen, Spinat, gehackte Kräuter; Pommes frites, Blätterteig, Fertiggebäck (Toast, Baguette usw.), TK-Fischfilets, Garnelen, TK-Beeren, Eis, Eiswürfel; Selbstgekochtes, Fertigprodukte zum Aufmotzen für Notfälle
Wie: luftdicht in Tiefkühlgefäßen und -tüten (Angebrochenes wieder verschließen)
Wie lange: TK-Produkte bis MHD, nach dem Auftauen wie frische Produkte; Gebäck 1–3 Monate; Fisch 3–6 Monate, Obst und Gemüse 6 Monate (z. B. Beeren) bis 12 Monate (z. B. Möhren), Fleisch 6 (Geflügel, Schwein) bis 12 Monate (Lamm, Rind); Selbstgekochtes 3–6 Monate

Draußen

Auberginen, Gurken, Kartoffeln, Knoblauch, Paprika, Tomaten, Zucchini, Zwiebeln; Äpfel, Bananen, Kiwis, Zitrusfrüchte und andere Exoten
Wie: dunkel (außer zum Nachreifen), luftig und trocken. Kartoffeln, Knoblauch, Zwiebeln 6–15 Grad, Gemüse 10–15 Grad, Obst 12–18 Grad. Obst und Gemüse können gegenseitig die Reifung beschleunigen (Äpfel bei Kartoffeln, Birnen, Bananen; Zitrusfrüchte bei Avocados, Äpfeln und Bananen), daher getrennt lagern
Wie lange: je nach Temperatur wenige Tage (Obst), 1 Woche (Gemüse) oder 2 Wochen (Kartoffeln usw.)

Basics auf Vorrat

„Ich hab' mal wieder nix zum Aufessen!" „Aber der ganze Küchenschrank ist doch voll!"

Bitte mal vorstellen: große Kreuzfahrt mit bestem Buffet. Plötzlich ein Riesenknall, und Stunden später wacht man auf der berühmten einsamen Insel auf – mit Mordshunger. Zum Glück ist die Bordküche auch angespült worden, und die Palme da vorne hat sogar die passende Steckdose. Dumm nur, daß alle Vorräte auf dem Meeresgrund liegen. Nix mit Sattwerden bis zum Glücklichsein. „Irrtum", säuselt da ein Stimmchen. Eine Nixe! „Du hast drei Zutaten frei. Aber überleg's dir gut. Be basic!" Erstmal Nudeln, ist ja klar. Oder lieber Brot? „Nimm Mehl", souffliert die Wasserfee. Ja, genau, und Salz natürlich! „Ts, ts, ts", schüttelt die Kleine ihr Köpfchen in Richtung Salzwasser, „wie wär's mit Knoblauch?" Natürlich! Aber Butter, Butter muß sein. „Bei der Hitze?" Öl? „Endlich hast du's kapiert. Und jetzt mach's gut." Halt, wollen wir nicht noch was essen? Spaghetti aglio e olio? „Ok. Aber um den Wein kümmer' ich mich."

Von M bis XL – der Basic-Vorrat, der zu jedem paßt

Be basic – gar nicht so einfach, wenn's um den ewigen Vorrat geht. Und überhaupt: Vorrat? Ewig? Ist das nicht ziemlich von gestern, wenn man sich heute schon an der Tankstelle ein ganzes Candlelight-Dinner besorgen kann? Mag ja mal ganz nett sein, aber auf Dauer können einem Benzol-Romantik oder die tägliche Supermarkttour ganz schön stinken.

Faultiere und andere Genießer legen sich lieber ihren kleinen Grundvorrat an, ganz nach dem eigenen Hunger. Wichtig dabei: Wie oft sitze ich am Eßtisch und mit wem? Ist's nur der kleine Meergeist oder sind's schon mal öfters alle Urlaubsbekanntschaften auf einmal? Und was ist mit dem ganz persönlichen Geschmack? Dazu später.

Wir empfehlen für den Anfang erst einmal den Grundvorrat Größe M wie „muß sein": alles, was man zum Überleben in einem mitteleuropäischen Haushalt so braucht. Darauf baut Größe L wie „Lust und Laune" auf: alles, mit dem man dem Leben noch ein bißchen mehr Würze geben kann. Für den Extraluxus gibt's XL wie „extralecker": alles, was wir sonst noch mögen, auch wenn wir damit vielleicht die einzigen Menschen auf der Welt sind.

Gutes auf Lager

„Die Küche ist der schlechteste Lagerplatz für Lebensmittel." Damit hätten wir das Pflichtzitat zum Thema Vorrat schon mal abgehakt. Stimmt ja, mit ihren Dünsten, Düften und schwankenden Temperaturen ist die Kochstation nicht immer der beste Ort für das Aufbewahren von Zutaten. Trotzdem tut's fast jeder dort. Weil es einfach am praktischsten ist. Keller? Weit weg. Speisekammer? Kenn' ich nicht. Das kühle Schlafzimmer? Wer schläft schon gern auf Trockenerbsen.

Fast alles, was nicht aus der Kühltheke kommt, hält auch in der Küche einige Zeit durch. Vorausgesetzt, die Sachen werden nicht zu warm (also tief unten abseits vom Herd), trocken (in gut verschließbaren Gefäßen) und vor allem dunkel (hinter Dosenwänden, dunklem Glas und verschlossenen Türen) gelagert.

Mindestens haltbar bis...

Bis zum Mindesthaltbarkeitsdatum (MHD) garantieren die Hersteller, daß ihre Produkte nahezu unverändert sind. Oft sind sie aber auch danach noch völlig in Ordnung, nur löst sich etwa der Brühwürfel nicht mehr ganz so schnell auf. Im Grunde gilt: je kürzer die Haltbarkeitszeit, desto kürzer die Nachfrist bis zum Verfallsdatum.

Alles, was man zum Überleben mit Genuß braucht, wie es gelagert wird und wie lange es frisch bleibt.

MHD: Mindesthaltbarkeitsdatum
Hält bis...: So lange schmeckt's
Hält fast ewig: Ist auch nach 1 Jahr in Ordnung

M wie „muß sein"

Zucker, Salz
Halten gut verschlossen fast ewig

Weizenmehl, Reis, Speisestärke
Halten gut und dunkel verschlossen (aber öfter lüften) 1 Jahr, Vollkornmehle kürzer

Grieß, Semmelbrösel
Wie Mehl, aber nur 8 Monate

Haferflocken, Müsli
Halten dunkel und luftdicht 6 Monate

Nudeln
Dunkel lagern. Halten getrocknet 1–2 Jahre

Linsen, Erbsen, Bohnen getrocknet
Dunkel, trocken und luftig fast ewig

Toastbrot
Hält bis MHD, offen 1 Woche

H-Milch
Hält bis MHD, offen gekühlt 3–5 Tage

Kaffee
Hält bis MHD, offen 1–2 Monate, dabei dunkel und möglichst luftdicht

Curry, Muskatnuß, Paprika, Pfeffer, Zimt
Dunkel aufbewahren. Gemahlen 1 Jahr ok

Getrocknete Kräuter
Halten dunkel und trocken 6 Monate

Fertigbrühe und -sauce
Hält als Pulver fast ewig. Würfel 6–8 Monate

Neutrales Pflanzenöl
Hält im Dunklen 1 Jahr, offen etwas kürzer

Standard-Essig
Hält im Dunklen je nach Art fast ewig

Tomatenmark, Ketchup, Senf
Halten bis MHD, offen gekühlt mehrere Wochen

Sojasauce
Hält im Dunklen fast 1 Jahr

Pesto
Hält bis MHD, offen gekühlt gut 1 Monat (immer mit Öl bedeckt)

Kapern, Oliven
Halten bis MHD, offen mehrere Wochen

Gewürzgurken, Sauerkraut
Halten bis MHD, offen gekühlt etwa 2 Wochen

Geschälte Tomaten
Halten bis MHD und länger, offen gekühlt 1 Woche

Thunfisch, Bohnenkerne
Halten bis MHD, offen gekühlt 2–3 Tage

Obst in Dose oder Glas, Konfitüre
Hält bis MHD, offen gekühlt 1–2 Wochen

Honig
Hält im Dunklen fast ewig. Kristallisiert mit der Zeit

Rosinen
Halten dunkel und trocken 1 Jahr

Schokolade, Kakao
Hält bis MHD und länger

Mandeln, Haselnüsse
Halten dunkel und trocken 6 Monate

Puddingpulver
Hält bis MHD und länger

Vanillezucker
Bleibt 1 Jahr lang aromatisch, hält fast ewig

Backpulver
Hält bis MHD und länger

Wein
Dunkel und nicht zu warm. Hält bis mindestens 1 Jahr nach Abfüllung, maximal ewig. Offen 1 Tag bis 1 Woche

Brot
Hält dunkel, trocken und luftig je nach Art 2–10 Tage

Kartoffeln, Zwiebeln
Halten dunkel, trocken, luftig und nicht zu warm 2–3 Wochen

Knoblauch
Wie Kartoffeln, getrockneter auch länger

L wie „Lust und Laune"

Risottoreis
Hält gut und dunkel verschlossen (öfter lüften) 1 Jahr

Corn flakes
Halten bis MHD, offen 1–2 Wochen

Knäckebrot, Biskuits, Kekse
Halten bis MHD, offen luftdicht 1–2 Wochen

Espresso
Hält bis MHD, offen 1–2 Monate. Dabei dunkel und möglichst luftdicht

Getrocknete Chilischoten, Kümmel, Nelken, Wacholder, Cayennepfeffer, gemahlener Ingwer, getrockneter Majoran
Halten dunkel und trocken 1 Jahr

Öl speziell, z. B. Olivenöl
Hält im Dunklen je nach Art 6–12 Monate, offen etwas kürzer

Essig speziell, z. B. Aceto balsamico
Hält im Dunklen je nach Art 6–12 Monate

Tabasco, Worcester- und andere Würzsaucen
Halten dunkel fast ewig

Meerrettich im Glas, Sardellen in Öl, Sardellenpaste
Hält bis MHD, offen gekühlt mehrere Wochen

Mixed Pickles, Peperoni, Rotkraut, getrocknete Tomaten in Öl
Halten bis MHD, offen gekühlt etwa 2 Wochen

Garnelen im Glas
Hält bis MHD, offen gekühlt 2–3 Tage

Mais in Dosen
Wie Garnelen

Apfelmus
Hält bis MHD, offen gekühlt 1–2 Wochen

Trockenhefe
Hält bis MHD

XL wie „extra-lecker"

Polentagrieß
Hält gut und dunkel verschlossen (aber öfter lüften) 6–8 Monate

Fenchelsamen
Hält dunkel und trocken 1 Jahr

Curry-Paste
Hält bis MHD, offen gekühlt fast ewig

Mango-Chutney
Hält bis MHD, offen gekühlt mehrere Wochen

Kokosmilch
Hält bis MHD, offen gekühlt 1 Woche

Kürbiskerne, Pinienkerne
Halten dunkel und trocken 6 Monate

Getrocknete Pilze
Halten dunkel und trocken fast ewig

speck
garnelen
käse
brühe
zitrone
knoblauch
dosentomaten
sojasauce
pesto

die
schnellen
17

Die Basics
für den
letzten Kick

Der Speck

engl. bacon; franz. lard; ital. lardo; bayr. Wammerl

Er stammt aus Bauch, Keule oder Rücken vom Schwein und wird gepökelt und geräuchert. Guter Speck ist fest, nicht zu fett und schmeckt nach Fleisch, Rauch und erst dann nach Salz. Mag man ihn auf Brot essen, ist er richtig gut

Ideen: Gebratener Speck auf Salat • Nudeln in Bratspeck schwenken • Speck braten, Wein dazu = prima Sauce • Speckscheibe aufs Schnitzel und panieren • Hähnchenbrust in Speck wickeln, braten • Auflaufform mit Speck auslegen • Leber, Backpflaumen, Käse mit Speck umwickeln, backen – fixe Tapas!

Die Garnelen

engl. shrimps; franz. crevettes; ital. gamberetti

Die Garnele ist ein Tier von Welt mit vielen Titeln. Hier geht's um die gemeine Cocktailgarnele, gegart und gepult. Frisch gibt es sie fast nur aus der Nordsee, TK-Garnelen sind aber eine gute Alternative, Dosenware die Notlösung. Schmeckt sie gut nach Meer und ist ohne dunklen Darm, ist's ok. Kurzes, sanftes Garen mag sie am liebsten

Ideen: Kartoffelsalat/Bratkartoffeln mit Garnelen • Salat mit in Knoblauchöl gebratenen Garnelen und Brotwürfeln • Bruschetta mit Garnelen, Tomaten, Pesto • Garnelen im Rührei • Spaghetti mit Garnelen • Kalbsteak mit gebratenen Garnelen • Garnelenbutter

Der Käse

engl. cheese; franz. fromage; ital. formaggio

Milch ist seine Basis, aber die kann von Kuh, Büffel, Ziege oder Schaf stammen. Und was daraus wird, kann quarkfrisch oder edelgeschimmelt, cremig weich oder reibehart, buttermild oder griechisch-herb sein. Käse ist für alles gut – wenn er selbst gut, also noch relativ natürlich ist

Ideen: Salatsauce mit Frischkäse • Gemüsegratin mit Hüttenkäse • Röstbrot mit Camembert aus dem Ofen • Käsesauce zu gekochtem Fleisch • geriebener Parmesan zu Spinat oder Möhren • geriebener Emmentaler in die Gemüsesuppe • Spiegelei mit Reibekäse aus dem Ofen • Mozzarella mit karamelisierten Früchten als Nachtisch

Die Brühe

engl. stock; franz. fond, bouillon; ital. brodo

Ob Bouillon, Geflügelbrühe, Fischfond, Gemüse-Extrakt – eine Lieblingsbrühe sollten Basics im Haus haben. Ideal ist ein selbstgekochter TK-Vorrat in Dosen oder, für Kicks, in Eiswürfelform. Aber auch Pasten, Würfel und Pulver wirken fein dosiert wohltuend auf Körper und Seele. Grundrezepte: Seite 66, 78, 80, 82

Ideen: Vinaigrette mit Brühe abrunden • Kartoffeln in Brühe dünsten • Nudeln für Salat in Brühe kochen • Statt Sahne pur auch etwas Brühe an Suppen und Saucen • schnelle Saucen mit Brühe statt Wasser ansetzen • Brühe mit Röstbrot und -zwiebeln • Hühnerbrühe mit Zitrone, sehr belebend

Die Zitrone

engl. lemon; franz. citron; ital. limone

Very basic: gibt's auf der ganzen Welt und im Laden am Eck. Taugt fürs Kochen, Backen, Mixen, Verzieren und sogar zum Spülen. Ihr Saft ist spritzig, hebt das Aroma und hält frisch. Die – unbehandelte! – Schale läßt Süßes wie früher schmecken und möbelt Saucen auf

Ideen: Zitrone am Salat, belebt • Zitronensaft verfeinert Suppe und Sauce • Zitronenschale ins Gulasch • geschälte Zitronenscheiben andünsten, zu Fisch • Zucker mit Zitronensaft karamelisieren, zu Vanilleeis mit Beeren • Zitronenzucker: Schale dünn abschälen und in Zuckerdose geben; intensiver: Schale mit Würfelzucker abreiben

Der Knoblauch

engl. garlic; franz. ail; ital. aglio

Knoblauch ist sinnlich – und bei so manchen verpönt. Bei Basic-Köchen überhaupt nicht, denn er gibt sein Aroma her für alle gesunden Genüsse der Küche. Aber: zu alter Knoblauch, ob vertrocknet oder ausgetrieben, schmeckt fies. Noch fieser: Knoblauchpulver. Korrekt: Knoblauchatem – wenn beide ihn haben

Ideen: Knoblauch in Öl = Aroma tropfenweise • Salatschüssel mit Knoblauch ausreiben • Knoblauch auf Gabel spießen, Rührei damit aufschlagen • Kartoffeln oder Reis mit Knoblauch und Lorbeer garen • Knoblauch als Beilage: im Ganzen wie Folienkartoffeln gegart, Zehen fritiert oder in Wein geschmort • Butterbrot mit frischem Knoblauch

Die Dosentomaten

Unübersetzlich

Manchmal greifen auch Sterneköche zur Dose, etwa zu geschälten Tomaten, die fürs Kochen oft mehr Power haben als frische. Ganz taugen sie fürs lange Garen, in Stücken für schnelle Sachen und als Belag; passierte Tomaten schmecken nicht so stark, Tomatenmark gibt Konzentration

Ideen: Dip aus Butter, Tomatenmark, Parmesan, Knoblauch, Basilikum auf Cräckern • Geschmortes mit geschälten Tomaten, sehr italienisch • Toast mit Salami, Tomatenwürfeln und Mozzarella, statt Pizza • Fisch mit geschälten Tomaten dünsten • Dosen-Bohnenkerne mit Tomatenwürfeln, zum Brathähnchen

Die Sojasauce

engl. soya sauce; franz. sauce soui; ital. salsa soia

So wie einst jede bayerische Gemeinde Bier braute, so hat jedes Dorf Asiens sein eigenes Gebräu aus vergorenen Sojabohnen. Bei den Freaks steht kräftig-dunkle und salzig-helle Sojasauce aus China, würzig-süße aus Indonesien und die helle milde aus Japan im Schrank. Letztere ist absoluter Basic-Standard

Ideen: Asia-Dip aus Sojasauce, Ingwer, Knoblauch • Krautsalat mit Sojasauce • Hühnerbrühe mit Sojasauce • Bratfisch mit Sojasauce einreiben • Grillfleisch mit Sojasauce marinieren • Pilzpfanne mit Sojasauce • Eierkuchen mit Sojasauce

Der Pesto

Unübersetzlich

Einst würzten nur die Mammas Liguriens mit der Paste aus Basilikum, Knoblauch, Pinienkernen, Olivenöl, Parmesan und/oder Pecorino, heute ist sie Kult von Hamburg bis Sydney. Je mehr die Zutatenliste von gekauftem Pesto dem Original entspricht, desto besser – und teurer – ist es. Das Basic-Rezept steht auf Seite 89

Ideen: Kartoffel- oder Nudelsalat mit Pesto • Pesto aufs Tomaten-Mozzarella-Sandwich • Gnocchi mit Pesto • Bohnen-Tomaten-Suppe mit Pesto • gegrillte Aubergine mit Pesto • Brathähnchen mit Pesto einreiben • Kochfleisch oder kalter Braten mit Pesto • Frischkäse mit Pesto, getrennt als Happen, gemischt als Dip

die schnellen 17

Die Basics für den letzten Kick

Der Aceto balsamico

Unübersetzlich
Guter Balsamico ist lange gereifter Traubenmost, der beste ist minimal zwölf Jahre alter „tradizionale". Aber auch gute Normalos haben den süßen, vollen Essigton, der Balsam für Zunge, Salat und viel mehr ist. Der Preis dafür: Er kostet mehr als andere Essige. Wenn nicht, schmeckt er auch nicht viel anders als andere
Ideen: Bruschetta mit Parmesan und Balsamico-Spritzer • feingeschnittene Pilze mit Balsamico • Steak-Bratsatz mit Balsamico ablöschen • Weißweinsauce mit Balsamico vollenden • Kartoffeln mit Balsamico schmoren • Erdbeeren mit Balsamico und Basilikum

Der Curry

Unübersetzlich
Don't worry, take curry. Ist der nämlich gut, also scharf und voller Duft, belebt er (die Paste mehr als das Pulver) und verleiht vielen Speisen seinen orientalischen Zauber. Die Basics der berühmtesten Gewürzmischung der Welt: Kurkuma (macht gelb), Nelken, Kardamom, Koriander, Kreuzkümmel, Paprika, Muskat, Zimt – und Chillie je nach Schärfe
Ideen: gegarten Reis mit Curry bestreuen, duftet und schmeckt • Fischsuppe mit Curry und Kokosmilch • Tomatensuppe mit Curry • Curry ans Lamm, schmeckt toll • Curry-Joghurt-Marinade für Grillfleisch • Blumen- und Weißkohl, Möhren oder Zucchini mit Curry dünsten

Die Kapern

engl. capers; franz. câpres; ital. capperi
Kapern werden gehaßt oder geliebt, sonst nichts. Wer die Knospen des Kapernstrauches liebt, weiß, was Glück ist: In Lake oder in Salz halten sie ewig ihre spezielle Würze bereit, die Edles etwas animalisch und Rustikales ganz besonders schmecken läßt. Je kleiner die Kaper, je feiner ist sie. Winzige „Nonpareilles" sind fast Kaviar, Kapernäpfel mit Stiel taugen für den Tapas-Teller
Ideen: Vinaigrette mit Kapern • Kapernbutter mit Knoblauch, Petersilie, Zitronenschale • Quark mit Pesto und Kapern • Tomatensauce mit Kapern und Thunfisch • Geschnetzeltes in Kapern-Senf-Sahne • Lachstatar mit Kapern

Der Toast

Unübersetzlich
Wir wissen, daß Ihr Ernährungsberater den nicht gerade empfiehlt. Aber sicher ist auch: Toast kann vor dem Hungertod retten. Scheibchenweise liegt er im Tiefkühler stets bereit, ein Toaster macht ihn sofort lebendig, nur so an der frischen Luft dauert's ein paar Minuten länger. Aber dann: Let's go. Darauf einen Toast
Ideen: Toastwürfel in Butter knusprig braten, Croûtons für Salat • Spaghetti mit Knoblauch-Croûtons • Blitzauflauf: Toastwürfel, Schinkenstreifen und Ei mischen, im Ofen backen • Sehr fein: mit Toastbröseln panieren • Toast in süße Eiermilch tauchen und braten

Die Petersilie

engl. parsley; franz. persil; ital. prezzemolo
Kraus sorgt sie noch vereinzelt auf kalten Platten für Lacher, glattblättrig aber wird sie als der bekannteste Geheimtip Deutschlands gehandelt: „Der Pedro macht ein Petersilienpesto, göttlich!" Stimmt. Und deswegen ist sie auch unser grünes Top-Model. Ebenfalls lecker: die weiße Wurzel. Und: Auch krause Petersilie kann schmecken
Ideen: Petersiliensalat mit Kirschtomaten • Scharfes Apfelchutney mit Petersilie • Petersilienpesto (S. 89) zu fritierten Petersilienwurzelscheibchen • Petersilienrahmsuppe, auch mit Wurzel • Asia-Suppen mit Petersilie • Petersiliengnocchi • Spinat und Petersilie, halb & halb als Beilage

Der Honig

engl. honey; franz. miel; ital. miele
Honig ist natürliche Süße mit viel Aroma, das je nach Herkunft unterschiedlich ist – von der harzigen Note des Waldhonigs bis zum eher neutralen Basic-Honig von Kleewiesen. Erhitzter Honig ist nur noch süß, weswegen kaltgeschleuderter besser schmeckt und teurer Honig zum Kochen Verschwendung ist
Ideen: Rohkost mit Ingwer-Honig-Sahne • Rotkrautsalat mit Honig-Vinaigrette • Überbackener Ziegenkäse mit Honig • Chicken wings mit Honig-Soja-Marinade • Specktoast mit Honig • Honigsenf mit Dill, zu Garnelen • Schlagsahne mit Waldhonig, zu Himbeeren

Die Schokolade

engl. chocolate; franz. chocolat; ital. cioccolata
Das dunkle Glück zum Anbeißen strahlt auch in der süßen Basic-Küche. Selbst wenn man die nicht so mag: Schokolade ohne Milch ist ideal zum Backen und Kochen, weil reiner (mind. 50% Kakaomasse, besser noch mehr). Noch idealer: die fettere Kuvertüre. Auch gut: reines Kakaopulver
Ideen: Sahne mit Schokolade erhitzen, kalt steif schlagen • Kuvertüreröllchen mit dem Sparschäler • Schokostückchen im Teig • Kakao mit der Lieblingsschokolade machen • Erdbeeren in geschmolzene Schokolade tauchen • Kakao in den Pfannkuchenteig • Nudeln in süßer Vanillemilch kochen, Schokolade dazu

Der Senf

engl. mustard; franz. moutarde; ital. mostarda
Wie bei Honig und Sojasauce gibt's auch beim Senf viele Spielarten mit wenigen Grundtönen. Basic ist der eher milde Delikateß-Senf, reiner und kraftvoller ist aber scharfer Senf. Der Süße aus dem Süden ist was für Liebhaber, der körnige Rotisseur-Senf veredelt vor allem kalte Sachen
Ideen: Salat mit Äpfeln und Senf-Sahne • Dip aus scharfem Senf, Mixed Pickles und Crème fraîche, zu kaltem Braten • Räucherlachsröllchen mit Senf • Würstchenscheiben mit Rotisseur-Senf und Schnittlauch mischen, auf Baguette • Kochfleisch oder frischen Fisch mit Senf bestreichen, in Mehl wenden und braten

Essen machen

„Ich koch' mir was!"
Fragt sich nur wie.

Nehmen wir mal Kartoffeln. Die kann man kochen. Mit Schale oder ohne, in Wasser oder in Brühe. Man kann sie aber auch braten, und zwar in Scheiben, in Würfeln, im Ganzen, roh oder gekocht. Und man kann sie backen. Und schmoren. Und grillen, dämpfen, dünsten, fritieren, gratinieren. Ja Hilfe, das klingt nicht nur nach Arbeit, das klingt nach viel Arbeit.

Be basic. Alles auf einmal geht sowieso nicht, und das Ziel ist immer dasselbe: Etwas Rohes so heiß zu machen, daß es sich besser essen läßt und besser schmeckt. Dabei spielen Wasser, Strom und Gas die Hauptrolle. Wasser kann geschmeidig machen und durchdringen oder verwässern und auslaugen. Energie sorgt für Tempo – zuviel Energie sorgt für den rauchenden Crash. Viel Wasser und wenig Energie ist sanftes Kochen für den zarten Biß. Kein Wasser und viel Energie ist kurzes Braten für die knusprige Kruste. Zwischen diesen Polen liegt die Welt des Essenmachens. Herzlich willkommen.

Stark Kochen

Das heißt: Energie und Wasser satt. Weil die Sachen in kurzer Zeit ganz ordentlich Hitze und Feuchtigkeit brauchen, um gar und gut zu werden. Wie Nudeln zum Beispiel. Oder Broccoli.

Drei Dinge braucht der Kochtopf

Die Familienpackung Spaghetti oder doch nur das Frühstücksei, drüber oder drunter geht es beim Kochen selten. Dafür, und für alles, was dazwischen liegt, reichen im Grunde zwei Töpfe: einer für die kleine Platte, in den gut 1 Liter Wasser paßt, und einer mit 4–5 Litern Platz für die große Platte. Wer öfters kocht und weniger gern spült, wird noch zwei Zusatztöpfe schätzen: den hohen Kleinen für gut 2 Liter Suppe und den flachen Großen für gut 3 Liter voller Kartoffeln.

Fürs starke Kochen sind teure Spezialteile nicht wichtig. Weil's aber im Basic-Topf nicht nur beim Kochen bleibt, sollte es auch nicht die erstbeste Blechbüchse sein. Edelstahl ist immer gut, auch ein emaillierter Topf kann lange halten. Ein schwerer Boden ist gut, denn der kriegt nicht so schnell Macken, die beim Garen für lästige Brennpunkte sorgen können. Wichtig ist, daß der Topf auf die Platte paßt, weil nur dann die Hitze optimal verteilt wird. Gute Griffe halten lange fest und vertragen auch Backofentemperaturen, ohne selbst gleich bei kleiner Hitze zu glühen. Und ein guter Deckel muß fest sitzen, damit die Hitze im Topf bleibt.

Was gehört noch zum Kochen? Ein Kochlöffel zum Umrühren, ein Schaumlöffel zum Herausheben und ein Sieb zum Abschütten von größeren Mengen. Und Salz.

Ordentlich Salz

Stark gekocht wird meist in Salzwasser. Für feinen Fond ist die Garzeit einfach zu kurz, um sich der Nudel groß mitzuteilen. Vor allem beim Blanchieren (wird gleich erklärt) muß ordentlich Salz in den Topf, damit das Gargut genug davon abbekommt. Zum Schluß noch ein Trick: Wasser aufkochen, das Rohzeug hinein und dann erst das Salz – dann kocht alles schneller wieder.

Ins Kochwasser

Ein Koch brät schon mal ein Schnitzel, und ein Kochbuch darf auch Rezepte für Rohes bieten. Doch hier geht's ums einzige und wahre Kochen in 100 Grad heißem, sprudelndem Wasser. Das Ziel: durch und durch Gegartes mit Biß und ohne Kruste. Der Weg: reichlich naß, ziemlich heiß und möglichst kurz. Was dabei passiert: Bei Nudeln quillt und verkleistert die Stärke bis zum richtigen Biß, beim Gemüse lockert sich die Zellulosestruktur, bei beiden schließt die Hitze Aromen auf, und Salzwasser sorgt für durchgängigen Geschmack. Wer aber zu lange kocht, macht Festes weich und Gutes geschmacklos. Außer beim Ei: Das geht beim Kochen von flüssig in fest über, und so bleibt's auch nach einer Stunde.

Ein echter Nachteil beim starken Kochen ist, daß sich Nährstoffe und Aroma im Wasser verlieren können. Natürlich könnte man auch Dünsten, aber das kann bei Empfindlichem noch mehr Geschmack kosten. Dann lieber mit so viel Wasser kochen, daß es beim

Einwerfen nicht zu sprudeln aufhört und die Sache damit schnell erledigt ist (z. B. zarte Zuckerschoten). Wichtig ist auch, daß die Stücke gleichmäßig in Größe und Struktur sind.

Nudeln kochen

1 Liter Wasser pro 100 g Nudeln in einem dreiviertel-vollen Topf aufkochen, dann Nudeln ins Wasser, Salz dazu (1 gehäufter TL pro Liter) und kräftig rühren – am Anfang klebt's besonders gern. Das Wasser muß gleich wieder kochen, dann ist mittleres Sprudeln angesagt. Aber bitte ohne Deckel und ab und zu rühren (1).

Wann Schluß ist, kommt auf Sorte und Hersteller an, der die Kochzeit auf die Packung schreibt. Normal sind 8 bis 13 Minuten. Am Ende muß aber öfters probiert werden: Nudel aus dem Wasser fischen und reinbeißen (2). Gibt's zuviel zu beißen – weiterkochen. Hat sie nur noch einen leichten Kern – alles ins Sieb.

Italiener mischen sie jetzt sofort mit Sauce in der warmen Schüssel und stellen sie auf den Tisch – da braucht's keine Kaltwasserdusche. Zur Not kurz(!) heißes(!!) Wasser darüber laufen lassen. Aber im Grunde gilt: Gäste und Sauce können warten – Nudeln nie. Und was sie auch nicht mögen, sind kalte Teller. Tip: kurz vor Schluß je einen großen Schöpfer Nudelwasser in die Teller. Aber das Ausschütten später nicht vergessen.

Kartoffeln kochen

Für Pellkartoffeln die Knollen gründlich mit Wasser und Bürste reinigen und in kaltem Salzwasser aufsetzen. Dann zugedeckt zum Kochen bringen und je nach Größe in 20 – 30 Minuten leicht sprudelnd bißfest garen. Nun die „Pellkas", mit kaltem Wasser abschrecken und nochmal für 1 Minute zum Ausdampfen auf den Herd stellen. Dann die Knollen noch heiß pellen.

2

Für Salzkartoffeln die gewaschenen Knollen schälen, dunkle Stellen entfernen. Dann werden sie in möglichst gleichmäßige Stücke geteilt. Jetzt schnell damit in einen Topf mit kaltem Salzwasser, flott zum Kochen bringen und zugedeckt je nach Größe in 15 – 20 Minuten leicht sprudelnd bißfest garen. Dann abgießen und ausdampfen lassen (aber nicht abschrecken!).

Gemüse kochen

Zum Garkochen werden die gleichmäßig großen Stücke (z. B. Bohnen, Broccoliröschen, Spargelstangen) in reichlich Salzwasser geworfen und je nach Sorte bißfest gegart. Dann ins Sieb abgießen oder, bei empfindlichem Gemüse, mit der Schaumkelle herausheben, gut abtropfen lassen.

Besonders fix geht das Blanchieren: Da bleiben die Stücke nur so lange im Kochwasser, bis sie gerade etwas angegart sind, und wandern dann direkt in eiskaltes Wasser, am besten mit Eiswürfeln (3). Der Kälteschock läßt ihre Farben strahlen und hält die Konsistenz, nimmt allerdings auch etwas vom Geschmack. Ist aber ein Muß bei Gemüse für Auflauf, Gratin oder Quiche.

3

Sanft Kochen

Die sanfte Tour im Kochtopf bringt Extreme zusammen – denn es sind die edelsten und grobsten Stücke vom Tier, die das Garen knapp unter der 100-Grad-Grenze am liebsten mögen: Filet und Beinfleisch. Hähnchenbrust und Suppenhuhn. Fisch. Knödel.

Töpfe für Kleinzeug und große Stücke

Im Grunde braucht's zum sanften Kochen keine anderen Töpfe als zum starken Kochen. Nur passen sollten sie. Das heißt, die Stücke dürfen nicht an den heißen Rand stoßen, sich aber auch nicht im Sud verlieren. Für die pochierte (Erklärung kommt noch) Hähnchenbrust reicht da schon der kleine Stieltopf zum Milchkochen. Die gargezogene (kommt auch noch) Ochsenbrust oder der Satz Knödel für die Verwandtschaft brauchen da schon mehr Platz, ab 5 Liter aufwärts.

Da sanft Gekochtes auch sanft angefaßt werden möchte, zählt vor allem bei Fisch: Er gart am besten knapp bedeckt in einem eher flachen Topf, so daß man später gut an ihn herankommt. Wer öfter Größeres vorhat und dann gleich einen ganzen Fisch sanft zubereiten will, ist mit einem länglichen Fischtopf gut bedient – auch gut zum Dämpfen oder Spargelkochen.

Noch mehr als beim Braten ist beim sanften Kochen die Fleischgabel tabu. Mit der Schaumkelle für die großen Stücke und einem Heber mit ein paar Löchern darin bleibt alles heil (1). Und damit später auch die gute Brühe genossen werden kann, sind Schöpfkelle und ein feines Sieb wichtig.

Gut Sud

Auch sanfte Köche kochen meistens nur mit Wasser, zumindest wenn sie Großes wie ein Suppenhuhn lange garen. Dann kommen erst im Laufe der Zeit Gewürze, Kräuter und Suppengrün dazu. Für den kurzen Prozeß ist es besser, schon vorher einen Sud zu kochen. Für Fisch zum Beispiel aus Wasser, Wein, Zwiebeln, Suppengrün, Lorbeer, ein paar Pfefferkörnern – sowie Saft und Schale der guten Zitrone.

Pochieren und Garziehen

„Kochen ohne zu kochen" hat Auguste Escoffier das sanfte Kochen genannt, und der erste Starkoch der Welt war ein wenig verzweifelt darüber, dieser Methode nicht eine genauere Beschreibung geben zu können. Sie bewegt sich also irgendwo zwischen Wallen und Simmern, Sieden und gerade eben Köcheln. Nur bitte keine 100 Grad im Topf, denn das hieße: Kochen. So heißt's Pochieren für die zarten, kleinen, schnell gegarten Stücke und Garziehen für die großen Teile. Erste Hilfe: eine Tasse mit kaltem Wasser griffbereit neben den Herd stellen – wenn's doch mal aufkocht, schnell ablöschen.

Die Tiefsttemperatur liegt dabei bei 80 Grad, weil: darunter wird's eher schlecht als gar. Immer schlecht ist es, wenn die Gradzahl sich auf über 95 gefährlich dem Siedepunkt nähert. Denn wenn stark kocht, was sanft garen soll, löst sich beim Fleisch das Bindegewebe

1

zwischen den Fleischfasern sofort auf, und diese werden auseinandergezerrt und ausgelaugt – am Ende hat man nur noch geschmacklose, zähe Faserigkeit im Mund. Knapp unter 95 Grad aber: saftiges, kompaktes Siedfleisch.

Noch ärger ist's beim Fisch, der zerfällt sofort in kochendem Wasser und wird strohtrocken. Es zählt also, schnell die richtige Temperatur zu erreichen und diese dann zu halten.

Suppenfleisch garziehen

2 kg Rindfleisch sollten es schon sein, damit sich die lange Garzeit auch lohnt und zum Schluß noch ordentlich gute Brühe übrigbleibt. Wer schon mal 1 Stunde vorher ein paar Rindsknochen mitgekocht hat, macht Fleisch und Brühe noch besser. Das Fleisch: Am besten sind dafür die Stücke aus Brust, Rippe sowie Teilen der Schulter und der Keule (Tafelspitz!).

Jetzt ist es eigentlich ganz einfach: Das Wasser (je Kilo gut 2 Liter, kein Salz) wird sanft mit einer Zwiebel oder auch etwas Knoblauch aufgekocht, das Fleisch kommt hinein, und jetzt muß der Herd so eingestellt werden, daß der Sud nicht blubbert, aber trotzdem ein klein bißchen Bewegung an der Oberfläche ist. Wenn das nach etwa 20 Minuten passiert und der Herd für die nächsten 2–3 Stunden eine echte Vertrauensstellung einnimmt, ohne plötzlich wie wild zu kochen, wird alles gut: außen nachgiebig auf Fingerdruck, innen zart und saftig. Gesalzen wird auf dem Teller.

Wer dazu Gemüse mag, tut in der letzten Stunde Suppengrün dazu, wem die Brühe mehr am Herzen liegt, macht das noch eine Stunde früher, gemeinsam mit den Pflichtgaben Lorbeer, Nelken, Pfefferkörnern.

Beim Geflügel ist es im Grunde genauso, mit zwei Ausnahmen: Beim Reingeben darf das Wasser nicht kochen (dann reißt die Haut, und das Fleisch außen wird trocken), und es dauert je nach Größe nur $1-1\,^1/_2$ Stunden.

Fisch pochieren

Je mehr Fisch noch in Haut steckt und so vor dem Auslaugen geschützt ist, desto besser schmeckt er nach dem Pochieren. Deswegen sind ganze Fische besonders gut dafür geeignet oder dickere Koteletts wie der Klassiker vom Schellfisch. Aber in einem kräftigen Sud (wie's gehen kann, steht links) wird auch das beliebte Filet sehr lecker.

2

Dazu wird der Sud aufgekocht und vom Herd gezogen. Sobald Ruhe im Topf herrscht, den Fisch einlegen – nicht zu eng, nie aufeinander und nur so viele, daß der Sud nicht zu sehr abkühlt (2). Jetzt den Topf wieder auf den Herd und den Fisch pochieren. Dabei tut sich zwar etwas im Sud, aber nur unter der Oberfläche, die selbst ganz ruhig ist. Je nach Dicke kann dann nach 2–5 Minuten gegessen werden. Auch zartes Fleisch wie Hähnchenbrust oder Filet kann so gegart werden – dauert natürlich etwas länger.

Große ganze Fische wie ein Karpfen werden im kalten Sud aufgesetzt, damit sich die Hitze gleichmäßiger verteilt, kleinere wie Forellen in heißem Sud. Dann dauert es ab dem Pochieren noch 5–8, bei dickeren Brocken auch schon mal 10–20 Minuten.

Dünsten & Dämpfen

Alles was zart ist, mag das: Mit wenig bis gar keiner Flüssigkeit garen, damit der ganze Geschmack auf den Teller kommt. Bestens für Gemüse und Fisch.

Garen auf zwei Etagen

Beim Dünsten ist der Deckel wichtiger als der Topf. Er muß so gut schließen, daß ihm praktisch nichts auskommt und so im ständig feuchtwarmen Klima darunter die Aromen zueinanderfinden. Der Topf selber? Einfach ein Kochtopf, der weit genug ist, damit nicht zuviel aufeinander liegen muß und so alles gleichmäßig garen kann.

Im Grunde tut es so ein Topf auch beim Dämpfen, wenn man noch eine Kaffeetasse samt Unterteller im Haus hat (mehr darüber auf der nächsten Seite). Aber echte Dampfgarer nehmen lieber das Dampftopfdoppel: unten ein flacher Topf, auf den exakt ein zweiter paßt, mit Löchern im Boden und einem festsitzenden Deckel. So dampft's dann oben, wenn es unten kocht. Günstiger sind Dämpfeinsätze für den Kochtopf sowie Bambusdämpfer aus dem Asienladen, die in den Wok oder in einen weiten Topf gesetzt werden. Zur Not hilft auch mal das Nudelsieb – aber nur das ohne Stiel, damit der Deckel auch schließt.

2

Ein bißchen flüssig

Beim Dünsten herrscht Geben und Nehmen: Die Flüssigkeit gibt dem Gargut Hitze und meistens Aroma, das Gargut gibt dafür ans Flüssige Nährstoffe und immer Aroma. Zum Dank darf beides auf den Teller. Je intensiver die Flüssigkeit, desto größer ist dabei der Genuß. Sie kann Mineralwasser sein (echte Snobs haben ihre Hausmarke), Brühe, Wein oder Sahne und Sauce. Beim Dämpfen ist Leitungswasser Standard, aber intensive Kräuter und Gewürze geben auch hier Aroma.

In Dunst und Dampf

So ganz klar ist die Sache mit dem Dünsten ja nicht. Ist das nun mehr ein Kochen oder ein Dämpfen, am Ende gar ein Schmoren? Be basic: Der Witz ist, daß hier mit weniger Flüssigkeit länger und sanfter gegart wird. Ein paar Vitamine und Aromen verkraften das zwar nicht so gut, doch dafür gibt es den Dünstsud mit dazu. Und der hat sich beim Garen mit Gemüse oder Fisch so rege ausgetauscht, daß am Ende kräftig Geschmack mit Gehalt übrigbleibt. Ist auch noch Fett im Spiel, schmeckt es fast schon zum Reinsetzen.

Beim Dämpfen ist die Sache klarer. Wasser kocht, aber die Zutaten kriegen nur den Dampf ab. Der Vorteil: purer Geschmack, fast nichts geht verloren im Kochwasser. Für Aromafreaks ist das allerdings eher ein Nachteil. Manche glauben auch nicht, daß Dampf schont, weil

3

man sich an verdampfendem Wasser noch gemeiner verbrennen kann als an kochendem. Stimmt schon, und es stimmt auch, daß Dämpfen länger dauert als Kochen. Trotzdem: Was Hitze und Garzeit zum Opfer fällt, ist weniger als das, was beim Kochen im Sud verschwindet.

1

Gemüse dünsten

Fast jedes Gemüse läßt sich dünsten, mit Ausnahme von den besonders harten wie getrockneten Hülsenfrüchten. Wichtig ist, daß die Stücke gleich groß sind. Wenn alles gut läuft, ist am Ende des Garens der Sud zu einer konzentrierten Essenz geschrumpft, die sich mit bißfestem Gemüse verbindet.

Je nach Garzeit wird daher mehr oder weniger Flüssigkeit zugegeben: Möhren werden knapp bedeckt (1), Spinat kommt nur mit dem Waschwasser an den Blättern in den Topf. Der Deckel obendrauf ist Pflicht, dann wird bei sanfter Hitze langsam gedünstet. Ist der Topf kompakt gefüllt, muß öfters gerührt und geschüttelt werden, damit an jedes Stück Sud und Dunst kommen können.

Was Feines ist glaciertes Gemüse. Das wird mit Zucker und Butter gedünstet, einige Minuten vor Schluß kommt der Deckel weg, und es wird flott eingekocht, bis alles mit glänzendem Siurp überzogen – glaciert – ist. Wer mag, kann zum Schluß noch ein bißchen frische Butter drunterrühren. Himmlisch bei leicht süßlichen Gemüsen wie Weißkraut oder Möhren. Auch de luxe: mit Sahne dünsten, schmeckt mit Schlichtem wie Lauch oder Kohlrabi oft am besten.

Fisch dünsten

Gut $^1/_4$ l Fischfond oder den Sud fürs sanfte Kochen (Seite 22/23), $^1/_8$ l Weißwein und ein paar Zwiebelringe 2 Minuten in einem weiten Topf kräftig kochen lassen, so daß der Boden etwa fingerbreit bedeckt ist. Die Zwiebeln rausfischen, gesalzene Filets oder kleinere ganze Fische nebeneinander hineinsetzen.

Jetzt alles auf sanfte Hitze stellen und abdecken – mit einem Deckel oder (Trick!) mit gebutterter Alufolie direkt auf dem Fisch. Oder mit dem Papier vom Butterpäckchen (Schwabentrick!). Je nach Größe ist das Filet in 2 – 6 Minuten gar, ganze Fische in maximal 10 Minuten. Dann noch ein bißchen Crème fraîche in den Sud, und fertig ist das Sößchen. Für die XL-Version („extralecker“) kann zuvor auch noch gleich das Gemüse zum Fisch mitgedünstet werden.

Gemüse dämpfen

Wichtig ist, daß das Kochwasser nicht zu nah ans Gargut reicht. Tut es das nicht, darf es richtig kochen, damit sich ordentlich Dampf unter dem Deckel bildet. Große, kompakte Haufen von Gemüse sind dabei tabu, weil der Dampf dann nicht überall hinkommt. Überm Dampf dauert das Garen etwa ein Drittel bis die Hälfte länger als beim normalen Kochen. Und gewürzt wird erst zum Schluß.

Fisch dämpfen

Das geht am besten in den Bambusdämpfern der Asiaten (gibt's auch schon in deutschen Kaufhäusern). Die werden oft mit Salat- oder Chinakohlblättern ausgelegt, darauf kommen Kräuter und Gewürze, darauf der gewürzte Fisch – am besten im Ganzen, wobei er dann an den Seiten eingeschnitten wird (2). Aber auch Filets sind möglich.

Dann in einem Wok oder großen Topf Dampf machen und den abgedeckten Dämpfer hineinsetzen. Nach 15 – 20 Minuten ist ein Fisch von etwa 600 g gar, Filets brauchen 5 – 6 Minuten. Noch was? Ach ja, der Tassentrick für Gelegenheitsdämpfer (3): Kaffeetasse umgedreht in einen Topf mit ein bißchen kochendem Wasser stellen, Teller mit Fisch drauf, Deckel zu und dämpfen. Very basic!

Kurz Braten

Wer sein Stück Fleisch oder Fisch rasch schön knusprig haben will, brät es sich in der Pfanne. Die ist aber auch gut für Gemüse, Nudeln oder Ei – und natürlich für Bratkartoffeln.

Zwei Pfannen, ein Wender

Zwei Pfannen braucht es für die Basic-Küche: eine für leichte, empfindliche Sachen, eine für die härteren Brocken. Leichtere Sachen wie Fisch, Gemüse oder Eierspeisen gelingen am besten in der beschichteten Pfanne. Da gibt es reichlich Modelle mit vielen Namen und Siegeln, der Zweck ist aber stets der gleiche: Was reinkommt, soll auch wieder rauskommen, kurz, nichts soll hängenbleiben. Das klappt bestens, wenn die Pfanne gut behandelt wird. Rühren mit Metall und Reinigen mit dem Drahtschwamm sind keine gute Behandlung, weil das schnell Kratzer in der Beschichtung gibt. Noch wichtiger ist aber, das gute Stück nicht zu stark zu erhitzen. Jenseits der mittleren Stufe oder bei gut über 220 Grad im Backofen geht der Haftschutz für immer verloren, und da springt auch die serienmäßige Drei-Jahres-Garantie nicht mehr ein. Was noch? Vielleicht das, daß ein schwerer Boden die Hitze besser hält und sich auch nicht so leicht verbiegt.

Wenn ein Steak so richtig angebraten werden soll, dann braucht es reines Metall, die unbeschichtete Pfanne. Profis verwenden Eisenpfannen, im Haushalt ist es meist Edelstahl mit schwerem Boden. Inzwischen gibt's aber auch andere Legierungen. Unbeschichtete Pfannen geben sich erst nach dem Braten richtig sensibel: Schwamm und Spülmittel nehmen sie sofort übel, weil das den mit der Zeit entstandenen Fettfilm zerstört. Auswischen (nur falls nötig, mit Wasser) und Einfetten hält sie am Laufen. Wenn eine Metallpfanne mal richtig „rennt", kann sie ein echtes Liebhaberstück werden. Das hat allerdings seinen Preis.

Wer jetzt aber sein Steak mit der Fleischgabel wendet, hat trotzdem verloren – nämlich den guten Fleischsaft. Besser dreht es sich mit dem flachen Pfannenwender oder schlicht mit dem Eßlöffel.

Gut fett

Auf die sanfte Tour – etwa bei Rührei oder Fisch – brät es sich gut in Butter oder Margarine. Butterschmalz verträgt etwas mehr Hitze. Wenn es richtig heiß wird, ist hocherhitzbares Pflanzenfett am besten geeignet. Ein Stück Butter oder ein Schuß Olivenöl zum Schluß kann dann immer noch Geschmack geben.

Aufs Feuer

Was passiert beim kurzen Braten? Das Stück bekommt direkt starke Hitze. Sofort gerinnt Eiweiß, und außen bildet sich eine schützende Haut, die später zur Kruste werden kann. In ihrem Inneren gart es langsam und gleichmäßig. Und am Ende liegt ein würziges Steak mit rosa Kern auf dem Teller.

Zwei Sachen stören beim Braten: Rauch und Wasser. Rauch entsteht, wenn die Pfanne zu heiß wird. Schnell zu beheben. Wenn dagegen zu kalt gebraten wird, bildet sich die schützende Haut zu spät, um die Flüssigkeit im Stück zu halten. Dann kocht's in der Pfanne statt zu braten, und Fleisch und Fisch werden trocken.

Klingt schrecklich. Und läßt sich vermeiden. Dazu zuerst die Pfanne trocken erhitzen. Nun das Fett hineingeben, so wird es schnell heiß, ohne zu verbrennen. Zischt es beim Einlegen der Stücke satt und sanft zugleich, stimmt die Hitze. Am besten mit einem kleinen Stück testen. Ist zuwenig in der Pfanne, kann es schnell verbrennen. Bei einem Zuviel kommt der bekannte Effekt: zu kühl, zuviel Flüssigkeit, zu trocken.

Fischfilets braten

Vor dem Braten wird der Fisch kalt abgespült, trockengetupft und gesalzen. Zitrone kann sein, muß aber nicht. Wird das Filet noch in Mehl gewendet, gibt das später eine leichte Kruste und etwas Halt.

Dann das Fett in einer beschichteten Pfanne auf mittlerer Stufe erhitzen und das Filet mit der schönen Seite nach unten einlegen, damit sie nach dem Wenden oben liegt. Nun das Filet 1 knappe Minute braten, bis es unten gebräunt ist, und wenden. Jetzt noch 1 knappe Minute weiterbraten, dabei mit dem Löffel etwas Bratfett darüber schöpfen.

Sobald das Filet auf Fingerdruck nachgibt, raus damit. Wenn man denkt, es könnte noch ein bißchen in der Pfanne bleiben: trotzdem raus damit. Denn Fisch brät immer schneller, als man denkt. Nur dicke Stücke, etwa vom Lachs, brauchen etwas länger.

Steaks braten

Um ein Steak zart zu braten, muß es dick genug sein. Zwei Zentimeter sind Minimum, beim Filetsteak können es auch drei bis vier sein. Gewürzt wird mit Salz und Pfeffer. Klassisch nach dem Braten. Wer's direkt vorher tut, macht aber auch nichts falsch.

Das Fett wird in der unbeschichteten Pfanne ordentlich erhitzt, ohne daß es raucht. Dann die Steaks rein – es muß gut zischen. Jetzt 1 knappe Minute braten, wenden, noch 1 Minute braten und dann ein paar Minuten zum Entspannen neben den Herd stellen. Nun auf mittlerer Stufe unter öfterem Wenden weiterbraten (1 – 3). Das geht bei dickeren Steaks auch im 225 Grad heißen Ofen – da garen sie schön gleichmäßig. Nach 6 – 8 Minuten in der Pfanne ist ein 150 g schweres Schweinenackensteak durchgebraten, ein 200 g schweres Rindersteak kann dann rosa serviert werden.

Noch zarter wird das Steak, wenn es nach dem Braten nochmals ein paar Minuten in Alufolie (4), zwischen vorgewärmten Tellern, oder im Backofen bei 50 Grad entspannen kann.

Lange Braten & Schmoren

Hier geht es vor allem um Fleisch, und da vor allem um viel Fleisch und da erst einmal um nicht so zartes Fleisch. Denn das wird erst nach längerer Zeit im Bratrohr oder Schmortopf so richtig gut.

Schwermetall für gutes Garen

Wer sich die Zeit leistet, lange zu braten oder zu schmoren, der geht schon mal in die vollen. Lädt eine Reihe netter Menschen ein, packt die Schweineschulter in den Ofen und legt sich dann noch mal ins Bett. Ausnahmsweise braucht es dann schon ein wenig mehr als den Basic-Kochtopf. Aber das Rolls-Royce-Modell zum Preis eines ganzen Ofens muß es nicht sein.

Das richtige Stück für solche Veranstaltungen ist ein länglicher schwerer Bräter mit Deckel und stabilem Boden, in dem ein Braten Platz hat und in dem sich auch für länger gut schmurgeln läßt. Gibt's schon für den Preis einer frischen Weihnachtsgans. Zum Schmoren von Ragouts tut es ein schwerer Topf, der nicht so leicht anbrennt. Kann man den auch noch in den Ofen stellen (Metallgriffe!), ist damit alles machbar. Und: Schöpfkelle und feines Sieb zum Durchgießen bereithalten!

Gib Gutes, gibt Sauce

Das Beste beim Schmoren ist für viele die Sauce, und die gewinnt durch das, was außer Fleisch noch in den Topf kommt. Fast immer dabei sind Zwiebeln, die geben Farbe und Grundgeschmack. Zusätzliche Klassiker sind Wurzelgemüse in Würfeln. Mit Tomaten geht's in Richtung Mittelmeeraroma, und da sind wir auch schon beim Flüssigen angekommen. Wein und Brühe geben Kraft, ein bißchen Wasser dazu nimmt ihnen die Strenge, die sie beim Einschmurgeln bekommen können. Den Kick geben ganze Gewürze von Anfang an und Kräuter gegen Ende – je zarter, je später.

Langsam wird's gut

Beim Braten gilt wie immer beim Essen machen: je heißer, je schneller. Aber beim Fleisch läßt sich das nur bei edlen Stücken anwenden. Weil die so zart in ihrer Struktur sind, daß sie gerade so lange stärkere Hitze vertragen, bis sie gar sind – also innen blutig bis rosa, außen schön krustig. Beim weniger edlen Bratenfleisch sieht das dann zwar genauso aus – doch wegen seiner groberen Fasern hat es sich dann noch nicht locker gemacht. Wird es aber nach dem Anbraten sanfter und länger gegart, ist es durch und durch saftig.

Und das passiert beim Braten braten: Beim Anbraten tritt erst einmal erhitzter Fleischsaft aus und trocknet draußen zur Kruste an. Weil der Saft dann durch diese Versiegelung nicht mehr rauskann, macht er sich nach innen zum Kern des Bratens auf und gart mit seiner Hitze unterwegs das Fleisch. Je näher beim Anschneiden der Saft dem Kern gekommen ist, desto weniger blutig ist das Fleisch.

Beim Schmoren durchzieht nach dem Anbraten zugegossene Feuchtigkeit blubbernd und dampfend den ganzen Braten, der wiederum ein gutes Teil seiner Kraft an die Schmorflüssigkeit weitergibt. Am Ende steht ein mürbes Meisterwerk mit schön viel guter Sauce auf dem Tisch. Gulasch oder Ragout heißt das, wenn statt einem Stück viele kleine Stücke geschmort wurden. Das Prinzip ist aber dasselbe.

Braten braten

Der Braten wird gewürzt und dann in heißem Fett angebraten (1) – auf dem Herd (schneller) oder gleich im 250 Grad heißen Ofen (gleichmäßiger). Bei zarten Stücken reicht einfaches Anbraten, andere und fettere können das schon etwas länger ab, maximal eine halbe Stunde.

Nach dem Anbraten wird's ein wenig kühler: 180 Grad sind gut für die Methode „heiß & schneller", bei 150 Grad beginnt „sanft & langsamer", das bei 80 Grad endet. Das nennt sich Niedrigtemperaturgaren, bei dem das Fleisch besonders lange und gleichmäßig gart. Da zählen auch die Minuten nicht so sehr. Allzu fette Stücke wie die Weihnachtsgans sollten nicht zu sanft gebraten werden, weil das Fett sonst schwammig statt knusprig wird.

Zwei Dinge sind beim Braten braten wichtig: ihn öfters mit dem Bratfett zu beschöpfen, damit die Kruste nicht verbrennt, und ihn nach dem Braten erst einmal in Ruhe zu lassen, damit die zum Kern vorgedrungenen Fleischsäfte sich wieder auf das ganze Stück verteilen und die erhitzten Fasern etwas entspannen können.

Braten schmoren

Schmoren heißt immer „sanft und langsam" und ist vor allem für magere, grobfaserige Stücke gut. Angebraten wird wie oben in einem nicht so großen Topf, damit später nicht soviel Flüssigkeit nötig ist. Dann werden die Gemüse gebräunt, dann je nach Garzeit entsprechend viel Flüssigkeit samt Gewürzen dazu, wobei der Braten nicht völlig bedeckt sein sollte – sonst kocht er nur (2). Jetzt Deckel drauf und das Ganze sanft in Sauce und Dampf schmoren lassen, ähnlich wie beim Garziehen. Profis machen das im Ofen, weil dort die Hitze gleichmäßiger ist. Aber auf dem Herd geht es auch gut, wenn der Braten öfter gewendet wird.

1

2

Ist der Braten fertig, darf er sich in Alufolie im ausgeschalteten Ofen ausruhen, während die Sauce gemacht wird: Fett mit dem Löffel abschöpfen (3), alles durch ein feines Sieb gießen, dabei mit der Kelle ein bißchen nachpressen, und dann nach Geschmack vollenden.

Ragout schmoren

Beim Ragout ist es ähnlich wie beim Schmorbraten: Erst das Fleisch anbraten, und zwar bei größeren Mengen nacheinander, weil es sonst schnell kocht. Dann das Gemüse – meistens sind es Zwiebeln – glasig braten, Fleisch wieder dazu und alles würzen. Nur beim Gulasch ist es umgekehrt.

Jetzt kommt es drauf an: Langschmoriges wie etwa ein Rindsragout braucht erst nur den eigenen „Saft" und ein paar Schluck Wasser zwischendurch, um so richtig mürbe zu werden, und wird erst kurz vor Schluß aufgefüllt. Was kürzer braucht – Hähnchenteile etwa –, wird gleich mit der ganzen Flüssigkeit gegart.

3

Wokken & Fritieren

Jetzt wird's richtig heiß. Denn in Wok und Friteuse läuft nichts unter 180 Grad, da sind flinke Hände und ein bißchen Gefühl gefragt. Zur Belohnung gibt's bei Fleisch, Fisch und Gemüse außen viel Kruste, innen viel Zartes und durch und durch viel Geschmack.

Heiße Eisen

Welcher Wok wird meiner? Kommt drauf an: Fürs Pfannenrühren bei schneller, starker Hitze sind dünnwandige ideal. In Asien sind die aus Eisenblech und haben den typisch runden Boden, der über heißer Flamme die Hitze gut weiterleitet. Das geht mit einem Spezialring auch auf unserem Gasherd, wenn der auch nicht so heizt wie Chinas Flammen. Da kann die Elektroherd-Version mit flachem Boden sogar das bessere Gerät sein. Ideal ist ein Durchmesser von rund 35 cm. Blechwoks sind billig und machen ihren Job gut, wenn sie später mit Wasser gespült und eingeölt werden, aber sie können verbeulen. Dünne Edelstahlwoks sind da die (leider recht teure) Alternative – oder nach einiger Zeit das neue Billigteil aus Blech. Schwere Gußeisenwoks reagieren langsamer und eignen sich zum Schmoren. Und wer richtig loswokken will, braucht noch die Wokschaufel mit runder Kante zum Wenden und die gewölbte Wokkelle zum Herausheben. Gibt's überall da, wo es gute Woks gibt. Ein Deckel ist beim Pfannenrühren nicht nötig, aber fürs Schmoren, Dämpfen, Kochen schon – das kann ein Wok nämlich auch. Und braten. Und fritieren.

1

Fritieren im Wok, Pommes auf asiatisch? Warum nicht – denn fürs Braten in schwimmendem Fett braucht man nicht unbedingt die Friteuse. Im Wok geht's sogar mit weniger Fett. Ein großer Kochtopf tut es auch, er muß nur hoch genug sein, damit er gut zur Hälfte mit Fett gefüllt werden kann. Mit einem passenden Drahtkorb oder -sieb läßt sich Robustes auf einmal aus dem Topf heben, die Schaumkelle ist für empfindlichere Teile da.

Entweder viele Gewürze oder viel Fett

Drei Sachen braucht der echte Wok-Koch: Knoblauch, Ingwer und Frühlingszwiebeln, die Basis vieler pfannengerührter Gerichte aus Asien sind. Und zum Abschluß geben oft Würzsaucen und -pasten den Kick, wie Soja-, Fisch- oder Austernsauce, Curry- oder Shrimpspaste. Beim Fritieren muß all das draußen bleiben, weil es sofort verbrennen und damit das Fett versauen würde. Dieses muß auch selbst einiges abkönnen, weswegen es hocherhitzbar und am besten ohne viel Geschmack ist wie einfaches Pflanzenöl.

Gib Feuer, gibt Geschmack

Beim Pfannenrühren liegt das Energiezentrum in der Bodenwölbung, hier bekommen Gemüse wie Fleisch ruckzuck Kruste, unter der sofort die Säfte brodeln. Kleine Stücke werden so rasant schnell gar. Weil hier Sekunden und Millimeter zählen, muß alles fürs Pfannenrühren vorgeschnitten sein, und zwar möglichst fein. Wichtig ist auch, daß das Gemüse ständig in Bewegung ist, weil es sonst schnell anbrennen würde. Wirbeln ist also angesagt. Wok-Profis nutzen noch die mit der Steigung kühler werdenden Wände, um Angegartes warm zu halten.

Fritieren ist nichts anderes als Kochen in Fett. Weil dieses aber erst bei 180 Grad so richtig in Fahrt kommt, gibt das beim Fritierten schnell eine knusprige Kruste, unter der dann wie beim Wokken die Säfte steigen. Damit es gut wird, müssen zwei Dinge stimmen: Je größer ein Stück, desto schneller muß es gar werden, weil sonst die Kruste verbrennt und es innen noch kalt ist. Also Großes entweder vorgaren – oder einfach kleiner schneiden. Bedingung Nummer 2: Die richtige Hitze. Ist das Fett zu kalt, kommt die Kruste zu spät, und alles saugt sich mit Fett voll. Ist es zu heiß und raucht, wird alles knusprig, bevor es gar ist, und schwarz, wenn es gar ist. Der Test: Brotwürfel ins Fett. Ist der in 1 Minute goldbraun und knusprig, stimmt die Temperatur (1).

Gemüse wokken

Wokken – das heißt hier Pfannenrühren, weil das nur in der Asien-Pfanne richtig gut geht. Dabei gilt: Je fester die Konsistenz, desto feiner der Schnitt. Also Spinat nur grob hacken, Möhren aber ganz dünn schneiden. Das muß alles vorher passieren, ebenso wie das Suchen von Salz und Sojasauce. Denn beim Wokken ist nur fürs Wokken Zeit.

Wokken für Einsteiger: Dem Wok kräftig einheizen. Wenn ein Wassertropfen darin Steptanz macht, ist's richtig. Verzischt er ohne große Show, braucht es noch Feuer. Nun den heißen Wok mit Öl ausschwenken, dann ein wenig Öl darin aufheizen. Nun hinein mit dem Gemüse, und zwar erst das, was lange dauert. Dabei ständig mit der Wokschaufel oder dem Pfannenwender rühren und wenden, damit nichts anbrennt. Die nächste Gemüseladung – das, was nicht ganz so lange dauert – dazu, rühren, wenden, wieder Gemüse, und so weiter. Wenn am Ende alles den gleichen Biß hat, war das Timing perfekt. Wenn nicht, schmeckt's auch gut und beim nächsten Mal bestimmt noch besser. Jetzt können Gewürze und Flüssigkeit dazu, dann ruckzuck alles auf den Teller.

Wokken für Fortgeschrittene: Starten wie oben, dann Gemüse Nr. 1 anbraten, an der Wokwand hochschieben, Gemüse Nr. 2 hinein, anbraten, mit Gemüse Nr. 1 mischen, alles wieder hoch, Gemüse Nr. 3 hinein, und so weiter. Bei beiden Versionen wichtig: Nur so viel in den Wok, daß nichts aufeinanderliegt. Insgesamt können so gut 500 g gewokkt werden.

Gemüse-Tempura fritieren

Was viel Stärke hat wie Kartoffeln oder Nudeln, läßt sich ohne großen Aufwand fritieren. Zarteres und Wasserhaltigeres braucht aber eine zusätzliche Stärkung, etwa durch eine Teighülle. Toll für Gemüse ist der japanische Tempurateig. Bevor der gemacht wird, aber erst das Gemüse in Stücke für einen Biß schneiden, dann die festen noch kurz stark kochen. Knapp 1 Liter Fett auf 180 Grad aufheizen (wie's geht, steht links). Inzwischen den Teig rühren: 400 ml eiskaltes Wasser (am besten bis kurz vorm Anfrieren in den Tiefkühler stellen) ganz vorsichtig erst mit 2 Eigelben und dann mit 200 g Mehl vermengen. Klümpchen machen da gar nichts, zu langes und kräftiges Rühren ist Gift.

Jetzt das Gemüse in Mehl wenden und durch den gerade eben gerührten Teig ziehen (2). Abtropfen lassen und sofort ins heiße Fett geben. Ist die Oberfläche gerade so bedeckt, reicht das, weil sonst das Fett zu sehr abkühlt. Nach 1–2 Minuten ist alles gar und knusprig, jetzt wird es mit dem Schaumlöffel rausgehoben (3), kommt auf Küchenpapier zum Abfetten und wird gesalzen. (Im Backofen bei 75 Grad warm halten.) Fett wieder heiß werden lassen und weitermachen.

2

3

die fantastischen 14

Die Basics
für den
besten Dreh

schäler
maß
mixstab
dosenöffner
korkenzieher
sieb
zitronenpresse
radio

die fantastischen 14

Die Basics für den besten Dreh

Das Messer

Jetzt müssen wir streng sein: Wer glaubt, mit dem Messerblock für 49,90 der King in der Küche zu sein, hat sich geschnitten. Ist einfach zu billig, um gut zu sein. Besser ist es, nur drei Messer zu haben, die ihr Leben lang was taugen: ein kleines für Kleinkram wie Zwiebeln schälen, ein größeres mit langer, schmaler Klinge für alles Mögliche vom Steak schneiden bis zum Broccoli putzen, und eins mit ganz großer und so breiter Klinge, daß beim Schneiden die Hand am Griff nicht aufs Brett kommt. Das hilft zum Beispiel beim in Scheiben schneiden und Kräuter hacken. Allerdings wird schon das mehr als der Küchenking-Messerblock kosten. Dafür hält es auch länger als das ganze Teil.

Die Pfeffermühle

Pfeffer frisch gemahlen oder aus der Tüte? Wem das egal ist, der hält Heimatromane auch für leidenschaftlich. Direkt aus der Mühle schmeckt das würzige Korn nämlich viel mehr als nur scharf, dafür aber längst nicht so muffig wie Tütenwerk. Und weil viel Effekt mit nur einem kurzen Dreh echt basic ist, gehört eine ordentliche Pfeffermühle in jede Basic-Küche. Ordentlich heißt nicht unbedingt: toll im Design. Hauptsache: tolles Mahlwerk. Also lieber das barocke Eichenholzmodell mit verstellbarem Mahlgrad als die schicke Plexiglaspyramide, die immer aus den feuchten Kochhänden flutscht und beim Auffüllen so sperrig wie ein Pharaonengrab ist.

Das Brett

Tomaten auf dem Küchentisch schneiden ist zwar Landhausstil pur, aber auf Dauer nur Sauerei. Also muß ein Brett in die Basic-Küche. Und am besten noch ein Extrabrett für Extremes wie Knoblauch, damit der Obstsalat nicht knofelt. Wenn sich auf dem Basic-Brett Eisbergsalat ohne große Verluste schneiden läßt, paßt auch sonst fast alles drauf. Ist es aus Plastik, ist es praktisch. Läßt sich sogar im Geschirrspüler reinigen. Kriegt aber mit der Zeit Macken. Ist es aus Holz, ist es schön. Aber auch anspruchsvoll. Schrubben ist da Ehrensache, Geschirrspüler Verrat. Unfug sind: Saftrinne (bleibt alles hängen), bizarre Formen (fällt alles runter), Füßchen (besser: feuchter Lappen).

Die Reibe

Wir sagen nur: Parmesan. Weil er frisch gerieben so ziemlich alles ziemlich lecker macht, ist alleine wegen ihm die Küchenreibe schon absolut basic. Das beste Stück ist das einfachste, nämlich die gelochte Schaufel mit Stiel. Macht sich mit einem Stück Käse gut bei Tisch, taugt aber auch für den Hauch Muskatnuß in der Brühe, das Äpfelchen im Brei oder die Zitronenschale zum Kuchen. Sogar Schaumlöffeln oder Wokschaufeln geht damit. Wer noch mehr will, greift zur Vierkantreibe, die auch Möhren raspeln, Gurken hobeln und ganz fein reiben kann. Und mit einem Teelicht drin wird noch ein Windlicht draus.

Der Schneebesen

Da gibt es ja schicke Dinger zum Saucen vollenden, Gourmetsahne schlagen und Topfecken auskehren. Einer reicht aber, und der muß zwei gute Dinge haben: erstens elastische Drähte, damit das Schlagen nicht zur Schwerarbeit wird und leicht Luft ins Geschlagene kommt; zweitens einen handlichen Stiel, der auch nach längerem Gebrauch nicht lästig fällt und kein Geheimfach für plötzliche Spülwassergüsse hat. Und jetzt der Trick für handgeschäumten Cappuccino: in einem kleinen, hohen Topf Vollmilch erhitzen (Magermilch ist was für geizige Kaffeeköche), Schneebesen zwischen die Handflächen und quirlen, quirlen, quirlen. Der Schaum trägt sogar Zucker.

Der Wasserkocher

Schön ist er selten, spießig fast immer. Doch wer die Kreuzung aus Tauchsieder und Wasserkessel einmal hat, wird sie nicht mehr los. Morgenmuffel schätzen an ihm, daß er rasant Teewasser kochen kann, während sie noch tranig in die Kanne starren. Chaosköche bringen mit ihm blitzschnell einen Topf voller Nudeln zum Kochen. Beide Typen finden gut, daß er sich von selbst abstellt und der Stecker heute nicht mehr am Kocher hängt. Lästig ist, daß sich manchmal die Klappe kaum öffnen läßt – wegen der ganz Doofen, die ihre Nudelsuppe darin kochen wollen. Zwei echte Warnungen: Vorsicht vor dem Wasserdampf. Und immer genug Wasser in den Kocher, sonst fängt er an zu spinnen.

Der Schäler

Auch wenn die Mama die Möhren schabt und Kartoffeln ruckzuck mit dem kleinen Messer pellt – so ein Schäler mit beweglicher Klinge macht das Leben in der Basic-Küche viel besser. Weil sich so auch leicht Paprika schälen lassen. Und Spargel. Wer dabei wenig verlieren will, drückt die Klinge einfach vor dem Schälen ein bißchen enger zusammen. Ob diese nun quer steht oder senkrecht, ist eher eine Frage der eigenen Technik und Geschicklichkeit. Phantasie ist beim Spiel mit dem Schäler gefragt: Möhren der Länge nach wie Bandnudeln aufschneiden. Oder Gurken ein Längsstreifenmuster verpassen – gibt beim Querschneiden hübsche Scheiben. Oder, oder, oder ...

Das Maß

Wer abmessen bürokratisch findet, ist entweder Profi oder zu locker, um lässig zu sein. Da kann der aus der Hand gekochte Vanillepudding schnell stressig werden. Mit dem Litermaß – am besten durchsichtig – läßt sich das vermeiden. Je feiner die Einteilung, desto besser. Am besten ist es, wenn das Maß bis zum Achtelliter und auch noch bis 0,1 l runtergeht. Was darunter liegt, mißt sich mit dem Eßlöffel (einer faßt 10 ml Wasser) oder dem Schnapsglas genauer. Überhaupt Gläser: Ganz Fixe loten mit dem Sektglas (0,1 l), Weinglas (0,2 – 0,25 l) oder Münchner Bierkrug (0,5 – 1 l) blitzschnell die Menge aus. Und die Amis sind da noch weiter: Die messen auch Mehl in Tassen. Waage überflüssig.

Der Mixstab

Gab's ein Leben vor dem Mixstab? Es muß aus mühsamem Durchstreichen, langwierigem Mixerputzen und wildem Rühren bestanden haben. Heute aber nehmen wir den Pürierstab, drücken aufs Knöpfchen und – simsalabim – ist der Shake gemixt, die Suppe püriert, die Sauce standfest. Vorausgesetzt, der Stab hat genug Power (was der Aufsatz aufs Küchengerät selten hat). Und nicht vergessen: Vieles schmeckt auch gut, wenn man es nicht zu Brei schlägt. Manches mag der Mixstab sogar überhaupt nicht: Kartoffelpüree macht er zäh und schleimig, Kräuter bitter, und Sahne wird mit ihm steif, bevor sie richtig Luft holen konnte.

Der Dosenöffner

Bei aller Frische – ohne geschälte Tomaten läuft wenig in der Basic-Küche. Schon darum braucht sie einen Dosenöffner. Wenn nicht gerade eine Dogge zum Haushalt gehört, muß er nicht elektrisch sein. Wichtig ist nur, daß sich eine Dose ohne großen Aufwand für Hand und Hirn knacken läßt. Der einarmige Öffner, bei dem die Klinge am Dosenrand entlang gehebelt wird, ist daher mehr was für den Abenteurer. Choleriker wie Zartfühlende nehmen lieber das doppelgriffige Modell, bei dem per Flügelschraube das Klingenrad am Deckelrand entlanggetrieben wird. Ist das Rad scharf und die Flügelschraube nicht so scharf, klappt das bestens. Und nicht vergessen: Auch Dosenöffner kann man putzen.

Der Korkenzieher

Er ist der feine Bruder des Dosenöffners und damit der anspruchsvollere von beiden. Aber auch für ihn gilt: Je weniger Hirn und Hand gefragt sind, desto besser. Die simple Spirale mit Quergriff obenauf ist very basic, aber nur was für geschickte Kraftpakete. Weil die selten sind, gibt's eine Menge Alternativen. Alle lassen sich dann am leichtesten in den Korken treiben, wenn sich dabei eine echte Spirale dreht statt nur eine bessere Schraube. Läßt sich dabei das Gerät sicher auf der Flasche halten, wird das Risiko noch kleiner. Zum Rausziehen wird entweder gehebelt (meist zweiarmig) oder „gegengedreht". Wenn das ohne Umschalten ganz automatisch passiert, kann eigentlich nichts schiefgehen.

Das Sieb

Das Wichtigste daran sind die Löcher darin. Standard Nr. 1 ist das grobe Haarsieb zum schnellen Durchgießen oder zum Durchdrücken, etwa von weichen Kartoffeln. Nr. 1 a ist das feinmaschigere Stück, durch das Suppen und feine Saucen gegossen werden. (Echte Snobs gießen ihre Brühe auch noch durch den Kaffeefilter.) Standard Nr. 2 ist das Salat- oder Nudelsieb mit vielen großen Löchern, durch die sich auch Spätzleteig drücken läßt. Aus Metall kann es sein, muß aber nicht, manche Küchen werden jahrelang von einem Plastiknudelsieb für 2 Mark 99 bewohnt. Ein Must für Salatfans: die Salatschleuder (die mit dem Original-U-Bahn-Sound).

Die Zitruspresse

Jeder Haushalt hat mindestens zwei davon – eine an jedem Arm der Bewohner. Aber für den letzten Tropfen reicht das Auspressen mit der bloßen Hand kaum aus. Standard- wie Designerpressen haben eins gemeinsam: die schnittige Kuppel, die ein wenig an die Spitze einer Comic-Rakete erinnert. Sie treibt den Saft aus der Frucht und läßt ihn nach unten rinnen. Ist da nichts, was Kerne und Fleisch vom Saft trennt, ist das nichts. Besser ist es, wenn der Saft durch ein Sieb in ein Schälchen darunter tropfen kann. Für kleine Mengen tut es auch eine Auffangzone und Sammelrinne zu Füßen der Kuppel. Und weil beim Pressen rohe Kräfte walten, sollte die Presse vor allem stabil sein.

Das Radio

Eine Küche ohne Radio ist wie ein Sommer ohne Sonne: nicht lustig. Denn blöde Witze zum Morgenkaffeegebrodel, Mittagessen mit Lieblingsliedern, Spaghetti zu Caruso machen das Kochen erst richtig schön. Irgendwas Passendes findet sich immer, was ja ziemlich basic ist. Das sollte auch das Gerät selbst sein, also so knopflos wie möglich, sonst steht man ja mehr am Radio als am Herd. Ganz wichtig: ein großer Einschaltknopf, der zur Not auch mit dem Kochlöffel betätigt werden kann. Vorsicht aber vor allzu mitreißenden Programmen. Denn wenn Töpfe ins Tanzen kommen und Steaks von der übrigen Welt vergessen in der Pfanne verbrennen, bleibt das Küchenradio lieber aus.

die rezepte

basic

Nudel

Kartoffel

... Etwas, das satt macht. Das leicht geht. Und das jeder mag

n ,

n & mehr

Hunger? Zeit wird's. Ein Viertel Kochbuch lang haben wir uns jetzt ganz nett unterhalten, aber nun muß was Ordentliches auf den Tisch. Also keine Faxen bitte, wir wollen was essen. Etwas, das satt macht. Das leicht geht. Das am besten aus einem Topf kommt. Und das jeder mag.

Was macht der Italiener da? Nudeln kochen, natürlich. Aber Reis kocht er auch, Risotto vor allem. Ganz viel Reis kochen sie in Asien. Aber auch ganz viele Nudeln. Die werden dann in den USA „noodles" genannt, wenn sie aber vom Italiener kommen, heißen sie „pasta". Noch lieber mögen die Amerikaner ihre Pommes. Obwohl: Eigentlich kommen die ja aus Frankreich, besser noch aus Belgien. Und überhaupt ist die Kartoffel eher unser Ding. Allerdings essen die Iren doppelt soviel davon wie die Deutschen. Aber beim Brot sind wir Weltmeister, nirgends auf der Welt gibt es mehr Sorten als in Deutschland. Die beliebtesten zur Zeit: Bruschetta, Crostini, Tramezzini. Da stimmt doch auch wieder was nicht. Mamma mia, wir haben einfach nur Hunger.

Nix reden. Essen! Klar?

Ja dann.

Bitte umblättern.

Brote für die Welt

Ein ordentliches Wurstbrot kann Leben und Launen retten – allerdings nur in Teilen Mitteleuropas. Der Rest der Welt schüttelt lieber den Kopf, als in ein einfach belegtes Brot zu beißen. Denn original italienische Tramezzini, französische Crôques oder amerikanische Sandwiches müssen gefüllt sein und das mindestens zweifach, um ihren Namen zu verdienen. Ansonsten ist aber alles erlaubt. Auch solch ein Wolkenkratzer aus dem Brotbaukasten der Vereinten Nationen. Da kann sich jeder ein paar Scheiben für seinen kulinarischen Traum abnehmen.

Brot für Melina
Fladenbrot-Sandwich mit einer Paste aus gehackten grünen Oliven & Olivenöl bestreichen, darauf Romana, gegrillte Auberginenscheiben, eingelegte Paprika & Fetastückchen

Brot für Nadja
Vollkornbrot-Sandwich mit Kopfsalat und Rührei, darauf Garnelen, angemacht mit frischen Ingwer- und Lauchzwiebelstreifen und Sojasauce

Brot für Charles
Muffin-Roll mit Batavia, bestrichen mit einer Senfmayonnaise mit gehackten Äpfeln, Gürkchen & Sardellen drin, belegt mit gekochtem Schinken

Brot für Sieglinde
Sauerteigbrot-Sandwich mit Frischkäse, Kopfsalat, Tomaten und Eischeiben, darauf Kapern, Schnittlauch und ordentlich Parmesan

Brot für Gregory
Klassischer Sandwich mit Eisbergstreifen, belegt mit Stückchen vom Brathähnchen, die in einer Joghurtcreme mit Curry, Mango-Chutney und Worcester angemacht sind. Obenauf Sprossen

Brot für Lorenza
Ciabatta-Sandwich mit Rucola, bestrichen mit einer Creme aus pürierten Bohnenkernen aus der Dose und Pesto, belegt mit Salami und ein paar Stückchen getrockneten Tomaten

Brot für Pedro
Baguette-Stück mit einer Mayonnaise mit grünem Paprika, Chili und Knoblauch auf Radicchio, darauf Thunfisch-Stückchen und geriebener Käse

Heißer Reis

Wer Reis kocht, muß eins wissen: rohe 150 g werden zu gekochten 350 g, was als Beilage für zwei reicht.

Der Reis vermehrt sich beim Kochen, weil sich die Körner mit Flüssigkeit vollsaugen. Wenn die am Ende ganz im Korn steckt, ist es das Ideal: lockerer Reis voller Geschmack. Und der ist gar nicht schwer zu machen.

Am besten eignet sich dafür Parboiled Langkornreis, und am einfachsten geht es beim Quellreis:
150 g Reis und 400 ml Flüssigkeit kalt in einen Topf geben, aufkochen und so lange ganz sanft am Köcheln halten, bis die Flüssigkeit gerade weg ist. Das dauert etwa 20 Minuten. Zum Schluß den Reis kurz offen ausdampfen lassen, umrühren, fertig.

Noch narrensicherer ist es, Reis wie die Türken zu kochen – und Pilaw-Reis klingt auch viel schicker:
2 EL Öl im Topf erhitzen, 1 Kaffeebecher Reis (etwa 150 g) dazuschütten und unter Rühren glasig braten. Dann $1\,^1/_2$ Kaffeebecher Flüssigkeit dazu, würzen, Deckel fest drauf und bei mittlerer Hitze 10 Minuten lang köcheln lassen. Ganz wichtig: Dabei weder in den Topf schauen (Dampf entweicht!) noch umrühren (macht alle Lockerheit zunichte!!). Erst in den letzten Minuten ist zumindest spicken erlaubt. Ist die Flüssigkeit dann fast verschwunden und hat der Reis oben Löcher (Dampfschornsteine), kommt Phase 2: Reis mit Deckel auf der ausgeschalteten Herdplatte oder im 100 Grad heißen Ofen 10 Minuten nachziehen lassen. Jetzt durchrühren und gaaanz lockeren Reis mit kräftigem Geschmack servieren.

Wie die Griechen Pilaw machen, steht übrigens auf S. 51.

Unser liebster Sattmacher

Die Nudel

engl. noodle, franz. nouille, ital. pasta, schwäb. Spätzle

Das ist sie

• In Italien: Spaghetti und Maccheroni, Rigatoni (kurz & hohl), Penne (kurz, schräg & hohl), Tagliatelle, Fettuccine, Linguine, Trenette (lang, flach und breit bis schmal), Farfalle (Schmetterling), Ravioli (gefüllt), Tortellini (gefüllt & gedreht) und Hunderte mehr
• In Asien: Glasnudeln (aus Mungobohnen, für Salate und Suppen), Reisnudeln (suppenfein bis bandnudelbreit), Hokkien- und Shanghai-Nudeln (frische Weizennudeln, klasse zum Braten), Somen-, Ramen- und Udon-Nudeln (vor allem für japanische Suppengerichte)
• Wo man deutsch und ähnliches spricht: Bandnudeln, Nudelsalatspiralen, Nockerl

Das macht sie

• stark, glücklich und nicht dick
• Lust auf mehr, irgendwann süchtig
• selten viel Arbeit, oft viele Flecken

Das will sie

• ständig kochen
• sofort gegessen werden
• ganz viel Sauce
• kein kaltes Wasser
• gerne heiße Teller

Das mag sie

• eigentlich alles, was schmeckt – vom Butterstückchen bis zur Trüffelscheibe
• Saucen mit Tomaten, Sahne, Käse, Pilzen, Fleisch oder Meeresfrüchten
• die Würze von Knoblauch, Parmesan, Basilikum, Olivenöl und schwarzem Pfeffer. Oder Lauchzwiebeln, Ingwer, Koriander, Sojasauce und Chilischoten

Adretta oder Irmgard?

Es soll ja Leute geben, die aus dem Stand 37 Ravioli-Formen aufmalen können und per Internet Basmati-Reis aus Karatschi ordern. Ja Wahnsinn! Dieselben Leute gehen dann ins Gourmetlädchen und greifen sich eine Tüte Bamberger Hörnchen für „Kartoffelbrei so wie früher". Und haben dann einen glitschigen Pamp im Topf. Ja saublöd.

Die richtige Kartoffel zur richtigen Zeit kann jede Nudel und jedes Reiskorn im Aroma abhängen. Weil sie nämlich Natur pur ist. Aber wie das nun mal so mit der Natur ist, hat die ihre Launen. Manche Kartoffelsorten zum Beispiel haben eher wenig Stärke in sich, so daß die Knollen beim Kochen fest und saftig bleiben. Deswegen werden sie „Festkochende" genannt. Die sind gut für Salate und Bratkartoffeln. Und sie hören auf so schöne Namen wie Forelle, Linda, Sieglinde oder Bamberger Hörnchen.

Allerdings sind Festkochende bindungsunfähig, weil ihnen für Knödel oder Brei die nötige Stärke fehlt. Adretta oder Irmgard haben dafür reichlich davon, weswegen sie „Mehligkochende" genannt werden. Name und Kochtyp stehen übrigens immer auf der Packung. Und ganz oft steht dort: „vorwiegend festkochend". Das sind die Knollen, die beim Kochen noch fest bleiben, aber trotzdem schon genug Stärke zum Binden haben. Sie sind lecker für Salzkartoffeln oder Auflauf; aber ein richtig guter Salat oder Püree wird aus Christa, Desirée oder Rosara nicht.

In

Asien-Nudeln kennen und kochen • Spaghetti, die nicht kleben • Polenta zum Schweinebraten • Basmati-Reis • Pfannkuchen per Luftschwung wenden • belegte Brote aus aller Welt • die Sandwich-Kreation des Tages • für immer und ewig: Pellkartoffeln, Pilzrisotto, Pizza knusprig

Out

Glasnudeln für die Suppe nicht schneiden • Spaghetti schneiden • mehr Kochwasser als Sauce zu Nudeln • Gnocchi mit Mehlsauce • Risotto aus Milchreis • überbackener Toast, der nicht getoastet ist • Pfannkuchen Crêpes nennen • nie und nimmer: „Hauptsache es macht satt!"

Spaghetti alla Bolognese

Die Mutter aller Nudelgerichte

Für 4 Hungrige:

1 Zwiebel

1 Möhre

2 Stangen Sellerie

100 g durchwachsener Räucherspeck

2 EL Butter

300 g gemischtes Hackfleisch

$^{1}/_{8}$ l Rotwein oder Brühe

1 kleine Dose geschälte Tomaten (400 g)

1–4 kleine getrocknete Chilischoten

Salz, Pfeffer aus der Mühle

500 g Spaghetti

1 ordentliches Stück Parmesan (reicht noch für viele Nudelessen)

1 Erstmal alles vorbereiten, was zuerst in die Pfanne wandert: Zwiebel und Möhre schälen, Selleriestangen waschen, vom Speck die Schwarte weg – und alles in kleine Würfel schneiden.

2 Große Pfanne auf die heiße Herdplatte stellen und warten, bis auch der Pfannenboden heiß ist. Dann Speckwürfel rein und bei mittlerer Hitze braten, bis das weiße Fett vom Speck fast ausgebraten ist. Butter dazu, alle Gemüsewürfel unterrühren.

3 Gemüse und Speck an den Rand der Pfanne schieben, damit in der Mitte Platz zum Anbraten ist. Hackfleisch rein, mit dem Pfannenwender in kleinere Portionen teilen und 2–3 Minuten rühren, bis alles zu kleinen, knusprigen Fleischkrümeln gebraten ist.

4 Wein oder Brühe angießen. Tomaten aus der Dose (mit Saft) dazugeben und in der Pfanne etwas zerdrücken, alles gut durchmischen. Chilischoten zerkrümeln oder hacken, mit 1 TL Salz und Pfeffer zum Sugo geben. Bei schwacher Hitze sanft vor sich hin köcheln lassen (15 Minuten sollten es schon sein, 1 Stunde schadet aber auch nicht), öfter mal umrühren.

5 Zeit für die Pasta: In einem großen Topf 5 l Wasser aufkochen, 2 EL Salz rein. Ins heftig kochende Wasser die Spaghetti schütten, mit einem Kochlöffel nachhelfen, damit schnell alle unter Wasser sind.

6 Ohne Deckel 7–8 Minuten kochen, dann eine Nudel rausfischen und probieren – Spaghetti sollen auf keinen Fall zu weich, aber auch nicht zu hart sein, sondern sich angenehm beißen lassen. Falls die Sauce zu dicklich eingekocht ist, spätestens jetzt ein paar Löffel heißes Nudelwasser dazugeben. Spaghetti dann in ein Sieb abgießen, kurz rütteln und abtropfen lassen.

7 Sauce abschmecken, vielleicht noch mit Salz und Pfeffer nachwürzen. Spaghetti auf tiefe Teller verteilen, dick mit Sauce begießen. Parmesan mit einer Käsereibe dazustellen – den reibt sich jeder frisch über die dampfende Pasta!

So viel Zeit muß sein: 45 Minuten
Das schmeckt dazu: Weißbrot, grüner Salat, Rotwein – am besten Chianti
Kalorien pro Portion: 900

Gebratene asiatische Nudeln
Rasant

Für 4 neugierige Hungrige:

250 g asiatische Eiernudeln

Salz

500 g Hähnchenbrustfilets

1 Bund Frühlingszwiebeln

1 kleines Stück frischer Ingwer

2 Knoblauchzehen

1–2 kleine getrocknete Chilischoten

5–6 EL neutrales Öl (z. B. Erdnußöl)

3 EL Sojasauce

1–2 EL Zitronensaft

1 Die Nudeln in 2 l kochendem Salzwasser ungefähr 5 Minuten kochen (auf der Packung steht genau, wie lange) – nicht zu weich, weil sie ja auch noch gebraten werden. Ins Sieb abgießen und gut abtropfen lassen.

2 Hähnchenfleisch in kleinfingerdünne Streifen schneiden. Die Frühlingszwiebeln waschen, vom Grün nur das abschneiden, was nicht mehr schön knackig aussieht. Vorne an den Zwiebeln die Wurzelbüschel weg, dann den Rest fein aufschneiden, in Ringe oder Streifen. Die Ingwerwurzel und die Knoblauchzehen schälen, ganz fein hacken. Chilischoten zerbröseln oder fein hacken.

3 In einer großen Pfanne oder im Wok 3–4 EL Öl mit dem Pinsel verstreichen und ganz heiß werden lassen. Hähnchenfleisch rein, immer kräftig rühren und nur 1–2 Minuten rundum braten. An die Seite schieben, in der Mitte mit frischem Öl Zwiebeln, Ingwer, Knoblauch und Chiliflakes anbraten.

4 Dann Nudeln mit letztem Öltropfen in die Pfanne – und immer rühren! Nach etwa 1 Minute kräftig mit Sojasauce und Zitronensaft begießen, das zischt schön und riecht wunderbar asiatisch. Und jetzt: Hände weg von der Gabel – her mit den Stäbchen!

So viel Zeit muß sein: 30 Minuten
Das schmeckt dazu: Grüner Tee, Jasmintee oder auch ein Bier
Kalorien pro Portion: 630

Spaghetti aglio olio

Kost' nix
Super einfach, super schnell

Für 4 spontan Hungrige:

Salz, 500 g Spaghetti

4 Knoblauchzehen

5 EL Olivenöl

Pfeffer aus der Mühle

1 Im großen Topf 5 l Wasser mit 2 EL Salz aufkochen, Spaghetti rein und im offenen Topf sprudelnd bißfest kochen (Test nach 7–8 Minuten!).

2 Knoblauch schälen, in feine Scheibchen schneiden. Olivenöl in eine große Pfanne gießen, langsam heiß werden lassen – aber nicht zischend heiß! Knoblauch im heißen Öl sanft braten.

3 Spaghetti in ein Sieb abgießen, abtropfen lassen. Zum Knoblauch in die Pfanne, gut wenden und drehen. Mit Salz und Pfeffer würzen.

So viel Zeit muß sein: 20 Minuten
Das schmeckt dazu: Rucolasalat, italienischer Weißwein, Weißbrot
Kalorien pro Portion: 520

Spaghetti Vongole

Macht was her!
Wanted: 2 große Töpfe!

Für 4 Genießer:

Salz, 500 g Spaghetti

1 kg Venusmuscheln

1 große Zwiebel

3–4 Knoblauchzehen

2 kleine getrocknete Chilischoten

6 EL Olivenöl

1/4 l trockener Weißwein

1 Bund Petersilie

Pfeffer aus der Mühle

1 In einem großen Topf 5 l Wasser mit 2 EL Salz für die Spaghetti zum Kochen bringen (volle Hitze, Deckel zu). Zwischendrin schon mal Muscheln waschen, alle offenen wegwerfen. Zwiebel und Knoblauch schälen, Zwiebel halbieren und in dünne Streifen schneiden, Knoblauch hacken. Chilischoten zerkrümeln oder hacken.

2 Olivenöl in einem zweiten großen Topf heiß machen. Zwiebel, Knoblauch und Chiliflakes rein, umrühren, 2 Minuten andünsten. Alle Muscheln dazu, Wein angießen, schnuppern – und Deckel zu! Aufpassen, daß die Herdplatte nur mittel eingestellt ist, es soll drinnen nicht wild kochen, nur sanft köcheln – knappe 10 Minuten.

3 Jetzt ist auch Zeit für die Spaghetti. Ins sprudelnde Wasser damit und im Auge behalten (Test nach 7–8 Minuten!).

4 Petersilie waschen und schütteln, fein hacken. (Mal ausprobieren: je größer das Messer, desto besser geht's.) Muscheltopf öffnen, dieses Mal alle nicht geöffneten Schalen rausangeln und weg damit. Salz, Pfeffer, Petersilie zum Rest – fertig. Spaghetti abgießen, im Muscheltopf alles innig mischen. Schlemmen!

So viel Zeit muß sein: 40 Minuten
Das schmeckt dazu: viel frisches Weißbrot zum Auftunken vom Muschelsud
Kalorien pro Portion: 670

Basic Tip

Spaghetti schmecken immer – aber es müssen nicht immer Spaghetti sein.
Alle Saucen passen auch toll zu Tagliatelle oder Penne oder Rigatoni oder Fusilli oder oder ...

Spaghetti mit Tomatensugo
Rettung nach Ladenschluß

Für 4 verzweifelt Hungrige:

1 Zwiebel, 2 Knoblauchzehen

2–3 EL Olivenöl

1 große Dose geschälte Tomaten (800 g, die sind saftig, dunkelrot und oft reifer als die frischen)

Salz, Pfeffer aus der Mühle

500 g Spaghetti

1 ordentliches Stück Parmesan (reicht noch für viele Nudelessen)

1 Zwiebel und Knoblauch schälen und ganz klein schneiden. Olivenöl in der großen Pfanne heiß werden lassen, Zwiebel und Knoblauch andünsten. Nebenbei die Dose aufmachen und die Tomaten darin mit einem Messer zerteilen. Tomaten plus Saft in die Pfanne, salzen, pfeffern, köcheln lassen. 10 Minuten mindestens, länger schadet nicht! Aber: immer wieder mal umrühren.

2 Zwischendurch im großen Topf 5 l Wasser mit 2 EL Salz aufkochen, Spaghetti darin bißfest kochen, nach 7–8 Minuten den 1. Test nicht vergessen!

3 Saucenprobe – fehlt noch was? Sicher Pfeffer und Salz (oder auch: schärfer machen mit Chilipulver; fruchtiger machen mit 1 EL Balsamico; flüssiger machen mit 1 Gläschen Rotwein; gesünder machen mit Petersilie ...).

4 Fertige Spaghetti im Sieb abtropfen lassen, direkt in den heißen Tomatensugo schütten und alles gut mischen. Dazu wie immer auf den Tisch: Käsereibe und Parmesan.

So viel Zeit muß sein: 30 Minuten
Das schmeckt dazu: Weißbrot, Wasser, Wein
Kalorien pro Portion: 590

Spaghetti mit Zitronensahne und Garnelen
Schnell & fein

Für 4 erwartungsvoll Hungrige:

4 Frühlingszwiebeln, 1 TL Butter

Salz, 500 g Spaghetti

200 g ganz frische Sahne

$^1/_8$ l Gemüsebrühe

2–3 EL Zitronensaft

Pfeffer aus der Mühle

200 g geschälte kleine gegarte Garnelen

ein paar Basilikumblätter

1 Frühlingszwiebeln waschen, Wurzelbüschel und trockene grüne Teile abtrennen, alles andere in feine Streifen schneiden. In der großen Pfanne die Butter zerfließen lassen, fein geschnittene Frühlingszwiebeln darin andünsten.

2 Im großen Topf 5 l Wasser mit 2 EL Salz zum Sprudeln bringen, Spaghetti rein und im offenen Topf bißfest kochen (nach 7–8 Minuten unbedingt mal die Bißprobe machen).

3 Sahne, Gemüsebrühe und Zitronensaft in die Pfanne gießen, sanft köcheln lassen und immer wieder mal rühren. Die Flüssigkeit verdampft nach und nach, und zurück bleibt eine leckere sahnig-feine Sauce. (Wenn's gerinnt, war die Sahne nicht mehr frisch.)

4 Die wird nun probiert und mit Salz und Pfeffer gewürzt. Ganz zum Schluß erst die geschälten kleinen Garnelen untermischen, nur noch kurz warm werden lassen, besser nicht mehr aufkochen, sonst werden sie zäh. Spaghetti ins Sieb abgießen, gleich unter die Sauce mischen, Basilikumblätter drauf und heiß auf den Tisch!

So viel Zeit muß sein: 30 Minuten
Das schmeckt dazu: Weißwein und Brot
Kalorien pro Portion: 670

Grüne Lasagne
Garantiert nichts für Faule

Für 4 – 6 ziemlich Hungrige:

4 EL Butter

3 EL Mehl

3/4 l Milch

1 Lorbeerblatt

1 kleines Stück unbehandelte Zitronenschale

Salz, Pfeffer aus der Mühle

frisch geriebene Muskatnuß

1 Zwiebel

2 Knoblauchzehen

4 EL Olivenöl

500 g Hackfleisch (oder Austernpilze)

1 kleine Dose geschälte Tomaten (400 g)

100 ml Rotwein

2 EL Butter für die Form und die Flöckchen

12 grüne Lasagneblätter (die vorgekochte Sorte)

100 g frisch geriebener Pecorino (mittelalt)

1 Wer Lasagne macht, lernt fürs Leben – nämlich die wichtigste aller Saucen, die Ur-Sauce aus Oma's Küche, die mit dem klingenden Namen: Béchamel! Dazu lassen wir die Butter in einem Topf bei ganz schwacher Hitze (!) schmelzen, streuen das Mehl hinein und rühren mit dem Kochlöffel schnell um, bis sich das Mehl nur zartgelb verfärbt. Dann rasch die Milch angießen und dabei das Rühren nicht vergessen! Lorbeerblatt und Zitronenschale rein fürs frische Aroma und nun einfach sachte köcheln lassen – vielleicht 10, 15 Minuten, bis die Sauce leicht dicklich wird. Ab und zu ein Auge drauf und bißchen rühren (jetzt am besten mit dem Schneebesen) – aber eigentlich kann da nichts schiefgehen. Zum Schluß Zitrone und Lorbeer raus, mit Salz, Pfeffer, Muskat würzen.

2 Lasagne-Basis Nummer zwei: die Ragoutsauce. Dafür wird meist Hackfleisch genommen, aber man kann's genausogut mit Austernpilzen machen. Immer zuerst Zwiebel und Knoblauch schälen und fein hacken. Das Olivenöl in der großen Pfanne erhitzen, Zwiebel und Knoblauch andünsten. Hackfleisch (oder geputzte und kleingeschnittene Austernpilze) untermischen und unter Rühren braten. Tomaten aus der Dose mit Saft und Rotwein untermischen, kräftig salzen und pfeffern. Das Ganze 15 – 20 Minuten zugedeckt vor sich hin schmurgeln lassen, bis der Rest vorbereitet ist.

3 Der Rest beginnt mit dem Vorheizen des Backofens, und zwar auf 200 Grad (erst später einstellen: Umluft 180 Grad), den Rost gleich auf die zweite Schiene von unten schieben. Was noch? Auf Form-Suche gehen. Lasagneformen sind meist rechteckig und in jedem Fall feuerfest – ob Keramik, Glas oder Metall. Fündig geworden? Dann einfach innen mit weicher Butter auspinseln.

4 Jetzt kommt der spielerisch-kreative Teil: Alle Zutaten müssen so eingeschichtet werden, daß am Schluß nichts übrigbleibt. Mit ein bißchen Béchamelsauce anfangen, darauf Lasagneblätter legen, dann Ragoutsauce, Nudeln, wieder Béchamel, Nudeln, Ragoutsauce, Nudeln ... und die oberste Schicht ist – Béchamel.

5 Der gemütliche Teil: Lasagne in den Ofen schieben, 30 Minuten relaxen. Dann den Käse draufstreuen, Butterflöckchen drauf verteilen und nach 10 Minuten eine verführerisch knusprige Lasagne den staunenden Gästen auftischen.

So viel Zeit muß sein: Aktiv sein 1 Stunde, Entspannen 40 Minuten
Das schmeckt dazu: großer gemischter Salat
Kalorien pro Portion (6): 810

Lasagneplatten kann man auch füllen, rollen, zerschneiden oder für alles mögliche hernehmen, wo man normalerweise hausgemachten Nudelteig bräuchte, zum Beispiel für:

Deftig gefüllte Krautschnecken

100 g Speckwürfel und 1 gehackte Zwiebel anbraten. 600 g gehacktes Sauerkraut und Kümmel dazu, 5 Minuten schmoren.
12 Lasagneblätter 5 Minuten vorkochen, auf einem Küchentuch abtropfen lassen. Sauerkraut mit gehackter Petersilie und 5–6 EL Crème fraîche mischen, salzen, pfeffern. Auf die Lasagneblätter verteilen, Nudelplatten aufrollen, quer halbieren.
In einem Topf senkrecht nebeneinander einschichten, $^{1}/_{4}$ l Brühe angießen, zugedeckt im Ofen 30 Minuten backen (200 Grad/Umluft 180 Grad).

Käsespätzle

Echt basic
Echt billig

Für 4 sehr Hungrige:

200 g Emmentaler

500 g Mehl

4 Eier

Salz

2 Zwiebeln

3 EL Butter

Pfeffer aus der Mühle

1 Am besten gleich schon mal den Käse reiben – man sollte ein Spätzle nicht warten lassen, wenn es aus dem Wasser steigt.

2 In einer Schüssel das Mehl mit den Eiern, 1–2 TL Salz und ungefähr $^{1}/_{4}$ l lauwarmem Wasser locker mischen und so lange rühren, bis ein glatter Teig entsteht, der nicht so fest ist wie Kuchenteig, nicht so dünn wie Pfannkuchenteig, sondern irgendwie zäh vom Löffel tropft.

3 Dann den großen Topf mit 3 l Wasser füllen, 1 EL Salz dazu, Deckel drauf und zum Kochen bringen. Zwiebeln schälen, in feine Ringe schneiden. Die Butter in einer kleinen Pfanne schmelzen, die Zwiebeln darin bei mittlerer Hitze goldgelb anbraten, warm halten. Den Backofen schon mal auf 200 Grad vorheizen (auch schon jetzt: Umluft 180 Grad) und eine feuerfeste Form reinstellen, in der viele Spätzle Platz haben.

4 Das Wasser müßte jetzt kochen: also Deckel auf, Spätzlehobel, Spätzledrücker oder einfach ein Plastiksieb auf den Topf stellen. Eine gute Portion des Teiges einfüllen und durch die Öffnungen hobeln, drücken oder (bei der Plastiksieb-Variante) mit einem Kochlöffel durchschaben. Die abtauchenden Teigstreifen mehrere Male kurz aufkochen lassen, bis sie freiwillig wieder nach oben kommen. Das dauert pro Fuhre 3–5 Minuten. Dann die nächste Portion einfüllen. Die oben schwimmenden Spätzle immer mit dem Schaumlöffel aus dem Wasser holen, gut abtropfen lassen und sofort in die heiße Schüssel im Ofen füllen. Jede Schicht pfeffern und mit Käse bestreuen. Oberste Schicht mit den Zwiebeln samt der heißen Butter krönen – den Ofen kurz noch heißer stellen (250/220) und den König der Sattmacher 5 Minuten überbacken.

So viel Zeit muß sein: 1 Stunde
Das schmeckt dazu: superfrischer Blattsalat
Kalorien pro Portion: 735

Risotto, einfach nur Risotto

So überzeugend wie Klavierspielen können – aber viel einfacher!

Was haben sie nur, die Italiener, daß wir uns immer wieder neu in ihre Kochkunst verlieben? Auf jeden Fall haben sie die umwerfendsten Basics auf der Speisekarte: Spaghetti und Risotto. Spaghetti kann jeder, Risotto muß man sich erobern. Und mit dem Löffel essen!

Für 4 Genießer als Zwischengang:

1 Zwiebel

4 EL Butter

300 g italienischer Rundkornreis

$^1/_8$ l Weißwein

1 l heiße Fleischbrühe oder Hühnerbrühe

0,1 – 0,2 g Safran (Fäden oder Pulver)

50 g frisch geriebener Parmesan

(ungefähr 4 – 5 EL voll)

Salz, Pfeffer aus der Mühle

1 Auch wenn's den Risottokoch schon in den Rührfingern juckt, zuerst muß er die Zwiebel schälen und fein würfeln. Dann wird er 2 EL Butter in einer großen Pfanne schmelzen und darin die Zwiebel glasig dünsten.

2 Den Reis in die Pfanne zu streuen erhöht schlagartig die Spannung. In der Zwiebelbutter wird der Reis nun so lange gerührt, bis er hell und durchscheinend aussieht – bei sehr, sehr sanfter Hitze. Nicht braun werden lassen, sondern jetzt gleich mal den Wein und eine Kelle voll heißer Brühe angießen und fleißig rühren.

3 Die Pfanne bleibt natürlich offen – wegen dem Rühren. Aber auch, weil die Flüssigkeit nicht nur vom Reis geschluckt wird, sondern auch verdampfen soll und immer wieder durch einen neuen kleinen Brühe-Nachschub ersetzt wird.

4 Der Risottokoch freut sich darüber, beim Rühren zu sehen, wie schön sämig plötzlich alles aussieht. Gar nicht wie die körnig-trockene Risibisi-Pfanne aus der Kantine, sondern eher wie ein göttlicher Brei. Der wird gleich noch schöner aussehen, wenn der Safran im letzten Brühe-Rest aufgelöst wird und den Pfanneninhalt in sattes Gelb taucht.

5 Alles in allem ist man jetzt vielleicht 20 – 30 Minuten am Herd gestanden – ohne sich die Spur zu langweilen. Das erste Löffelchen für den Koch, damit er zwischen den Zähnen spürt, ob die Reiskörner, die so weich aussehen, innen noch einen zarten Biß haben – hurra!

6 Den Rest der Butter und den duftenden frischen Parmesankäse (wer den aus der Packung nimmt, ... aber wer tut das schon?!) unter den Reis mischen, noch mal mit Salz und Pfeffer abschmecken – basta!

So viel Zeit muß sein: 40 Minuten
Das schmeckt dazu: ein leichter spritziger Weißwein
Kalorien pro Portion: 390

Basic Tip

Wer auf den Risotto-Geschmack gekommen ist, kann jeden Tag einen neuen ausprobieren. Zum Beispiel mit grünem Spargel oder Kürbis. Mit frischen Pfifferlingen oder mit getrockneten Steinpilzen, mit Erbsen oder Fenchel, mit Gurken oder Artischocken, mit Schinken oder Tintenfisch. Das Prinzip ist immer gleich: Zutaten in Butter andünsten, den Reis in die Pfanne rühren und wie oben beschrieben weitermachen. Nur bei Fisch, bei Garnelen, bei allen zarten Zutaten, die nicht lange köcheln dürfen, ist es anders: die werden erst ganz zum Schluß untergemischt und nur wenige Minuten mitgegart.

Paella
Kleines Koch-Fest

Wer sich immer noch keine Paellapfanne aus Spanien mitgebracht hat, nimmt eben die größte Bratreine, die er auftreiben kann und in der normalerweise dicke Strudel gebacken werden.

Für 6 Hungrige:

6 kleine Hähnchenkeulen

500 g Muscheln (Herzmuscheln, Miesmuscheln, Venusmuscheln)

6 große ungeschälte Garnelen

200 g feste Knoblauchwurst am Stück (z. B. Chorizo, Krakauer)

1 rote, 1 grüne Paprikaschote

500 g Fleischtomaten

1 große Zwiebel

3 Knoblauchzehen

1 1/4 l Hühner- oder Fleischbrühe

8 EL Olivenöl

300 g TK-Erbsen

Salz, Pfeffer aus der Mühle

1 TL Edelsüß-Paprikapulver

0,1 – 0,2 g Safran (Fäden oder Pulver)

500 g Rundkornreis (spanischer oder italienischer), 2 Zitronen

1 Viele Zutaten – wenig Streß: Die Hähnchenkeulen, Muscheln, Garnelen abspülen (offene Muscheln wegwerfen) und mit einem Küchentuch trocknen. Die Knoblauchwurst in Scheiben schneiden.

2 Paprikaschoten waschen, halbieren, Kerne und Trennwände herausschneiden, Schotenhälften in Streifen schneiden. Tomaten waschen und in kleine Würfel schneiden, grünen Stielansatz dabei rausschneiden. Zwiebel und Knoblauch schälen, fein hacken.

3 Brühe in einem Topf erhitzen, die Muscheln reinschmeißen und so lange kochen, bis sich die Schalen öffnen (2 – 3 Minuten). Rausheben. Brühe heiß halten. Ungeöffnete Muscheln wegwerfen.

4 Die Riesenpfanne oder die Bratreine auf 2 Herdplatten stellen, das Öl hineingießen und gut heiß werden lassen. Hühnerkeulen bei starker Hitze ungefähr 15 Minuten von allen Seiten anbraten, wieder herausnehmen, salzen und pfeffern. Garnelen rein – aber nur 1 – 2 Minuten, bis sie sich schön rot färben.

5 Nun Zwiebel und Knoblauch in die wieder freie Pfanne einrühren, Paprikastreifen, Tomaten und Erbsen direkt aus der Packung dazu, mit Salz, Pfeffer und Paprikapulver würzen. Safran in der heißen Brühe auflösen.

6 Fast vergessen – der Reis! Der wird gut untergemischt und gleich danach mit heißer Brühe aufgegossen. Oben auf dem Herd das Ganze nun 15 Minuten köcheln lassen, bis fast alle Flüssigkeit vom Reis aufgesogen ist. Nach 5 Minuten schon mal den Backofen auf 180 Grad vorheizen (erst später einstellen: Umluft 160 Grad).

7 Alles, was jetzt noch draußen steht – Keulen, Muscheln, Garnelen, Wurst – dekorativ auf dem Reis verteilen. Ein großes Stück Alufolie drüber und die Pfanne oder Form damit verschließen. Ab in den Backofen – und noch ein halbes Stündchen Zeit, um den Tisch zu decken, Flaschen zu entkorken, Zitronen in Achtel zu schneiden und sich aufs Essen zu freuen.

So viel Zeit muß sein: gute 2 Stunden
Das schmeckt dazu: trockener spanischer Weißwein
Kalorien pro Portion: 820

Nasi Goreng
Schmeckt nach Urlaub

Das haben sich die Indonesier fein ausgedacht mit ihrem Nationalgericht: Nasi (gekochter Reis) kann man mit tausenderlei Zutaten, Gemüsen, Gewürzen, Fisch oder Fleisch zubereiten – es schmeckt immer. Und: Es ist die absolut raffinierteste Art, Reisreste vom Vortag zu verbraten (goreng!).

Für 2 Hungrige:

300 g Langkornreis

Salz

4 Frühlingszwiebeln

2 Möhren

200 g Chinakohl

100 g Sojabohnenkeimlinge

2 Knoblauchzehen

1 Stück frischer Ingwer

5 EL Öl

3 EL Sojasauce (am besten schmeckt's mit der süßen indonesischen Kecap manis)

1–2 TL Sambal-Paste (scharfe Chilipaste, die es in verschiedenen Sorten zu kaufen gibt)

1–2 EL Zitronensaft

1 EL Tomatenketchup

4 Eier

Pfeffer aus der Mühle

1 Den Reis waschen, mit 600 ml Wasser in einen Topf geben, salzen. Deckel drauf und erhitzen, bis das Wasser aufkocht. In dem Moment die Herdplatte auf ganz schwache Hitze runterschalten, Reis zugedeckt in 15–20 Minuten ausquellen lassen. Vom Herd nehmen, immer noch zugedeckt lassen.

2 Frühlingszwiebeln waschen und putzen. Möhren schälen, Chinakohl waschen, Strunk herausschneiden. Alles Gemüse in feine Streifen schneiden. Keimlinge kurz abbrausen, abtropfen lassen. Knoblauch und Ingwer schälen und fein hacken.

3 Im Wok oder in einer großen Pfanne 4 EL Öl erhitzen. Knoblauch, Ingwer und alles Gemüse außer den Keimlingen hineingeben und mit dem Pfannenwender 2 Minuten rühren und braten. Den Reis dazu, 2 Minuten weiterrühren und weiterbraten. Mit Sojasauce, Sambal-Paste, Zitronensaft, Ketchup würzen, Keimlinge untermischen und in 2–3 Minuten fertigbraten.

4 Herausforderung auf indonesisch: In einer zweiten Pfanne ganz nebenbei den Rest vom Öl erhitzen, vier Spiegeleier braten. Salzen und pfeffern. Reis auf Teller verteilen, Spiegelei draufsetzen. Übrigens: Die Stäbchen sind hier wirklich nur Deko!

So viel Zeit muß sein: 45 Minuten
Das schmeckt dazu: Gurkenscheiben, Röstzwiebeln, Krabbenbrot (Krupuk)
Kalorien pro Portion: 640

Pilaw pur
Ausbaufähig

Noch eine geniale Methode, die immer klappt (dieses Mal von den Griechen erfunden). Einzige Bedingung: Reis erst in die kochende Brühe, Deckel drauf, nicht rühren!

Für 4 Hungrige als Beilage:

300 g Langkornreis

1 Zwiebel, 2–3 EL Butter

600 ml Hühnerbrühe

Salz, Pfeffer aus der Mühle

1/2 TL abgeriebene Zitronenschale

1 Den Reis im Sieb kalt waschen. Abtropfen lassen. Zwiebel schälen und fein hacken. In einem Topf die Hälfte der Butter schmelzen, Zwiebel glasig andünsten. Die Brühe dazugießen, zum Kochen bringen.

2 Jetzt erst den Reis dazuschütten, mit Salz, Pfeffer, Zitronenschale würzen. Die Hitze auf kleinste Stufe, Deckel drauf und etwa 20 Minuten abwarten – nicht umrühren!

3 Wenn alle Flüssigkeit aufgesogen ist, den Topf vom Herd nehmen, ein Küchentuch zwischen Topf und Deckel klemmen und 10 Minuten ausdampfen lassen. Reis mit einer Gabel auflockern, restliche Butter und Zitronenschale unterrühren. Körnig, köstlich, perfekt!

So viel Zeit muß sein: 45 Minuten
Das schmeckt dazu: eigentlich alles – vom gegrillten Fisch bis zum Gemüsetopf
Kalorien pro Portion: 130

Pfannkuchen
Von wegen dick und fett

Pfannkuchen müssen vor allem eins sein: dünn. Weil man sie einfach aufrollen und in den Mund stecken will oder weil man sie mit allerhand mächtigen Sachen füllt.

Für 2 Hungrige oder 4 Spatzen:

150 g Mehl, $^1/_8$ l Milch

4 Eier, 1 Prise Salz

2 EL Bratfett, Öl oder Butterschmalz

1 Das Mehl in eine Schüssel schütten, mit dem Schneebesen nach und nach Milch und Eier mit Salz unterquirlen. Der Teig soll keine Klümpchen haben, sondern zähflüssig und glatt sein. 20 Minuten quellen lassen.

2 Eine Pfanne mit ganz wenig Fett ausstreichen und heiß werden lassen, dann die Hitze auf mittlere Stufe runterschalten. Eine kleine Portion vom Teig einfüllen, die Pfanne in alle Richtungen drehen, damit sich der Teig gleichmäßig dünn verteilt.

3 Wenn die Unterseite knusprig gebraten ist, die Pfanne kurz rütteln, damit sich der Pfannkuchen löst. Dann mit dem Pfannenwender wenden und fertigbacken.

4 Danach wird die Pfanne wieder ganz hauchdünn gefettet, die nächste Teigportion eingefüllt und genauso gebacken. Pro Pfannkuchen dauert das immer nur wenige Minuten, aber wenn der letzte dann endlich gebacken ist, liegt der erste trotzdem schrumpelig und kalt auf dem Teller. Also: Alle Pfannkuchen sofort frisch aus der Pfanne essen – oder im vorgeheizten Backofen (180 Grad/Umluft 160 Grad) warm halten.

So viel Zeit muß sein: 1 Stunde
Das schmeckt dazu: Salat, Pilzsauce, Hackfleischsauce, Gemüseragouts aller Art. Besonders lecker und schnell: Pfannkuchen noch in der Pfanne mit Käse belegen, aufrollen und dem Käse kurz Zeit zum Schmelzen lassen. Auch gut: Süßes wie Zwetschgenmus, Kirschkompott, Marmelade, Obstsalat.
Kalorien pro Portion (4): 270

Kartoffel-Tortilla
Olé

Für 4 Hungrige als Vorspeise:

2 große Kartoffeln (300 g, festkochende Sorte)

1 Zwiebel

6–8 EL Olivenöl

8 Eier, 8 EL Milch, 8 EL Sahne

Salz, Pfeffer aus der Mühle

1 Bund Petersilie

1 Die Kartoffeln waschen und schälen. In Spielwürfelgröße aufschneiden (erst dicke Scheiben, dann dicke Streifen, dann Würfel). Zwiebel schälen, fein hacken.

2 In einer Pfanne (mit passendem Deckel) das Öl erhitzen. Die Kartoffelwürfel darin bei mittlerer Hitze 10 Minuten anbraten und dabei ab und zu durchmischen. Zwiebel dazu, 5 Minuten mitbraten.

3 Eier mit Milch und Sahne verquirlen, kräftig salzen und pfeffern. Petersilie waschen, kurz schütteln, hacken und untermischen.

4 Die Eiermischung in die Pfanne über die Kartoffeln gießen. Bei schwacher Hitze stocken lassen, bis die Unterseite stabil ist. Die Tortilla aus der Pfanne auf einen Teller oder den umgedrehten Deckel gleiten lassen, mit der Kehrseite wieder in die Pfanne zurückzaubern. Deckel zu, Tortilla in ungefähr 5 Minuten fertigbacken.

5 Sofort warm servieren oder auch abkühlen lassen, in Häppchen aufschneiden und als Tapa zum Gläschen Sherry schmecken lassen.

So viel Zeit muß sein: 45 Minuten
Das schmeckt dazu: eingelegte Oliven
Kalorien pro Portion: 430

Gemüse-Frittata
Omelett auf italienisch

Für 4 Hungrige als Vorspeise:

250 g kleine, feste Zucchini (oder anderes Lieblingsgemüse)

1 kleine Zwiebel

2 Knoblauchzehen

4 EL Olivenöl

Salz, Pfeffer aus der Mühle

1 Bund Schnittlauch

5 Eier, 5 EL Milch

1 Zucchini waschen, die Enden knapp abschneiden. Zucchini in Scheibchen, dann in feine Stifte schneiden. Zwiebel und Knoblauch schälen, fein hacken. In einer Pfanne das Olivenöl heiß werden lassen. Zucchinistifte mit Zwiebel und Knoblauch einrühren und anbraten, salzen und pfeffern.

2 Schnittlauch waschen und fein aufschneiden. Eier mit Milch verquirlen, salzen und pfeffern. Die Hälfte vom Schnittlauch untermischen. Eiermilch über die Zucchinistifte gießen, die Pfanne anheben und drehen, damit sich alles gleichmäßig verteilt. Bei schwacher Hitze stocken lassen.

3 Die Frittata dann auf einen Teller oder umgedrehten Deckel gleiten lassen, mit der ungebackenen Seite wieder zurück in die Pfanne und in ungefähr 5 Minuten fertigbacken.

So viel Zeit muß sein: 30 Minuten
Das schmeckt dazu: geriebener Käse, frische Tomatensauce, Salat
Kalorien pro Portion: 210

Basic Tips

Trick Nr. 1: Die Hälfte der Milch durch Mineralwasser ersetzen, dann wird der Pfannkuchenteig besonders locker.
Trick Nr. 2: Zum Wenden die Pfannkuchen einfach mit einer coolen Bewegung Richtung Küchendecke werfen und mit der Pfanne wieder auffangen.

Kartoffelpüree
Feiner kann's keiner

Weiß noch jemand, was ein richtig gutes, selbstgemachtes Kartoffelpüree ist? Doch so viele. Und wer weiß, wie es gemacht wird? Nicht so viele. Na, hier steht's ja.

Für 4 Hungrige als Beilage:

700 g Kartoffeln (am besten mehligkochende Sorte)
1 TL Salz
1 Zwiebel
50 g Butter
150 – 200 ml Milch
frisch geriebene Muskatnuß

1 Die Kartoffeln waschen, schälen und halbieren, ganz große Knollen vierteln. Die Stücke in warmem Salzwasser aufsetzen. Deckel drauf, schnell aufkochen und gut 15 Minuten bei mittlerer Hitze garen.

2 Inzwischen die Zwiebel schälen, halbieren und in dünne Streifen schneiden. Die Butter in einem Topf schmelzen lassen und die Zwiebel darin bei mittlerer Hitze bräunen. Die Milch aufkochen.

3 Das Wasser von den Kartoffeln abgießen und sie 1 Minute im Topf ohne Deckel ausdampfen lassen. Dann die Stücke gut stampfen oder durch die Kartoffelpresse zurück in den Topf drücken.

4 Nun die heiße Milch dazugießen und alles gut verrühren – anfangs mit dem Löffel, dann mit dem Schneebesen, damit das Püree luftig wird. Muskatnuß mit der Reibe drüberreiben.

5 Jetzt kommt's drauf an: Butter und Zwiebel ins Püree rühren oder drübergeben? Kleiner Tip: Butter durchs Sieb gießen und drunterrühren, Zwiebel drüberstreuen. Besser geht's nicht.

So viel Zeit muß sein: 30 Minuten
Das schmeckt dazu: Braten, Rouladen, Bratfisch
Kalorien pro Portion: 250

Basic Tip

So gut und doch so kalt, das ist der alte Zwiespalt beim Püree. Wichtig für Wärme ist schon mal, daß alle Zutaten so heiß wie möglich zusammenkommen. Wenn das Püree dann bei ganz schwacher Hitze auf dem Herd aufgeschlagen wird, bleibt es nicht nur heiß, sondern wird auch luftiger. Und zum Heißhalten setzen Sie den Topf am besten auf einen gleich großen mit siedendem Wasser.

Pellkartoffeln satt

Echt basic, echt gut

Für 4 Hungrige:

1,2 kg gleichmäßig große Kartoffeln (festkochende Sorte)

Salz

500 g Speisequark

ein paar EL Milch

Pfeffer aus der Mühle

1 Bund Schnittlauch (oder auch andere gemischte frische Kräuter)

1 Stück Meerrettichstange (etwa 5 cm lang)

150 g frische Butter

1 Die Kartoffeln unter fließendem Wasser waschen und gleichzeitig mit einer Bürste kräftig abrubbeln, damit die Schale richtig sauber und zart ist – die kann man dann nämlich einfach mitessen.

2 In einen Topf geben, knapp mit Wasser bedecken, 1 TL Salz einstreuen. Zugedeckt bei schwacher Hitze ungefähr 30 Minuten garen (je nach Größe der Kartoffeln). Zwischendurch auch mal mit einer Gabel oder einem Hölzchen hineinstechen und prüfen, ob die Kartoffeln schon weich sind.

3 Während die Kartoffeln kochen, den Quark mit Milch, Salz und Pfeffer verrühren. Kräuter waschen, hacken und dazu. Meerrettichstange waschen und schälen, auf der Reibe grob raspeln.

4 Das Wasser dann aus dem Topf abgießen, ohne daß die Kartoffeln herausfallen. Dafür den heißen Topf mit Topflappen oder Tuch gut festhalten, den Deckel einen Spalt öffnen, Wasser abschütten. Kartoffeln im offenen heißen Topf noch kurz ausdampfen lassen.

5 Pellkartoffeln schön heiß und ungeschält auf den Tisch, am besten mit einem Tuch zudecken, damit sie nicht so schnell abkühlen. Quark, Meerrettich, Butter und Salz dazu essen.

So viel Zeit muß sein: 45 Minuten
Das schmeckt außerdem dazu: Heringssalat, Räucherlachs, Matjes – und die Saucen und Dips ab Seite 88, z. B. Grüne Sauce, Tzatziki, Thunfischdip, Provenzalische Gemüsesauce
Kalorien pro Portion: 630

Ofenkartoffeln

Weniger Streß gibt's nicht

Für 4 Hungrige als Grundlage:

8 große Kartoffeln (jede 150–250 g schwer, festkochende Sorte oder auch vorwiegend festkochende)

Kümmel

Koriander

grob gestoßener Pfeffer

getrocknete Kräuter wie Majoran, Thymian, Oregano, Rosmarin

1 Den Backofen auf 225 Grad vorheizen (erst später einstellen: Umluft 200 Grad). Den Rost in der Mitte einschieben.

2 Die Kartoffeln waschen, mit einer Gabel rundum einstechen und jede für sich in Alufolie wickeln – zusammen mit Kümmel oder Koriander, Pfeffer oder Kräutern.

3 Folienkartoffeln auf den Rost legen. Im Backofen etwa 1 Stunde garen (je nach Größe).

So viel Zeit muß sein: 1 $^{1}/_{4}$ Stunden
Das schmeckt dazu: Salz und frische Butter, saure Sahne, Kräuterquark, Steak & Salat
Kalorien pro Portion: 210

Bratkartoffeln
Bella Nicola, bella Sieglinde!

Für 4 Hungrige als Beilage:

Bratkartoffeln die erste!

800 g Kartoffeln (festkochende Sorte, z. B. Nicola oder Sieglinde oder Linda oder Selma ...)

Salz

4 – 6 EL Butterschmalz oder neutrales Öl

Pfeffer aus der Mühle

1 Kartoffeln waschen, mit Salzwasser bedeckt gar kochen. Abgießen und abkühlen lassen (am besten über Nacht). Dann schälen, in dünne Scheiben schneiden.

2 In einer Pfanne (keine beschichtete, sondern Gußeisen, Eisen oder Edelstahl) die Hälfte vom Fett erhitzen. Kartoffelscheiben darin verteilen – optimal ist es, wenn alle nebeneinander Platz haben. 10 Minuten bei mittlerer Hitze braten lassen, ohne Hand anzulegen. Dann mit Salz und Pfeffer würzen, alle Scheiben wenden, im restlichen Fett noch 5 – 8 Minuten knusprig fertigbraten.

Bratkartoffeln die zweite!

800 g Kartoffeln (wie links)

6 EL Olivenöl (einfache Sorte)

2 EL Butter

Salz, Pfeffer aus der Mühle

1 Kartoffeln waschen und dünn schälen. In Würfel schneiden. Das Öl in einer großen Pfanne (mit passendem Deckel) gut heiß werden lassen, Kartoffelwürfel hineingeben, wenden und anbraten.

2 Deckel drauf, bei mittlerer Hitze in 10 – 15 Minuten goldgelb braten. Deckel weg, Butter rein und noch 5 – 10 Minuten knusprig braten, ab und zu wenden. Salzen und pfeffern.

So viel Zeit muß sein:
Nr. 1: 1 Stunde (plus Abkühlzeit),
Nr. 2: 40 Minuten
Das schmeckt dazu: vom Spiegelei bis zum Schweinsbraten, vom Räucherlachs bis zur Ratatouille – eigentlich fast alles, was sich mit knusprig und köstlich verträgt!
Kalorien pro Portion:
Nr. 1: 210
Nr. 2: 270

Kartoffelgratin
Macht was her

Für 4 Hungrige als Beilage:

100 g Sahne

1/8 l Milch

500 g Kartoffeln (mehligkochende Sorte)

1 EL Butter für die Form und für die Flöckchen

Salz, Pfeffer aus der Mühle

frisch geriebene Muskatnuß

50 g geriebener Emmentaler

1 Die Sahne mit der Milch verrühren. Kartoffeln waschen und schälen, dunkle und grüne Stellen wegschneiden. Kartoffeln in dünne Scheiben schneiden oder hobeln. Den Backofen auf 180 Grad vorheizen (erst später einstellen: Umluft 160 Grad).

2 Eine feuerfeste Form mit Butter fetten. Kartoffelscheiben fächerförmig einschichten, jede Schicht salzen, pfeffern, mit wenig Muskat bestreuen. Sahnemischung an den Seiten angießen, Käse drüberstreuen, mit Butterflöckchen belegen. Im Ofen 50 Minuten garen, bis die Kartoffeln weich und gebräunt sind.

So viel Zeit muß sein: 1 Stunde
Das schmeckt dazu: Entenbraten, Rinderfilet – oder auch einfach nur ein toller Salat!
Kalorien pro Portion: 245

Klöße (oder Knödel?)
Mal nicht aus der Packung

Für 4 Hungrige als Beilage:

1 kg Kartoffeln (unbedingt mehlige Sorte, z. B. Bintje, Adretta, Ilona ...)
100 – 150 g Mehl
Salz
frisch geriebene Muskatnuß
2 mittelgroße Eier
2 – 3 EL Butter
4 EL Semmelbrösel

1 Wer eine Kartoffelpresse im Küchenschrank findet, darf gleich weiterspringen zu Punkt 2 – wer nicht, muß hier kurz weiterlesen. Die Kartoffeln waschen, knapp mit Wasser bedeckt kochen und über Nacht abkühlen lassen. Erst dann schälen und locker reiben (weiter bei Punkt 3).

2 Jetzt für die glücklichen Presse-Besitzer: Die Kartoffeln waschen, knapp mit Wasser bedeckt weich kochen. Abgießen, kurz ausdampfen lassen und heiß schälen. Sofort durch die Kartoffelpresse drücken und den Kartoffelschnee locker ausbreiten, damit er nicht zusammenklumpt.

3 Ungefähr $^2/_3$ der Mehlmenge über die Kartoffeln streuen, mit Salz und Muskat würzen. Mit den Fingern lockere Brösel bröseln. Dann die Eier in einer kleinen Schüssel mit einer Gabel aufschlagen, mit der Gabel unter den Kartoffelteig ziehen. Dann möglichst rasch zu einem glatten Teig zusammendrücken. Falls er nicht zusammenhält, noch mehr Mehl dazu nehmen. Nicht zu heftig kneten, sonst wird der Teig zu weich und braucht zu viel Mehl zum Binden.

4 Nun die Hände leicht mit Mehl bestäuben, den Teig in kleine Portionen teilen, je nachdem, wie große Klöße es werden sollen. Jedes Teighäufchen zu einer Kugel drehen.

5 Inzwischen sollte im großen Topf auch schon reichlich Salzwasser kochen. Die Klöße ins Wasser fallen lassen, zugedeckt noch mal aufkochen, halboffen 10 – 20 Minuten ziehen lassen (je nach Größe), bis alle an der Wasseroberfläche erscheinen.

6 Butter in einem Pfännchen schmelzen, Semmelbrösel einrühren und lecker anbräunen. Die Klöße mit dem Schaumlöffel herausheben, abtropfen lassen und mit Semmelbröselbutter übergießen.

So viel Zeit muß sein: 1 $^1/_2$ Stunden
Das schmeckt dazu: alles mögliche mit viel Sauce, Braten, Ragout, Geschnetzeltes, Geflügel, Gemüse, Pilze
Kalorien pro Portion: 400

Basic Tips

Zwei Ideen für schnell gefüllte Klöße:

Weißbrotwürfel, in Butter kurz angebraten, oder Zwetschgen, aufgeschlitzt und entsteint, mit je 1 Würfelzucker gefüllt. Die Füllung wird möglichst zentral eingebaut, während die perfekte Kugelform entsteht – also Teigportion erst mal in der Handfläche flach drücken, Brotwürfel oder Zwetschge in die Mitte, Kugel rollen.

Der Klassiker schlechthin: Kartoffelpuffer

Mehligkochende (!) Kartoffeln schälen, nicht zu fein reiben. Im Tuch kurz auspressen. Salzen und pfeffern, mit dem Löffel kleine Portionen in heißes Butterschmalz setzen, glattstreichen, knusprig braten. Kartoffelpuffer mit Apfelmus oder Sauerkraut essen!

Gnocchi & Malfatti

Kein Gangsterduo, sondern knallharte Konkurrenz

Gnocchi sind eigentlich kleine Kartoffelklößchen, und deshalb gehen sie so: siehe Rezept links, nur aus dem Teig lange Schlangen rollen, in kleine Stücke schneiden, mit der Gabel Rillen eindrücken. Fertig fürs Wasser! Danach z. B. nur kurz in heißer Butter mit Salbeiblättern schwenken (Bild oben). Malfatti heißt eigentlich: schlecht gemacht! Aber eigentlich schmecken sie mindestens genausogut wie Gnocchi (Bild Mitte).

Für 4 hungrige Italienfans:

1 EL Butter

300 g TK-Spinat (schon aufgetaut)

150 g Ricotta (das ist die italienische Frischkäse-Spezialität – ersatzweise abgetropfter Magerquark)

100 g frisch geriebener Parmesan

2 Eier, 1 Eigelb

Salz, Pfeffer aus der Mühle

frisch geriebene Muskatnuß

200 g Mehl

1 Eine feuerfeste Form mit der Butter ausstreichen. Aufgetauten Spinat klein hacken. Mit dem Ricotta in eine Schüssel geben, die Hälfte vom Käse, die Eier und das Eigelb unterrühren, mit Salz, Pfeffer und Muskat würzen. Löffelweise Mehl dazugeben und alles mit den Quirlen vom Handrührgerät zu einem glatten Teig rühren.

2 In einem großen Topf 3 l Salzwasser zum Kochen bringen. Den Backofen auf 180 Grad vorheizen (auch schon jetzt: Umluft 160 Grad). Wenn das Wasser kocht, Klößchen aus dem Teig formen: Mit einem Eßlöffel jeweils eine Miniportion Teig abstechen, mit einem zweiten Eßlöffel glattstreichen und ins kochende Wasser schieben.

3 Bei schwacher Hitze einige Minuten ziehen lassen, die fertigen Klößchen schwimmen immer oben. Mit dem Schaumlöffel herausholen, abtropfen lassen. In die Form geben, mit restlichem Käse bestreuen und noch 5 Minuten im Ofen überbacken.

So viel Zeit muß sein: 1 Stunde
Das schmeckt dazu: trockener Weißwein, Brot, Salat
Kalorien pro Portion: 420

Pommes frites

Auch eine Kunst

Für 4 Hungrige als Zwischenstopp:

600 g Kartoffeln (festkochende Sorte), Salz

750 g Backfett, Öl oder Butterschmalz

1 Die Kartoffeln waschen, schälen und in grobe Stifte schneiden. In kaltem Wasser noch mal waschen, damit sich die Stärke absetzt – die macht die Pommes hart. Stifte gut abtrocknen.

2 In einem großen Topf (Fritierfans in der Friteuse) reichlich Fett richtig gut heiß werden lassen. Test mit einem Brotwürfel – der muß sofort schön brutzeln.

3 Wichtig: Die Stifte in kleinen Portionen erst mal 2–3 Minuten vorfritieren, noch hellgelb wieder herausholen, abtropfen lassen. Sind zu viele im Topf, kühlt das Fett schnell ab und wird von den Kartoffeln aufgesaugt.

4 Die vorfritierten Pommes noch ein zweites Mal ins Fettbad werfen – diesmal dürfen auch fast alle zusammen rein. In 4–5 Minuten knusprig backen, gut abtropfen lassen, salzen, staunen.

So viel Zeit muß sein: 45 Minuten
Das schmeckt dazu: tja – da wissen wir auch nicht weiter!
Kalorien pro Portion: 440

Pizzabacken
Ein Kinderspiel

Kaum ein Gerücht hält sich länger als das: Hefeteig ist kompliziert, langwierig und geht oft schief. Alles Lüge!

Für 4 Hungrige:

Der Pizzateig:

300 g Mehl
1 kräftige Prise Salz
4 EL Olivenöl
20 g frische Hefe (oder 1 Päckchen Trockenhefe, Haltbarkeitsdatum prüfen!)
Fett fürs Blech

Die Tomatensauce:

1 Zwiebel
2 Knoblauchzehen
1 EL Olivenöl
1 große Packung Pizzatomaten (oder 1 große Dose geschälte Tomaten, 800 g)
Salz, Pfeffer aus der Mühle

Die freie Wahl:

Mozzarellascheiben, Basilikum
Oliven, Sardellen, Kapern
Schinken, Artischocken (aus dem Glas)
frische Pilze, Salami, Peperoni
Thunfisch, Paprika, Zwiebeln
Ziegenkäse, Rucola, Nüsse ...
1–2 EL Olivenöl zum Beträufeln

1 Einfacher geht's nicht: Das Mehl mit Salz und Öl in einer Schüssel mischen. Die frische Hefe in $^{1}/_{8}$ l lauwarmem Wasser auflösen und glattrühren, unters Mehl mischen. (Trockenhefe gleich mit dem Mehl mischen, dann Öl und lauwarmes Wasser dazu). Alles zu einem geschmeidigen Teig kneten, mit Hand oder Knethaken. Die Schüssel mit einem Tuch bedecken, den Teig etwa 45 Minuten gehen lassen, bis sein Volumen sich verdoppelt hat. Das war's!

2 In der Zwischenzeit Tomatensauce zubereiten und alles, was an Belag aufzutreiben ist, bereitstellen.

3 Zwiebel und Knoblauch schälen und fein hacken. In heißem Olivenöl andünsten, Pizzatomaten einrühren (Dosentomaten vorher kleinschneiden). Sauce bei mittlerer Hitze im offenen Topf musig einkochen lassen, mit Salz und Pfeffer würzen.

4 Den Backofen auf 250 Grad vorheizen (auch schon jetzt: Umluft 220 Grad). Ein Backblech einfetten. Den Teig aus der Schüssel nehmen, auf dem bemehlten Tisch nochmal kräftig durchkneten. In der Größe des Backblechs ausrollen, aufs Blech legen, die Ränder zu einem Wulst formen.

5 Die Tomatensauce auf dem Teig verstreichen – und jeden seine Ecke selbst belegen lassen. Wenig Olivenöl darüber träufeln und 15 – 20 Minuten backen.

So viel Zeit muß sein: 1 $^{1}/_{2}$ Stunden
Das schmeckt dazu: Rotwein aus Italien
Kalorien pro Portion: 410

Schinken-Käse-Quiche

Super einzufrieren als Notvorrat

Für 4 – 6 Hungrige:

250 g Mehl

$^{1}/_{2}$ TL Salz

125 g kalte Butter

100 g gekochter Schinken

100 g roher Schinken (muß nicht der teuerste sein)

1 Zwiebel

2 Knoblauchzehen

150 g Hartkäse (z. B. Greyerzer, Emmentaler oder Bergkäse)

250 g Sahne

4 Eier

Pfeffer aus der Mühle

1 Bund Schnittlauch oder Petersilie

1 Das Mehl auf den Tisch häufen, salzen und eine Mulde in die Mitte drücken. 2 – 3 EL richtig kaltes Wasser hineingeben. Die Butter in kleinen Stückchen auf dem Mehlrand verteilen, dann mit einem großen Messer alles kreuz und quer durchhacken, bis sich die Butter mit dem Mehl krümelig verbunden hat. Dann rasch zu einem glatten Teig kneten. In Folie wickeln, 30 Minuten in den Kühlschrank legen.

2 Genügend Zeit, um den Schinken in Streifen zu schneiden, Zwiebel und Knoblauch zu hacken, den Käse zu reiben. Zeit auch noch, um Sahne, Eier und Pfeffer kräftig zu verquirlen und Kräuter kleinzuschneiden.

3 Jetzt den Backofen nicht vergessen: auf 220 Grad vorheizen (erst später einstellen: Umluft 200 Grad).

4 Den Teig auf dem leicht bemehlten Tisch rund ausrollen, eine Quicheform (28 – 30 cm) damit auslegen, den überstehenden Rand ringsum abschneiden.

5 Schinken mit Zwiebel, Knoblauch und Kräutern mischen, auf dem Teig verteilen. Käse in die Eiersahne rühren, drübergießen. Die Quiche in ungefähr 40 Minuten goldbraun backen. Nach etwa 20 Minuten mit Alufolie (matte Seite nach außen) abdecken, damit sie nicht zu dunkel wird.

So viel Zeit muß sein: Aktiv sein 1 Stunde, Backen 40 Minuten
Das schmeckt dazu: grüner Blattsalat
Kalorien pro Portion (6): 685

Bruschetta

Gute Tomaten, gutes Öl – gute Bruschetta

Für 4 Hungrige als Begrüßung:

4 reife Tomaten

8 Basilikumblättchen

4 große Brotscheiben (toskanisches Weißbrot oder Bauernbrot aus Sauerteig)

4 Knoblauchzehen

8 EL bestes Olivenöl

Salz, Pfeffer aus der Mühle

1 Die Tomaten waschen, grünen Stielansatz rausschneiden, Tomaten sehr klein würfeln. Basilikum in feine Streifen schneiden.

2 Die Brotscheiben halbieren, im Toaster oder im heißen Backofen bei höchster Stufe anrösten.

3 Den Knoblauch schälen und halbieren. Die gerösteten Brote damit kräftig einreiben, jeweils 1 EL Olivenöl auf jede Scheibe träufeln. Tomaten darauf verteilen, salzen und pfeffern, mit Basilikumstreifen bestreuen.

So viel Zeit muß sein: 20 Minuten
Das schmeckt dazu: Prosecco oder Weißwein
Kalorien pro Portion: 275

Crostini mit Olivencreme

Unbedingt probieren!

Die genialste Olivencreme der Welt – leider nicht von uns entdeckt, sondern von Schinharl's Cornelia (siehe Seite 161 + 168).

Für 4 Hungrige zum Aperitif:

100 g schwarze entsteinte Oliven

1 EL Kapern

1 EL Pinienkerne

2 EL Tomatenmark

2 EL Olivenöl

1 TL Aceto balsamico

Pfeffer aus der Mühle

12 dünne Scheiben Baguette, toskanisches Weißbrot, Ciabatta oder Toast

1 Oliven mit Kapern, Pinienkernen, Tomatenmark und Öl fein pürieren (Mixer oder Pürierstab). Mit Aceto balsamico und Pfeffer würzen (salzig sind schon die Oliven).

2 Die Brotscheiben toasten oder im ganz heißen Backofen anrösten. Mit der Creme bestreichen und sofort essen.

So viel Zeit muß sein: 10 Minuten
Das schmeckt dazu: jeglicher Aperitif
Kalorien pro Portion: 235

Olgabrote

Macht was her

Diese Brote gibt's bei Olga – immer wenn's was zu feiern gibt. Und weil Olga eine echte Russin ist, essen wir die ziemlich oft.

Für 4 Hungrige zum Auftakt:

200 g Crème fraîche

150 g saure Sahne

1 Baguette

1 Bund Schnittlauch

50 g schwarzer Kaviar (echter superteurer vom Stör oder falscher, aber immerhin schwarzer vom Seehasen)

50 g roter Kaviar (von Lachs oder Forelle)

1 Crème fraîche mit der sauren Sahne glattrühren. Das Baguette in dünne Scheiben schneiden. Schnittlauch waschen und fein aufschneiden.

2 Die Brotscheiben mit der Sahnecreme bestreichen, schwarzen und roten Kaviar aufhäufen und mit Schnittlauch garnieren.

So viel Zeit muß sein: 15 Minuten
Das schmeckt dazu: was schon – Champagner! Oder Wodka aus Kaffeetassen
Kalorien pro Portion: 540

B-Hörnchen
It's Partytime!

Mit „B“ wie Blätterteig, Billi's, Blitz – und mit lauter leckeren Ideen zum Füllen. Wenn viele Gäste kommen, einfach mehr machen.

Für 4 neugierige Hungrige:

4 Platten TK-Blätterteig (ungefähr 300 g)

Salz, Pfeffer aus der Mühle

1 Ei

Für die Füllungen zum Beispiel:

100 g Champignons

1 EL Zitronensaft

50 g geriebener Emmentaler

2 EL gehackte Petersilie

oder:

175 g gekochter Schinken

60 g geriebener Emmentaler

1–2 EL Kapern

2–3 EL Crème fraîche

Edelsüß-Paprikapulver

1 Die Blätterteigplatten nebeneinanderlegen und antauen lassen, zu Quadraten ausrollen, diagonal zu Dreiecken halbieren. Backofen auf 180 Grad vorheizen (auch schon jetzt: Umluft 160 Grad).

2 Champignons putzen, in dünne Scheibchen schneiden oder fein hacken, mit Zitronensaft beträufeln. Salzen und pfeffern, geriebenen Käse und gehackte Petersilie untermischen.

3 Oder den Schinken in feine Streifen schneiden, mit dem Käse, den Kapern und der Crème fraîche mischen, mit Pfeffer und Paprikapulver würzen.

4 Das Ei trennen, die Ränder der Dreiecke mit Eiweiß bestreichen (das hält die Hörnchen zusammen). Die Füllung auf die Teigplatten verteilen, zu Hörnchen aufrollen. Eigelb verquirlen, die Hörnchen damit bestreichen. Mit einer Gabel einstechen, damit der Dampf entweichen kann.

5 Backblech kalt abspülen, Hörnchen darauf setzen, in den Backofen schieben (Mitte). Nach ungefähr 30 Minuten sehen sie zum Anbeißen knusprig aus – und schmecken auch so.

So viel Zeit muß sein: 50 Minuten
Das schmeckt dazu: Blattsalat
Kalorien pro Portion:
1. (Champignon) 360
2. (Schinken) 430

Ofenbaguette
Wenig Zeit, viel Freud

Für 4 Hungrige mal schnell zwischendurch:

2 Knoblauchzehen

einige frische Basilikumblätter

4 EL weiche Butter

300 g Mozzarella

4 mittelgroße Tomaten

1 Baguette

Salz, Pfeffer aus der Mühle

1 Den Backofen auf 200 Grad vorheizen (auch schon jetzt: Umluft 180 Grad). Den Knoblauch schälen und fein hacken, Basilikum in feine Streifen schneiden. Beides mit der weichen Butter verrühren. Mozzarella und gewaschene Tomaten in Scheiben schneiden.

2 Das Baguette im Abstand von 2–3 cm tief einschneiden, aber nicht durchschneiden. Die Spalten mit der gewürzten Butter bestreichen, jeweils 1 Mozzarella- und 1 Tomatenscheibe einklemmen, salzen und pfeffern. Im heißen Ofen 15 Minuten überbacken.

So viel Zeit muß sein: 30 Minuten
Das schmeckt dazu: ein Gläschen trockener Roter
Kalorien pro Portion: 490

Salat
& Sup

Wer Sinn fürs Wesentliche und für Details hat, der kann wirklich kochen

e

pen

Wer gute Salate macht, hat Sinn für Details. Der schaut darauf, daß die Blätter auf einen Biß in den Mund passen, daß die Tomatenstücke nicht eiskalt sind, daß Sauce und Zutaten sich ergänzen. Und dann wird alles gut gemischt – früh genug, damit der Salat rund schmeckt, und spät genug, damit er nicht zum Einheitsmatsch wird.

Wer gute Suppen kocht, hat Sinn fürs Wesentliche. Der überlegt sich schon am Anfang, was zum Schluß herauskommen soll und wann dafür was in den Topf kommen muß.

Wer Sinn fürs Wesentliche und für die Details hat, der kann wirklich kochen.

Wer schlechte Salate und Suppen macht, kann's nicht. Tut uns wirklich leid, aber es ist so.

Es ist aber auch so, daß sich gute Suppen und Salate ganz leicht machen lassen.

Und wer das erst einmal kann ...

Unsere liebste Zutat

Die Zwiebel

engl. onion; franz. oignon; ital. cipolla

Das ist sie
- die gemeine Hauszwiebel in brauner Schale, die klein und beißend oder faustgroß und mild sein kann
- die aromatische weiße Zwiebel
- die mild-aromatische rote Zwiebel
- die Schalotte, fein und kraftvoll zugleich
- die erfrischende Lauchzwiebel

Das hat sie
- 28 Kalorien je 100 g
- 5 g Kohlenhydrate
- kaum Eiweiß und Fett
- Kalium und Vitamin C

Das tut sie
- die Atemwege durchpusten
- den Atem nehmen
- die Verdauung auf Trab bringen
- das Blut reinigen
- zu Tränen rühren

Das will sie
- ein wenig kühl, ganz dunkel und völlig trocken lagern
- dabei immer für sich sein – sonst schmeckt bald alles nach ihr
- möglichst frisch geschnitten werden, sonst wird sie bitter
- vor dem Kochen angedünstet werden, sonst wird sie nie weich
- nicht zu lange im Salat liegen, sonst wird der ungenießbar

Das mag sie
- gebraten werden, das macht sie würzig und knusprig
- langsames Dünsten, das macht sie süß und saftig
- kräftigen Beistand, der es mit ihr aufnehmen kann – Würziges, Scharfes, Saures, Fettes, Geräuchertes, Gebratenes
- die süßen und sahnigen Kontraste
- keine halbgaren Sachen

Guter Durchzug

Was ist schlimmer als Nudelsalat, der nur eine Viertelstunde in seiner Sauce durchziehen durfte? Kopfsalat, der schon eine Viertelstunde in seiner Sauce durchziehen mußte.
Die idealen Marinierzeiten für Salate auf einen Blick

1 Min.	zarte Blattsalate (Batavia, Eichblattsalat, Feldsalat, Kopfsalat, Rucola usw.) am besten ganz frisch
bis 5 Min.	festere Blattsalate (Chinakohl, Radicchio, Endivien, Romana, Chicorée, Frisée usw.)
15 Min.	Tomatensalat, warmer Kartoffelsalat
halber Tag	Nudelsalat, Kartoffelsalat
über Nacht	Heringssalat
ganzer Tag	Reissalat

Brühe

Eine anständige Brühe gibt ordentlich Halt.

Für alle Fälle ist da Gemüsebrühe am besten, weil sie relativ neutral schmeckt. Und sie läßt sich leicht selber machen. Einfach ein paar Lieblingsgemüse waschen, putzen und mit Lieblingsgewürzen, Lieblingskräutern und einer Prise Salz in einen Topf packen. Alles zwei Fingerbreit mit Wasser bedecken, langsam aufkochen und je nach Gemüse 30–60 Minuten köcheln lassen. Zartere Kräuter kommen mit Stiel in den letzten 15 Minuten in die Brühe. Zum Schluß wird sie durchs Sieb gegossen und abgeschmeckt. Clever: Reste vom Gemüseputzen für die Brühe hamstern.

Gute Brühgemüse: Zwiebeln, Tomaten (für Grundgeschmack und -farbe); Lauch, Sellerie, Möhren und andere Wurzeln; Pilze, Paprika, Fenchel (geben Eigengeschmack); Blumenkohl, Broccoli.

Gute Gewürze und Kräuter (immer ganz): Pfeffer, Muskat, Wacholder, Nelken; Lorbeer, Rosmarin, Thymian, Bohnenkraut; Schnittlauch, Petersilie, Estragon, Basilikum (zum Schluß); Ingwer, Zimt, Fenchel, Safran, Kümmel für Specials.

Essig

Wie entsteht Essig? Ganz einfach: Wein aufmachen und sofort wieder vergessen.

Dann wird der irgendwann sauer. Weil in der Luft immer ein paar Bakterien herumschwirren, die nur auf offenen Alkohol warten, um ihn in Essigsäure umzupolen. Und je nach dem Sprit hat der Essig dann seinen Geschmack und Namen. Ein eher saurer Fusel ist Branntweinessig, dessen Basis geschmackloser Schnaps aus vergorenen Zuckerrüben oder Kartoffeln ist. Ein bißchen besser kommt schon Wein-Branntweinessig, in dem immerhin ein Viertel Weinessig stecken muß. Dieser kann pur etwas ganz Feines sein, wenn es denn der Wein auch war und die Essigmacher ein bißchen mehr als die Flasche-auf-und-vergessen-Methode beherrschen. Bei einem guten Balsamico tun sie das bestimmt, denn der reift in einem ziemlich ausgeklügelten Hin und Her über Jahre aus Traubenmost.

Weitere Essig-Typen: Sherryessig, Apfelessig, Himbeeressig, Estragon- und andere Kräuteressige, Malzessig (very british), Bieressig (very bairisch), Reisessig (very asiatisch). Essigessenz ist nur was für den Putzschrank.

Öl

Wie entsteht Öl? Unter Druck und aus Pflanzen.

Das ist sogar beim Erdöl so, das sich die Erde aus steinzeitlichen Farnresten usw. abgepreßt hat. Speiseöl wird aus ölhaltigen Früchten und Samen gewonnen. Meistens gibt es dabei mächtig Druck, so daß es ziemlich heiß in der Presse wird. Um die letzten Tropfen noch herauszukriegen, kommt oft ein Lösungsmittel dazu. Wenn das wieder draußen ist und auch sonst aller trüber Ballast herausgezogen wurde, hat man raffiniertes Öl. Das brät gut, schmeckt aber nach nichts. Im Salat taugt es aber gut als Geschmacksvermittler. Aroma satt bieten kaltgepreßte Öle, die bei maximal 60 Grad gewonnen und weder raffiniert noch gelöst werden, was ihren Eigengeschmack erhält. Der kann manchmal sehr eigen sein, also im Zweifel erst mal probieren. Olivenöl ist übrigens immer kalt gepreßt.

Weitere Öl-Typen: Sonnenblumen-, Maiskeim- und Rapsöl (meist raffiniert, oft auch gemixt als Pflanzen- oder Salatöl); Kürbiskernöl, Nußöl, Sesamöl (sehr aromatisch, solo oft zu kräftig).

Salz

Salz kommt immer aus dem Meer. Ehrlich.

Selbst dort, wo heute Bergmänner am Steinsalzklopfen sind, war früher Meer. Das ist dann im Laufe der Zeit verdunstet, und zurück blieb das Salz, auf das sich später noch anderes Gestein legte. Heute kommt dieses Salz meist in Wasser gelöst wieder ans Tageslicht. Das besorgt entweder die Natur, oder der Mensch hilft mit Wasserleitung und Pumpe nach. Und dann wird wieder verdunstet, meist per Druck und Dampf. Früher kochte man das Salz in großen Pfannen aus, und darum heißt es bis heute Kochsalz – also nicht deswegen, weil wir es ins Nudelwasser werfen. Beim Meersalz wird sich der ganze Umweg durch Gesteinsschichten und über Jahrmillionen gespart. Um an es heranzukommen, wird Meerwasser in spezielle Salzgärten geleitet, wo es dann wie eh und je verdunstet und Salz übrigläßt. Das muß zwar noch kräftig gereinigt werden, schmeckt am Ende aber trotzdem mehr als nur salzig – eben nach Meer. Ist dann noch Jod drin (hält die Schilddrüse im Zaum), ist es besonders gut. Andere Zusätze wie Kräuter oder Vitamine gibt es aber woanders frischer und besser.

In

Nicht immer nur Essig, Öl & Salz: Dressing mit Zitrone, Frischkäse oder Sojasauce • die gutsortierte Essig & Öl-Bar • frische Kräuter • genug Brühe im Tiefkühler • Parmesan über Salat und Suppe • vorgewärmte Suppenteller • Terrine statt Topf auf dem Tisch • Gemüseeintopf mit Curry und Kokosmilch • Für immer und ewig: Balsamico am Salat, Muskatnuß an der klaren Brühe

Out

Wasser am Salat und im Dressing • Altöl in der Salatbar • Petersilie und Schnittlauch getrocknet • Rosmarin, Thymian oder Oregano im Dressing • Blatt für Blatt zur Maulsperre • Sprit im Dressing • Supersuppe und kein Nachschlag • nur Sahne statt Substanz in der Suppe • Eintopf in Espressotassen • Nudeln in Cremesuppen • Nie und nimmer: fettige Salate, lauwarme Suppen

Feldsalat mit Speck und gebratenen Champignons

Nur den besten Freunden verraten: mit Champignon-Trick!

Für 4 Hungrige als Vorspeise:

150 g durchwachsener Räucherspeck

200 g Feldsalat

250 g Champignons

2 EL neutrales Öl zum Pilzebraten

Salz, Pfeffer aus der Mühle

1 Schuß trockener Weißwein (oder Sherry oder Cognac oder Aceto balsamico)

1–2 EL Rotweinessig

2–3 EL Sonnenblumenöl

1 Räucherspeck ohne Schwarte in kleine Würfel schneiden, ohne Öl in einer Pfanne bei mittlerer Hitze knusprig braten.

2 Feldsalat in viel Wasser waschen, am besten 2–3 mal, damit später kein Sand zwischen den Zähnen knirscht. Dicke Wurzelenden abzwicken. Salat im Sieb gut abtropfen lassen.

3 Auf zum Champignon-Trick (geht auch mit allen anderen Pilzen): Champignons trocken – z. B. mit Küchenpapier – abreiben, auf keinen Fall waschen. Schmutzige Füßchen abschneiden. Pilze vierteln oder halbieren. 2 EL Öl in einer großen Pfanne (mit passendem Deckel) knallheiß werden lassen. Pilze rein, kurz schwenken, salzen und pfeffern. Dann den Schuß Wein (großzügig!) angießen und sofort den Deckel drauf. 1 Minute Geduld – und fertig sind die köstlich mit Aroma vollgesogenen Dampf-Pilze.

4 Essig mit Sonnenblumenöl verquirlen, salzen, pfeffern. Pilze aus der Pfanne mit dem Bratsaft auf dem Feldsalat verteilen, mit Speck bestreuen, Vinaigrette untermischen. Sofort servieren.

So viel Zeit muß sein: 30 Minuten
Das schmeckt dazu: frisches Brot
Kalorien pro Portion: 330

Caesar's salad

Very trendy – direkt aus Kalifornien

Für 4 Hungrige als Auftakt:

1 großer Romanasalat

100 g Bacon (geräucherter Frühstücksspeck in Scheiben)

2 Scheiben Toastbrot oder Kastenweißbrot

3 EL Sonnenblumenöl

2 Knoblauchzehen

2 ganz frische (!) Eier

3–4 EL Zitronensaft

100 ml Olivenöl

2–3 TL Worcestersauce

Salz, Pfeffer aus der Mühle

2 Sardellenfilets

1 kleines Stück Parmesan (50 g)

1 Den Strunk vom Salatkopf wegschneiden, die einzelnen Blätter waschen und im Sieb abtropfen lassen.

2 Den Bacon in Streifen schneiden, in einer heißen Pfanne bei mittlerer Hitze ausbraten. Brotscheiben würfeln. Speck aus der Pfanne nehmen, Öl angießen, Brotwürfel darin bei mittlerer Hitze zu knusprigen Croûtons braten. Knoblauch schälen, fein hacken, zum Schluß kurz mitbraten.

3 Die Eier anstechen und 1 Minute (nicht länger!) in kochendes Wasser legen. Kalt abschrecken, aufschlagen und das noch fast flüssige Innere mit einem Löffel in eine Schüssel befördern. Mit Zitronensaft, Olivenöl und Worcestersauce verquirlen, salzen und pfeffern.

4 Die Salatblätter quer in 2 cm breite Streifen schneiden. Die Sauce untermischen. Sardellenfilets abspülen, trocknen und kleinschneiden, mit dem Bacon und den Brotcroûtons auf den Salat streuen. Den Parmesan grob drüberraspeln.

So viel Zeit muß sein: 30 Minuten
Das schmeckt dazu: frisches Weißbrot
Kalorien pro Portion: 450

Rucola, immer wieder Rucola

Rasant & auch ein bißchen elegant

Rucola (ital.), Rauke (dt.), Roquette (franz.) – der einstige Geheimtip aus Italien liegt bei uns längst auch im normalen Supermarkt. Nicht nur toll für Gäste, sondern auch DIE Lösung schlechthin für salatessende Singles – 1 Bund davon ist klein genug auch für den allerkleinsten Appetit.

Für 4 Genießer als Vorspeise:

3–4 Bund Rucola (mindestens 300 g)

2 EL Aceto balsamico

Salz, Pfeffer aus der Mühle

4 EL gutes Olivenöl

10 getrocknete, in Öl eingelegte Tomaten

1–2 EL Kapern

2 Scheiben Weißbrot

1 Knoblauchzehe

1 Die harten Rucolastiele abschneiden, Blätter kurz in Wasser schwenken und im Sieb abtropfen lassen. Aceto balsamico, Salz, Pfeffer, Olivenöl kräftig verquirlen.

2 Tomaten aus dem Öl nehmen, in Streifen schneiden. Kapern aus dem Glas holen. Weißbrot würfeln. Vom Tomatenöl 1–2 EL in der Pfanne heiß werden lassen, Brotwürfel darin bei mittlerer Hitze knusprig rösten. Knoblauch schälen, drüberpressen.

3 Rucola und Dressing untereinanderrühren, mit Tomaten, Kapern und Brot bestreuen. Fertig!

So viel Zeit muß sein: 25 Minuten
Das schmeckt dazu: leichter trockener Weißwein, toskanisches Weißbrot oder Olivenbrot oder anderes tolles Weißbrot
Kalorien pro Portion: 150

Varianten:

Mit Käse und Nüssen

Statt Tomaten und Brot 2 EL Pinienkerne (kurz in der heißen Pfanne ohne Fett anrösten – super lecker!) und 2 EL grob geraspelten Parmesan draufstreuen. Dressing drüber.

Mit Pilzen und Schinken

150 g rohe Champignons putzen, also abreiben und Füßchen weg, dann in dünne Scheibchen schneiden und mit 1 EL Zitronensaft beträufeln. 4–6 Scheiben Parmaschinken in feine Streifen, 1 Kugel Mozzarella in Würfel schneiden. Mit Rucola anrichten, salzen und grob pfeffern, mit dem Dressing begießen.

Mit Avocado und Garnelen

1 reife, aber nicht zu matschige Avocado längs aufschlitzen, die Hälften gegeneinanderdrehen und vom Stein lösen. Schälen, quer in dünne Scheiben aufschneiden, mit 1–2 EL Zitronensaft beträufeln. 150 g kleine geschälte Garnelen abbrausen und gut abtropfen lassen. 100 g Kirschtomaten waschen und halbieren. Avocado, Garnelen und Kirschtomaten mit dem Rucola anrichten, alles mit dem Dressing beträufeln.

Vinaigrette
Echt basic

Der Klassiker schlechthin – nicht nur fein für Salate aller Art, sondern auch zum Marinieren von Fleisch und Fisch, zum Dippen mit Artischockenblättern, zum Bestreichen von Gegrilltem. Je nach Auswahl der Essig-, Öl- und Senfsorte kann jeder für sich seine ultimative Lieblings-Vinaigrette entdecken.

Für einen 4-Personen-Salat:

1 TL Senf (ausprobieren mit Dijon-Senf!)

2–3 EL Weinessig (Weiß oder Rot)

Salz, Pfeffer aus der Mühle

6 EL Öl (Sonnenblumenöl, Olivenöl, einen Teil Nußöl)

1 Senf, Essig, Salz und Pfeffer mit dem Schneebesen in einer Schüssel kräftig verquirlen. Das Öl einlaufen lassen und alles zu einer leicht cremigen Sauce rühren, nochmal abschmecken – voilà!

So viel Zeit muß sein: 2 Minuten
Das schmeckt dazu: fast alles, was sich Salat nennt
Kalorien pro Portion: 110

Varianten:

Grundlage ist immer das Rezept links.

Tomaten-Vinaigrette
1 Tomate kurz in kochendes Wasser legen, abschrecken und die Haut abziehen. Tomatenfleisch in winzige Würfelchen schneiden und untermischen. Toll zu gekochtem Rindfleisch, zu lauwarmen Linsen, zu aufgeschnittenem Mozzarella.

Kräuter-Vinaigrette
1 Bund frische Kräuter waschen und sehr fein hacken, zum Schluß untermischen. Mit Petersilie z. B. zu Artischocken, mit Schnittlauch zu lauwarmem Spargel, mit Dill zu Gurkensalat oder zum Marinieren von gedünstetem Fischfilet.

Joghurt-Dressing
Macht fit for fun

Reicht für 4:

150 g Joghurt

2 EL Zitronensaft oder Weißweinessig

1 EL Sonnenblumenöl

Salz, Pfeffer aus der Mühle

1 Bund Kräuter (z. B. Schnittlauch, Dill, Basilikum)

1 Den Joghurt mit Zitronensaft oder Essig und dem Öl glattrühren, salzen und pfeffern.

2 Kräuter waschen, fein hacken und einrühren. Nochmal abschmecken.

So viel Zeit muß sein: 8 Minuten
Das schmeckt dazu: Blattsalate, Tomatensalat, Gurkensalat, Nudelsalate, gegrilltes Gemüse
Kalorien pro Portion: 45

Käse-Dressing
Von ziemlich stark bis ziemlich zart

Reicht jeweils für 4:

50 g Roquefort ohne Rinde
50 g Sahne
1 – 2 EL Weißweinessig
Pfeffer aus der Mühle
2 EL Sonnenblumenöl
oder:
50 g Frischkäse, 50 g Joghurt
1 – 2 EL Zitronensaft
Salz, Pfeffer aus der Mühle
1 EL Sonnenblumenöl

1 Für die mit dem Drang zum Kräftigen: Den Roquefort mit einer Gabel zerdrücken, mit Sahne schön cremig verrühren. Essig dazu, leicht pfeffern und zuletzt das Öl untermischen.

2 Für die mild Gestimmten: Frischkäse mit Joghurt und Zitronensaft verrühren, leicht salzen und pfeffern. Zuletzt das Öl unterrühren.

So viel Zeit muß sein: jeweils 5 – 10 Minuten
Das schmeckt dazu: zum Roquefort kräftige Blätter wie Spinat, römischer Salat oder Chicorée, zum Frischkäse geraspelte Möhren, Bohnenkeimlinge, Radieschen, Kresse
Kalorien pro Portion: 510 (1), 260 (2)

Zitronen-Dressing
Basic vom Mittelmeer

Reicht für 4:

$^1/_2$ unbehandelte Zitrone
1 – 2 TL scharfer Senf (Dijon!)
Salz, Pfeffer aus der Mühle
1 Knoblauchzehe
4 – 5 EL Olivenöl

1 Die Schale der Zitrone heiß waschen, abreiben, Saft auspressen. Beides mit dem Senf verrühren, leicht salzen und pfeffern.

2 Knoblauch schälen und dazudrücken. Das Olivenöl und 1 EL Wasser löffelweise mit dem Schneebesen unterschlagen.

So viel Zeit muß sein: 10 Minuten
Das schmeckt dazu: gegrillte Auberginen, Zucchini, weiße Bohnen, Tintenfisch ...
Kalorien pro Portion: 95

Variante zum Zitronen-Dressing:
3 – 4 Sardellenfilets abspülen, abtrocknen, fein hacken und untermischen. Nicht fischig, sondern fein – vor allem zu den weißen Bohnen.

Eier-Dressing
Fast schon ein kleiner Salat

Reicht für 4:

2 hartgekochte Eier
3 EL Weißweinessig
1 TL Senf
1 EL saure Sahne
Salz, Pfeffer aus der Mühle
5 EL Öl (Sonnenblumenöl, Olivenöl)
einige Basilikumblätter

1 Die Eier pellen und in sehr feine Würfelchen schneiden.

2 Erstmal den Essig mit Senf, saurer Sahne, Salz und Pfeffer verquirlen. Dann das Öl löffelweise unterrühren, zuletzt die Eierwürfel rein.

3 Basilikumblätter waschen oder abreiben, in feine Streifen schneiden und auch untermischen.

So viel Zeit muß sein: 10 Minuten
Das schmeckt dazu: lauwarmer Spargel, Feldsalat, frische Champignonscheibchen, Brunnenkresse-Salat. Aber auch als Sauce zu gekochtem Rindfleisch, kaltem Braten, saftigem Schinken
Kalorien pro Portion: 135

Kartoffelsalat
The one and only?

Wohl kaum. Aber immer noch einer der leckersten seiner Art.

Für 4 sehr Hungrige als ultimative Beilage:

1 kg Kartoffeln (die festkochende Sorte)

Salz

1/4 l Fleischbrühe

4 EL Weißweinessig

1 TL scharfer Senf

Pfeffer aus der Mühle

1 Zwiebel

1 Bund Schnittlauch

3 – 4 EL Sonnenblumenöl

1 Die Kartoffeln waschen, in einen Topf geben und knapp mit Wasser bedeckt aufkochen, 1 TL Salz dazu. Zugedeckt bei mittlerer Hitze in 15 – 20 Minuten gar kochen. Abgießen, kurz abkühlen lassen, aber noch ziemlich heiß pellen.

2 Zwischendurch schon mal die Brühe erhitzen, mit Essig, Senf, Salz und Pfeffer würzen. Zwiebel schälen, fein hacken. Schnittlauch waschen und aufschneiden.

3 Warme Kartoffeln in Scheibchen schneiden – ohne Angst, daß sie zerfallen, denn das tun sie später sowieso. Gleich mit der warmen Brühe begießen, abschmecken, kurz durchziehen lassen. Dann erst Öl, Zwiebel und Schnittlauch untermischen. Gut möglich, daß jetzt auch noch mal Salz, Pfeffer oder Essig nötig sind – aber ansonsten: Göttlich!

So viel Zeit muß sein: 45 Minuten
Das schmeckt dazu: Schweinebraten und Fischfilet, Grillwürstchen und Backhuhn, und und und ...
Kalorien pro Portion: 260

Nudelsalat
Partyschreck, den alle lieben

Für 6 – 8 hungrige Buffet-Gäste:

250 g Hörnchen- oder Spiralnudeln

Salz, 200 g gekochter Schinken

150 g mittelalter Gouda

1 Bund Radieschen

1/2 Salatgurke

1 Bund Schnittlauch, 1 Bund Dill

2 – 3 EL Mayonnaise

2 – 3 EL Joghurt

2 – 3 EL Weißweinessig

Pfeffer aus der Mühle

2 – 3 EL Sonnenblumenöl

1 Die Nudeln in kochendes Salzwasser schütten, im offenen Topf sprudelnd gar kochen (Garzeit steht auf der Tüte, zwischendurch aber schon mal probieren, damit sie nicht zu weich werden). Ins Sieb abgießen, abschrecken und gut abtropfen lassen.

2 Zwischendurch den Schinken ohne Fettrand in Streifen schneiden, den Käse grob raspeln. Radieschen vom Grün wegschneiden, waschen und in Scheibchen schneiden. Die Gurke schälen, in kleine Würfel schneiden. Kräuter waschen und hacken.

3 Mayonnaise (selbstgemachte wär' natürlich der Clou – siehe Seite 92) mit dem Joghurt und dem Essig verquirlen, salzen und pfeffern. Zuletzt das Öl unterrühren.

4 Nudeln mit allen Zutaten mischen, mit der Sauce begießen und durchziehen lassen (mit selbstgemachter Mayonnaise nicht zu lang!). Vorm allgemeinen Run aufs Buffet nochmal probieren, ob nichts fehlt ... Salz, Pfeffer, Essig?

So viel Zeit muß sein: 30 Minuten
Das schmeckt dazu: alles, was sonst noch auf dem Buffet rumsteht
Kalorien pro Portion (8): 310

Brotsalat aus der Toskana
Recycling-Kochkunst

Für 4–6 Hungrige als originelle Vorspeise:

150 g altbackenes italienisches Weißbrot

400 g reife Tomaten

1 kleine rote, 1 kleine grüne Paprikaschote

1 Bund Frühlingszwiebeln

1 Bund Petersilie, 1 Bund Basilikum

2 Knoblauchzehen

2–3 EL Rotweinessig

Salz, Pfeffer aus der Mühle

5 EL gutes Olivenöl, 1 EL Kapern

1 Das trockene Brot in Würfel schneiden. Tomaten waschen und würfeln. Paprikaschoten putzen, in Würfelchen schneiden. Von den Frühlingszwiebeln weiße und hellgrüne Teile in feine Streifen schneiden. Alles mischen.

2 Kräuter waschen, fein schneiden. Knoblauch schälen und hacken. Essig mit Salz und Pfeffer verrühren, Öl unterschlagen. Mit Kapern unter's Brot mischen, kühl stellen.

So viel Zeit muß sein: 30 Minuten + etwa 1 Stunde Kühlzeit, länger schadet auch nicht
Das schmeckt dazu: ein Gläschen Rotwein
Kalorien pro Portion (6): 150

Arabischer Bulgursalat
Frisch & easy

Für 4 neugierige Hungrige:

200 g Bulgur (grobe Weizengrütze, gibt's auf jeden Fall beim Türken, aber auch in größeren Supermärkten)

1 großes Bund Frühlingszwiebeln

500 g Tomaten

5–6 EL Zitronensaft

Salz, Pfeffer aus der Mühle

etwa 1/2 TL Chilipulver

1 kräftige Prise Kreuzkümmel (schmeckt völlig anders als der normale Kümmel, wer die indische Küche mag, liegt damit richtig)

1 TL getrocknete grüne Minze (oder einige frische gehackte Minzeblätter)

6 EL gutes Olivenöl

1 Bund Petersilie

1 Bulgur in eine Schüssel schütten, gut mit kaltem Wasser bedecken und ungefähr 1 Stunde quellen lassen, bis die Körnchen weich, aber noch bißfest sind.

2 Frühlingszwiebeln waschen, alles Welke und die Wurzelbüschel wegschneiden. Rest fein hacken. Tomaten waschen, in kleine Würfel schneiden, den grünen Stielansatz nicht verwenden.

3 Eingeweichten Bulgur in ein Haarsieb abgießen, mit einem Löffel kräftig rühren und pressen, damit möglichst viel Wasser abtropft. Bulgur mit Frühlingszwiebeln und Tomaten mischen.

4 Zitronensaft mit Salz, Pfeffer, Chilipulver, Kreuzkümmel und Minze verquirlen, untermischen. Olivenöl einrühren, scharf abschmecken. Frische Petersilie waschen, grob hacken oder zerzupfen und untermischen. Gekühlt schmeckt's am besten.

So viel Zeit muß sein: 20 Minuten, plus Quellzeit 1 Stunde
Das schmeckt danach: gegrilltes Lammfleisch, Entenbrust
Kalorien pro Portion: 330

Gurkensalat
Klassisch, knackig, gut

Für 4 Hungrige als Beilage:

1 große Salatgurke
1 Zwiebel
3 – 4 EL Joghurt
2 – 3 EL Weißweinessig
Salz, Pfeffer aus der Mühle
3 EL Sonnenblumenöl
1 Bund Dill

1 Die Gurke mit dem Sparschäler dünn schälen, Stielansatz wegschneiden. Gurke in Scheiben hobeln oder grob raspeln. Die Zwiebel schälen, halbieren und dünn aufschneiden.

2 In einer Salatschüssel den Joghurt mit Essig, Salz und Pfeffer verrühren, Öl unterschlagen. Dill waschen, trockenschütteln, fein schneiden und in die Sauce rühren. Gurke und Zwiebel untermischen, kurz ziehen lassen.

So viel Zeit muß sein: 10 Minuten
Das schmeckt dazu: Schnitzel, Braten, Fischgerichte, andere Salate
Kalorien pro Portion: 95

Kraut-Paprika-Salat
Wenig Kohle, viel Salat

Für 6 Hungrige als Beilage:

1 Weißkohlkopf (1 kg), Salz
2 rote Paprikaschoten
1 großes Bund Petersilie
5 – 6 EL Weißweinessig
Pfeffer aus der Mühle
5 – 6 EL Sonnenblumenöl

1 Äußere welke Blätter vom Weißkohl wegwerfen. Kohlkopf vierteln, den Strunk aus jedem Stück rausschneiden. Die Kohlviertel auf dem Gemüsehobel in Streifen raspeln. In eine Salatschüssel geben, salzen und mit der Hand kräftig durchkneten – so wird der Kohl zarter und bleibt trotzdem knackig.

2 Paprikaschoten waschen, in dünne Streifen schneiden. Petersilie waschen, fein hacken. Beides unters Kraut mischen.

3 Essig mit Pfeffer verrühren, Öl unterschlagen. Über den Salat gießen, gut durchmischen und ziehen lassen. Abschmecken.

So viel Zeit muß sein: 30 Minuten
Das schmeckt dazu: sonntags Schweinebraten, freitags Frikadellen
Kalorien pro Portion: 115

Grüner Bohnensalat
Unschlagbar aus Omas Garten

Für 4 Hungrige als Vorspeise oder Beilage:

750 g frische grüne Bohnen, Salz
einige Zweige frisches Bohnenkraut
2 Zwiebeln
50 g durchwachsener Räucherspeck
3 – 4 EL Apfelessig, Weißweinessig oder Cidreessig, Pfeffer aus der Mühle
2 – 3 EL Sonnenblumenöl

1 Die Bohnen waschen, die Enden knapp abschneiden – und falls sich dabei ein Faden löst, diesen ganz abziehen.

2 In einem Topf 2 l Wasser aufkochen, salzen, Bohnenkraut reingeben. Bohnen darin zugedeckt 10 – 12 Minuten kochen, kalt abbrausen. Große Bohnen halbieren. Zwiebeln schälen und hacken, zu den Bohnen geben.

3 Den Speck in kleine Würfel schneiden, bei mittlerer Hitze knusprig braten. Essig dazugießen und den Salat damit anmachen. Salzen und pfeffern, das Öl untermischen.

So viel Zeit muß sein: 30 Minuten
Das schmeckt dazu: Bratkartoffeln, Braten
Kalorien pro Portion: 190

Rindfleisch-salat mit Kernöl
Reste-Fest

Für 4 als kleine Mahlzeit:

400 g Reste vom gekochten Rindfleisch, z. B. Tafelspitz (s. Seite 80, Nudelsuppe)

2 kleine Zwiebeln

2 Gewürzgurken, 1 EL Kapern

2–3 EL Weißweinessig

2 EL Sonnenblumenöl

2 EL Kernöl (Spezialität aus der Steiermark – aus Kürbiskernen gepreßt)

Salz, Pfeffer aus der Mühle

1 Bund Schnittlauch

1 Kaltes, gekochtes Rindfleisch in feine Streifen schneiden. Zwiebeln schälen, in dünne Ringe schneiden. Gewürzgurken sehr fein hacken. Alles mischen, Kapern dazu.

2 Essig mit beiden Ölen verquirlen, salzen und pfeffern. Den Salat damit anmachen, durchziehen lassen. Schnittlauch waschen, in Röllchen schneiden und aufstreuen.

So viel Zeit muß sein: 20 Minuten
Das schmeckt dazu: knuspriges Bauernbrot
Kalorien pro Portion: 310

Varianten:

Gurkensalat ganz ohne Öl
10 EL Apfel-, Cidre- oder Kokosessig mit 1 EL Zucker aufkochen, abkühlen lassen. Gurke schälen, längs halbieren, mit einem Löffel die Kerne rausschaben, Gurkenhälften dann quer in Scheibchen schneiden. 2 rote Zwiebeln schälen, in Ringe schneiden. 2–3 getrocknete kleine Chilischoten zerbröseln, mit dem Essigsud über den Salat gießen, kurz ziehen lassen. Erfrischend, scharf, super zu Reisgerichten aus dem Wok!

Bohnen specklos
Statt Speck: 1 Dose Thunfisch abtropfen lassen, zerpflücken und untermischen. Dazu paßt auch 1 durchgepreßte Knoblauchzehe in der Marinade.
Oder: Mit Tomaten-Vinaigrette anmachen (siehe Seite 72).

Thailändischer Rindfleischsalat
Rindfleischstreifen mit viel feingeschnittenen Frühlingszwiebeln mischen. Sauce anrühren aus 4 EL Zitronensaft, 2 EL Öl, 2–3 zerbröselten getrockneten Chilischoten, 2–3 gehackten Knoblauchzehen, 1 Prise Zucker. Salat mit etwas frischem Koriandergrün bestreuen.

Heringssalat
Frühstückstauglich

Für 4 Hungrige oder Verkaterte:

6 Bismarckheringe (super auch mit Matjes)

2 Gewürzgurken

2 kleine Zwiebeln

1 Apfel, 2 EL Zitronensaft

150 g saure Sahne, 100 g Joghurt

1 EL Meerrettich (Glas oder frisch gerieben)

4 EL Weißweinessig

3–4 EL Sonnenblumenöl

Salz, Pfeffer aus der Mühle

1 Bund Dill, Schnittlauch oder Petersilie

1 Die Heringsfilets in kleine Stücke, Gewürzgurken in Scheiben schneiden. Zwiebeln schälen, in dünne Ringe schneiden. Den Apfel waschen, vierteln, quer in Scheibchen schneiden, mit dem Zitronensaft beträufeln.

2 Saure Sahne mit Joghurt, Meerrettich, Essig und Öl verrühren, leicht salzen und pfeffern. Alle Zutaten mit der Sauce mischen, 1–24 Stunden ziehen lassen. Kräuter waschen, hacken, draufstreuen.

So viel Zeit muß sein: 20 Minuten, plus Zeit zum Durchziehen
Das schmeckt dazu: Brot, Pellkartoffeln
Kalorien pro Portion: 480

Chinesisches Fondue
Großes Koch-Fest

Und gesund ist's auch noch – denn beim „Feuertopf" (so heißt auch das Originalgerät fürs chinesische Fondue) wird nichts ins mollige Fettbad getaucht, sondern alles in frisch gekochte Hühnerbrühe. Für Leute mit Zeitnot: fertigen Hühnerfond im Glas kaufen, 1:2 mit Wasser verdünnen.

Für 5 Gäste + 1 Gastgeber:

25 g getrocknete Shiitake-Pilze (Tongku)
50 g Glasnudeln
300 g Putenbrustfilet
300 g Rinderlende
300 g Fischfilet (z. B. Lachs, Thunfisch, Heilbutt)
für jeden 1–2 große Garnelen
2 Bund Frühlingszwiebeln
300 g Möhren
1 kleiner Chinakohl
(oder auch anderes frisches Gemüse wie Blattspinat, Kohlrabi, Lauch)
etwa 3 l Hühnerbrühe (siehe Basic Tip)

Marinaden, Saucen, Beilagen:

Sojasauce, Sesamöl, Erdnußöl, Sherry oder Sake, Ingwerknolle, Knoblauch, Zitronensaft, Pfeffer aus der Mühle, Chilipulver …
asiatische Fertigsaucen wie Pflaumensauce, Sambal oelek …
einige frische Chilischoten

1 Die Pilze in Wasser einweichen, später die harten Stiele wegschneiden. Glasnudeln auch kurz ins Wasser legen, dann im Sieb abtropfen lassen und mit der Küchenschere kleiner schneiden. Fleisch und Fisch in feine Streifen schneiden und jede Sorte für sich in eine Schale geben. Das Gemüse putzen und in streichholzfeine Stifte schneiden.

2 Nach Lust und Laune Marinaden für Fleisch und Fisch anrühren. Zum Beispiel jeweils 2 EL Sojasauce, Sesamöl und Zitronensaft für den Fisch. Oder 2–3 gehackte Knoblauchzehen, etwas Chilipulver, frisch gemahlenen Pfeffer und 2–3 EL Erdnußöl fürs Rindfleisch. Fürs Huhn vielleicht 2 EL Zitronensaft, 2 EL Sesamöl, 1 EL gehackten Ingwer.

3 Es geht aber auch ganz ohne Marinaden – Fleisch und Fisch schmecken auch pur in die Brühe getaucht, vor allem, wenn's dazu tolle Saucen gibt.

4 Aber ganz soweit sind wir noch nicht: Die Brühe muß noch auf dem Herd aufkochen, wird dann in den Topf oder Fonduetopf gefüllt und aufs Rechaud gestellt. Alle Zutaten und Saucen vorher in Schälchen füllen, auch die Sojasauce steht bereit. Frische Chilischoten waschen und in Ringe schneiden – manche Gäste mögen's wirklich scharf!

5 Für jeden Gast 1 Siebchen am Stiel – mit den normalen Fonduegabeln sieht man hier nämlich alt aus! Einfüllen, was gefällt, und in der heißen Brühe 1–2 Minuten garen. Querbeet probieren und immer wieder neu würzen. Zum Schluß der Höhepunkt: Der heiße Brüherest für alle – mit dem Geschmack vieler glücklicher Begegnungen im Suppentopf.

So viel Zeit muß sein: Brühe $2\,^1/_2$ Stunden (die kocht aber von alleine), restliche Aktivitäten 1 Stunde
Das schmeckt dazu: Reis
Kalorien pro Portion: 340

Basic Tip
Selbstgekochte Hühnerbrühe

Im großen Topf 4 l Wasser aufkochen. 2 geschälte und halbierte Zwiebeln dazu, 2 Lorbeerblätter, 1 EL Salz, ein paar Pfefferkörner. Ein Suppenhuhn von 1,5 kg hinein, dann runterschalten und bei schwacher Hitze etwa $1\,^1/_2$ Stunden zugedeckt ziehen lassen. Dann 2 Bund Suppengrün putzen, waschen, kleinschneiden. Zum Huhn geben, ohne Deckel nochmal 1 Stunde ziehen lassen, ab und zu den Schaum abschöpfen. Das Huhn rausnehmen (schmeckt abgekühlt und in Stückchen geschnitten mit Zitronen-Dressing, siehe Seite 73), Suppe durch ein feines Sieb gießen. Das Fett mit einem Löffel abschöpfen oder mit Küchenpapier aufsaugen. Abschmecken mit Salz, Pfeffer und - Zitronensaft!

Nudelsuppe
Wirkt Wunder bei Kummer

Für 4 wehmütige Hungrige:

500 g Rinderknochen, Salz

600 g Suppenfleisch (Tafelspitz)

1 Bund Suppengrün

2 Zwiebeln

3 getrocknete Chilieschoten (nur für die, die's scharf mögen)

Pfefferkörner

1 Bund Frühlingszwiebeln

Pfeffer aus der Mühle

150 g Suppennudeln

1 Rinderknochen abbrausen, mit 2 l kaltem Wasser in einen großen Topf geben. Zugedeckt zum Kochen bringen. Salzen, Suppenfleisch hineingeben und ungefähr 1 Stunde bei ganz schwacher Hitze sieden lassen. Die Schaumkrone immer wieder mal abschöpfen.

2 Suppengrün waschen und grob zerschneiden. Zwiebeln schälen, vierteln. Chilieschoten zerbröseln. Gemüse, Chilie und einige Pfefferkörner in den Topf geben, alles nochmal 1 Stunde ganz sanft weiterköcheln lassen.

3 Frühlingszwiebeln waschen, alles Welke und die Wurzelbüschel weg. Zwiebeln in schmale Streifen schneiden.

4 Fleisch aus der Suppe nehmen und klein schneiden. Die Brühe durchsieben, oben schwimmendes Fett abschöpfen oder mit Küchenpapier absaugen. Suppe wieder zum Kochen bringen, kräftig abschmecken (Salz, Pfeffer, Chilie).

5 Die Nudeln in die kochende Brühe werfen, nur wenige Minuten kochen (siehe Packung!). Für 1 Minute auch das Fleisch und die Frühlingszwiebeln nochmal in den Topf.

So viel Zeit muß sein: gute 2 Stunden, aber nur ungefähr 30 Minuten was zu tun
Das schmeckt dazu: Brot oder Brötchen
Kalorien pro Portion: 350

Minestrone, die Schnelle
Auf die Löffel, fertig ...

Für 4–6 gemüsefixierte Hungrige:

$1^1/_2$ l fertige Gemüsebrühe

500 g Kartoffeln (festkochende Sorte)

1 zarte Stange Lauch

2 mittelgroße Möhren

2 kleine Zucchini

2 Selleriestangen

2 reife Tomaten

250 g Bohnen aus der Dose (weiße, rote oder auch gesprenkelte)

Salz, Pfeffer aus der Mühle

2 TL Pesto aus dem Glas

50 g Parmesan oder Pecorino, frisch gerieben!

1 Die Brühe in einem großen Topf zugedeckt aufkochen.

2 Kartoffeln waschen, schälen, in kleine Würfel schneiden und in den Topf damit. Lauchstange längs aufschlitzen, gut waschen, in Streifen schneiden, ab in die Brühe. Möhren schälen, in Scheiben schneiden – Deckel auf, Möhren rein. Zucchini und Selleriestangen waschen, welke Teile abschneiden, Rest in Streifen oder Scheibchen – Topf.

3 Tomaten kurz in kochendes Wasser legen, kalt abbrausen, Haut einritzen und abziehen. Tomaten würfeln und zusammen mit den abgetropften Bohnen rein in die Suppe, die seit 15 Minuten immer dicker und bunter wird. Zugedeckt nochmal 15–20 Minuten bei schwacher Hitze weiterköcheln. Mit Salz und Pfeffer abschmecken, Pesto und geriebenen Käse zuletzt nur unterrühren.

So viel Zeit muß sein: 45 Minuten
Das schmeckt dazu: frisches gutes Brot
Kalorien pro Portion (6): 280

Kartoffelsuppe
Kost' fast nix und schmeckt immer

Wer mehr ausgeben will, kann 20 g getrocknete Steinpilze einweichen, kleinschneiden, kurz drin kochen. Sterne-verdächtig!

Für 4 echt Hungrige:

750 g Kartoffeln (mehligkochende Sorte)

2 Zwiebeln

1 Stange Lauch, 2 Möhren

100 g durchwachsener Räucherspeck

1 EL Butterschmalz

1 1/2 l Fleischbrühe

1 Lorbeerblatt, Majoran (getrocknet 1/2 TL, frisch etwas mehr)

Salz, Pfeffer aus der Mühle

frisch geriebene Muskatnuß

1 Kartoffeln schälen, in kleine Würfel schneiden. Zwiebeln schälen, fein hacken. Lauch längs aufschlitzen, gut waschen, in sehr feine Scheibchen schneiden. Möhren schälen, klein würfeln. Speck auch würfeln.

2 Im Suppentopf bei mittlerer Hitze das Schmalz zerlassen. Speck und Zwiebeln drin glasig dünsten. Gemüse in Portionen einrühren, kurz dünsten. Brühe angießen, Lorbeerblatt, getrockneten Majoran, Salz und Pfeffer dazu. Zugedeckt 30 Minuten köcheln.

3 Fertige Suppe im Topf etwas pürieren oder zerstampfen. Mit Salz, Pfeffer, Muskat abschmecken und – wenn's frischen Majoran gab, den erst jetzt einstreuen.

So viel Zeit muß sein: 1 Stunde
Das schmeckt dazu: Würstchen und Brot
Kalorien pro Portion: 340

Tomatensuppen
Mal 12 Minuten, mal 12 Stunden

Für 4 ungeduldige Suppenkasper:

1 Zwiebel, 2 EL Öl

1 große Dose geschälte Tomaten (800 g)

1/2 l Fleischbrühe oder Rinderfond

100 g Roquefort

Salz, Pfeffer aus der Mühle

1/2 TL Sambal oelek

1 Zwiebel schälen, fein hacken. Im heißen Öl andünsten. Tomaten mit dem Saft dazugießen, im Topf zerteilen, Brühe auch dazu. 5 Minuten sehr heiß werden lassen, Käse in kleinen Stückchen einrühren, mit Salz, Pfeffer und Sambal abschmecken.

Für 4 geduldige Suppenkasper:

2 Zwiebeln, 2 Knoblauchzehen

1 kg vollreife Tomaten

1 EL gehacktes Basilikum

Salz, Pfeffer aus der Mühle

50 g gekochter Schinken

4 EL Olivenöl

2 TL Tomatenmark

3/4 l Hühnerbrühe

1 Prise Zucker

2–3 EL Gin, 4 EL Sahne

1 Zwiebeln und Knoblauch schälen, hacken. Tomaten waschen, grob würfeln, mit Zwiebeln, Knoblauch, Basilikum, Salz, Pfeffer mischen und 12 Stunden zugedeckt kühl stellen.

2 Schinken würfeln, im heißen Öl bei schwacher Hitze anbraten. Tomatenmischung und Tomatenmark einrühren, Brühe angießen. 5 Minuten sanft köcheln lassen, mit Salz, Pfeffer, Gin abschmecken. Sahne leicht schlagen und einrühren.

So viel Zeit muß sein: 12 Minuten oder 12 Stunden
Das schmeckt zu beiden: Knoblauchcroûtons: Weißbrotwürfel in heißer Butter mit gehacktem Knoblauch knusprig braten
Kalorien pro Portion: für Ungeduldige: 180, für Geduldige: 185

Frische Fischsuppe
Weckt müde Lebensgeister

Das A & O einer guten Suppe ist der Fond, die Brühe – und selbstgekocht schmeckt's immer noch am allerbesten.

Für 1 l Fischfond:

1 kg Fischabschnitte (Köpfe und Gräten von mageren Edelfischen – also nicht vom Lachs; vom Fischhändler am besten gleich die Kiemen entfernen lassen, die machen den Fond bitter)

1 Zwiebel

2 Knoblauchzehen

1 Stange Lauch

1–2 Möhren

2 Stangen Sellerie

1 kleine Fenchelknolle

$^1/_2$ l trockener Weißwein

2 Lorbeerblätter

1 TL weiße Pfefferkörner

Salz

1 Die Fischabschnitte gut waschen, in einen großen Topf geben. Zwiebel schälen, grob hacken. Lauchstange längs aufschlitzen, abbrausen, in kleine Stücke schneiden. Möhren schälen, grob zerteilen. Selleriestangen und Fenchel waschen und putzen, kleinschneiden.

2 Alles Gemüse zum Fisch in den Topf geben, 1 $^1/_4$ l Wasser und den Wein angießen, Lorbeerblätter und Pfefferkörner hineingeben. Zugedeckt zum Kochen bringen, dann den Deckel wegnehmen, 20–30 Minuten bei mittlerer Hitze köcheln und öfters mal den Schaum abschöpfen. Durch ein Sieb gießen, die Brühe in den Topf zurückgeben und weiter einköcheln lassen – bis etwa 1 l Fond übrigbleibt. Mit Salz abschmecken.

Wie wird aus dem Fond schnell eine Suppe für 4?

1 Zwiebel

2 Knoblauchzehen

2 Möhren

1 kleine Stange Lauch

2 Stangen Sellerie

2–3 EL Olivenöl

Salz, Pfeffer aus der Mühle

1–2 EL Crème fraîche

500 g Fischfilet (was es gerade frisch gibt, jetzt darf's auch Lachs sein)

1 Handvoll frischer Kerbel oder Rucola

1–2 EL Zitronensaft

1 Zwiebel und Knoblauch schälen und fein hacken. Gemüse waschen, putzen, in streichholzdünne Streifen schneiden. In einem breiten Topf alles im heißen Olivenöl andünsten. Fischfond angießen, salzen, pfeffern, 3–4 Minuten zugedeckt kochen lassen, dann die Hitze runterschalten. Crème fraîche einrühren.

2 Fischfilet in 2–3 cm große Stücke schneiden. In die Brühe legen und bei schwacher Hitze 3–5 Minuten ziehen lassen. Kerbel oder Rucola verlesen, waschen und fein hacken. Vorsichtig mit dem Zitronensaft unter die Suppe mischen, sonst zerfällt der Fisch.

So viel Zeit muß sein: für den Fond 1–1 $^1/_2$ Stunden, für die Suppe 40 Minuten
Das schmeckt dazu: frisches Weißbrot
Kalorien pro Portion: 310

Kürbiscremesuppe
Schnell & gut

Für 4 Hungrige im Herbst:

1,2 kg Kürbis, am besten schmeckt der leuchtend orange Muskatkürbis

1 Zwiebel, 2 EL Butter

1 l Gemüsebrühe

Salz, Pfeffer aus der Mühle

Zitronensaft oder Aceto balsamico

1 Kürbis schälen, Kerne und faserige Teile entfernen. Fruchtfleisch kleinschneiden.

2 Zwiebel schälen und fein hacken. Im großen Topf die Butter zerlaufen lassen. Zwiebel kurz andünsten, Kürbis einrühren. Brühe angießen, Deckel drauf und aufkochen. Bei mittlerer Hitze 10 – 15 Minuten köcheln, bis der Kürbis weich ist.

3 Im Topf mit dem Pürierstab pürieren, kräftig abschmecken mit Salz, Pfeffer, Zitronensaft oder Aceto balsamico.

So viel Zeit muß sein: 30 Minuten
Das schmeckt dazu: auch mal abschmecken mit Ingwer, Curry, Sojasauce oder mit gerösteten Mandelblättchen bestreuen
Kalorien pro Portion: 130

Spargelcremesuppe

Wie zu Omas Zeiten

Für 4 Hungrige als Einstieg:

500 g Spargel (das kann Bruchspargel sein oder Spitzen oder ganz normaler)

Salz, 1 Prise Zucker

1 Bund Frühlingszwiebeln (für ganz Nostalgische: 1 normale Zwiebel)

1 EL Butter, 1 knapper EL Mehl

2 EL Crème fraîche oder saure Sahne

Pfeffer aus der Mühle

1 EL Zitronensaft

1 EL Schnittlauchröllchen

1 Spargel waschen, ganze Stangen schälen und kleiner schneiden. In einen Topf knapp 1 l Wasser gießen, salzen und ein wenig zuckern und aufkochen. Spargel darin zugedeckt gut weich kochen (20 Minuten wird er schon brauchen).

2 Inzwischen schon mal die Frühlingszwiebeln waschen und putzen: also alles Welke und das Wurzelbüschel weg. Dann den Rest in feine Ringe schneiden.

3 Spargel abtropfen lassen und pürieren. Sud aufheben. Butter schmelzen, Mehl reinschütten und anschwitzen, bis es schön sattgelb ist. Zwiebelringe untermischen. Jetzt kommt nach und nach der Sud dazu. Aber: Immer gut rühren, damit es keine Klumpen gibt.

4 Das Ganze soll jetzt 10 Minuten köcheln. Dann das Spargelpüree dazu, die Crème fraîche oder saure Sahne rein und alles mit Salz, Pfeffer und Zitronensaft abschmecken. Schnittlauch draufstreuen.

So viel Zeit muß sein: 45 Minuten
Kalorien pro Portion: 80

Gazpacho

Schmeckt nach Sonne und Andalusien

Für 4 Hungrige während einer Hitzewelle:

750 g richtig reife Tomaten

1 Salatgurke

1 grüne Paprikaschote

2 Zwiebeln

3 Knoblauchzehen

3 Scheiben Weißbrot

1 – 2 EL Rotweinessig

3 EL Olivenöl

Salz, Pfeffer aus der Mühle

1 EL Butter

1 2 – 3 Tomaten für später auf die Seite legen. Die übrigen Tomaten 1 Minute in kochendes Wasser legen, kalt überbrausen. Die Haut einritzen und abziehen. Tomaten etwas kleiner schneiden.

2 Die Gurke waschen und halbieren, eine Hälfte zur Seite legen. Rest schälen und in Stückchen schneiden. Paprikaschote halbieren, waschen. Eine Schotenhälfte würfeln.

3 1 Zwiebel schälen und kleinschneiden, Knoblauch schälen. Beides mit dem zerkleinerten Gemüse im Mixer fein pürieren. 2 Weißbrotscheiben mit dem Essig und 150 ml Wasser beträufeln. Mit dem Öl dazugeben und alles cremig pürieren. Mit Salz und Pfeffer würzen. Zugedeckt 2 – 3 Stunden kühl stellen.

4 Dann alles übrige Gemüse in sehr feine Würfelchen schneiden. Das übrige Brot würfeln, in Butter knusprig braten. Gemüse und Brot in die kalte Suppe streuen.

So viel Zeit muß sein: Aktiv sein 45 Minuten, Abkühlen 2 – 3 Stunden
Kalorien pro Portion: 200

Sauce & Dip

Bei mir gibt's nur gute Sauce oder viel Sauce ...

n

s

Etwas Sauce?

„Überflüssig. Fleisch, Fisch, Spiegelei, geht auch alles ohne."

Aber Braten ohne Sauce wäre nur der halbe Spaß.

„Und weniger Arbeit. So gehste mit einem Eimer Zeug in die Küche und kommst nach vier Stunden mit einer Tasse Sauce wieder raus."

Magst du Musik?

„Ja, und?"

Die braucht es so wenig zum Leben wie Sauce zum Essen. Und trotzdem ist sie für viele das Beste, was man kriegen kann.

„Komm zum Punkt."

Wer weiß, wie er den Zutaten ihr Bestes für eine gute Sauce abluchsen kann, der ist ein echter Kochkünstler.

„Chinesen und Italiener sind auch ohne viel Sauce Kochkünstler."

Du kannst ja Pesto oder Sojasauce zum Braten haben.

„Dann lieber doch was von deinem Zeug. Aber viel!"

Bei mir gibt's nur gute Sauce oder viel Sauce.

„Dann koch' ich das nächste Mal. Mit viel guter Sauce."

Ja schau mal an.

Unsere liebste Zutat

Das Ei

engl. egg; franz. oeuf; ital. uovo

Das ist es

- in diesem Buch immer ein Hühnerei
- erst nur der Dotter; um den legen sich auf dem Weg durchs Huhn vier Schichten Eiklar und die Schale
- in 4 Gewichtsklassen eingeteilt: S (Small) unter 53 g, M (Medium) 53 g bis 63 g, L (Large) 63 g bis 73 g und XL (XLarge) über 73 g

Das hat es

- 100 Kalorien je 60-g-Ei
- 8 g wertvolles Eiweiß
- 7 g Fett und reichlich Cholesterin im Dotter
- kaum Kohlenhydrate
- ordentlich Calcium, Phosphor, Eisen, Vitamin A, E, B_2, Natrium, Kalium

Das kann es

- beim Aufschlagen Luft holen und so Saucen schaumig machen
- bei Hitze standfest werden und damit Hollandaise Halt geben
- Verbindungen schaffen – z. B. zwischen Fett und Flüssigkeit in der Mayonnaise
- hart kochen und dann Dips bereichern

Das will es

- eine glückliche Mama. Also ein Huhn aus Freiland- oder Auslaufhaltung. Alle anderen leben in Ställen – also auch Hühner in Bodenhaltung
- frisch gelegt sein. „Extra-Eier" sind nicht älter als 7 Tage, übrige im Laden nicht älter als 21 Tage. Nach 28 Tagen ist offiziell Schluß mit der Haltbarkeit
- im Kühlschrank lagern und sich vor dem Garen in der Küche aufwärmen
- gut gekocht sein: weich in 3 – 4 Minuten, mittel in 5 – 6 Minuten, hart in 10 Minuten

Das mag es

- in der Sauce etwas Säure – von Wein, Essig oder Zitrone
- feine Kräuter wie Dill, Estragon, Kerbel
- Deftiges wie Speck, Käse oder Zwiebeln
- Salz – aber zum Schluß, sonst wird's Rührei labbrig und das Spiegelei fleckig

Die Milch macht die Sauce

Sahne

Das Fett der Milch (in Sahne um die 30 %) läßt Saucen feiner und intensiver zugleich schmecken. Steifgeschlagen macht Sahne auch noch luftig. Deswegen kochen manche Menschen ihre Saucen nur noch damit. Auf die Dauer ist das aber doch etwas fett und fad. Besser ist es, eine solide Sauce am Ende mit frischer Sahne aufzupeppen oder sich mal ganz auf die eigene Kochkunst zu verlassen und Sahne wegzulassen.

Crème fraîche

Bestimmte Bakterien sorgen dafür, daß Sahne sich dicklegt und daraus die fein-säuerliche Crème fraîche oder der ihr ähnliche Schmand entsteht. Die sind beide so fest und cremig, daß sie Saucen nicht nur abrunden, sondern auch binden können. Auch hier ist aber weniger mehr.

Joghurt

In heißen Saucen kommt er meist nur bei Schmorgerichten vor, denen er während der langen Garzeit einen ganz eigenen Touch gibt. Den mag man vor allem im Orient, etwa beim Lammcurry. Kalte Saucen und Dips erfrischt Joghurt mit seiner Säure und erleichtert er mit seinen natürlichen 3 – 4 % Fett. Wer es milder und fetter mag, nimmt lieber saure Sahne.

und sonst ...

... taugt Mascarpone nicht nur für Tiramisu. Ein guter Löffel davon macht z. B. eine Gorgonzolasauce milder und interessanter, wenn er ganz zum Schluß dazukommt. Auch Frischkäse kann Saucen und Dips eine Portion Spezielles geben. Und ein Sabayon mit Buttermilch statt Wein ist mal was ganz anderes.

Die Mehlschwitze kommt

Was gut war, darf wieder kommen. Aber was war an der Mehlschwitze eigentlich gut? Lange stand sie nur für stumpf vom Löffel fallende Pampen. Dann kam die Sahne-Butter-Welle, und die Sauce schien gerettet. Doch irgendwann schwappten nur noch Sahne oder Butter mit einem Stich Pseudo-Sauce auf den Teller. Das war's auch nicht.

Inzwischen haben Trendsetter die Mehlschwitze wieder entdeckt. Weil mit ihr oft eher aus einem guten Ansatz eine bessere Sauce wird, als wenn kräftig zugebuttert wird. Antonin Carême soll sie erfunden haben – der erste Starkoch der Welt und ein ziemlich schlauer Kerl. Muß man auch sein, um dem Geheimnis der „roux" auf die Spur zu kommen.

Da ist einmal die Hitze. Sie läßt das Mehl gären, so daß es klebrig genug zum Binden wird. Damit es dabei weder verbrennt noch aufweicht, kommt erstmal nur heißes Fett ins Spiel. So kann das Mehl bei hoher Hitze kleistern und sich mit Fett vollsaufen, um später nicht in Flüssigkeit zu klumpen.

Und jetzt die Basic-Anleitung für die feine Mehlschwitzensauce:

1 2 EL Butter zerlassen. 2 EL Mehl einrühren, wobei es erst schäumt und dann eine helle, glatte, zähe Masse entsteht. Für dunklere Saucen kann die noch etwas rösten.

2 Jetzt $^1/_2$ Liter lauwarme Flüssigkeit daraufgießen und dabei kräftig mit dem Schneebesen wirbeln. Weiterwirbeln und alles bei ordentlicher Hitze schnell aufkochen, damit nichts anbrennt.

3 Nun unter weniger Wirbeln 10 Minuten köcheln lassen. Dann löst sich das Mehl optimal. Fertig ist die Sauce Carême.

In

Ein ordentlicher Saucenansatz • oder: Saucenwürfel • besser: Eiswürfelvorrat mit hausgemachter Sauce • Mut beim Würzen • Beschränkung auf wenig Gutes • Chutneys • Gemüsesaucen (z. B. aus pürierten TK-Erbsen) • Löffel zum Löffeln, Brot zum Tunken, Kartoffeln zum Matschen • immer und ewig: Reste auf dem Teller mit Sauce mischen, zum Schluß den Teller ablecken (nur unter Freunden)

Out

Fix-und-fertig-Saucen • Saucentopf als Mülleimer für schlechten Wein • Monotonie beim Würzen • tägliche Einheitssauce • Zutatenwirrwarr • alter Knoblauch im Dip • Prosecco- und Rucolasauce (ist: Wein- und Grassauce) • Superschnitzel in Sauce ersäufen • Rezept für spontane Supersauce vergessen • nie und nimmer: weiße Hochzeit mit Spaghetti Napoli (auch nicht unter Freunden)

Fünf fixe 5-Minuten-Saucen

fix zu Nudeln

gehackten Knoblauch mit Oregano in Öl glasig braten, etwas Tomatenmark mitbraten. Passierte Tomaten, Oliven sowie ein paar Kapern und Sardellen dazu. Aufkochen, zerpflückten Dosen-Thunfisch und gehackte Petersilie darin erhitzen

fix zum gebratenen Fisch

ein Stückchen Salatgurke raspeln, im Bratfett andünsten, ordentlich mit Weißwein ablöschen und einen guten Löffel Crème fraîche dazu. Sämig einkochen lassen, mit Dill, Senf und Salz abschmecken

fix zum Steak

Zwiebelstreifen im Bratfett mit einer guten Prise Zucker karamelisieren, mit Balsamico und etwas Brühe ablöschen und zu Sirup einkochen. Kräftig pfeffern, Basilikum einrühren und die gebratenen Steaks darin wenden

fix zu gedünstetem Gemüse

Curry und (falls da) Fenchelsamen im trockenen Topf rösten, ein Pack gewürfelte Tomaten und ein Becher Joghurt dazu, 5 Minuten kochen lassen und mit Salz und etwas Zucker abschmecken. Gemüse damit mischen – oder gleich darin dünsten

fix als Dip

Frische Champignons fein hacken und mit etwas Zitronensaft, viel Schnittlauch und reichlich Pfeffer sowie gerade genug süßer und saurer Sahne zu einem dicklichen Dip verrühren – schmeckt lecker zu Pellkartoffeln, Röstbrot oder Fritiertem

Grüne Sauce
Die Hesse komme!

7 Kräuter müssen's sein, damit's wie früher schmeckt. Die Mischung für die „Grie Soß" allerdings kann wechseln, und manchmal gibt's praktischerweise einen „Grüne-Sauce-Bund" gleich fertig am Gemüsestand zu kaufen. Dies hier ist auf jeden Fall Sebastian's special favorite.

Reicht für 4–6:

1 Bund Schnittlauch

$^1/_2$ Bund Petersilie

1 Handvoll Kerbel

2–3 Zweige Borretsch

4 Sauerampferblätter

5 Zweige Pimpinelle

5 Zweige Zitronenmelisse

2 hartgekochte Eier

200 g Crème fraîche

350 g Dickmilch

50 g Mayonnaise

1 TL scharfer Senf

Worcestersauce

Salz, Pfeffer aus der Mühle

1 Alle Kräuter waschen und trockenschütteln, harte Stiele wegschneiden. Kräuter mit einem großen Messer auf einem großen Brett fein hacken. Nicht im Mixer zerkleinern, denn dann schmeckt's bitter.

2 Die Eier pellen und in kleine Würfel hacken. Mit den Kräutern und allen übrigen Zutaten mischen, abschmecken und 1 Stunde durchziehen lassen.

So viel Zeit muß sein: Aktiv sein 30 Minuten, Relaxen 1 Stunde
Das schmeckt dazu: Salzkartoffeln, Pellkartoffeln, gekochtes Rindfleisch, Fisch
Kalorien pro Portion (6): 255

Salsa Verde – die italienische Version der grünen Sauce:
Die 2 hartgekochten Eier sind auch hier richtig – außerdem eine Handvoll Kräuter, am besten glatte Petersilie. Damit's nach Sonne und Süden schmeckt, kommen noch 5–6 eingelegte Sardellenfilets, 2 Knoblauchzehen, 3–4 EL Kapern und mindestens 5 EL Olivenöl dazu. Zuerst nur das Eigelb mit Petersilie, Sardellen, Knoblauch, Öl und Kapern im Mixer pürieren. Dann mit 1–2 EL Weißweinessig, Salz und Pfeffer abschmecken. Eiweiß fein hacken und untermischen. Schmeckt toll zu gebratenem Fisch, Garnelen, Mittelmeer-Gemüse.

Pesto
Vorrat anlegen – im Tiefkühlfach!

Pesto-Puristen holen dafür ihren großen Mörser aus dem Schrank, um echte Handarbeit zu leisten. Im Mixer geht's aber zur Not auch – nicht ganz so fein, nur viel schneller.

Reicht für 4:

1 großes Bund Basilikum
2 EL Pinienkerne
3 Knoblauchzehen
Salz
1/8 l Olivenöl
50 g Parmesan oder
Pecorino, frisch gerieben!

1 Basilikumblättchen von den Stengeln zupfen, nicht waschen, höchstens abreiben.

2 In einer trockenen Pfanne die Pinienkerne ganz leicht anrösten – vom Herd nehmen, wenn es zu duften beginnt.

3 Knoblauchzehen schälen, etwas kleiner schneiden. Mit Basilikum, Pinienkernen und 1 Prise Salz im Mixer pürieren – oder im Mörser zerreiben.

4 In eine Schüssel umfüllen. Dann eßlöffelweise Olivenöl und geriebenen Käse unterrühren, bis es nach einer schönen Creme aussieht. Mit Salz abschmecken – fertig!

So viel Zeit muß sein: 20 Minuten
Das schmeckt dazu: Spaghetti oder andere dünne Nudeln, Minestrone oder andere Gemüsetöpfe, zu Fisch und Fleisch, als Aufstrich für Sandwiches
Kalorien pro Portion: 240

Basic Tip

Winterpesto:

Die gleichen Handgriffe wie beim sommerlichen Pesto – aber mit Petersilie, Schalotten, Walnußkernen oder Mandeln, Emmentaler oder Appenzeller und mit Sonnenblumenöl.

Guacamole
Tex mex für Einsteiger

Reicht für 4–6:

2 richtig reife Avocados (geben auf Daumendruck nach)
6–7 EL Zitronensaft
1 Zwiebel
2 Knoblauchzehen
1–2 frische Chilischoten
2 mittelgroße reife Tomaten
2 EL Olivenöl
Salz, Pfeffer aus der Mühle
1 gute Prise Korianderpulver
1 Bund Petersilie

1 Die Avocados längs rundum einschneiden, bis das Messer auf den Stein stößt. Die Hälften gegeneinander drehen und trennen. Den Stein herauslösen, beide nun steinlosen Hälften schälen. Wenn das Avocadofleisch weich genug ist, mit einer Gabel zerquetschen, ansonsten mit dem Pürierstab zermusen. Den Zitronensaft sofort untermischen, damit die Avocados grün bleiben.

2 Zwiebel und Knoblauch schälen, sehr fein hacken. Chilischoten längs aufschlitzen, Kerne und Stiel entfernen, Schoten waschen und fein hacken.

3 Tomaten 1 Minute in kochendes Wasser legen, kalt abschrecken, die Haut ablösen, Tomaten in winzige Würfel schneiden. Alles unter das Avocadopüree mischen, Öl unterrühren, mit Salz, Pfeffer, Korianderpulver abschmecken. Petersilie waschen, fein hacken und untermischen.

So viel Zeit muß sein: 25 Minuten
Das schmeckt dazu: Tortilla-Chips aus der Tüte. Gedünsteter Fisch. Gegrilltes Fleisch. Bratkartoffeln. Kalter Braten. Brot.
Kalorien pro Portion (6): 100

Tzatziki
Ohne geht's nicht!

Reicht für 4:

600–700 g Joghurt (am besten echter griechischer Schafsmilchjoghurt)

1 feste Salatgurke

Salz, 3 Knoblauchzehen

1 EL Weißweinessig

1–2 EL Olivenöl

1 Der Joghurt soll etwas fester werden, als er aus dem Becher kommt – also muß er eine Weile abtropfen. Das geht ganz gut in einem Sieb mit Kaffeefiltertüte. Also: Joghurt hineinlöffeln und abtropfen lassen.

2 Die Gurke schälen und grob raspeln, in eine Schüssel geben, mit 1 TL Salz mischen und 10 Minuten Wasser ziehen lassen. Dann in ein Sieb umfüllen, mit einem Löffel möglichst viel Wasser auspressen. Mit dem Joghurt mischen.

3 Knoblauch schälen und durch die Presse dazudrücken. Essig und Öl unterrühren, nochmals mit Salz abschmecken. Wer mag, kann frisch gehackte Minze unterrühren.

So viel Zeit muß sein: 30 Minuten
Das schmeckt dazu: Sesamfladen, Lammfleisch, Gemüse, Kartoffeln
Kalorien pro Portion: 270

Mango-Chutney
Scharf, süß, köstlich

Was nicht gegessen wird, in kleine Gläschen abfüllen und verschenken!

Reicht für 4 Grillfeten oder 2 l:

3 reife Mangos (ungefähr 1,2 kg)

1 reife Ananas (1–1,2 kg schwer)

1 rote Paprikaschote

2 frische rote Chilischoten

50 g frische Ingwerwurzel

50 g Rosinen

150 g Zucker, 1 EL Salz

$^1/_4$ l Obstessig, 2–3 Zwiebeln

1–2 Knoblauchzehen, 2 Zitronen

1 TL Senfkörner, 1 TL Pimentkörner

1 Bei den Mangos das Fruchtfleisch am Kern entlang wegschneiden, die Stücke schälen und würfeln. Möglichst viel Fruchtfleisch noch von den Kernen abkratzen. Die Ananas schälen und auch in Würfel schneiden.

2 Paprikaschote und Chilischoten längs halbieren, Stiele, Kerne und Trennwände entfernen. Schoten waschen und in kleine Stücke schneiden. Den Ingwer schälen und in Scheibchen schneiden. Rosinen grob hacken.

3 Alle vorbereiteten Zutaten in einen großen Topf geben, mit Zucker, Salz und Essig mischen und zugedeckt über Nacht oder wenigstens einige Stunden ziehen lassen.

4 Dann erst Zwiebeln und Knoblauch schälen und fein hacken, Zitronensaft auspressen, alles mit den Gewürzen in den Topf geben und gut mit den Früchten mischen.

5 Deckel zu, bei mittlerer Hitze zum Kochen bringen. Dann die Hitze herunterschalten, ohne Deckel noch 30 Minuten sanft vor sich hin köcheln lassen, bis das Chutney eingedickt ist. Öfter mal umrühren und aufpassen, daß nichts anbrennt.

6 Wenn's für den Vorrat sein soll, ganz heiß in kochendheiß ausgespülte Gläser (mit Twist-off-Deckel) füllen und sofort verschließen. Ansonsten: Abkühlen lassen und essen.

So viel Zeit muß sein: Aktiv sein 1 Stunde, plus Ruhezeit über Nacht
Das schmeckt dazu: alles vom Grill, Geflügel, Schweinefleisch, Fisch, Reis
Kalorien insgesamt: 1840

Apfelsauce mit Gurke
BBQ-Klassiker

Reicht für 4:

1 säuerlicher Apfel

1 EL Zitronensaft

1 Zwiebel

1–2 Gewürzgurken

200 g saure Sahne

2–3 EL Mayonnaise

2 EL Meerrettich (fertig aus dem Glas)

Salz, Pfeffer aus der Mühle

Schnittlauch oder Dill

1 Den Apfel schälen, vierteln und in kleine Würfel schneiden, mit Zitronensaft beträufeln. Die Zwiebel schälen, fein hacken. Und auch die Gurken klein würfeln.

2 Saure Sahne mit Mayonnaise und Meerrettich verrühren. Mit Salz und Pfeffer würzen, Apfel, Zwiebel und Gurken untermischen. Schnittlauch oder Dill waschen, fein aufschneiden und unter die Sauce rühren.

So viel Zeit muß sein: 10 Minuten
Das schmeckt dazu: Fondue, gegrilltes Fleisch, Buletten
Kalorien pro Portion: 150

Erdnußsauce
Hit aus dem Vorrat

Reicht für 4:

2–3 EL Sonnenblumenöl

2 EL milde Currypaste (fertig gekauft)

1 Dose ungesüßte Kokosmilch (400 ml)

150 g Erdnußcreme mit Stücken (fertig aus dem Glas)

2 EL Zucker

Salz

3 EL Reisessig oder Apfelessig

1 Das Öl in einem kleinen Topf auf mittlerer Stufe erhitzen, die Currypaste einrühren und kurz anbraten. Dann die Kokosmilch dazugießen, gut untermischen und 1–2 Minuten sanft köcheln lassen.

2 Die Erdnußcreme einrühren, mit Zucker, Salz und Essig würzen. Noch 5–10 Minuten weiterköcheln, bis die Sauce schön sämig ist. Nochmals abschmecken.

So viel Zeit muß sein: 15 Minuten
Das schmeckt dazu: lecker zu Hühnerfleisch-Spießchen oder anderen asiatisch angehauchten Fleischgerichten, zu Gemüse und Reis
Kalorien pro Portion: 320

Thunfischdip
Rasant

Reicht für 4:

1 Dose Thunfisch ohne Öl (150 g)

2 Knoblauchzehen

2 EL Kapern

2 EL Zitronensaft

1 Schuß Weißwein

2 EL Olivenöl

2 EL Crème fraîche

Salz, Pfeffer aus der Mühle

1 Den Thunfisch abtropfen lassen. Knoblauch schälen und halbieren. Beides mit den Kapern, Zitronensaft, Wein und Öl im Mixer pürieren oder mit dem Pürierstab zermusen.

2 Crème fraîche unterrühren, mit Salz und Pfeffer abschmecken.

So viel Zeit muß sein: 10 Minuten
Das schmeckt dazu: frisches Weißbrot, Grissini, rohes Gemüse zum Knabbern, Kalbfleisch, heiße Ofenkartoffeln
Kalorien pro Portion: 150

Mayo – hausgemacht!

Macht schwer was her

Superfrische Eier sollten's schon sein, ganz einfach, weil das Eigelb hier roh angerührt und gegessen wird. Wer weniger Öl nehmen will, kann zum Schluß noch ein bißchen Quark oder Joghurt untermischen – damit's schlanker, aber trotzdem eine dicke Creme wird.

Reicht für 4:

1 ganz frisches, aber zimmerwarmes Ei (aber nur das Eigelb wird fürs Rezept gebraucht!)

1 Prise Salz

1 TL Senf

$^{1}/_{2}$–1 EL Zitronensaft

$^{1}/_{8}$ l Öl (Sonnenblumenöl, Olivenöl)

1 Das Ei aufschlagen, Eigelb in eine Schüssel gleiten lassen (was mit dem Eiweiß passieren kann, steht unten im Basic Tip). Salzen, den Senf und knapp $^{1}/_{2}$ EL vom Zitronensaft kräftig unterrühren.

2 Dann mit dem Schneebesen oder mit den Quirlen vom elektrischen Handrührgerät weitermachen: Erst mal nur einige Tropfen vom Öl dazuträufeln und kräftig unterschlagen. Dann darf's schon ein dünner Ölstrahl sein – und immer fleißig weiterquirlen. Immer nur so viel Öl nachgießen, daß es sich nicht als kleiner See oben absetzt, sondern gleich in der weichen Masse verschwindet und vom Eigelb gebunden wird.

3 Allmählich wird aus der Eigelbsauce eine mehr und mehr dickliche, cremige Mayonnaise. Wenn alles Öl verbraucht ist, nur noch kurz weiterrühren, bis die gewünschte Konsistenz erreicht ist. Mit Salz, Pfeffer und noch mehr Zitronensaft so abschmecken, wie man es mag.

So viel Zeit muß sein: 15 Minuten
Das schmeckt dazu: von Pommes frites bis Artischocken – das hängt fast nur vom persönlichen Geschmack ab!
Kalorien pro Portion: 170

Varianten:

Knoblauch-Mayonnaise

Gleich am Anfang geschälte und durchgepreßte Knoblauchzehen zum Eigelb geben. Wie viele? Nach Lust und Laune, aber 2 wären schon ok. Paßt zu gebratenem Fisch, zur Gemüseplatte, zum Fondue.

Zitronen-Mayonnaise

1 Zitrone halbieren, eine Hälfte auspressen und den Saft mit dem Eigelb verrühren wie links beschrieben. Die zweite Hälfte abschälen, in winzige Würfelchen schneiden und zum Schluß unter die fertige Mayo mischen. Paßt noch besser zu Fisch, aber auch zu kaltem Braten.

Kräuter-Mayonnaise

Zum Schluß reichlich frisch gehackte Kräuter untermischen, z. B. Petersilie, Schnittlauch, Zitronenmelisse, Dill, Kerbel oder Basilikum. Auch lecker in Kombination mit Knoblauch. Paßt prima zu gegrilltem Sommergemüse, zu gebackenen Champignons, als Aufstrich für Sandwiches.

Remoulade

1–2 Gewürzgurken, $^{1}/_{2}$ Zwiebel, 1 Sardellenfilet, etwas Petersilie, Schnittlauch oder Dill fein hacken und mit 1 EL Kapern unter die fertige Mayonnaise rühren. Eventuell noch mit Pfeffer und scharfem Senf nachwürzen. Zu Roastbeef, paniertem Fischfilet und allem, was oben auch genannt wurde.

Basic Tip

Übriges Eiweiß verwenden für Baiser, Kaiserschmarrn oder Riesen-Rührei (einfach mit ganzen Eiern mitbraten).

Provenzalische Gemüsesauce
Easy going

Die fertige Sauce ist auch super, um einen großen Braten oder Rouladen drin zu schmoren – nach dem Anbraten vom Fleisch einfach zusammen mit etwas Brühe in den Topf.

Reicht für 4:

250 g reife Tomaten
150 g Auberginen
150 g Zucchini
1 kleine rote oder gelbe Paprikaschote
100 g Zwiebeln
2 – 3 Knoblauchzehen
3 – 4 EL Olivenöl
1 Zweig frischer Rosmarin
100 g Sahne
Salz, Pfeffer aus der Mühle
1 EL Aceto balsamico
eventuell 5 – 10 EL Gemüsebrühe

1 Die Tomaten kurz in kochendes Wasser legen, dann kalt abbrausen und die Haut abziehen. Tomaten in Würfel schneiden. Auberginen und Zucchini waschen, Stielansätze wegschneiden, Gemüse erst in Scheiben, dann in Würfel schneiden. Paprikaschote halbieren, Kerne und Trennwände entfernen. Schotenhälften waschen und in kleine Stücke schneiden.

2 Zwiebeln und Knoblauch schälen, fein hacken. 2 EL Olivenöl in einem dickwandigen Schmortopf erhitzen. Zwiebeln und Knoblauch kurz andünsten. Dann alles Gemüse dazugeben. Rosmarinzweig hineinlegen, das restliche Öl und 50 ml Wasser angießen, salzen und pfeffern. Deckel drauf, im geschlossenen Topf ungefähr 40 Minuten vor sich hin schmurgeln lassen – bei schwacher Hitze.

3 Deckel lüften, Sahne angießen, alles gut verrühren und im offenen Topf noch mal heiß werden lassen. Dann den Topf vom Herd nehmen, Rosmarinzweig herausnehmen. Mit Salz, Pfeffer und Aceto balsamico abschmecken. Wer mag, kann das Gemüse zu einer ganz glatten Sauce pürieren. Wem sie zu dick ist, der verdünnt sie einfach mit Brühe.

So viel Zeit muß sein: 1 1/4 Stunden
Das schmeckt dazu: Lamm, Pellkartoffeln, Schweinebraten oder gebratener Fisch
Kalorien pro Portion: 195

Spanische Mojo
Ob rot oder grün – immer richtig scharf

Reicht für 4 oder mehr:

4 mittelgroße Knoblauchzehen
2 – 3 frische rote (oder grüne) Chilischoten
2 TL Edelsüß-Paprikapulver (für grüne Mojo: weglassen!)
1/2 TL gemahlener Kreuzkümmel
1/2 TL getrockneter Oregano (für grüne Mojo: 2 EL frisch gehackte Petersilie oder 1 EL Koriandergrün)
3 EL Weinessig
3 EL Olivenöl
Salz, Pfeffer aus der Mühle

1 Knoblauch schälen und grob hacken. Die Chilischoten längs halbieren, Stiele wegschneiden, Kerne wegspülen, Schoten waschen und grob zerteilen.

2 Chilistücke mit Knoblauch und den anderen Zutaten und Gewürzen im Mixer, Blitzhacker oder mit dem Pürierstab fein zerkleinern.

3 Eventuell mit einigen Eßlöffeln Wasser verdünnen, nochmal mit Salz und Pfeffer abschmecken.

So viel Zeit muß sein: 15 Minuten
Das schmeckt dazu: gebackene Kartoffeln, gegrilltes Fleisch, Gemüse – oder einfach eine Portion Reis, gemischt mit 2–3 Löffelchen Mojo, dazu frische Petersilie und angeröstete Pinienkerne!
Kalorien pro Portion: 75

Variante:

Scharfe Tomatensauce

500 g Tomaten 1 Minute in kochendes Wasser legen, kalt abbrausen, enthäuten und klein hacken, Mojo untermischen.

Möhren-Ingwer-Sauce

Fruchtig-scharf

Reicht für 4:

1 kleine Zwiebel

1 Stück Ingwerwurzel, ungefähr daumengroß

400 g Möhren

2 EL Öl, 1 TL Currypulver

1/4 l Gemüsebrühe

1/4 TL Kreuzkümmel, Zucker

Chilipulver nach Geschmack

Salz, Pfeffer aus der Mühle

1 Saftorange (Saft auspressen)

1 Zwiebel und Ingwer schälen und fein hacken. Die Möhren auch schälen, in feine Scheibchen schneiden oder hobeln.

2 In einem Topf das Öl erhitzen. Zwiebel und Ingwer 1–2 Minuten bei mittlerer Hitze andünsten, ab und zu umrühren. Möhren einrühren, das Currypulver darüber streuen und 2 Minuten unter Rühren andünsten, dann die Brühe angießen. Mit Kreuzkümmel, 1 Prise Zucker und erst mal wenig Chilipulver, Salz und Pfeffer würzen.

3 Zudecken, 20 Minuten köcheln lassen. Dann den Topf vom Herd nehmen, die Möhren im Topf mit dem Kartoffelstampfer zerdrücken, mit dem Pürierstab zermusen oder durch die Flotte Lotte drehen (siehe Bild).

4 Orangensaft angießen, nochmals erhitzen und kräftig durchrühren, mit Salz und Pfeffer abschmecken.

So viel Zeit muß sein: 35 Minuten
Das schmeckt dazu: Hähnchenbrust, gebraten oder gekocht, Fischfilet oder einfach nur ein Teller voll Reis (dann noch eine Handvoll frisch gehackte Petersilie drüber)
Kalorien pro Portion: 90

BBQ-Sauce

Kaum zu glauben, aber lecker

Reicht für 4:

1 Stück gut gekühlte Wassermelone (ungefähr 500 g ungeschält, 300 g geschält)

2 Zwiebeln

4–6 EL Tomatenketchup

1 TL Honig

Salz, Cayennepfeffer

1 Die Melone schälen, alle Kerne rauspulen. Fruchtfleisch in Stücke schneiden und in den Mixer geben (oder in eine hohe Schüssel, wenn ein Pürierstab da ist).

2 Zwiebeln schälen, grob hacken, rein in den Mixer. Ketchup und Honig dazu, fein pürieren, mit Salz und Cayennepfeffer abschmecken, sofort servieren (oder kalt stellen).

So viel Zeit muß sein: 10 Minuten
Das schmeckt dazu: alles vom Grill
Kalorien pro Portion: 50

Frische Erbsensauce
Flott & lecker

Frisch bedeutet in diesem Fall tiefkühlfrisch! Erbsenschoten, direkt aus dem Garten gepflückt, sind heute nämlich nur noch selten zu ergattern und wenn, dann wird man daraus keine Sauce machen, sondern ein feines Erbsengemüse, ganz kurz in Butter gedünstet und mit frischen Kräutern bestreut.

Reicht für 4:

1 kleine Zwiebel

1 EL Butter

300 g TK-Erbsen

$^1/_8$ l trockener Weißwein

125 g Sahne

Salz, Pfeffer aus der Mühle

$^1/_2$ Bund Basilikum

Zitronensaft

1 Die Zwiebel schälen, halbieren und sehr fein hacken. In einem hohen Topf die Butter schmelzen lassen (mittlere Hitze), die Zwiebel reingeben und glasig dünsten, öfter mal umrühren.

2 Dann die Erbsenpackung öffnen, tiefgekühlte Erbsen in den Topf schütten und unter die Zwiebel mischen. Den Wein angießen, die Sahne angießen, mit Salz und Pfeffer würzen. Deckel zu, zum Kochen bringen.

3 Die Basilikumblättchen abreiben. Einige Blättchen gleich mit in den Topf, 5 Minuten zugedeckt köcheln lassen.

4 Den Topf vom Herd nehmen, restliches Basilikum dazu und alles mit dem Pürierstab im Topf pürieren. Die Sauce noch mal mit Salz, Pfeffer und einigen Spritzern Zitronensaft abschmecken.

So viel Zeit muß sein: 15 Minuten
Das schmeckt dazu: toll zu wachsweich gekochten Eiern (noch warm), zu Tafelspitz, Rippchen, zu Lachs, zu Schweinefilet
Kalorien pro Portion: 190

Pilzsauce
Gleich aufessen!

Reicht für 4:

600 g frische Pilze (Champignons, Egerlinge, Pfifferlinge, Steinpilze)

3 EL Zitronensaft

1 Zwiebel, 1 Bund Petersilie, 2 EL Butter

Salz, Pfeffer aus der Mühle

200 g Sahne

1 Die Pilze abreiben oder mit einem Messerchen sauber kratzen, nicht waschen. Die Pilze in dünne Scheibchen schneiden, mit 2 EL Zitronensaft beträufeln, damit sie ihre Farbe behalten. Die Zwiebel schälen und fein hacken. Die Petersilie waschen, trockenschütteln, mit einem großen Messer fein hacken.

2 In einer großen Pfanne die Butter schmelzen. Zwiebel kurz darin andünsten, bis sie glasig aussieht. Dann nach und nach immer wieder eine Handvoll Pilze dazugeben und unter Rühren anbraten. Wenn alle Pilze angebraten sind, mit Salz und Pfeffer würzen, die Hälfte der Petersilie untermischen und die Sahne angießen.

3 Bei mittlerer bis schwacher Hitze die Pilze 10 Minuten sanft köcheln lassen. Zum Schluß mit restlichem Zitronensaft, Salz und Pfeffer abschmecken, frische Petersilie einstreuen.

So viel Zeit muß sein: 30 Minuten
Das schmeckt dazu: Nudeln, Knödel, gebratene Schnitzel ohne Panade, Steaks
Kalorien pro Portion: 210

Currysahne
Die Sauce für alle Fälle

Reicht für 4:

1 kleine Zwiebel

1 EL Butter

1 EL Currypaste (fertig gekauft)

oder 2 EL Currypulver

$^1/_8$ l trockener Weißwein

$^1/_8$ l Hühnerbrühe

200 g Sahne

Salz, Pfeffer aus der Mühle

vielleicht Zitronensaft

1 Die Zwiebel schälen und so fein wie möglich hacken. In einem breiten Topf oder in einer Pfanne die Butter zerlassen. Zwiebel darin bei schwacher Hitze andünsten, bis sie glasig aussieht.

2 Dann die Currypaste oder das Pulver einrühren und gut mit dem Fett und der Zwiebel mischen. Den Wein angießen, den Herd auf mittlere Hitze schalten, alles kurz einköcheln lassen. Die Brühe und die Sahne dazugießen. Ohne Deckel cremig einköcheln lassen, ab und zu umrühren, damit nichts am Topfboden hängenbleibt.

3 Nach 10 – 15 Minuten ist die Sauce schön cremig, jetzt nur noch mit Salz und Pfeffer abschmecken, vielleicht auch mit einem Spritzer Zitronensaft – fertig!

So viel Zeit muß sein: 25 Minuten
Das schmeckt dazu: Putenschnitzel, Hühnerbrustfilet, gedünsteter Fisch, Reis und Gemüse, Nudeln
Kalorien pro Portion: 190

Variante:

Scharfe Currysauce
Wie scharf die Sauce schmeckt, hängt natürlich vom verwendeten Curry ab, also beim Einkauf schon darauf achten. Wer's unbedingt scharf haben will, kann mit der Zwiebel 1 – 2 zerquetschte Chilischoten, etwas Knoblauch und gehackten frischen Ingwer andünsten – das gibt ein herrlich asiatisches Aroma. Gut zu Reisgerichten mit oder ohne Fleisch.

Käsesauce
Echt basic

Als Grundlage geht auch die gute alte Mehlschwitze – damit spart man auf jeden Fall ein paar Fett-Kalorien! Rezept auf Seite 87.

Reicht für 4:

200 g Gorgonzola oder Roquefort

150 ml Milch

Salz, Pfeffer aus der Mühle

2 EL Pinienkerne

1 Den Käse würfeln, mit der Milch in einen Topf geben und bei ganz schwacher Hitze schmelzen lassen. Oft umrühren und immer ein Auge auf die Mischung haben. Sobald die Sauce schön cremig ist, mit Salz und Pfeffer würzen – das war's schon.

2 Lecker dazu: Pinienkerne in einer Pfanne ohne Fett kurz anrösten, bis sie anfangen gut zu riechen. Drüberstreuen.

So viel Zeit muß sein: 10 Minuten
Das schmeckt dazu: Nudeln, Salzkartoffeln, gedünstetes Gemüse wie Lauch, Möhren, Blumenkohl
Kalorien pro Portion: 225

Hollandaise
Macht schwer was her

Diese helle Buttersauce läßt sich ganz leicht abwandeln und mit all dem würzen, was man gerne mag: z. B. mit Kapern, einem Schuß Weißwein, einem Löffel Senf oder frischen Kräutern.

Reicht für 4:

200 g Butter

3 Eigelbe

Salz, Pfeffer aus der Mühle

2–3 EL Zitronensaft

1 Als erstes schon mal das Wasserbad vorbereiten, damit man später nicht suchen muß: einen großen Topf zur Hälfte mit Wasser füllen und zum Sieden bringen (also nicht kochen, sondern nur so heiß werden lassen, daß winzige Bläschen aufsteigen). Eine Metallschüssel, die in den Topf paßt, bereitstellen.

2 Dann die Butter in einem anderen Topf langsam flüssig werden lassen, dabei oben immer den weißen Schaum abschöpfen, der sich abtrennt.

3 Die Eigelbe in die Metallschüssel geben und mit 1 EL Wasser verquirlen. Die Schüssel ins heiße Wasser vom Wasserbad setzen. Nun die flüssige Butter zuerst nur tropfenweise, dann in ganz feinem Strahl zu den Eigelben tröpfeln lassen und dabei mit dem Schneebesen oder den Quirlen vom Handrührgerät kräftig schlagen. Wenn's nach einer schaumigen Sauce aussieht, ist das Werk vollbracht – jetzt nur noch mit Salz, Pfeffer und Zitronensaft abschmecken. Lecker!

So viel Zeit muß sein: 20 Minuten
Das schmeckt dazu: alles mögliche Gemüse – klassisch jedenfalls zu gekochtem weißem Spargel, aber auch gut zu Steaks oder gedünstetem Fisch
Kalorien pro Portion: 430

Dunkle Grundsauce

Genialer Vorrat für viele Gelegenheiten

Gibt tolle Saucen für Fleisch, Geflügel, Pasta – verfeinern mit Sahne, Rotwein, Portwein oder Cognac, würzen mit Senf, Zwiebeln Speck, Pilzen oder Paprika.

Für 1 l dunklen Fond:

3 EL Öl

500 g Kalbsknochen (vom Metzger schon in kleinere Stücke gehackt)

1 kleine Stange Lauch

3 Möhren

1 Stück Knollensellerie (200 g)

2–3 Zwiebeln

2 EL Tomatenmark

1–2 Lorbeerblätter

1 TL Pfefferkörner

1 Bund Petersilie

1 TL Salz

1 Am besten geht's in einem großen schweren Topf oder in einem Bräter. Auf die größte Herdplatte damit, das Öl hineingießen und heiß werden lassen. Die Knochen rein, bei starker Hitze rundum gut anrösten – sicher 10–15 Minuten lang.

2 In der Zwischenzeit alles Gemüse vorbereiten: Lauch längs aufschlitzen und gut waschen, die welken Teile wegschneiden. Die Möhren schälen, den Sellerie schälen und waschen. Alles in grobe Stücke schneiden. Die Zwiebeln schälen und vierteln.

3 Wenn die Knochen gut angebraten sind, das Gemüse dazugeben und 5 Minuten mitbraten. Dann das Öl seitlich abgießen, Topf wieder auf den Herd zurück. Das Tomatenmark einrühren, Lorbeer und Pfefferkörner dazu. So viel Wasser angießen, daß alles knapp davon bedeckt ist. Keinen Deckel drauf, sondern im offenen Topf bei mittlerer Hitze einkochen lassen.

4 Sobald das Wasser fast eingekocht ist, wieder etwas nachgießen und einkochen lassen. Je öfter diese Prozedur passiert, desto dunkler und gehaltvoller wird der Fond.

5 Nach 1 Stunde die Petersilie waschen und mit in den Topf geben. Noch mal knapp 1 Stunde weiterköcheln und immer wieder verdampftes Wasser nachfüllen.

6 Ein großes Sieb mit einem Topf drunter bereitstellen, den Topfinhalt mit allen Zutaten hineingießen und die Brühe auffangen. Noch mal auf den Herd damit und jetzt erst mit Salz abschmecken. Das Fett an der Oberfläche abschöpfen oder mit einem Küchenpapier wegsaugen.

So viel Zeit muß sein: 2 1/2 Stunden

Helle Grundsauce

Kocht sich fast von alleine

Verfeinern mit Sahne oder Weißwein, würzen mit Senf, Schalotten, Curry oder Pesto – für Pasta, Geflügel, Gemüse.

Für 1 l hellen Fond:

500 g Kalbsknochen (vom Metzger schon in kleinere Stücke gehackt)

1 kleine Stange Lauch

3 Möhren

1 Stück Knollensellerie (200 g)

2–3 Zwiebeln

1–2 Lorbeerblätter

1 TL Pfefferkörner

1 Bund Petersilie

1 TL Salz

1 Für hellen Fond braucht man genau die gleichen Zutaten wie beim dunklen Fond – nur wird hier nichts angeröstet, sondern alles zusammen in Wasser geköchelt.

2 Die Knochen und das geputzte und grob zerkleinerte Gemüse also in einen großen Topf geben. Lorbeer, Pfefferkörner und gewaschene Petersilie dazu, mit Wasser knapp bedeckt zum Kochen bringen. Ohne Deckel köcheln lassen, ab und zu Wasser nachgießen, damit die Zutaten wieder knapp bedeckt sind.

3 Nach etwa 2 Stunden alles in ein Sieb abgießen und die Brühe auffangen. Nochmals kurz aufkochen, mit Salz abschmecken. Das Fett an der Oberfläche abschöpfen oder mit Küchenpapier aufsaugen.

So viel Zeit muß sein: 2 1/2 Stunden

Basic Tip

Beide Fonds halten sich etwa 1 Woche im Kühlschrank; oder als Vorrat für mehrere Monate in kleinen Portionen einfrieren.

Fisch

Fisch ist nämlich mehr als nur ein Stäbchen ...

Hier ist alles drin, was schwimmt: im Salzwasser (wie der Kabeljau), im Süßwasser (wie die Forelle) oder in beidem (wie der Wildlachs). Im Meer, im See, im Teich, im Fluß, im Bach. Manchmal auch im Aquarium vom Fischhändler.

Aber das ist nicht das Revier für Basic-Köche, die gehen eher in der Kühltheke auf die Jagd nach fertigen Filetstücken. Oder gleich in der Tiefkühltheke.

Geht in Ordnung, wenn der Fang da nicht jedesmal viereckig und paniert ist.

Fisch ist nämlich mehr als nur ein Stäbchen. Und auch mehr als ein Brathering, Räucherlachs und Thunfisch in Öl.

Und manchmal sind die besten Schwimmsachen zum Essen gar kein Fisch. Krabben, Muscheln, Tintenfisch. Alles hier drin.

Nur Hummer, Austern und Kaviar sind nicht drin.

Man muß ja nicht alles haben ...

Fünf Filets

Der kleine Wegweiser für alle, die zu oft hilflos vor der Fischtheke stehen

Der Seelachs
• heißt auch Köhler. Nicht zu verwechseln mit dem blendend weißen Alaska-Seelachs, der vor allem in Fischstäbchen steckt
• schmeckt besser, als er aussieht, nämlich sehr aromatisch. Weil sein Fleisch dazu noch fest ist, kommt er am besten aus der Pfanne auf den Tisch

Der Lachs
• pendelt als Wildfang zwischen Meer und Fluß, heute ist er meist ein Zuchtfisch. Beim wilden kommt die Farbe vom vielen Krustentierkrustenfuttern
• ist wegen seinem höheren Fettgehalt ideal zum Braten und Grillen (auch als Kotelett), im Sud aber kein Hit

Der Viktoriabarsch
• der Newcomer in der Fischtheke, so daß der – zugegeben gigantische – Viktoriasee wohl kaum noch die einzige Heimat dieses Zuchtfisches sein wird
• ist ein echter Edelfisch für wenig Geld, der selbst schlicht gebraten Fischfreaks fasziniert

Der Kabeljau
• heißt als junger Fisch auch Dorsch (der ist ein bißchen fetter und feiner), was manche Händler bei dem beliebtesten Frischfisch in Deutschland aber nicht so genau nehmen
• wird oft unterschätzt. Besonders gebraten ist er eine echte Delikatesse, aber auch pochiert oder gedünstet schmeckt er lecker

Der Rotbarsch
• sieht in seinem ferrari-roten Schuppenkleid richtig rasant aus. Ohne ist er so weiß wie die meisten Fische
• ein echter Klassiker ist er paniert oder im Teig aus der Friteuse; aber auch gebraten kommt er gut

Unser liebster Fisch

Das Filet

engl. fillet; franz. filet;
ital. filetto

Das ist es

- in Theke und Tiefkühltruhe meist von Kabeljau, Lachs, Seelachs und Rotbarsch. Im Kommen: Viktoriabarsch
- selten ein echtes Filet, sondern nur ein Stück davon. Beim bis zu 2 m langen Kabeljau sogar nur ein Stückchen
- pro Portion am besten um die 180 g schwer (ohne Haut und Gräten)

Das hat es

- von mageren 70 Kalorien je 100 g (Forelle) über moderate 110 (Rotbarsch) bis zu fetten 200 (Lachs)
- viel wertvolles Eiweiß
- meist fast gar kein Fett, manchmal reichlich Fett (Aal, Hering, Makrele, Lachs), immer wertvolles Fett
- reichlich Vitamin A, D, E und B, Fluor, Jod und Phosphor

Das will es

- ganz frisch sein
- so kühl und kurz wie möglich liegen
- ganz schnell und sanft gegart werden
- nicht mit anderen Aromen kämpfen

Das mag es

- Butter, Olivenöl, Sahne – in Maßen
- Dill, Estragon, Kerbel, Petersilie, Schnittlauch gerne; Lorbeer, Oregano, Rosmarin, Salbei fürs rustikal Mediterrane
- Salz, mal Pfeffer; Curry, Ingwer, Kümmel, Fenchelsamen, Paprika, wenn's paßt
- Senf, Sojasauce, andere Asia-Saucen, Worcestersauce, manchmal Pesto. Wein, auch roten. Essig und Zitrone (nicht immer)
- Kapern, Sardellen, Knoblauch, Meerrettich
- Fenchel, Gurke, Lauch, Paprika, Pilze, Spinat, Tomate, Zucchini, auch als Salat
- Reis und Kartoffeln, manchmal Nudeln
- eher nicht: Chilischoten, Käse, Ketchup, Süßes

In

Fisch, der nicht fischelt • Lust aufs Unbekannte: fremde Fische futtern • Mut zur Frische: Sushi naschen • Selber machen: eingelegten, gebeizten, marinierten Fisch • Thunfischsteak medium rare • Tintenfisch vom Grill • Fish 'n Chips • Stockfisch • Für immer und ewig: Fischfilet mit Senfsauce, Bratfisch mit Kapern, Zitrone, Knoblauch

Out

Stinkefische mit Zitrone betäuben • immer nur Fischstäbchen und Schlemmerfilet • fingerdickes Fischcarpaccio • Händler, die ihre Fische wie Feinde behandeln • Thunfisch aus Schleppnetzen, die auch Delphine fangen • gebackene TK-Tintenfischringe • nie und nimmer: Lachsersatz, Surimi (gepreßtes Garnelenfleisch), Matjes mit Mayo

Was vom Fischen übrig bleibt

180 g Fisch pro Essen – das gilt fürs Filet. Wer einen ganzen Fisch kauft, muß anders rechnen. Die Vorteile: Im Zweifel ist er frischer als ein Filet, weil ein Vertuschen nicht so leicht ist. Und man hat mit den Abschnitten gleich eine gute Basis für Sud, Fond oder Sauce. Die Nachteile: viel Arbeit, wenn der Fischhändler nicht filetiert. Und viel Geld, wenn man den Rest vom Fisch nicht verwenden will. Fünf Rechenbeispiele von günstig bis ungünstig:

58% Ausbeute beim 2,5-kg-Lachs:
150 g Abfall, 1 kg Abschnitte für Fonds.
Bleiben 1350 g Filet, also 7 – 8 Portionen

57% Ausbeute beim 700-g-Aal:
200 g Abfall (zu fett), 100 g Abschnitte.
Bleiben 400 g Filet, also 2 Portionen

45% Ausbeute beim 1-kg-Zander:
100 g Abfall, 450 g Abschnitte.
Bleiben 450 g Filet, also 2 – 3 Portionen

40% Ausbeute bei der 500-g-Seezunge
20 g Abfall, 280 g Abschnitte (ideal für Fonds).
Bleiben 200 g, also 1 – 2 Portionen

34% Ausbeute beim 1-kg-Karpfen
160 g Abfall (zu fett), 500 g Abschnitte.
Bleiben 340 g Filet, also 2 Portionen

Sushi
Bastelei für allerbeste Freunde

Zum Üben: Reishäppchen mal handgerollt, mal mit der Matte in Form gebracht. Am besten geht das mit der Bambusstäbchenmatte aus dem Asienladen – notfalls aber auch mit einem Küchentuch oder einer Stoffserviette.

Für 8 Nigiri-Sushi und 16 Maki-Sushi:

250 g Sushi-Reis (am besten japanischer Rundkornreis; wenn's den nirgends gibt, Risottoreis aus Italien)
3 EL heller Reisessig
Zucker, Salz
4 TL Wasabipulver (höllisch scharfer, hellgrüner japanischer Meerrettich, im Asienladen suchen und finden!) oder Wasabipaste aus der Tube

Für die 8 Nigiri-Sushi mit rohem Fisch:

150 g superfrisches Thunfischfilet (oder genauso frisches Lachsfilet oder den Fischhändler fragen)

Für die 16 Maki-Sushi mit Gemüse:

100 g Salatgurke
100 g Möhre
3 EL Reiswein (Sake) oder Reisessig
2 Blätter Nori (getrockneter Seetang)

Zum Garnieren und Dazuessen:

Schnittlauch, Frühlingszwiebelröllchen, Avocadoschnitze, eingelegter Ingwer
Sojasauce

1 Den Reis in einem Sieb kalt abspülen, bis das Wasser klar bleibt. Im Sieb 30 Minuten abtropfen und trocknen lassen. Dann in einen Topf umfüllen, 300 ml Wasser dazu und zugedeckt zum Kochen bringen. Kurz aufkochen lassen, dann die Herdplatte runterschalten, Deckel zu und den Reis 20 Minuten bei ganz schwacher Hitze ausquellen lassen. Falls nötig, noch etwas Wasser angießen.

2 Den Reis vom Herd nehmen, mit einem Holzlöffel durchrühren, in eine Schüssel geben und gut abkühlen lassen oder auf einem Blech ausstreichen, dann kühlt er schneller ab.

3 Den Reisessig mit 1 EL Zucker und 1 TL Salz in einem Topf mischen, nur einmal ganz kurz aufkochen lassen und schnell wieder vom Herd runter. Abkühlen lassen, dann über den abgekühlten Reis träufeln und mit einem Holzlöffel untermischen.

4 Das Wasabipulver mit 8 TL Wasser zu einer Paste anrühren, quellen lassen.

5 Nigiri-Sushi: Beim Lachsfilet (beim Thunfisch ist's nicht nötig) mit den Fingerspitzen auf Grätensuche gehen und alle aufgespürten Störenfriede mit der Pinzette rauszupfen. Die Ränder vom Filet glattschneiden. Dann den Fisch quer zur Faser in 8 gleich große Scheiben schneiden (Reststreifen später mit in die Maki-Sushi einrollen). Eine Seite jeweils sehr dünn mit Wasabipaste bestreichen.

6 Ungefähr die Hälfte vom Reis für die Nigiri in Form bringen: Nacheinander mit einem Eßlöffel 8 kleine Portionen abstechen (Größe soll ungefähr einem Bissen entsprechen), Hände kurz unters kalte Wasser halten und die Reisportionen zu Nocken formen. Nun immer ein Fischstück mit der Wasabiseite nach oben in die Hand nehmen, Reisnocke darauf legen und andrücken. Das Ganze umdrehen, den Fisch von oben auch nochmal festdrücken. Auf eine Platte setzen.

7 Maki-Sushi: Gurkenstück und Möhre schälen, Gurke längs halbieren und die Kerne mit einem Löffel rauskratzen. Beide Gemüse in etwa 5 cm lange und $^1/_2$ cm dicke Streifen schneiden.

8 In einem Topf den Reiswein mit 2 EL Wasser, $^1/_2$ TL Zucker und $^1/_4$ TL Salz aufkochen. Möhrenstreifen darin 1 Minute köcheln lassen, dann vom Herd nehmen und auch die Gurkenstücke in den heißen Sud legen. Im Sud abkühlen lassen.

9 Eine beschichtete Pfanne ohne Fett heiß werden lassen. Die Noriblätter von einer Seite kurz anrösten (bei vorgerösteten Blättern nicht nötig – auf der Packung steht dann „roasted"). Sobald sie zu duften beginnen, raus aus der Pfanne und abkühlen lassen. Dann die Blätter mit der Küchenschere in der Mitte durchschneiden.

10 Eines der halbierten Blätter mit der glänzenden Seite nach unten so auf die Bambus-Rollmatte legen, daß der Rand vorne mit der Matte abschließt. Noriblatt ganz dünn (!) mit Wasabipaste bestreichen. Eine Portion Reis etwa $^1/_2$ cm dick darauf streichen, an den beiden Längsseiten einen 1 cm breiten Rand freilassen. Im vorderen Drittel eine Längs-Rille eindrücken, die Gemüsestreifen oder übriggebliebene Fischstreifen hineinlegen.

11 Die Bambusmatte anheben und das Blatt mit Füllung Stück für Stück aufrollen. Matte fest andrücken, dann weg mit der Matte und die Rollen mit einem scharfen Messer halbieren. Die Hälften parallel nebeneinanderlegen und beide Rollen gleichzeitig nochmal halbieren – dann werden die Makis gleichmäßig groß. Die übrigen Blätter genauso füllen, rollen und schneiden. Mit der Schnittfläche nach oben zu den Nigiris auf die Platte setzen.

12 Mit Schnittlauch, Frühlingszwiebeln und Avocado garnieren. Restliche Wasabipaste mit Sojasauce verrühren und zum Dippen in kleine Schälchen füllen. Eingelegten Ingwer dazu essen.

So viel Zeit muß sein: 2 Stunden
Das schmeckt dazu: Grüner Tee
Kalorien pro Sushi: Nigiri: 100, Maki: 35

Gebeizter Lachs
Einfach & de Luxe

Für 7 Gäste und 1 Gastgeber zur Vorspeise:

1 TL weiße Pfefferkörner

4 EL grobes Salz

3 EL Zucker

2 frische Lachsfilets mit Haut (etwa 1 kg schwer – am idealsten ist ein Stück aus der Mitte, weil's dann schön gleichmäßig dick ist)

2 Bund Dill

1 Zuerst eine passende Form für den Fisch suchen – z. B. eine Auflaufform oder flache Schale. Die Pfefferkörner im Mörser zerdrücken oder so grob wie möglich aus der Pfeffermühle drehen. Mit dem groben Salz und dem Zucker mischen.

2 Beide Lachsfilets mit den Fingerspitzen abtasten. Gräten mit der Pinzette herausziehen. Filets von beiden Seiten mit der Salz-Zucker-Pfeffer-Mischung bestreuen. Eines der Filets dann mit der Haut nach unten in die Form legen.

3 Den Dill kurz abbrausen, gut trockenschütteln und fein hacken. Zwei Drittel vom Dill auf das Lachsfilet in der Form verteilen, dann das zweite, auch schon gewürzte Filet mit der Haut nach oben drauf legen. Den restlichen Dill drüberstreuen.

4 Den Lachs in der Form mit Alufolie abdecken. Ein Holzbrett darauf legen und beschweren – am besten mit ein paar Konservendosen. In den Kühlschrank damit und 2 Tage dort stehenlassen. Jeden Tag den Lachs 1–2mal in der Form wenden, damit beide Filets mal unten liegen und gut durchziehen.

5 Das war's schon! Schwieriger als das Zubereiten ist hier eigentlich das Aufschneiden und Servieren. Wer ein richtiges Lachsmesser hat, hat gut lachen – wegen der langen, schmalen und elastischen Klinge, mit der man superdünne Scheibchen hinkriegt. Aber es geht natürlich auch mit einem anderen, möglichst langen (!) scharfen Messer.

6 Die Filets aus der Beize holen und abtropfen lassen. Mit der Hautseite nach unten auf ein Brett legen. Das lange Messer dann fast waagrecht zum Schnitt ansetzen, beim Schneiden flach am Fisch entlangführen und mit dünnen Lachs-Scheibchen glänzen.

So viel Zeit muß sein: Aktiv sein 15 Minuten, Kühlschrank bewachen 2 Tage, Aufschneiden je nach Übung!
Das schmeckt dazu: Zitronenachtel, Sahne-Meerrettich, Senfsauce (grobkörnigen Senf mit einem Hauch Zucker, Weißweinessig oder Zitronensaft und Öl und Dill verrühren), Brot, knusprige Bratkartoffeln oder Kartoffelpuffer
Kalorien pro Portion: 260

Krabben-Cocktail
Narrensicher

Für 4 festlich Gestimmte zur Vorspeise:

8 schöne knackig frische Kopfsalatblätter

150 g Joghurt

4 EL saure Sahne

2–3 EL Zitronensaft

Salz, Pfeffer aus der Mühle

1 Bund Dill oder Schnittlauch

300 g gekochte kleine Garnelen (ausgelöst)

1 Die Salatblätter waschen und gut trockenschütteln. Jeweils 2 davon in ein Kelchglas oder eine kleine Schüssel legen.

2 Den Joghurt mit der sauren Sahne und dem Zitronensaft verquirlen, leicht salzen und pfeffern. Dill oder Schnittlauch waschen und trockenschütteln, fein aufschneiden und die Hälfte davon unter die Joghurtsauce rühren.

3 Garnelen kurz abbrausen und im Sieb gut abtropfen lassen. Dann so gerecht wie möglich auf die Salatbetten verteilen, mit der Sauce begießen, mit restlichen Kräutern bestreuen.

So viel Zeit muß sein: 15 Minuten
Das schmeckt dazu: knuspriges Baguette
Kalorien pro Portion: 115

Fischbällchen
Für den Tapa-Teller

Für 4 Hungrige zur Vorspeise:

50 g Weißbrot ohne Kruste (vom Vortag)

350 g Fischfilet (z. B. Kabeljau, Seelachs, Rotbarsch)

1/2 Bund Petersilie

2 EL Zitronensaft

1 Ei

Salz, Pfeffer aus der Mühle

1/2 TL Korianderpulver

1 EL abgeriebene Schale von einer unbehandelten Zitrone

750 g Öl zum Fritieren

vielleicht auch Semmelbrösel

1 Die Weißbrotkrume kleinschneiden und in kaltem Wasser einweichen. Das Fischfilet abtasten und alle Gräten, die vielleicht noch drinstecken, mit einer Pinzette rauszupfen. Den Fisch kleinschneiden.

2 Die Petersilie waschen, trockenschütteln und fein hacken. Das Brot gut ausdrücken, mit dem Fisch und dem Zitronensaft im Mixer oder mit dem Pürierstab pürieren. Das Ei gleichmäßig unter die Masse rühren, Petersilie untermischen. Mit Salz, Pfeffer, Korianderpulver und Zitronenschale würzen.

3 Öl in einem Topf, im Wok oder in der Friteuse richtig heiß werden lassen. Zum Hitzetest einen Holzlöffelstiel reinhalten – wenn viele kleine Bläschen aufsteigen, ist's heiß genug zum Fritieren.

4 Aus der Fischmasse nun erst mal ein Miniklößchen formen (Hände unter kaltes Wasser halten, einen Löffel voll Fischpüree zwischen den Handflächen rollen). Ins heiße Öl abtauchen lassen und abwarten, was passiert: Fällt das Klößchen auseinander, ist die Masse zu weich und muß noch mit Semmelbröseln stabiler gemacht werden.

5 Nun aus dem ganzen Rest kleine Bällchen formen und immer 4–5 auf einmal fritieren. Nach 3–4 Minuten mit dem Schaumlöffel herausholen und gleich auf eine dicke Lage Küchenpapier legen.
Heiß, lauwarm oder kalt essen.

So viel Zeit muß sein: 40 Minuten
Das schmeckt dazu: Mojo, Aioli, Currysahne (Seite 94, 96, 136), pikant eingelegte Peperoni, Weißbrot …
Kalorien pro Portion: 360

Matjestatar
Quick & easy

Für 4 Hungrige, ganz schnell zur Vorspeise:

6 einfache oder 3 doppelte Matjesfilets

1 grüne oder rote Paprikaschote

1–2 rote Zwiebeln (oder 1/2 Bund Frühlingszwiebeln)

4 EL Zitronensaft

Salz, Pfeffer aus der Mühle

1 Die Matjesfilets mit einem großen scharfen Messer in winzige Würfelchen schneiden. Die Paprikaschote halbieren, die weißen Trennwände wegschneiden. Die Schotenhälften waschen, dabei die Kerne rausspülen. Paprika in ebenso kleine Würfelchen schneiden wie den Fisch.

2 Zwiebeln schälen, halbieren, in dünne Scheiben schneiden, dann in – winzige Würfel. (Oder Frühlingszwiebeln putzen, waschen, sehr fein hacken.) Alles mischen. Mit Zitronensaft, wenig Salz und viel frisch gemahlenem grobem Pfeffer würzen (noch besser: Pfefferkörner im Mörser zerstoßen).

So viel Zeit muß sein: 10 Minuten (schmeckt noch würziger, wenn's eine Weile durchzieht)
Das schmeckt dazu: Pumpernickel, Bier
Kalorien pro Portion: 290

Der schnellste Lachs der Welt

Echt basic

Für 4 Hungrige in äußerster Eile:

800 g Lachsfilet

5 EL Olivenöl

Salz, Pfeffer aus der Mühle

1 Zitrone

1 Den Backofen knallheiß vorheizen – am besten mit Ober- und Unterhitze auf 250 Grad (oder Umluft auf 220).

2 Das Lachsfilet in feine, etwa 1 cm dünne Scheibchen schneiden. Ein Backblech mit 2 EL Olivenöl einpinseln, die Lachsscheiben darauf verteilen – und zwar nebeneinander, nicht übereinander, sonst funktioniert's nicht.

3 Mit Salz, Pfeffer, Zitronensaft würzen, restliches Öl darüberträufeln.

4 In den wirklich heißen Backofen schieben (Mitte) und 2–3 Minuten braten. Das war's!

So viel Zeit muß sein: 12–13 Minuten
Das schmeckt dazu: Weißbrot oder Kartoffeln und Salat, trockener leichter Weißwein
Kalorien pro Portion: 495

Pfefferfisch vom Blech

Auch für viele easy

Für 8 Hungrige:

4 Knoblauchzehen, 1 1/2 Zitronen

8 Scheiben Fischfilet (jeweils 150–200 g, z. B. Rotbarsch, Kabeljau, Seelachs)

Salz, Pfeffer aus der Mühle

150 g weiche Butter, 3 EL Weinbrand

3 TL eingelegte grüne Pfefferkörner

4 EL Olivenöl, 8 EL Semmelbrösel

1 Den Knoblauch schälen und durchpressen, die halbe Zitrone auspressen. Fisch mit Salz, Knoblauch, Zitronensaft würzen.

2 Den Backofen auf 200 Grad vorheizen (auch schon jetzt: Umluft 180 Grad). Die Butter mit dem Weinbrand und Pfefferkörnern verrühren, mit Salz und Pfeffer würzen.

3 Ein Backblech mit dem Olivenöl einpinseln, in den heißen Backofen schieben und heiß werden lassen. Dann (mit Topflappen!) wieder rausholen, die Fischscheiben drauf legen. Wieder in den Ofen (Mitte) damit und etwa 5 Minuten braten.

4 Blech raus, Fisch wenden. Mit den Bröseln bestreuen und kleine Stückchen von der Pfefferbutter auf allen Scheiben verteilen. Nochmal 6–8 Minuten braten. Fertig! Mit Zitronenschnitzen servieren.

So viel Zeit muß sein: 30 Minuten
Das schmeckt dazu: Salat, Weißbrot
Kalorien pro Portion: 560

Fischfilets mit Zitronen-Kapern-Butter

Nur für Zitroholics

Für 4 Hungrige:

800 g Fischfilet (z. B. Rotbarsch, Kabeljau, Seelachs, Viktoriabarsch)

Salz, Pfeffer aus der Mühle, Zucker

1/2 Bund Petersilie, 1 unbehandelte Zitrone

1–2 EL Butterschmalz, 3 EL Mehl

3–4 EL kalte Butter, 1 EL Kapern

1 Fischfilets salzen und pfeffern. Die Petersilie waschen, sehr fein hacken. Zitrone heiß waschen, abtrocknen und die Schale abreiben – dann auspressen.

2 In einer großen beschichteten Pfanne Butterschmalz zerlassen. Das Mehl in einen Teller schütten, Fisch darin wenden und schütteln, damit nicht zu viel hängenbleibt.

3 Filets in das heiße Butterschmalz legen und bei starker Hitze 1 Minute braten. Dann Hitze auf schwach einstellen, Filets vorsichtig wenden und nochmal 2–4 Minuten braten, bis sie innen nicht mehr glasig sind. Raus aus der Pfanne, zugedeckt warm halten.

4 Bratreste aus der Pfanne abgießen, mit Küchenpapier kurz auswischen. Dann den Zitronensaft rein und die kalte Butter mit dem Kochlöffel in kleinen Portionen unterrühren. Zitronenschale, Kapern und Petersilie einrühren. Mit Salz, Pfeffer und eventuell 1 Prise Zucker abschmecken, Fischfilets nochmal kurz zum Aufwärmen reinlegen.

So viel Zeit muß sein 30 Minuten
Das schmeckt dazu: Pellkartoffeln
Kalorien pro Portion: 265

Schollenfilets in Safran-Sahne

Macht was her

Für 4 Genießer:

600 g Schollenfilets (noch zarter, noch teurer: Seezungenfilets)

3–4 EL Zitronensaft

Salz, Pfeffer aus der Mühle

2 Schalotten, 1 EL Butter

200 ml Fischfond (aus dem Glas oder selbst gekocht – siehe Seite 82) oder eine Mischung aus Weißwein und Fond

250 g Crème double (besonders fette Sahne)

0,1–0,2 g Safran (Fäden oder Pulver)

1 Schollenfilets mit 2 EL Zitronensaft beträufeln, leicht salzen und pfeffern. Schalotten schälen und sehr fein hacken. Nun die große Pfanne (passender Deckel sollte auch da sein) auf den Herd, die Butter darin bei mittlerer Hitze schmelzen lassen. Schalotten einrühren und glasig dünsten.

2 Den Fischfond in die Pfanne gießen. Kurz aufkochen, dann die Hitze runterdrehen, damit die Flüssigkeit nur noch siedet – also nur winzige Bläschen aufsteigen.

3 Die Hälfte der Filets reinlegen, zugedeckt 2–3 Minuten dünsten. Vorsichtig rausheben, auf eine Platte legen und den Deckel drüberstülpen. Die restlichen Filets genauso dünsten und warm halten. Schnell die Crème double in den Sud rühren, Safran in 2–3 EL Wasser anrühren und dazugießen. Sauce 2 Minuten kräftig köcheln lassen, bis sie leicht cremig wird. Die Sauce mit Salz, Pfeffer und übrigem Zitronensaft abschmecken, ganz heiß zu den Fischfilets servieren (oder die Filets nochmal ganz kurz in die heiße Sauce legen).

So viel Zeit muß sein: 30 Minuten
Das schmeckt dazu: Reis, Rucolasalat
Kalorien pro Portion: 400

Basic Tip

Kantinen-Klassiker, mal richtig lecker:

Gebackenes Rotbarschfilet

4 Rotbarschfilets (jedes knapp 200 g) mit Küchenpapier abtrocknen. Mit Zitronensaft (2 EL) beträufeln, salzen und pfeffern. Filets leicht in Mehl (3 EL) wenden und schütteln, damit nicht zuviel davon hängenbleibt. Dann von beiden Seiten durch verquirltes Ei (2 mittelgroße) ziehen und zuletzt in Semmelbröseln wenden. Panade etwas andrücken. Butterschmalz (5–6 EL) in einer großen Pfanne erhitzen, die Filets von jeder Seite bei mittlerer Hitze 3–4 Minuten goldbraun backen. Mit Zitronenschnitzen und Kartoffelsalat (Seite 74) essen.

Ganzer Fisch im Salzmantel

Einladung zum Event cooking – Eintritt: 1 Pfund Salz!

Meistens wird für diese witzige und uralte Garmethode nur grobes Meersalz empfohlen, allerdings ist dann schnell die Verpackung teurer als der Inhalt. Mit dem normalen aus dem Vorratsschrank geht's aber auch, danach ist der Vorrat allerdings alle. Rechtzeitig nachschauen und besorgen – oder mitbringen lassen! Richtig lohnen tut sich das Rezept übrigens nur für einen wirklich frischen und tollen Fisch. Der Clou ist nämlich, daß sein ureigenes Aroma tatsächlich erhalten bleibt.
Unser Tip: Danach die Zitronentarte von Seite 161 einplanen. Für die braucht man nämlich die 2 Eigelbe, die hier übrigbleiben – und außerdem schmeckt sie einfach himmlisch nach dem Fisch.

Für 4 Hungrige:

1 schöne, große frische Lachsforelle oder
2 kleinere Exemplare (etwa 1,2 kg, oder Wolfsbarsch oder Meerbrasse)
1 Bund gemischte frische Kräuter (z. B. Petersilie, Basilikum, Dill)
2 1/2 kg Salz
2 Eiweiße
75 g Butter
1–2 Zitronen
Pfeffer aus der Mühle

1 Die frische Lachsforelle schon beim Einkaufen ausnehmen lassen. Zu Hause nochmal unter fließendem kaltem Wasser waschen und mit Küchenpapier trocknen.

2 Die Kräuter kurz abbrausen. In den Bauch des Fischs legen und die Bauchlappen dann wieder dicht übereinanderschlagen, damit er später nur mit der Hautseite auf dem Salzbett liegt.

3 Den Backofen auf 250 Grad vorheizen (erst später einstellen: Umluft 225 Grad).

4 Und jetzt zum Sandkastenspiel: Eine große Schüssel rausholen, alles Salz hineinschütten. 2 Eiweiße und ungefähr 200 ml kaltes Wasser dazu und alles schön gleichmäßig vermanschen.

5 Eine feuerfeste Form, in die der Fisch gut reinpaßt, oder eben ein Backblech ungefähr 2 cm hoch mit Salzmasse füllen. Den Fisch mitten reinlegen und rundum dick mit dem restlichen Salzteig zukleistern, gut andrücken.

6 Rein in den heißen Ofen (Mitte) und ungefähr 30 Minuten dort lassen. Dann den Ofen ganz ausschalten, einen Kochlöffel in die Backofentür klemmen, damit sie einen Spalt offen bleibt. Den Fisch im Salzmantel noch 10 Minuten dort stehenlassen.

7 In einem Töpfchen die Butter heiß und flüssig werden lassen. Zitronen vierteln und auf den Tisch stellen.

8 Und jetzt kommt der Hammer – mit dem wird die harte Salzkruste vorsichtig aufgeklopft und der superzarte, superaromatische Fisch aus seinem Korsett befreit. Die salzverkrustete Haut bleibt natürlich zurück und wird nicht mitgegessen. Aber das Innere vom Fisch ist unvergleichlich saftig und lecker – für jeden eine Portion auf den vorgewärmten Teller legen. Jeder bedient sich wie er mag mit der heißen flüssigen Butter, frischem Zitronensaft oder einem Hauch frisch gemahlenem Pfeffer.

So viel Zeit muß sein: 1 Stunde
Das schmeckt dazu: Kartoffeln, Blattsalat, trockener Weißwein
Kalorien pro Portion: 465

Thai-Forelle in Folie
Low fat

Für 4 Hungrige:

4 Forellen (jeweils etwa 250 g)

Salz

3 Möhren

1 Stück frische Ingwerknolle

4 Knoblauchzehen

2 Stangen Sellerie

4 Frühlingszwiebeln

4 EL Öl

2 Limetten

$^{1}/_{4}$ TL Chilipulver

2 EL Reiswein

4 EL süße Sojasauce

1 Die Forellen unter fließendem kaltem Wasser ausspülen, auf Küchenpapier abtropfen lassen. Innen und außen leicht salzen.

2 Möhren, Ingwer und Knoblauch schälen, von den Selleriestangen und den Frühlingszwiebeln nach dem Waschen oben und unten trockene und welke Stellen wegschneiden. Das Gemüse in streichholzfeine Stifte aufschneiden, Ingwer und Knoblauch fein hacken.

3 Den Backofen auf 200 Grad vorheizen (auch schon jetzt: Umluft 180 Grad). 4 große Stücke Alufolie abreißen und mit der glänzenden Seite nach oben auf den Tisch legen. Mit 1–2 EL Öl einpinseln.

4 1 Limette auspressen. Restliches Öl in einem Töpfchen erhitzen, das Chilipulver einrühren und ein paar Sekunden im Öl anrösten. Dann Reiswein, Limettensaft und Sojasauce angießen, alles gut verquirlen und vom Herd nehmen.

5 Jede Forelle auf ein Stück Alufolie legen. Innen und außen mit der Sauce beträufeln. Gemüsestreifen, Knoblauch und Ingwer teilweise in die Forellenbäuche stecken, den Rest um und auf den Fischen verteilen.

6 Die Alufolie zusammenfalten und die Fische in feste Päckchen verschließen. Mit einem Spießchen oder einer Gabel die Folie oben einstechen, damit später der Dampf raus kann. Für 30 Minuten in den Backofen (Mitte) legen.

7 Die Folie vorsichtig aufmachen, damit der Saft nicht rausläuft. Auf Teller legen, mit dem Saft beträufeln. Die zweite Limette achteln und zu den Forellen servieren.

So viel Zeit muß sein: 1 Stunde
Das schmeckt dazu: Reis, Grüner Tee
Kalorien pro Portion: 280

Zander im Zitronendampf
Gut und gesund

Was braucht's dazu? Einen breiten Topf oder Wok mit einem gutschließenden Deckel. Und einen Sieb- oder Dämpfeinsatz, der so reinpaßt, daß man den Deckel auch zumachen kann.

Für 4 Hungrige:

700 g Zanderfilet

Salz, Pfeffer aus der Mühle

2 unbehandelte Zitronen

1 Bund Petersilie

400 g zarter Blattspinat

200 g Champignons

4 EL gutes Olivenöl

1 Zanderfilet mit Küchenpapier gut trocknen. In etwa 3 cm breite Streifen schneiden, leicht salzen und pfeffern.

2 Zitronen heiß waschen und abtrocknen. Die Schale fein abreiben, danach Zitronen halbieren und den Saft auspressen. Petersilie waschen, trockenschütteln, sehr fein hacken. Mit der Zitronenschale mischen. Den Zitronensaft mit $^{1}/_{4}$ l Wasser in den Topf geben.

3 Blattspinat in viel kaltem Wasser waschen, im Sieb abtropfen lassen und vielleicht doch gleich nochmal waschen. Falls kleine harte Würzelchen dran sind, einfach abknipsen. Spinatblätter auf einem großen Brett mit einem großen Messer grob hacken. In den Siebeinsatz füllen. Die Pilze abreiben, Füßchen wegschneiden, Hüte in feine Scheiben schneiden und auf den Spinat legen.

4 Zuletzt die Fischstreifen auf das Spinatbett legen, die Zitronenschale-Petersilien-Mischung darüberstreuen. Mit 2 EL Olivenöl beträufeln.

5 Den Siebeinsatz in den Topf stellen, Deckel zu. Das Zitronenwasser zum Kochen bringen und im nach oben steigenden Dampf bei starker Hitze Fisch und Gemüse etwa 5 Minuten dämpfen (ab dem Moment des Brodelns).

6 Auf Teller verteilen, mit Salz und Pfeffer würzen und mit dem restlichen Olivenöl beträufeln.

So viel Zeit muß sein: 45 Minuten
Das schmeckt dazu: Kartoffeln
Kalorien pro Portion: 260

Gebratene Rotbarben

Basic und schnell

Für 4 Hungrige:

8 kleine Rotbarben (jede etwa 100 g schwer)

4 EL Butter

2 Knoblauchzehen

Salz, Pfeffer aus der Mühle

2 EL Zitronensaft

8–10 Salbeiblättchen

1 Die Rotbarben schon beim Einkaufen schuppen und ausnehmen lassen. Zu Hause nochmal unter fließendem kaltem Wasser waschen und mit Küchenpapier abtrocknen.

2 In der größten Pfanne des Hauses die Butter zerlassen. Knoblauch schälen und fein hacken. Die flüssige Butter mit Salz und Pfeffer würzen, Zitronensaft, Knoblauch und die Salbeiblätter einrühren.

3 Die Fische in die heiße Würzbutter legen und bei mittlerer Hitze 4–5 Minuten braten. Vorsichtig wenden, nochmal 5 Minuten von der anderen Seite braten. Frisch aus der Pfanne essen.

So viel Zeit muß sein: 20 Minuten
Das schmeckt dazu: Brot und Wein
Kalorien pro Portion: 215

Knoblauch-Garnelen

Für den Tapa-Teller

Für 4 Hungrige als Vorspeise:

600 g Garnelenschwänze (ohne Kopf)

2 Knoblauchzehen, 1 Bund Petersilie

200 g Kirschtomaten

3 EL Butter, 1 Zweig Rosmarin

Salz, Pfeffer aus der Mühle

1 Die Garnelenschwänze an der Bauchseite aufschneiden (Küchenschere!), den Panzer ablösen. Am Rücken entlang leicht einritzen und den dunklen Darm entfernen.

2 Backofen auf 200 Grad vorheizen (auch schon jetzt: Umluft 180 Grad). Knoblauch schälen, Petersilie waschen, beides hacken. Tomaten waschen und halbieren.

3 Die Butter in einer Pfanne zerlassen. Die Garnelenschwänze von beiden Seiten 1–2 Minuten anbraten. In eine feuerfeste Form umfüllen. Knoblauch, Tomaten und Kräuter unter die Garnelen mischen – ab in den Ofen. Mit der heißen Butter beträufeln und alles noch 8 Minuten braten.

So viel Zeit muß sein: 30 Minuten
Das schmeckt dazu: Weißbrot, Weißwein
Kalorien pro Portion: 180

Muscheln in Weißwein

Auch für viele ganz easy

Für 4 Hungrige:

2,5 kg Muscheln (Miesmuscheln oder Venusmuscheln)

1 Zwiebel

3–4 Knoblauchzehen

1 rote Chilischote (frisch oder getrocknet)

$^{3}/_{4}$ l trockener Weißwein

1 Lorbeerblatt

Salz, Pfeffer aus der Mühle

1 Die Muscheln abbrausen und, falls nötig, auch mit einer Wurzelbürste bearbeiten – allerdings gibt's die Schaltiere heutzutage fast immer schon vorgeputzt zu kaufen. Geöffnete Muscheln wegwerfen.

2 Zwiebel und Knoblauch schälen und grob hacken. Die frische Chilischote längs halbieren, Kerne rausspülen, Rest ganz fein schneiden. (Die getrocknete Schote zerbröseln oder hacken.)

3 Im sehr großen Topf Wein mit Zwiebel, Knoblauch, Chillie und Lorbeerblatt aufkochen lassen, salzen und pfeffern.

4 Die Muscheln rein, Deckel zu und ungefähr 10 Minuten abwarten. Die meisten Muscheln haben sich nach dieser Zeit schon geöffnet. Eventuell noch 2–3 Minuten weiterköcheln und schauen, was sich noch tut. Dann aber alle noch geschlossenen Muscheln wegwerfen und den Rest gleich auf den Tisch.

5 Das Eßwerkzeug bastelt man sich mit dem ersten Exemplar selber: Muschelfleisch aus der Schale picken, dann mit dieser jetzt freien Muschelzange alle weiteren Muscheln aus ihren Gehäusen zwicken. Den Sud unbedingt zum Schluß noch mit Weißbrot auftunken.

So viel Zeit muß sein: 25 Minuten
Das schmeckt dazu: Weißbrot, Weißwein
Kalorien pro Portion: 200

Tintenfisch-kringel

Wie beim Lieblings-griechen

Für 4 Hungrige:

600 g frische oder tiefgekühlte Kalmare
(man braucht hier nur die Tintenfischbeutel)
Salz, Pfeffer aus der Mühle
2 EL Zitronensaft
2 EL Olivenöl
2 Eier
150 g Mehl
1/8 l Mineralwasser
etwa 500 g Butterschmalz oder 1/2 l neutrales Öl zum Fritieren
2 Zitronen

1 Tiefgekühlte Tintenfische rechtzeitig auftauen lassen. Dann in einem großen Topf 2 l Salzwasser aufkochen. Tintenfischbeutel reinwerfen und 1 Minute sprudelnd kochen lassen. Ins Sieb abgießen, kalt abbrausen und am besten mit einem Küchentuch gut abtrocknen.

2 Die Beutel mit einem scharfen Messer in 1 cm breite Ringe schneiden. Mit Salz, Pfeffer, Zitronensaft und Olivenöl mischen und kurz durchziehen lassen (können aber auch ein paar Stunden sein).

3 Die Eier in Eiweiß und Eigelb trennen. Das Mehl mit den 2 Eigelben, 1 Prise Salz und dem Mineralwasser kräftig verquirlen. Ungefähr 15 Minuten stehenlassen, damit der Teig aufquellen kann. Dann mit den Quirlen vom Handrührgerät die Eiweiße steif schlagen, mit einem Löffel unter den Teig rühren, aber nicht zu lange und nicht zu gleichmäßig – am besten einfach nur unterheben.

4 Im großen Topf (oder natürlich in der Friteuse oder auch im Wok) das Schmalz oder Öl richtig heiß werden lassen.

5 Die Tintenfischringe einzeln mit einer Gabel durch den Teig balancieren, aber so, daß auch rundum Teig hängenbleibt, und dann gleich ab damit ins heiße Fett.

6 Goldgelb fritieren, zwischendurch mal mit dem Kochlöffel im Fett bewegen, damit die Kringel auch rundum gleich schön werden. Nach 2–3 Minuten sind sie fertig, dann mit dem Schaumlöffel rausheben, auf Küchenpapier abtropfen lassen. Superfrisch und heiß essen – dazu Zitronenachtel auf den Tisch.

So viel Zeit muß sein: 50 Minuten
Das schmeckt dazu: Tzatziki oder Aioli (Seite 90, 136), Weißbrot, Salat
Kalorien pro Portion: 500

Fleis

Von Buletten bis Zitronenhähnchen. Jedem das Seine ...

ch

Wer ißt niemals Buletten, Chicken wings, Chili con carne, Currywurst, Döner Kebap, Entenbrust, Fondue, Frankfurter Würstchen, Gänsebraten, Grillsteaks, Gulasch, Hühnercurry, Lammkeule, Putengeschnetzeltes aus dem Wok, Rouladen, Saltimbocca, Schweinebraten, Wiener Schnitzel, Wurstsemmel oder Zitronenhähnchen?

Der soll jetzt bitte nicht böse sein und einfach auf Seite 133 weiterlesen.

Die übrigen 97 Prozent: Bitte umblättern.

Schulter oder Filet?

Langes Braten dauert länger als kurzes Braten, weil eine Schweineschulter größer ist als ein Steak. Klingt logisch. Ist es aber nicht ganz. Denn wer sich aus der Schweineschulter sein Steak schneidet, muß auch ganz lange darauf warten, bis daraus ein zartes Stück Fleisch geworden ist. Fleisch ist nämlich nichts anderes als Muskeln, und wenn die wie bei der Schulter im Leben viel zu tun hatten, dann sind ihre Fasern fester sowie stärker verbunden. Dieses Fleisch eignet sich für Braten, zum Schmoren und zum Kochen. Ganz anders sieht das in den Ruhezonen des Tierkörpers aus: wenig Arbeit, feine Fasern, feines Fleisch. Und weil der Rücken die ruhigste Zone beim Vierbeiner ist, kommen von dort die zartesten Stücke zum Kurzbraten für Steaks, Schnitzel und Geschnetzeltes.

Zum Braten und Schmoren

Rind: Für rosa Braten Roastbeef und Huft; für Schmorbraten und Rouladen Unterschale, Oberschale, Kugel bzw. Nuß; für Schmorbraten Tafelspitz und Brust; zum Kochen Tafelspitz, Beinfleisch, Brust, Rippe; Schulter für Ragouts

Kalb: Für rosa Braten Rücken und Huft; für Braten Unter- und Oberschale, Kugel bzw. Nuß, Haxe, Brust (zum Füllen) und Schulter; für Ragouts Schulter und Keule

Schwein: Für Braten Rücken, Nacken, Schulter, Keule, Haxen, Brust und Bauch; zum Schmoren Schulter, Brust und Bauch

Lamm: Für rosa Braten der Sattel (Rücken samt Knochen) und die Keule, für Braten und Geschmortes Nacken, Schulter, Brust, Bauch und Haxe

Huhn, Pute und Ente: Im Ganzen zum Braten, die Keulen zum Schmoren. Bei der Pute die Brust im Ganzen und die Oberkeulen zum Braten, Unterkeulen zum Schmoren

Zum Kurzbraten

Rind: Steaks aus Filet, Roastbeef, Hochrippe und Huft; Leber

Kalb: Steaks aus Filet, Rücken (auch Kotelett) und Huft; Schnitzel aus Kugel bzw. Nuß und Oberschale; Leber

Schwein: Steaks aus Filet, Rücken (auch für Koteletts), Huft, Nacken bzw. Kamm; Schnitzel aus Kugel bzw. Nuß und Oberschale; Bauchspeck; Leber

Lamm: Chops, Koteletts und Medaillons aus Rücken und Nacken; Steaks aus der Keule

Bei Huhn, Pute und Ente lassen sich eigentlich alle wichtigen Teile kurzbraten, wobei die Brust immer schneller fertig ist als die Keule

Unser liebstes Fleisch

Das Steak

Unübersetzlich

Das ist es

- vom Rind: Chateaubriand, Filetsteak, Tournedo und Mignon aus dem Filet, Rump- und Sirloinsteak aus dem Roastbeef, T-Bone- und Porterhouse-Steak aus Roastbeef und Filet, Huft
- vom Kalb: Medaillons aus dem Filet, Rücken, Kotelett, Huft
- vom Schwein: Medaillons, Rücken, Kotelett, Nacken
- vom Lamm: Chops, Koteletts, Nackensteaks und Keule
- von der Pute: aus Brust und Oberkeule

Das hat es

- je 100 g etwa 100 Kalorien pro Putensteak, 200 Kalorien pro Rindersteak, 400 Kalorien pro Schweinenacken
- Eiweiß satt – ob man das gut oder schlecht findet, ist Ansichtssache
- mal mehr, mal weniger Fett; mehr Fett schmeckt gut und spricht für ein besser aufgewachsenes Tier, weniger Fett belastet die eigene Gesundheit und Linie weniger
- reichlich B-Vitamine, ordentlich Eisen und bei fetteren Stücken auch Cholesterin

Das will es

- dick und gleichmäßig geschnitten sein
- kühl und luftig lagern
- nicht eiskalt in die Pfanne kommen
- braten ohne zu kochen oder zu brennen
- mit Wender oder Löffel statt Gabel gewendet werden
- auch durchgebraten nicht zäh sein
- vor dem Essen ein paar Minuten ruhen

Das mag es

- hocherhitzbares Fett
- würzige Saucen aus dem Bratensatz
- auch kalte Saucen und Dips
- eine Kruste vom Überbacken
- knusprige Beilagen
- frischen Salat

Alles Handwerk

Ist Steak braten eine Wissenschaft? Profis wissen: Es ist Handwerk, und da gibt es Lehrlinge und Meister. Der Lehrplan zum Steakbraten steht auf Seite 27. Hier geht's um die Meisterprüfung: Auf den Punkt braten am Beispiel eines 2,5 cm dicken Rumpsteaks aus dem Roastbeef

Steak blue
1 Minute anbraten, 2 Minuten entspannen lassen, 2–3 Minuten unter Wenden fertigbraten, 2 Minuten Ruhe

Steak rare
1 Minute anbraten, 2 Minuten entspannen lassen, 3–4 Minuten unter Wenden fertigbraten, 2 Minuten Ruhe

Steak medium rare
1 Minute anbraten, 2 Minuten entspannen lassen, 4–6 Minuten unter Wenden fertigbraten, 2 Minuten Ruhe

Steak medium
1 Minute anbraten, 2 Minuten entspannen lassen, 6–8 Minuten unter Wenden fertigbraten, 2 Minuten Ruhe

Steak well done
1 Minute anbraten, 2 Minuten entspannen lassen, 10 Minuten unter Wenden fertigbraten, 2 Minuten Ruhe

Beim Filetsteak
ist es jeweils 1 Minute weniger, beim Huftsteak 1 Minute mehr. Und jeder neue Zentimeter mehr bedeutet ebenfalls etwa 1 Minute plus. Zu wenig sinnlich? Wie wäre es dann mit der Fünf-Finger-Methode: Man nehme Hand Nr. 1 und drücke mit einem Finger von Hand Nr. 2 auf den völlig entspannten Daumenballen. So fühlt sich ein Steak blue an. Jetzt mit dem Zeigefinger von Hand Nr. 1 (!) auf den Ballen von Hand Nr. 1 drücken: rare. Mittelfinger: medium rare. Ringfinger: medium. Kleiner Finger: well done. Showköche schwören darauf. Alles Handwerk eben.

In
Viele Freunde und ein großer Braten • an die Vegetarier am Tisch denken • Fleisch aus dem Wok • Bio-Speck • Gourmet-Hacksteaks • Putenkeulen statt immer nur Brust • witzige Schnitzel • ein bißchen Fett • weniger Fleisch mit mehr Geschmack • Für immer und ewig: Wiener Schnitzel und Saft-Gulasch

Out
Ein großer Braten und viel Feindschaft • jedem die Fleischeslust versauen • No-Name-Fleisch • Markenfleisch ohne Programm • Paniermehlhacksteaks • Schnitzel nur noch von der Pute • Ewigkauen • Zahnstochern • Nie und nimmer: Fleisch um jeden Preis, das beste Stück für Papa

Let's do the Barbecue

„BBQ" ist die Kurzformel für einen alten, neuen Trend, der von Australien und Amerika nach Europa kommt. Papa würde Grillen dazu sagen. Und er würde sagen: „Bei aller Liebe zu eurer leichten Küche, aber hier geht's nicht ohne Fett." Weil nur mit dem hält man es lange genug auf der Glut aus. Von Natur aus fette Stücke brauchen dabei wenig Hilfe, mageres wird mit Öl bepinselt oder z. B. auf einem Spieß mit Speckstücken kombiniert. Ein edles Steak aus dem Roastbeef ist schnell rosa gebraten und kann daher ohne viel Fett voll Hitze bekommen. Das Schweinerückensteak möchte es sanfter, länger und mit Extra-Fett, bis es durchgebraten ist.

Und so geht's: Damit das Fleisch zart und knusprig zugleich wird, 1 Stunde vor dem Garen aus dem Kühlschrank nehmen. Ein Fettrand wird auf 1 cm Dicke zugeschnitten, bei stark durchwachsenen Teilen auch dünner, und eingeschnitten. Dann sehr heiß angrillen, an einer nicht so heißen Stelle fertiggaren und noch einige Minuten am Rand ruhen lassen. Dabei gilt: je dicker das Fleisch und je länger die Garzeit, desto größer der Abstand zur Kohle. Etwa 10 cm bei Hähnchenkeulen, 6–8 cm bei Steaks und Spießen gehen in Ordnung. Die Zeiten sind ähnlich wie beim Braten.

Und was für ein Grill? Holz und Kohle können für Lagerfeuerromantik sorgen. Aber fluchende Feuermacher, beißende Rauchschwaden und keifende Nachbarn können sie ganz schnell wieder zerstören. Deswegen grillen Ami und Aussie lieber mit Strom und Gas. Es müssen ja nicht gleich die BBQ-Trucks aus Übersee sein, ein ordentlicher deutscher E-Grill tut's auch schon mal. Wenn der genug Platz auf dem Rost und wenig zwischen den Gitterstäben hat – und die Heizschlange nicht so großzügig geformt ist, daß es nur Zebrasteaks gibt, halbroh und halbverbrannt.

Frikadellen, Fleischpflanzerl, Buletten ...!

Jedem das Seine!

Für 4 Hungrige:

1 Brötchen vom Vortag

2 Zwiebeln, 2 Knoblauchzehen

1 Bund Petersilie, 1 EL Olivenöl

500 g gemischtes Hackfleisch

(am besten schmeckt's, wenn's der Metzger frisch durchdreht)

2 Eier

1 EL abgeriebene Schale von

1 unbehandelten Zitrone

Salz, Pfeffer aus der Mühle

1 TL Edelsüß-Paprikapulver

1/2 TL getrockneter Majoran

1 EL scharfer Senf oder 1 EL Ketchup

vielleicht ein paar Löffelchen Semmelbrösel

3 EL Butterschmalz

1 Das Brötchen in dünne Scheiben schneiden, mit heißem Wasser begießen und aufweichen lassen. Zwiebeln und Knoblauch schälen und fein hacken. Petersilie waschen und trockenschütteln, möglichst fein hacken.

2 Das Olivenöl in einer Pfanne erhitzen, Zwiebeln, Knoblauch und die Hälfte der Petersilie kurz andünsten. Runter vom Herd und etwas abkühlen lassen.

3 Das Hackfleisch in eine Schüssel geben. Das eingeweichte Brötchen kräftig mit der Hand ausdrücken. In die Schüssel zum Hackfleisch, die Eier und die Zwiebel-Petersilien-Mischung dazu. Alles sehr gut verkneten und durchmischen, je inniger, desto besser bindet der Fleischteig später. Kräftig mit Zitronenschale, Salz, Pfeffer, Paprikapulver und Majoran würzen. Senf oder Ketchup unterkneten. Restliche frische Petersilie untermischen.

4 Aus dem Fleischteig kleine oder größere Portionen (von tischtennisball- bis tennisballgroß) abnehmen und zu Kugeln rollen (dafür immer mal wieder die Hände unter kaltes Wasser halten). Wenn der Fleischteig zum Rollen noch zu weich ist, ein paar Löffelchen Semmelbrösel untermischen. Die Kugeln flachdrücken und nebeneinander legen.

5 In einer großen Pfanne das Butterschmalz erhitzen, die Frikadellen darin bei mittlerer Hitze knusprig anbraten, dann vorsichtig wenden und fertigbraten. Je nach Größe dauert das pro Seite 5 – 7 Minuten.
Frisch aus der Pfanne – einfach genial!

So viel Zeit muß sein: 1 Stunde
Das schmeckt dazu: Senf, frisch geriebener Meerrettich, Gewürzgurken, Bratkartoffeln, Bier
Kalorien pro Portion: 530

Varianten:

Mediterrane Hackbällchen

Kalbshackfleisch mit eingeweichtem Weißbrot und Eiern, mit viel frischem Knoblauch, Pfeffer, Basilikum, einigen Spritzern Zitronensaft, 1 – 2 Löffelchen Tomatenmark würzen. Kleinere Kügelchen drehen und nur leicht flachdrücken. In Olivenöl braten, zum Schluß 1 TL Butter mit in die Pfanne, damit's noch knuspriger wird. Dazu paßt z. B. Paprika-Tomaten-Salat mit weißen Zwiebeln, Weinessig und Olivenöl – oder auch eine dicke würzige Tomatensauce, Weißbrot und ein Glas Rotwein.

Asiatische Meatballs

Rinderhackfleisch mit 1 Ei verkneten, dann frische Ingwerknolle, Knoblauch, Frühlingszwiebeln dazu – alles fein gehackt. Würzen mit etwas abgeriebener Zitronenschale und 1/2 TL Sambal oelek oder einer anderen scharfen Chilipaste, Salz, Pfeffer. Daraus kleine Bällchen formen und leicht flachdrücken. In leicht kochendem Salzwasser in 10 – 15 Minuten gar ziehen lassen. Dann nur noch wenige Minuten in der Pfanne knusprig braten.

Chili con carne

Party-Renner

Für 4 Hungrige:

3 Zwiebeln
3 – 4 Knoblauchzehen
2 – 3 Möhren
1 Stück Knollensellerie (200 g)
1 kleine rote, 1 kleine grüne Paprikaschote
1 große Dose geschälte Tomaten (800 g)
4 EL Öl
500 g Rinderhackfleisch
1 EL frische Thymianblättchen
Sambal oelek nach Geschmack
Salz, Pfeffer aus der Mühle
1 Dose Kidneybohnen (400 g)

1 Zwiebeln und Knoblauch schälen und fein hacken. Möhren und Knollensellerie schälen, die Paprikaschoten waschen und halbieren, Trennwände rausschneiden, die Kerne rausspülen. Alles in möglichst kleine Würfel schneiden. Tomaten aus der Dose grob hacken.

2 Einen großen, am besten auch noch schweren Topf auf den Herd, das Öl reingießen und heiß werden lassen. Erst das Hackfleisch allein anbraten, damit es schön anbrutzelt und etwas braun wird. Dann erst Zwiebeln, Knoblauch untermischen und kurz mitbraten, danach Möhren, Sellerie, Paprika und ganz zum Schluß die Tomaten mit Saft dazu.

3 Mit Thymian, Sambal oelek, Salz und Pfeffer kräftig würzen. Einmal aufkochen lassen, dann Deckel zu und bei mittlerer Hitze 1 Stunde schmoren.

4 Bohnen aus der Dose in ein Sieb abgießen und kurz abbrausen. Mit in den Topf, 15 Minuten weiterschmurgeln. Danach unbedingt nochmal abschmecken und schön scharf machen.

So viel Zeit muß sein: Aktiv sein 45 Minuten, Relaxen 1 1/4 Stunden
Das schmeckt dazu: Brot
Kalorien pro Portion (4): 540

Rindsrouladen
Schmeckt nach Mama

Für 4 Hungrige:

4 dünne Scheiben Rinderrouladen (jede 150–180 g schwer, am besten gleich beim Metzger dünn klopfen lassen)
Salz, Pfeffer aus der Mühle
4 TL scharfer Senf
8 dünne Scheiben Räucherspeck
1 große Gewürzgurke
2 Zwiebeln, 1 EL Mehl
1 Möhre, 2 Stangen Sellerie
4 EL Öl, 2 EL Tomatenmark
$^1/_8$ l Rotwein
400 ml Rinderfond oder Brühe
1 Prise Cayennepfeffer

1 Die Rouladenscheiben nebeneinander legen, leicht salzen und pfeffern. Dünn mit Senf bestreichen, mit 2 Scheiben Räucherspeck belegen. Die Gewürzgurke längs in feine Streifen schneiden. Auf dem Speck verteilen. 1 Zwiebel schälen, halbieren, in Scheibchen schneiden und draufgeben.

2 Zum Aufrollen erst mal die Längsseiten leicht nach innen einschlagen, dann von einer Querseite her zu Rouladen rollen. Mit Spießchen feststecken. Mit Mehl bestäuben.

3 Die zweite Zwiebel und die Möhre schälen, in kleine Würfel schneiden. Von den Selleriestangen oben und unten abschneiden, was nicht knackig und frisch aussieht. Stangen waschen und winzig klein würfeln.

4 Den Schmortopf rausholen oder eine schwere Pfanne, wichtig ist auf jeden Fall der passende Deckel. Das Öl heiß werden lassen und als erstes die Rouladen rundum scharf anbraten. Salzen, pfeffern, rausnehmen.

5 In das Bratfett alles gewürfelte Gemüse einrühren und bei mittlerer Hitze anbraten. Das Tomatenmark einrühren, Rotwein angießen und kräftig aufköcheln lassen. Den Fond dazugießen und die Rouladen nun in den würzigen Sud legen. Deckel zu, ungefähr 1 Stunde bei schwacher Hitze schmoren lassen.

6 Nach 1 Stunde sind die Rouladen schön zart und mürbe, und im Topf hat sich außerdem eine leckere Sauce gesammelt. Damit die noch sämiger werden und ungehindert eindampfen kann, werden die Rouladen nochmal kurz rausgenommen. Die Sauce wird jetzt im offenen Topf kräftig aufgekocht und gerührt. Dann mit Salz, Pfeffer und Cayennepfeffer würzig abschmecken. Rouladen zurück in den Topf und heiß werden lassen.

So viel Zeit muß sein: Aktiv sein 45 Minuten, Relaxen 1 Stunde
Das schmeckt dazu: Kartoffelpüree oder Nudeln
Kalorien pro Portion: 500

Zitronen-Chili-Chicken-Wings
BBQ-Klassiker

Für 4 zum Knabbern:

12 möglichst fleischige Hähnchenflügel
1 Zweig frischer Rosmarin
4–5 EL Zitronensaft
1 gehäufter EL Honig
1 EL Tomatenketchup
1 TL Worcestersauce
1–2 getrocknete rote Chilischoten
Salz, Pfeffer aus der Mühle

1 Die Hähnchenflügel kalt waschen und mit einem Küchentuch gut abtrocknen. Die Nadeln vom Rosmarinzweig abstreifen, sehr fein hacken. Dann in einer Schüssel mit Zitronensaft, Honig, Ketchup und Worcestersauce kräftig verquirlen. Die getrockneten Chilischoten zerbröseln oder hacken. Die Marinade mit Salz, Pfeffer und Chilischoten so scharf wie gewünscht abschmecken.

2 Jeden Hähnchenflügel mit der Marinade rundum einpinseln, in eine Schüssel legen, die übrige Marinade darüber träufeln. Zudecken, bis zum Grillen kühl stellen.

3 Die Chicken Wings auf dem Holzkohlengrill von beiden Seiten knusprig grillen. Die Wings sind nach etwa 10 Minuten fertig.

(Schlechtwetterprogramm: Backofengrill einschalten, Fettpfanne unten rein, Flügel auf den Rost legen, einpinseln, nicht ganz oben, aber ziemlich weit oben einschieben – Wendemanöver nicht vergessen!)

So viel Zeit muß sein: 15 Minuten, plus Grillen
Das schmeckt dazu: Ofenkartoffeln, Salat
Kalorien pro Portion: 375

Süßsaures Schweinefleisch
Let's wok!

Für 4 Hungrige:

600 g magere Schweineschnitzel
1 Stange Lauch
1/2 Salatgurke
1 Stück frische Ingwerwurzel (daumengroß)
3–4 Knoblauchzehen
2 EL Zucker
4 EL Reisessig oder Weißweinessig
3–4 EL Sojasauce
4 EL Reiswein (oder trockener Sherry)
2 TL Speisestärke
1 EL Tomatenmark
eventuell Cayennepfeffer
6 EL Öl

1 Schweineschnitzel längs halbieren, dann quer in kleine Stückchen schneiden.

2 Die Lauchstange putzen: Welke Teile und Wurzelbüschel abschneiden, die Stange längs aufschlitzen und unter fließendem Wasser innen und außen waschen. In sehr feine Scheiben schneiden. Gurkenstück schälen, längs halbieren und die Kerne rauskratzen, Gurke auch in Scheiben schneiden. Ingwer und Knoblauch schälen, hacken.

3 Die Sauce jetzt schon anrühren und bereitstellen: Zucker, Essig, Sojasauce, Reiswein, Stärke, Tomatenmark gut verquirlen, eventuell mit 1 kräftigen Prise Cayennepfeffer würzen.

4 Wok auf den Herd, Öl rein und gut heiß werden lassen. Zuerst die Fleischstreifen unter Rühren 1 Minute braten. An den Pfannenrand schieben, dann Lauch, Ingwer und Knoblauch hinein und unter Rühren 1 Minute braten. Fleisch und Gurkenscheiben untermischen, die Sauce angießen und einmal aufkochen lassen. 1 Minute leicht köcheln und rühren, bis die Sauce dicklich wird.

So viel Zeit muß sein: 35 Minuten
Das schmeckt dazu: Reis
Kalorien pro Portion: 350

Hähnchencurry
Asien für Einsteiger

Für 4 Hungrige:

1 Stück frische Ingwerwurzel (daumengroß)
1 kleine Zwiebel
2 Knoblauchzehen
1 unbehandelte Zitrone
1–2 TL Currypaste (gibt's im Asienladen und in großen Lebensmittelabteilungen)
4 Hühnerbrustfilets (jeweils etwa 150 g schwer)
2 EL Butterschmalz
2–3 EL Sojasauce
1 Dose ungesüßte Kokosmilch (400 g)
1 Prise Zucker, Salz

1 Ingwer, Zwiebel und Knoblauch schälen, fein hacken. Zitronenschale abreiben, alles mit der Currypaste verrühren. 2-3 EL Zitronensaft auspressen.

2 Die Hühnerbrustfilets in 1 cm breite Streifen schneiden. In einer großen Pfanne oder im Wok das Butterschmalz heiß werden lassen. Die Hühnerstreifen einrühren, rundum scharf anbraten und wieder rausholen.

3 Das Fett weggießen, bis auf einen ganz dünnen Film. Sojasauce dazugießen, kurz aufköcheln und den Bratsatz vom Pfannenboden wegkratzen. Von der Kokosmilch das oben schwimmende dicke „Sahnehäubchen" abheben, die Hälfte davon einrühren, den Rest für später aufheben.

4 Die Currypaste jetzt auch in die Pfanne rühren. Bei schwacher Hitze 1–2 Minuten köcheln lassen – und dabei immer rühren. Mit 1 Prise Zucker würzen, nach und nach die Kokosmilch angießen. Zitronensaft untermischen. Ganz zum Schluß den letzten Klecks Kokossahne dazu, dann das Hähnchenfleisch nochmal in die Pfanne, salzen und richtig heiß werden lassen.

So viel Zeit muß sein: 45 Minuten
Das schmeckt dazu: Reis
Kalorien pro Portion: 310

Wiener Schnitzel
Nur echt vom Kalb

Für 4 mächtig Hungrige:

4 Kalbsschnitzel (jedes etwa 180 g schwer)

3 EL Mehl, 2 Eier

150 g Semmelbrösel

Salz, Pfeffer aus der Mühle

3 EL Sonnenblumenöl

30 g Butter, 1 Zitrone

1 Beim Auspacken sehen die eingekauften Schnitzel irgendwie viel kleiner und dicker aus als die Wiener Schnitzel vom Schnitzelwirt. Nicht so schlimm. Denn der erste Griff nach dem Auspacken ist der nach dem Fleischklopfer (oder einem anderen stumpfen, kräftigen Werkzeug, z. B. dem Kartoffelstampfer). Die Schnitzel mit Klarsichtfolie abdecken und flachklopfen.

2 Drei große tiefe Teller rausholen. In den ersten das Mehl füllen, im zweiten die Eier mit einer Gabel verquirlen, in den dritten die Semmelbrösel streuen.

3 Die Schnitzel leicht salzen und pfeffern. Im Mehl wenden und schütteln, damit nicht zu viel davon hängenbleibt. Dann von beiden Seiten durchs verquirlte Ei ziehen und zuletzt locker und großzügig in den Bröseln wenden, die Panade aber nicht zu fest andrücken.

4 In einer großen Pfanne das Öl erhitzen, die Butter darin aufschäumen lassen. Schnitzel rein, auf einer Seite goldbraun anbraten, dann wenden und fertigbraten, pro Seite dauert das 2 – 3 Minuten. Zitrone aufschneiden und 1 Stück auf jeden Teller.

So viel Zeit muß sein: 30 Minuten
Das schmeckt dazu: Kartoffel-Gurken-Salat oder Bratkartoffeln oder einfach nur Blattsalat
Kalorien pro Portion: 485

Saltimbocca
Rasant

Für 4 etwas verwöhnte Hungrige:

8 kleine Schnitzelchen vom Kalb (500 – 600 g)

8 dünne kleine Scheiben roher Schinken

8 mittelgroße Salbeiblätter

3 – 4 EL Butter

Salz, Pfeffer aus der Mühle

1/8 l trockener Weißwein

1 Wie beim Wiener Verwandten zuerst die Schnitzelchen flachklopfen. Auf jede Fleischscheibe 1 Schinkenscheibe und 1 Salbeiblatt legen und feststecken. In der großen Pfanne 2 EL Butter zerlassen, Fleisch rein und bei schwacher Hitze von jeder Seite 2 Minuten braten, salzen und pfeffern.

2 Fleisch raus, kurz warm halten (Deckel oder Alufolie drüber). Den Wein in die Pfanne gießen, aufkochen lassen und mit dem Pfannenwender alles vom Pfannenboden abkratzen, was da vom Schnitzelanbraten noch klebt – das nämlich macht den guten Geschmack der Sauce aus. Den Rest Butter dazu, mit dem Schneebesen rühren, bis sie sich aufgelöst hat. Schnitzel nochmals in der Pfanne kurz heiß werden lassen – fertig!

So viel Zeit muß sein: 25 Minuten
Das schmeckt dazu: trockener Weißwein aus Italien, Weißbrot, Erbsengemüse
Kalorien pro Portion: 315

Filetsteaks mit Rotweinzwiebeln
Dinner for two

Für 2 Hungrige:

2 kleine Zwiebeln

1/2 TL schwarze Pfefferkörner

2 schöne dicke Filetsteaks, gut abgehangen (jeweils 200 g schwer)

2 EL Öl

2 EL Butter (1 EL davon kalt)

100 ml Rotwein, Salz

1 Den Backofen auf niedrigster Stufe anwärmen – dort können die gebratenen Steaks später noch ein bißchen ausruhen.

2 Die Zwiebeln schälen, halbieren und in Scheibchen schneiden. Pfefferkörner im Mörser fein zerstoßen (wer keinen hat, nimmt grob gemahlenen Pfeffer aus der Mühle).

3 Die Steaks mit Küchenpapier abtrocknen. In der unbeschichteten Pfanne das Öl gut heiß werden lassen. Steaks rein und ungefähr 2 Minuten scharf anbraten, bis die Unterseite nicht mehr hartnäckig am Pfannenboden klebt, sondern sich mit dem Pfannenwender lösen läßt. Die Steaks umdrehen – wirklich mit dem Pfannenwender, nicht mit den scharfen Zinken einer Gabel!

4 1 EL Butter mit in die Pfanne geben und die Steaks in 2, 6 oder 8 Minuten fertig braten – je nachdem, ob sie innen fast roh, rosa oder durchgebraten sein sollen. Raus aus der Pfanne, salzen und pfeffern. Auf einen Teller legen, im Backofen entspannen lassen.

5 Die Zwiebeln ins heiße Bratfett in der Pfanne einrühren und anbraten. Rotwein dazugießen, kräftig aufkochen. Dann die kalte Butter in kleinen Stückchen kräftig unterrühren, Sauce leicht salzen und pfeffern. Die Steaks damit begießen.

So viel Zeit muß sein: 20 Minuten
Das schmeckt dazu: Rotwein, Bratkartoffeln
Kalorien pro Portion: 410

Putenschnitzel aus dem Wok

Belohnung nach dem Gewürze-Shopping

Für 4 Hungrige:

600 g Putenschnitzel
1 Bund Frühlingszwiebeln
3 Möhren
1 kleine rote Paprikaschote
1 Stück frische Ingwerknolle (mehr oder weniger daumengroß)
2 EL Olivenöl
1 TL Korianderkörner
1 TL Kreuzkümmelsamen
2 EL Zitronensaft
1 TL Kurkumapulver (macht schön gelb)
$^1/_2$–1 TL Sambal oelek
4 EL Cashewkerne oder Erdnüsse
2–3 EL Sonnenblumenöl

1 Putenschnitzel längs halbieren, dann quer in feine Streifen schneiden, nur ungefähr 1 cm breit.

2 Die Frühlingszwiebeln putzen: alle welken Teile vom Grün und das Wurzelbüschel vorne wegschneiden. Zwiebeln waschen, die dickeren Exemplare längs halbieren, dann in 2–3 cm lange Stücke schneiden. Möhren schälen und in Scheibchen schneiden.

3 Die Paprikaschote waschen, längs halbieren. Trennwände rausschneiden, Kerne wegspülen. Die Schotenhälften einfach nur grob zerteilen. Ingwer schälen und auch nur ein bißchen kleiner schneiden. Dann beides in den Blitzhacker geben, Olivenöl, Koriander und Kreuzkümmel dazu. Zu einem Mus pürieren, Zitronensaft und Kurkumapulver untermischen. Mit Sambal oelek scharf machen.

4 Den Wok auf die Herdplatte stellen, erst mal ohne Öl erhitzen. Die Nüsse reinschmeißen und unter Rühren kurz anrösten. Sobald sie lecker zu duften beginnen und auf jeden Fall, bevor sie schwarz sind, wieder raus aus dem Wok.

5 Jetzt das Öl in den Wok, die Frühlingszwiebeln und Möhren dazu und rührend anbraten. Nach 3–4 Minuten an den Rand schieben, in die Mitte vom Wok nochmal 1–2 EL Öl nachgießen, die Fleischstreifen scharf anbraten – aber nicht lange, höchstens 1 Minute. Mit dem Gemüse vom Wokrand mischen, die Paprikasauce unterrühren und ein paar Eßlöffel Wasser dazugießen. Nochmal 2 Minuten schmurgeln lassen, vorm Essen mit den angerösteten Nüssen bestreuen.

So viel Zeit muß sein: 40 Minuten
Das schmeckt dazu: Reis – und unbedingt mit Stäbchen essen!
Kalorien pro Portion: 325

Saftgulasch vom Basic-Bacsi

Schmeckt nach Mama
Echt basic

„Bacsi" heißt der Onkel auf ungarisch. Und der Imre bacsi kochte mal auf einem Reiterhof an der österreich-ungarischen Grenze ein Gulasch, das in seinem Seidenglanz und Hochgeschmack einfach kaiserlich-königlich war. Viele Zwiebeln, große Stücke und langes Schmurgeln im eigenen Saft sind sein Geheimnis. Hier wird es in voller Länge verraten.

Für 4–6 Hungrige:

800 g Zwiebeln

3 Knoblauchzehen

1,2 kg Rindfleisch (am besten aus der Wade, sonst aus der Schulter)

4 EL Schweineschmalz oder Öl

5 EL Edelsüß-Paprikapulver

1 TL getrockneter Majoran

1 TL getrockneter Thymian

1 TL Kümmel

1 EL Essig

Salz, Pfeffer aus der Mühle

1 Erstmal werden die Zwiebeln und der Knoblauch geschält und gewürfelt. Rechts zeigen wir, wie der Profi das macht. Hacken geht aber zur Not auch.

2 Jetzt das Fleisch schneiden – und zwar nicht zu klein. Dabei „Flecksen" wegschneiden. Fingerdicke, gut 4 cm lange Stücke sollten es schon sein. Mit diesen „Blättern" (wie der Wiener sagt) hat das Gulasch ordentlich Zeit, Kraft zu entwickeln.

3 Nun in einem schweren Topf bei gut mittlerer Stufe das Fett erhitzen. Darin die Zwiebeln andünsten, bis sie schön glasig und fast braun sind – aber nur fast!

4 Paprika, die Erste: Zusammen mit Knoblauch, Majoran, Thymian und Kümmel werden 3 EL davon zu den Zwiebeln gegeben (der Wiener sagt „paprizieren") und kurz angedünstet. Dann kommt der Essig mit 8–10 EL Wasser dazu.

5 Jetzt, und wirklich erst jetzt, das Fleisch dazugeben. Dabei am besten nicht rühren, damit es ein wenig Farbe nehmen kann. Aber richtig braten muß es nicht, soll es sogar nicht, damit es schön zart wird.

6 Nun salzen, pfeffern, rühren, Hitze runterschalten, Deckel drauf. Und schmurgeln lassen. Kein Wasser? Kein Wasser. Zwiebeln und Fleisch entwickeln genug Saft zum langen Schmurgeln. Nur wenn der fast eingekocht ist, können ein paar Schlucke dazukommen. Aber nur so viel, daß das Gulasch nicht kocht, sonst wird es trocken.

7 Und nach gut 1 $^1/_2$ Stunden oder auch ein wenig mehr ist das Fleisch fast gar. Dann wird's Zeit, den übrigen Paprika kurz mitzugaren und schließlich doch das Gulasch knapp mit Wasser zu bedecken. Nach etwa 15 Minuten Köcheln ist es perfekt, abgesehen vom letzten Abschmecken.

So viel Zeit muß sein: Aktiv sein 1 Stunde, Relaxen 1 $^1/_2$ Stunden
Das schmeckt dazu: Salzkartoffeln und Salat oder, ganz klassisch, Kaisersemmeln. Zum Trinken Bier oder Rotwein aus Österreich, z. B. ein Blauer Zweigelt
Kalorien pro Portion (6): 390

Basic Tip

Wenn's auch nicht original ungarisch ist, für Freunde scharfen Geschmacks kann das Gulasch natürlich auch kräftiger gewürzt werden, z. B. mit etwas Rosenpaprika oder Cayennepfeffer ganz zum Schluß. Auch Gemüse macht sich gut im Fleischpott – kleine Stückchen von Paprikaschoten oder geschälten Tomaten oder auch gehobeltes Weißkraut: Bevor der Deckel drauf kommt, einfach mit in den Topf geben und schmoren lassen.

Sherryhuhn
Die spanische Schwester vom Coq au vin

Für 2–3 Hungrige:

1 Brathühnchen, in 6 Teile zerlegt (2x Keulen, 2x Flügel, 2x Brust)

Salz, Pfeffer aus der Mühle

1 EL Edelsüß-Paprikapulver

2 Zwiebeln

1 kleine rote, 1 kleine gelbe oder grüne Paprikaschote

2–3 Knoblauchzehen

3 EL Öl

$^1/_4$ l trockener Sherry

$^1/_8$ l Hühnerbrühe

1 Die Hähnchenteile kurz abspülen, mit einem Küchentuch abtrocknen. Rundum salzen, pfeffern, mit Paprika einreiben.

2 Die Zwiebeln schälen, halbieren, in feine Scheibchen schneiden. Die Paprikaschoten waschen, halbieren. Trennwände rausschneiden, die Kerne wegspülen. Dann die Schotenhälften nochmal halbieren und in feine Streifen schneiden. Knoblauch schälen und fein hacken.

3 In einem breiten Topf mit passendem Deckel das Öl erhitzen. Die Hähnchenteile bei mittlerer Hitze ungefähr 10 Minuten von allen Seiten knusprig anbraten. Dann Zwiebeln, Paprikastreifen und Knoblauch untermischen, kurz anbraten.

4 Jetzt den Sherry und die Brühe in den Topf gießen und 10–12 Minuten bei nicht zu starker Hitze vor sich hin schmurgeln lassen. Deckel drauf, Herd aus und nochmal 10 Minuten ziehen lassen. Fertig! Mit Salz und viel frisch gemahlenem Pfeffer abschmecken.

So viel Zeit muß sein: 50 Minuten
Das schmeckt dazu: Brot oder Reis
Kalorien pro Portion (3): 770

Brathähnchen mit Zitronenfüllung
Herrlich zitronig

Für 2–3 Hungrige:

1 Brathähnchen (etwa 1,4 kg)

Salz, Pfeffer aus der Mühle

3 EL Olivenöl

1 große unbehandelte Zitrone

2–3 frische Thymianzweige (oder 1 Zweig frischer Rosmarin)

1 Das Hähnchen mit kaltem Wasser abspülen, mit einem Küchentuch abtrocknen. Erstmal nur innen salzen und pfeffern. Den Backofen auf 225 Grad (auch den Umluftherd schon jetzt: 200 Grad) vorheizen. Eine Auflaufform mit 1 EL Öl auspinseln.

2 Die Zitrone heiß waschen und abtrocknen. Mit einer Gabel von oben bis unten und rundum mehrmals einstechen (damit später der Saft rauskommen kann und das Hähnchen von innen frisch und würzig macht). Die Zitrone in die Bauchhöhle des Hähnchens stopfen, die Kräuterzweige mit reinlegen und die Beine über Kreuz legen und zusammenbinden. Hähnchen jetzt auch außen salzen und pfeffern, mit dem übrigen Olivenöl rundrum einreiben.

3 Das gefüllte Hähnchen in Seitenlage in die Form legen, in den Backofen schieben und auf der 2. Schiene von unten 20 Minuten braten. Dann auf die andere Seite drehen, nochmal 20 Minuten braten. Sobald sich Bratfett in der Form sammelt, immer mal wieder mit einem Löffel abschöpfen und über das Hähnchen gießen. Zum Schluß auch noch auf den Rücken drehen (Brust nach oben), 25 Minuten weiterbraten und weiterbegießen. Jetzt mit einem Spießchen in den Schenkel stechen – wenn noch rötlicher Saft ausläuft, unbedingt weiterbraten. Ist der Saft klar, raus damit und heiß auf den Tisch!

So viel Zeit muß sein: Aktiv sein 10 Minuten, Relaxen gut 1 Stunde (mit ein paar Unterbrechungen)
Das schmeckt dazu: Salat und Brot zum Tunken
Kalorien pro Portion (3): 370

Die 80-Grad-Entenbrust

Super basic

Für 2 Hungrige:

2 Entenbrüste (gut 400 g)

Salz, Pfeffer aus der Mühle

1 Den Backofen (Ober- und Unterhitze) auf 80 Grad einstellen, unbedingt mit einem Backofenthermometer kontrollieren.

2 Die Fettschicht der Entenbrüste gitterförmig einritzen (aber nicht ins Fleisch schneiden). Mit Salz und Pfeffer einreiben.

3 Eine ofenfeste Pfanne heiß werden lassen. Entenbrüste mit der Fettseite nach unten reinlegen und scharf anbraten. Dann wenden und auch die Fleischseite kurz und scharf anbraten.

4 Jetzt die Pfanne in den Backofen stellen – und 30–45 Minuten nix mehr tun. In der milden Hitze gart die Entenbrust völlig sanft und wird innen gleichmäßig zartrosa und saftig.

So viel Zeit muß sein: Aktiv sein 10 Minuten, Relaxen 30–45 Minuten
Das schmeckt dazu: Brot, Mango-Chutney (kann man fertig kaufen oder selber machen – siehe Seite 90)
Kalorien pro Portion: 450

Basic Tip

Entenbrust für Backofenlose

Salzen und pfeffern, Hautseite rautenförmig einschneiden. Eine Pfanne ohne Fett heiß werden lassen, Entenbrüste mit der Hautseite nach unten reinlegen und bei mittlerer Hitze 10 Minuten kroß braten. Umdrehen, nochmal knapp 10 Minuten auf der anderen Seite braten, dann in Alufolie wickeln und nachziehen lassen.

Schweinebraten
Möglichst am Vorabend marinieren

Für 6–8 Hungrige:

1,5 kg Schweinebraten ohne Knochen, aber mit Schwarte (500 g Knochen trotzdem mitgeben lassen – wichtig für die Sauce!)

1/2 TL Kümmel

3 Knoblauchzehen, 2 EL Öl

1 TL Edelsüß-Paprikapulver

Salz, Pfeffer aus der Mühle

2 Zwiebeln, 2 Möhren

1 Stück Knollensellerie (etwa 200 g)

1 Lorbeerblatt

1 Die Schwarte mit einem scharfen Messer rautenförmig einschneiden.

2 Den Kümmel etwas kleiner hacken, 1 Knoblauchzehe schälen und fein hacken. Beides mit Öl und Paprika verrühren. Den Braten rundum kräftig damit einreiben, in Folie wickeln und über Nacht kühl stellen.

3 Gut 3 Stunden vorm geplanten Essen den Backofen auf 250 Grad (auch Umluft schon jetzt: 220 Grad) vorheizen.

4 Den Schweinebraten aus der Folie wickeln, rundum salzen und pfeffern. Mit der Schwartenseite nach unten in einen großen Bräter legen. Auf der unteren Schiene in den heißen Backofen schieben und anbraten. Danach auch von allen anderen Seiten kurz und kräftig anbraten. Das Fleisch aus dem Bräter nehmen, die Knochen ins Bratfett geben und anrösten. Dann das Fleisch wieder dazugeben – mit der Schwarte nach oben.

5 Nun 30 Minuten braten lassen, ab und zu mit dem Bratfett begießen. Inzwischen Zwiebeln, Möhren und Sellerie schälen, klein würfeln. Den übrigen Knoblauch nur schälen.

6 Den Backofen auf 180 Grad (Umluft: 160) zurückdrehen, alles Gemüse und das Lorbeerblatt mit in den Bräter geben. Einen Schuß Wasser (oder auch helles Bier) übers Fleisch, und jetzt dauert's nochmal 1 1/2 Stunden, bis das Fleisch außen knusprig und innen zart ist. Ab und zu mit dem Bratsud begießen, falls nötig, auch Wasser oder Bier nachgießen.

7 Bräter auf den Herd stellen, den Braten rausholen und im ausgeschalteten Backofen nachziehen lassen, bis die Sauce fertig ist. Die Sauce durch ein Sieb in einen Topf gießen und eventuell etwas einköcheln lassen. Abschmecken, zum Braten servieren.

So viel Zeit muß sein: 15 Minuten am Vorabend, Aktiv sein am nächsten Tag 30 Minuten, Relaxen 3 Stunden (mit ein paar Unterbrechungen)
Das schmeckt dazu: Klöße
Kalorien pro Portion (8): 390

Schmorbraten in Rotwein
Molto italiano, molto buono

Für 4–6 Hungrige:

2 Knoblauchzehen

1 kg Rindfleisch zum Schmoren (z. B. aus Bug, Oberschale, Kugel – am besten den Metzger fragen!)

2 Stangen Sellerie

2 Möhren, 1 Zwiebel

3 EL Olivenöl, 2–3 EL Butter

Salz, Pfeffer aus der Mühle

3/8 l trockener Rotwein

2 Gewürznelken, 1 Lorbeerblatt

1 kleine Dose geschälte Tomaten (400 g)

1/4 l Fleischbrühe

frisch geriebene Muskatnuß

1 Die Knoblauchzehen schälen und in feine Stifte schneiden. Dann das Fleisch mit einem spitzen Messerchen rundum an einigen Stellen einritzen und den Knoblauch reinstecken.

2 Selleriestangen waschen, oben und unten wegschneiden, was nicht knackig und frisch aussieht. Möhren und Zwiebel schälen. Alles in kleine Würfelchen schneiden.

3 Einen großen Bräter auf den Herd stellen, das Olivenöl darin heiß werden lassen. Butter dazu, im heißen Öl schmelzen lassen. Fleisch im Bräter rundum anbraten.

4 Wenn das Fleisch rundum angebräunt ist, alles kleingeschnittene Gemüse dazu und im Bratfett anbraten. Salzen und pfeffern, den Rotwein angießen und einmal kräftig aufkochen. Gewürznelken und Lorbeerblatt in den Sud streuen.

5 Die Tomaten aus der Dose grob hacken, mit Saft im Bräter verteilen. Nun noch die Brühe dazu, mit Muskat würzen, den Deckel drauf – und für 3 Stunden Pause machen! Der Braten soll jetzt ganz in Ruhe gelassen werden und bei schwacher Hitze vor sich hin schmoren, aber nicht köcheln.

6 Vorm Essen den Braten aus dem Bräter nehmen, die Sauce durchsieben (nicht mit dem Nudelsieb, sondern mit einem feinen Haarsieb oder, ganz professionell, mit einem Spitzsieb). Wem die Sauce auch mit kleinen Gemüsestückchen gefällt und schmeckt, kann sich diesen Akt natürlich sparen. Die Sauce auf jeden Fall nochmal aufkochen, mit Salz und Pfeffer abschmecken.

So viel Zeit muß sein: Aktiv sein 30 Minuten, Relaxen 3 Stunden
Das schmeckt dazu: Polenta (einfach zubereiten, wie auf Packung angegeben), kräftiger Rotwein aus Italien
Kalorien pro Portion (6): 405

Lammkeule mit Kräuterkruste
Macht was her

Für 4 – 6 Hungrige:

1 unbehandelte Zitrone

1 kg Lammkeule (ohne Knochen)

1 kg Kartoffeln (festkochende Sorte)

600 g reife Tomaten

6 EL Olivenöl

Salz, Pfeffer aus der Mühle

3 EL Butterschmalz

1 großes Bund Petersilie

4 Knoblauchzehen

4 EL Semmelbrösel

50 g frisch geriebener Pecorino

(oder Parmesan)

1 Die Zitrone heiß waschen, abtrocknen und die Schale abreiben. Dann halbieren und den Saft auspressen. Die Lammkeule mit dem Zitronensaft einreiben.

2 Die Kartoffeln waschen, schälen und in dünne Scheiben schneiden. 1 l Wasser aufkochen, die Tomaten kurz reinlegen. Abgießen, Tomaten kalt abbrausen und die Haut mit einem spitzen Messer anstechen und abziehen – das geht nach dem Überbrühen superleicht. Tomaten grob zerteilen.

3 Einen großen Bräter mit 2 EL Olivenöl auspinseln. Die Kartoffelscheiben einschichten, salzen und pfeffern. 2 EL vom Schmalz in kleinen Flöckchen auf den Kartoffeln verteilen. Tomatenstücke darüber legen. Backofen schon mal auf 180 Grad (auch Umluft schon jetzt: 160 Grad) vorheizen.

4 Petersilie waschen, trockenschütteln und so fein wie möglich hacken. Knoblauch schälen, auch fein hacken. Beides mit den Semmelbröseln und der abgeriebenen Zitronenschale mischen. Etwas mehr als die Hälfte davon mit den restlichen 4 EL Olivenöl zu einer Paste verrühren. Den Rest mit dem geriebenen Käse mischen.

5 Die Lammkeule jetzt salzen und pfeffern. Rundum mit der Petersilien-Paste einstreichen. Aufs Kartoffel-Tomaten-Bett legen und für 1 1/4 Stunden in den Backofen schieben (Mitte).

6 Dann die Temperatur im Backofen auf 225 Grad (Umluft 200) erhöhen. Die Petersilien-Käse-Mischung über Lammkeule und Kartoffeln streuen, das restliche Schmalz in Flöckchen darauf verteilen. Nochmal 10 – 15 Minuten im Ofen lassen und knusprig überbacken.

So viel Zeit muß sein: Aktiv sein 45 Minuten, Relaxen, mit nur 2 Minuten Unterbrechung, 1 1/2 Stunden
Das schmeckt dazu: trockener Rotwein aus Italien
Kalorien pro Portion (6): 700

Gemüs

... ist (fast) alles, was wächst und nach der Ernte gegessen wird

e

... ist (fast) alles, was wächst und nach der Ernte gegessen wird.

... kann die Wurzel, der Stiel, das Blatt, die Frucht oder sogar der Samen einer Pflanze sein.

... ist uralt und im Grunde was Wildes. In China und Ägypten hatte man vor Jahrtausenden zum ersten Mal die Idee, das zu kultivieren, was bis dahin nur gesammelt wurde. Bis in Europa die Gemüsekultur einzog, war das Mittelalter schon fast zu Ende.

... stammt fast nie aus Deutschland. Die Gurke wuchs in Indien auf, der Spinat im Kaukasus, und auch der bayerische Biergartenrettich ist ein Ausländer: China und Ägypten streiten sich drum, Heimat des „Radi" zu sein.
Und was ist mit Mitteleuropa?
Hat Kraut und Rüben hervorgebracht. Immerhin.

... schmeckt gebraten, gedünstet, gekocht, geschmort und gratiniert.

Beweis ab Seite 136

Was vom Putzen übrigbleibt

150–200 g Gemüse kommen als Beilage auf den Teller, als Hauptgericht das Doppelte, nach dem Putzen gewogen. Beim Einkaufen muß daher mehr auf die Waage: Acht Beispiele dafür, was von 200 g Gemüse nach dem Putzen übrigbleibt.

Zuckerschoten
Enden weg, Fäden ziehen – bleiben 190 g

junger Blattspinat
festere Stiele ab, welke Blätter raus – bleiben 180 g

Spargel
Enden abschneiden, je nach Sorte schälen – bleiben 160 g

Paprikaschote
Stiele entfernen, Samen und Innenwände raus – bleiben 150 g

Frühlingszwiebeln
Wurzeln ab, dunkelgrüne und welke Außenblätter weg – bleiben 140 g

Kohlrabi
lange Stiele ab, schälen, holzige Stellen raus – bleiben 130 g

Broccoli
Strunk weg, dicke Stiele ab, gelbe Röschen raus – bleiben 120 g

Lauch
Wurzelenden ab, Außenblätter und dunkles Grün weg – bleiben 100 g

Ich will keine Maispoularde

Vielleicht sind Vegetarier ja doch die Sinnlicheren unter uns Essern. Sehen jedenfalls richtig gut aus, seit sie aus der Körnerecke herausgekommen sind. So gut, daß es schon schick ist, kein Fleisch zu essen. Aber immer nur Grünzeug, macht das nicht krank? Wenn es auf dem Teller so bunt zugeht wie im Gemüseladen, kann nicht viel passieren. Und das liebe Vieh bleibt auch am Leben.

Wer erstmal üben will, kann der Kuh ja noch die Milch wegnehmen, dann ist er Lacto-Vegetarier. Klaut er dem Huhn dazu das Ei, ist er Ovo-Lacto-Vegetarier. Grüne Gemüse, Hülsenfrüchte und Nüsse bringen aber auch das Wichtigste aus Ei und Milch. Manche Vegetarier wollen deswegen gar nichts vom Tier. Noch nicht mal den Honig von der Biene. Und am besten alles roh! Wilde Sache. Asiatische Ausgewogenheit finden wir besser: eine Gemüsemahlzeit am Tag, einen Gemüsetag in der Woche, eine Gemüsewoche im Monat, einen Gemüsemonat im Jahr. Macht aus einem Leben sieben.

Schnell mal was Frisches

Dumme Gemüse! Warum wird denn jedes von euch anders gar? Sagt das Grünzeug, weil bei uns eben nicht alles gleich schmeckt. Damit im Gemüsetopf trotzdem der Biß stimmt: die Bestzeiten fürs Gemüsegaren.

1 Minute
Blattspinat dünsten

2 Minuten
Zucchini- und Champignonscheiben braten, Tomaten dünsten

3–4 Minuten
Lauchstreifen dünsten

5 Minuten
Paprikawürfel dünsten

8 Minuten
Broccoliröschen kochen

10–12 Minuten
Fenchelstreifen dünsten, grünen Spargel/Blumenkohl kochen

12–15 Minuten
Staudensellerie/Möhrenscheiben dünsten, grüne Bohnen kochen

15–20 Minuten
Rosenkohl dünsten, Kartoffeln/weißen Spargel kochen

20 Minuten
rote Linsen kochen

45 Minuten
braune Linsen kochen

Fit, schlau und gut drauf

Gemüse ist gesund, ja klar. Aber daß es auch gut fürs Hirn, die Seele und den Teint ist, ist weniger bekannt. Fünf Tips für ein Bißchen besseres Leben:

	Fit	Schön	Schlau	Gut drauf
Aubergine	reguliert Cholesterin	läßt die Haut gut aussehen	regt das Denken an	macht locker
Bohne	gibt Power; reinigt den Körper	stärkt Haare, Haut, Knochen	gibt gute Nerven und Zähne	macht aktiv
Möhre	liefert Energie; stärkt Sehkraft	macht Augen schön; gibt der Haut Farbe, Schutz und Regeneration	gibt dem Hirn Nahrung	macht stark
Paprika	stärkt die Abwehr	strafft die Haut; pflegt die Haare	konzentriert das Denken	macht glücklich; heilt Wunden
Sauerkraut	bringt Muskeln und Darm auf Trab	heilt Wunden; reinigt die Haut	läßt Gedanken flutschen	macht lustig

In

Spargel im Frühling, Paprika im Sommer, Kürbis im Herbst, Rotkraut im Winter

- Braten und Grillen
- Möhren statt Süßes naschen
- Bio-Gemüse
- Sahnegemüse
- Gemüsecurry
- Immer wieder: Gemüsemarktbummel

Out

Spargel im Winter usw.

- Immer nur kochen
- Gemüse mit Mehlschwitze
- Immer nur TK-Gemüse
- Intolerante Ökos
- Gemüse als Mus
- Nie und nimmer: Gemüse nur dann, wenn's durch die Sau geht

Schon gewußt?

Verwandte kann sich keiner aussuchen, selbst König Spargel nicht. Denn auch in der Botanik gibt's bunt gemischte Familien. Welche der folgenden Geschwister sind echte?

a Wirsing und Radieschen
b Broccoli und Rucola
c Kopfsalat und Artischocke
d Kartoffel und Süßkartoffel
e Spinat und Rote Bete
f Silberzwiebel und Spargel
g Mairübe und Mohrrübe
h Kartoffel und Tomate

Auflösung: alle außer d und g

Unser liebstes Gemüse

Die Tomate

engl. tomatoe; franz. tomate; ital. pomodoro

Das ist sie

- runde Salattomate mit normaler und (oft zu) fester Schale
- längliche Flaschen- oder Eiertomate für Saucen und Suppen
- Strauchtomate mit meist (!) mehr Aroma
- Kirschtomate mit noch mehr Aroma
- Fleischtomate mit null Aroma

Das hat sie

- 17 Kalorien je 100 g
- 4 g Kohlenhydrate (daher die Süße)
- kaum Eiweiß und Fett
- Carotin und Vitamin C

Das bringt sie

- macht fit gegen Alltagskrankheiten wie Erkältungen
- belebt bei Müdigkeit, entspannt bei Streß
- pflegt von innen Haut und Haare

Das will sie

- bei Zimmertemperatur lagern
- mit dem Sägemesser geschnitten werden
- kurz vor dem Servieren gewürzt oder mariniert werden
- sanft und kurz erhitzt werden

Das mag sie

- Olivenöl, aber auch Butter – macht sie noch gesünder (fettlösliche Vitamine!)
- schwarzen Pfeffer, Curry, Wacholder; Basilikum, Oregano, Estragon, Koriandergrün; Knoblauch
- eine Prise Zucker

Große Gemüseplatte mit Aioli

Nix für Knoblauch-Muffel

Für 6 – 8 Hungrige bei Sonnenschein:

Für die Aioli (hausgemachte Knoblauch-Mayo aus Südfrankreich):

1 Stück Weißbrot ohne Rinde (ungefähr so groß wie eine mittelgroße Kartoffel)
60 ml Milch
4 mittelgroße Knoblauchzehen (oder mehr oder weniger)
1 superfrisches Eigelb
175 ml Olivenöl
Zitronensaft
Salz, Pfeffer aus der Mühle

Für die Gemüseplatte:

500 g Kartoffeln (festkochende Sorte)
Salz
3 – 4 Eier
500 g grüne Bohnen
2 kleine Fenchelknollen
4 mittelgroße Möhren
1/2 kleiner Blumenkohl (oder Broccoli)
2 – 3 EL Olivenöl
1 Bund Stangensellerie
1 – 2 Paprikaschoten (rot, grün oder gelb)
1 Bund Frühlingszwiebeln

1 Für die Aioli das Weißbrot erstmal kurz in der Milch einweichen. Dann gut ausdrücken, in eine Schüssel geben. Knoblauch schälen, durch die Presse dazudrücken. Eigelb auch dazu, alles zu einer glatten Masse verrühren. Nun das Öl nicht auf einmal, sondern in einem dünnen Strahl einfließen lassen, dabei immer kräftig mit den Quirlen vom Handrührer rühren. Mit Zitronensaft, Salz und Pfeffer abschmecken.

2 Kartoffeln waschen, fast mit Salzwasser bedeckt gar kochen (das dauert je nach Größe 25 – 35 Minuten). Die Eier mit kaltem Wasser aufsetzen, nach dem Aufkochen noch 7 – 8 Minuten köcheln lassen. Kalt abschrecken.

3 Grüne Bohnen waschen, die Enden abschneiden, Fäden mit abziehen, falls welche da sind. In einem Topf 2 l Salzwasser aufkochen, Bohnen darin in 8 – 10 Minuten knackig kochen. Dann gleich abgießen und kurz kalt abbrausen.

4 Fenchelknollen waschen, dicke Stiele abschneiden. Knollen vierteln oder achteln. Möhren schälen, längs vierteln oder halbieren. Den Blumenkohl in kleine Röschen zerlegen, dicke Stiele abschneiden.

5 In einer großen beschichteten Pfanne das Olivenöl erhitzen, Fenchel, Möhren und Blumenkohl darin bei mittlerer Hitze 10 – 15 Minuten braten, dabei Deckel auflegen und öfter mal wenden (oder alles Gemüse in wenig Brühe dünsten).

6 Selleriestangen waschen, oben und unten abschneiden, was welk aussieht. Paprikaschoten waschen, halbieren, Trennwände rausschneiden, die Kerne wegspülen. Schotenhälften in breite Streifen schneiden. Frühlingszwiebeln waschen, vom Grün nur das abschneiden, was welk ist, Wurzelbüschel vorne wegschneiden. Die Zwiebeln einfach ganz lassen, nicht kleiner schneiden.

7 Pellkartoffeln abgießen, schälen. Die Eier aufklopfen, schälen und längs halbieren. Mit dem Gemüse zusammen dekorativ auf Platten verteilen. Aioli in kleine Schälchen füllen und auf dem Tisch so verteilen, daß jeder zum Dippen von Gemüse, Kartoffeln und Eiern hinlangen kann – denn dafür ist die Aioli da!

So viel Zeit muß sein: 1 1/4 Stunden
Das schmeckt dazu: knuspriges Baguette, frischer leichter Weißwein oder Rosé
Kalorien pro Portion (8): 510

Tip für die große Party:

Alles vorkochen (außer Kartoffeln), dann nur noch kurz andünsten, am besten mit wenig heißem Fond oder Brühe; auf ein Blech legen, mit Alufolie bedecken und im Ofen warm machen.

Artischocken mit Senf-Vinaigrette

Super easy, macht aber Eindruck

Für 4 Verspielte als Vorspeise:

4 große Artischocken
Salz
1 – 2 EL scharfer Senf
4 – 5 EL Weißweinessig oder Zitronensaft
7 – 8 EL Olivenöl oder Sonnenblumenöl
2 Zweige Dill oder 1 Bund Schnittlauch
Pfeffer aus der Mühle

1 Die Artischocken waschen, die Stiele ganz dicht an den Stauden abtrennen. Das obere Drittel der Blattspitzen mit einer Küchenschere oder mit einem (wirklich) scharfen Messer abschneiden.

2 Artischocken in einem Topf nebeneinander stellen, so viel Wasser angießen, daß sie zur Hälfte drin stehen, salzen. Zugedeckt zum Kochen bringen, dann bei mittlerer Hitze je nach Größe 30 – 40 Minuten köcheln. Zwischendurch zum Probieren eines der äußeren Blätter abzupfen – sobald das ganz leicht geht, sind die Artischocken gar.

3 Während die Artischocken kochen, die Vinaigrette zum Dippen anrühren. Dafür den Senf (am besten schmeckt's mit Dijonsenf) mit Weißweinessig oder Zitronensaft verquirlen, das Öl unterschlagen. Mit Salz und Pfeffer abschmecken. Dill oder Schnittlauch waschen, trockenschütteln, ganz fein aufschneiden und in die Marinade rühren.

4 Die Artischocken aus dem Topf nehmen, umgedreht abtropfen lassen, auf Teller legen. Die Vinaigrette in vier kleine Schälchen verteilen. Zum Essen jedes Blatt einzeln aus der Artischocke zupfen, das fleischige Ende in den Dip tauchen und durch die Zähne ziehen. Wenn alle äußeren Blätter abgenagt sind, taucht ein ungenießbarer Teil auf – das Heu. Einfach abschaben und den darunter liegenden Artischockenboden freilegen – der schmeckt nämlich am besten, und für diesen Leckerbissen muß man unbedingt auch noch einen Rest Dip übrig haben.

So viel Zeit muß sein: 45 Minuten
Das schmeckt dazu: frisches Baguette
Kalorien pro Portion: 185

Spargel, weiß und grün

Im Mai ein must!

Für 4 – 6 Hungrige:

1 kg weißer Spargel

1 kg grüner Spargel

Salz, 1 Prise Zucker

1 EL Butter + 100 g Butter zum Zerlassen

1 kg kleine Kartoffeln (festkochende Sorte)

4 EL Aceto balsamico

Pfeffer aus der Mühle

6 EL Olivenöl

1 EL Kapern

Basilikumblättchen

abgeriebene Zitronenschale

1 Weißen Spargel schälen: Dafür braucht man unbedingt einen nicht zu altersschwachen oder stumpfen Sparschäler, sonst macht's wirklich keinen Spaß! Also: Den scharfen Spar- oder Spargelschäler knapp unterhalb eines Spargelkopfes ansetzen und nach unten ziehen – die Stange drehen und rundum bis unten abschälen. Den holzigen (das spürt man beim Schneiden) unteren Teil der Spargelstangen ganz abschneiden. Nicht knausern: Wer zuviel dran läßt, hat beim Essen lästige Fasern zwischen den Zähnen und verdirbt sich den echten Spargelgenuß!

2 Weißen Spargel kochen: Stangen in einen breiten Topf legen, mit Wasser bedecken, salzen, 1 Prise Zucker und 1 EL Butter dazugeben. Zugedeckt zum Kochen bringen, bei mittlerer Hitze 15 – 20 Minuten garen.

3 Grünen Spargel schälen: Stangen waschen, nur im unteren Drittel schälen und die Endstücke abschneiden.

4 Grünen Spargel kochen: Die Stangen in einen breiten Topf legen, mit Wasser bedecken, salzen, aufkochen. Dann bei mittlerer Hitze zugedeckt 8 – 10 Minuten garen.

5 Die Kartoffeln waschen, knapp mit Salzwasser bedeckt weich kochen. Die 100 g Butter zerlassen, heiß und flüssig halten.

6 Den grünen Spargel abtropfen lassen, auf eine Platte legen. Marinade anrühren aus Aceto balsamico, Salz, Pfeffer, Olivenöl. Die warmen Spargelstangen damit begießen, mit Kapern, Basilikumblättchen und abgeriebener Zitronenschale bestreuen.

7 Den weißen Spargel abtropfen lassen, auf eine vorgewärmte Platte legen. Mit Pellkartoffeln und heißer Butter servieren.

So viel Zeit muß sein: $1\,^1/_2$ Stunden
Das schmeckt dazu: trockener Weißwein, z. B. Riesling oder Grauburgunder aus Deutschland
Kalorien pro Portion (6): 345

Basic Tips

Klassische Beilage zum weißen Spargel: gekochte und rohe Schinkenscheiben, Lachs oder Kalbssteak. Toll schmeckt's auch mit dünnen Pfannkuchen und Hollandaise (Rezepte Seite 52 und 98).

Grünen Spargel kann man auch super in der Pfanne braten statt zu kochen. In kleine Stücke schneiden, in wenig Olivenöl oder Butter braten, salzen und frisch aus der Mühle pfeffern. Dann mit wenig Zitronensaft beträufeln, mit Kräutern oder mit frisch gehobeltem Parmesan bestreuen.

Gemüseauflauf
Ein Rezept für 1001 Varianten

Für 4 Gemüsehungrige:

600 g Kürbisfruchtfleisch (geschält gewogen)

600 g Kartoffeln (festkochende Sorte)

1 Bund Frühlingszwiebeln

2 frische rote Chilischoten

2 EL Butter für die Form und zum Belegen

300 ml Milch, 200 g Sahne

1 Ei, 5 EL geriebener Emmentaler

1 TL getrockneter Thymian

frisch geriebene Muskatnuß

Salz, Pfeffer aus der Mühle

1 Geschälten Kürbis in zentimetergroße Würfel oder in dünne Scheibchen schneiden. Kartoffeln schälen, in feine Scheiben hobeln. Frühlingszwiebeln waschen, Welkes und Wurzelbüschel wegschneiden. Längs halbieren, in 3–4 cm lange Stücke schneiden. Chilischoten längs aufschlitzen, Kerne ausspülen, Stiele weg. Schoten in feine Streifen schneiden.

2 Backofen auf 180 Grad vorheizen (erst später einstellen: Umluft 160 Grad). Eine große feuerfeste Form mit Butter ausstreichen. Die Milch mit der Sahne und dem Ei verquirlen, Käse untermischen, mit Thymian, Muskat, Salz und reichlich Pfeffer würzen.

3 Kürbis, Kartoffeln, Frühlingszwiebeln in die Form einschichten, mit Chilistreifen bestreuen. Die Eiermilch angießen, Butterflöckchen auf der Oberfläche verteilen. Im Backofen (Mitte) etwa 1 Stunde überbacken. Nach 40 Minuten mit Alufolie abdecken, damit die Kruste nicht zu dunkelbraun wird (vielleicht auch schon früher: Also ab und zu mal durch die Ofenscheibe schauen!).

So viel Zeit muß sein: Aktiv sein 30 Minuten, Relaxen 1 Stunde
Das schmeckt dazu: knuspriges Baguette
Kalorien pro Portion: 580

Tip
Auflauf machen geht ganz leicht: Einfach alle Lieblingsgemüse in allen Kombinationen mischen. Gemüse putzen, waschen, kleinschneiden. Festere Sorten wie Möhren, Stangensellerie, Blumenkohl, grüne Bohnen vorher einige Minuten in kochendes Salzwasser schmeißen, kalt abschrecken und abtropfen lassen. Dann in eine gebutterte Form schichten, mit gut gewürzter Eiermilch begießen, überbacken. Mit Schinken, Käse, Salami noch würziger.

Überbackener Rosinenlauch
Kaum zu glauben, aber lecker!

Für 4 Hungrige oder für 8 als Vorspeise:

2 dicke Stangen Lauch (500 g)

Salz, 3 EL Rosinen

4 cl trockener Sherry

2 Eier, 200 g Sahne

Pfeffer aus der Mühle

frisch geriebene Muskatnuß

80 g Cashewkerne (oder andere Nüsse)

2 EL Butter, 1 TL Currypulver

1 Bei den Lauchstangen das Wurzelende abschneiden und vom Grün alles, was schlapp und welk aussieht. Reststangen längs aufschlitzen und gut unter fließendem Wasser waschen, auch innen zwischen den Blättern. In 8–10 cm lange Stücke schneiden.

2 In einem Topf 1 l Salzwasser aufkochen, Lauch darin 3 Minuten köcheln lassen, kalt abbrausen und gut abtropfen lassen.

3 Den Backofen auf 200 Grad vorheizen (auch schon jetzt: Umluft 180 Grad), Rosinen im Sherry einweichen und die Eier mit der Sahne verquirlen. Mit Muskat, Salz und Pfeffer würzen.

4 Die Lauchstücke nun in eine feuerfeste Form nebeneinander legen, mit der Eiersahne begießen. In den Backofen (Mitte) schieben und 20 Minuten backen.

5 Cashewkerne grob hacken, in einer Pfanne ohne Fett kurz anrösten, bis sie gut duften. Dann 1 EL Butter dazu, schmelzen lassen und das Currypulver einrühren. Rosinen mit Sherrysud dazugießen, umrühren, einköcheln lassen. Über dem Lauch verteilen, restliche Butter als Flöckchen drüber und nochmal 5 Minuten weiterbacken.

So viel Zeit muß sein: 40 Minuten
Kalorien pro Portion (8): 200

Gefüllte Paprikaschoten

Ein „echter" deutscher Oldie

Für 4 Hungrige:

100 g Reis, Salz

1/2 Bund Petersilie

1 Zwiebel

2 Knoblauchzehen, 2 EL Öl

1 große Dose geschälte Tomaten (800 g)

Pfeffer aus der Mühle

300 g gemischtes Hackfleisch

1 Ei, 1 EL scharfer Senf

1 TL getrockneter Oregano

Cayennepfeffer nach Geschmack

4 gleichmäßig große grüne Paprikaschoten

1 Den Reis mit der doppelten Menge Wasser in einen Topf schütten, salzen, zudecken. Bei mittlerer Hitze ungefähr 10 Minuten köcheln, dann abgießen und gut abtropfen lassen.

2 Petersilie waschen, trockenschütteln und fein hacken, die Zwiebeln und den Knoblauch schälen und hacken.

3 Die Hälfte der gehackten Zwiebeln in einem Topf mit dem Öl andünsten. Die Tomaten aus der Dose mit dem Saft dazu, im Topf kleinschneiden. Salzen, pfeffern, zugedeckt bei schwacher Hitze köcheln lassen, ab und zu umrühren.

4 Das Hackfleisch mit den restlichen Zwiebeln, dem Knoblauch, Petersilie, Ei und Senf verkneten. Den abgekühlten Reis auch untermischen. Kräftig mit Salz, Pfeffer, Oregano, Cayennepfeffer würzen.

5 Die Paprikaschoten waschen, an der Seite mit dem Stielansatz jeweils einen Deckel abschneiden. Die weißen Trennwände rausschneiden, die Kerne rausspülen. Paprikaschoten mit der Hackfleischmischung füllen, den Paprikadeckel wieder aufsetzen.

6 Die gefüllten Schoten in die Tomatensauce stellen, zugedeckt 45 Minuten bei mittlerer Hitze schmoren.

So viel Zeit muß sein: Aktiv sein 30 Minuten, Schmoren lassen 45 Minuten
Kalorien pro Portion: 510

Noch mehr gefüllte Gemüse

Gefüllte Ofentomaten

8 große Tomaten waschen und abtrocknen, oben jeweils einen Deckel wegschneiden. Die Kerne rauslöffeln und nicht verwenden, das Fruchtfleisch bis auf einen schmalen Rand aushöhlen, hacken und in eine Schüssel geben. Hohle Tomaten kopfüber im Sieb abtropfen lassen. 4 mittelgroße Scheiben Weißbrot entrinden und in Würfel schneiden. In 2 EL Olivenöl anrösten, 2 Knoblauchzehen dazupressen. Backofen auf 200 Grad vorheizen (Umluft 180 Grad). 200 g Schafkäse würfeln, mit 2 – 3 EL Crème fraîche mischen, salzen und pfeffern. Mit feingehacktem Thymian oder Petersilie würzen, 1 EL Kapern dazu und zuletzt die angebratenen Brotwürfel. Füllung in die Tomaten verteilen, Deckel drauf und die Tomaten in eine leicht geölte feuerfeste Form setzen. Gehacktes Tomatenfruchtfleisch drumrum verteilen, alles salzen und pfeffern, mit 3 EL Olivenöl beträufeln. Ungefähr 20 Minuten überbacken. Dazu schmeckt grüner Salat.

Gemüse-Wok

Event-Cooking für jede Stimmungslage

Für 4 Hungrige:

10 g getrocknete Mu-Err-Pilze
1 große Stange Lauch
2 große Möhren
1 große rote Paprikaschote
200 g Bambussprossen (aus Dose oder Glas)
2–4 Knoblauchzehen
1 Stück frische Ingwerknolle (daumengroß)
1–3 getrocknete Chilischoten
4–5 EL Sojasauce
2 EL Reiswein
3–4 EL Sonnenblumenöl
150 g frische Sojabohnenkeimlinge
(oder eingelegte aus dem Glas)
Salz, Pfeffer aus der Mühle

1 Das Wichtigste beim Wokken, außer dem Wok an sich: ein richtig großes Brett und ein wirklich scharfes Messer. Sonst macht das ganze Geschnipsel keinen Spaß – und Schnipseln ist hier das A & O. Außerdem praktisch: gleich mal ein paar Schalen, Schüsselchen, Teller rausholen, in die man die vorbereiteten Gemüse und Zutaten verteilen kann.

2 Vorher aber noch schnell die getrockneten Pilze einweichen: In ein Schüsselchen legen und mit kochendem Wasser übergießen.

3 Los geht's: Den Lauch putzen, also das Wurzelende unten knapp abschneiden und oben vom Grün alles wegschneiden, was welk und schlapp aussieht. Dann die Stange längs aufschlitzen und unter fließendem Wasser gut waschen, auch innen zwischen den Blättern. Den Lauch in sehr feine Scheibchen schneiden.

4 Die Möhren schälen, längs in dünne lange Scheiben schneiden, dann in Streichholzstifte. Die Paprikaschote waschen, längs halbieren, die weißen Trennwände wegschneiden, die Kerne rausspülen. Schotenhälften in feine Streifen oder kleine Stückchen auf-

schneiden. Die Bambussprossen abtropfen lassen, in feine Streifen schneiden. Alles Gemüse auf die Schalen, Schüsselchen oder Teller verteilen, jede Sorte für sich.

5 Die eingeweichten Pilze müßten inzwischen weich geworden sein: Die Pilze aus dem braunen Sud holen, den Sud durch eine Kaffeefiltertüte laufen lassen und für später aufheben. Die Pilze nochmal kurz abbrausen, abtropfen lassen, Stiele weg, Pilze kleinschneiden.

6 Knoblauch und Ingwer schälen, fein hacken. Chilischoten im Mörser zerquetschen. Jetzt noch die Sojasauce mit dem Reiswein verrühren, den Wok auf die heiße Herdplatte und alle Zutaten in Reichweite stellen.

7 Öl in den heißen Wok gießen, heiß werden lassen. Knoblauch, Ingwer und Chiliflocken rein, einige Sekunden rühren und braten. Dann eine Handvoll Lauch dazu, rühren, braten. Den Rest vom Lauch in die Pfanne, weiterrühren. Was schon angebraten ist, wird erst mal an den breiten Rand der Wokpfanne geschoben und macht Platz fürs neue rohe Gemüse. Jetzt eine Portion Möhrenstifte in den Wok, braten und weiterrühren. Dann restliche Möhren, Pilze, Paprika, Bambussprossen – die Reihenfolge bestimmt der Koch. Normalerweise fängt er mit den kräftigeren Gemüsesorten an und brät die zarten zum Schluß nur ganz kurz mit – aber im Prinzip ist auch das eine Geschmackssache. Da alles sowieso sehr fein geschnitten ist, braucht's auch kaum länger als 5 Minuten für den ganzen Rühr- und Brat-Akt.

8 Alles mit der Sojasauce-Reiswein-Mischung begießen, ein paar Löffelchen Pilzsud dazu und eventuell einen Schuß Wasser. Salzen und pfeffern, noch 1 Minute schmoren lassen. Ganz zum Schluß Keimlinge dazu und nur heiß werden lassen. Gemüse probieren und raus aus der Pfanne, bevor's zu weich wird. Teller und Gabeln verstecken, Schälchen und Stäbchen auf den Tisch!

So viel Zeit muß sein: 45 Minuten
Das schmeckt dazu: Reis
Kalorien pro Portion: 180

Pilzpfanne mit Currykartoffeln

Die richtige Paste macht den Meister!

Für 4 Hungrige:

750 g kleine Kartoffeln (festkochende Sorte)
Salz
500 g frische Austernpilze (oder auch frische Champignons)
2 – 3 Knoblauchzehen
Pfeffer aus der Mühle
4 EL Olivenöl
2 EL Zitronensaft
3 Stangen Sellerie
1 Bund Frühlingszwiebeln
ein paar milde rote Pfefferschoten, frisch oder eingelegt
1 Bund Petersilie
1 EL Currypaste (fertig gekaufte – gibt's in vielen Varianten, und wer seinen Favoriten mal entdeckt hat, schwört drauf!)

1 Die Kartoffeln waschen und abbürsten, in einen Topf legen und knapp mit Wasser bedecken. Salzen, zugedeckt zum Kochen bringen. Dann Hitze etwas runterdrehen, Kartoffeln in 15 – 20 Minuten weich kochen.

2 Während die Kartoffeln köcheln, in aller Ruhe die Pilze putzen – besser abreiben als waschen, sonst saugen sie sich schnell mit Wasser voll. Die dicken harten Stiele abschneiden. Pilzhüte etwas kleiner schneiden. Knoblauch schälen und fein hacken. Pilze in einer Schüssel mit Knoblauch, Salz, Pfeffer, 2 EL Olivenöl und Zitronensaft marinieren.

3 Die Selleriestangen waschen, oben und unten abschneiden, was nicht mehr knackig und frisch aussieht. Stangen in sehr feine Scheibchen schneiden. Die Frühlingszwiebeln auch putzen und waschen: Wurzelbüschel weg, welke Blätter weg. Dann schräg in sehr feine Ringe schneiden. Frische Pfefferschoten nur waschen, eingelegte abtropfen lassen, große kleiner schneiden.

4 Wenn die Kartoffeln weich sind, abgießen, kurz ausdampfen lassen und noch heiß pellen. Petersilie waschen und trockenschütteln, grob hacken.

5 Eine große Pfanne oder den Wok heiß werden lassen, restliches Öl rein und kurz warten, bis es heiß genug ist. Sellerie und Frühlingszwiebeln reingeben, unter Rühren 1 Minute anbraten. Etwas auf die Seite schieben, dann portionsweise die Pilze mit der Marinade in die Pfanne geben, rühren und rundum gut anbraten. Pfefferschoten einstreuen.

6 Kartoffeln halbieren oder vierteln, gut untermischen. Currypaste einrühren, alles zusammen noch 1 – 2 Minuten braten. Mit Salz und Pfeffer abschmecken, mit Petersilie bestreuen.

So viel Zeit muß sein: 50 Minuten
Kalorien pro Portion: 240

Frühlingsgemüse
Gute-Laune-Gemüse für Gute-Laune-Wetter

Für 4 Frühlingshungrige:
300 g Broccoli, 3 Stangen Sellerie
250 g grüner Spargel
250 g Zuckerschoten
1 Bund Frühlingszwiebeln
500 g kleine Tomaten, Salz
Saft von 1 Zitrone, 2 EL Butter
Pfeffer aus der Mühle
frisch geriebene Muskatnuß
2 EL Aceto balsamico
Blättchen von 1 Bund Basilikum
2 EL frisch geriebener Parmesan

1 Alles Gemüse waschen. Vom Broccoli die kleinen Röschen abschneiden. Die halbwegs zarten Stiele schälen und in Scheibchen schneiden, verholzte Teile wegschneiden.

2 Vom Sellerie wegschneiden, was nicht mehr frisch aussieht, Stangen in Stücke schneiden. Vom Spargel die holzigen Enden wegschneiden, wie den Sellerie kleinschneiden.

3 Von den Zuckerschoten die Enden abschneiden und gleichzeitig den Faden dazwischen abziehen. Wurzelbüschel und welke grüne Teile von den Frühlingszwiebeln abschneiden. Zwiebelköpfe mit 2–3 cm Grün abschneiden, alles restliche Zwiebelgrün in feine Ringe schneiden.

4 Tomaten kurz in kochendes Wasser legen, häuten und achteln.

5 In einem großen Topf 2–3 Liter Salzwasser aufkochen, den Zitronensaft dazugießen. Erst die Spargelstücke in den Topf werfen, dann jeweils 1 Minute später die Selleriestücke, dann die Broccoliröschen und zuletzt die Zuckerschoten. Alles zusammen nochmal 2 Minuten heftig kochen lassen. Das Gemüse ins Sieb abgießen, die Brühe dabei in einer Schüssel auffangen. Gemüse kalt abbrausen und gut abtropfen lassen.

6 Eine große Pfanne auf den Herd, Butter darin schmelzen lassen, weiße Frühlingszwiebelchen und Broccolistiele darin 2–3 Minuten dünsten. Dann das abgetropfte Gemüse dazu, einige Löffel Brühe angießen, Tomatenstücke unterrühren.

7 Noch etwa 10 Minuten bei mittlerer Hitze weiterdünsten, mit Salz, Pfeffer, frisch geriebener Muskatnuß und Aceto balsamico würzen. Grüne Zwiebelringe, Basilikumblättchen und Parmesan aufstreuen.

So viel Zeit muß sein: 50 Minuten
Kalorien pro Portion: 155

Ratatouille
Sommer, Sonne, Ratatouille ...

Für 4 Sonnenhungrige:
1 kg reife Tomaten
2 Auberginen (500 g), 500 g Zucchini
1 rote, 1 grüne, 1 gelbe Paprikaschote
2 frische oder eingelegte Chilischoten
250 g Zwiebeln, 3–4 Knoblauchzehen
100 ml Olivenöl, 1 Zweig Rosmarin
Salz, Pfeffer aus der Mühle

1 Tomaten kurz in kochendes Wasser legen. Kalt abbrausen, die Schale anstechen und abziehen. Tomaten halbieren, die Kerne herausschaben. Tomaten grob hacken.

2 Auberginen waschen, in 1 cm dicke Scheiben, dann in Würfel schneiden. In ein Sieb legen, salzen und ziehen lassen. Zucchini waschen, kleine Zucchini in Scheiben schneiden, bei größeren die Scheiben nochmal halbieren. Paprikaschoten waschen, halbieren, putzen, in Stücke schneiden.

3 Chilischoten aufschlitzen, Stiele und Kerne entfernen, Schoten kleinschneiden. Zwiebeln schälen, halbieren, in Scheibchen schneiden. Knoblauch schälen und hacken. Auberginenwürfel im Sieb abspülen und mit einem Küchentuch abtrocknen.

4 Im großen Topf 3 – 4 EL Öl heiß werden lassen. Zwiebeln und Knoblauch bei mittlerer Hitze glasig dünsten. Dann nacheinander in kleinen Portionen die Gemüsesorten reingeben und anbraten: zuerst die Paprikastücke, dann Auberginen, Zucchini, Chilischoten. Dazwischen immer Öl nachgießen.

5 Alles kräftig salzen und pfeffern, zum Schluß die gehackten Tomaten rein. Rosmarin dazu, Deckel drauf, 45 Minuten bei mittlerer Hitze schmoren lassen. Vorm Essen nochmal mit Salz und Pfeffer abschmecken.

So viel Zeit muß sein: 1 1/2 Stunden
Das schmeckt dazu: knuspriges Baguette
Kalorien pro Portion: 250

Sellerieschnitzel

Auch ohne Schinken lecker

Für 4 Hungrige im Herbst:

1 große Sellerieknolle (800 g)

Saft von 1 Zitrone

4 Scheiben gekochter Schinken

4 Scheiben mittelalter Gouda

Salz, Pfeffer aus der Mühle

2 EL Mehl, 1 Ei

8 EL Semmelbrösel

2 – 3 EL Butterschmalz

1 Die Sellerieknolle schälen und waschen. In 8 gleich dicke Scheiben schneiden (Endstücke kleinschneiden).

2 1 l Wasser in einem Topf aufkochen, Zitronensaft ins Wasser gießen. Selleriescheiben darin 5 Minuten kräftig köcheln lassen, kalt abschrecken, abtropfen lassen, mit Küchenpapier trocknen.

3 Die Hälfte der Selleriescheiben mit je 1 Scheibe Schinken und Käse belegen (wenn die Scheiben zu groß sind, einfach zusammenklappen). Die übrigen 4 Selleriescheiben draufsetzen. Salzen und pfeffern, leicht mit Mehl bestäuben. Das Ei in einem tiefen Teller verquirlen, die Brösel in einen zweiten Teller streuen. Sellerieschnitzel durchs Ei ziehen, dann in den Bröseln wenden und die Panade leicht andrücken.

4 Das Butterschmalz in einer großen Pfanne erhitzen, die panierten Sellerieschnitzel bei mittlerer Hitze von beiden Seiten in jeweils 5 Minuten knusprig braten. Die kleingeschnittenen Sellerieeste einfach mitbraten.

So viel Zeit muß sein: 45 Minuten
Das schmeckt dazu: Salat, Tomatensauce, Senf-Joghurt-Sauce mit Kapern, Currysauce ...
Kalorien pro Portion: 400

Wirsing-Rouladen

Krautwickel all' italiana

Für 4 Wintermüde:

8 schöne Wirsingblätter, Salz

2 Zwiebeln, 1 Knoblauchzehe

3 EL Olivenöl

400 g Schweinemett

50 g frisch geriebener Parmesan

4 eingelegte Sardellenfilets

10 schwarze oder grüne Oliven ohne Stein

Pfeffer aus der Mühle

1 große Dose geschälte Tomaten (800 g)

2 EL Tomatenmark

2 EL Aceto balsamico

1 Die Wirsingblätter in 1 l Salzwasser ungefähr 8 Minuten sprudelnd kochen. Vorsichtig abgießen (damit sie nicht einreißen), kalt abbrausen und abtropfen lassen.

2 Zwiebeln und Knoblauch schälen, fein hacken. 1 EL Öl in einer Pfanne heiß werden lassen, Zwiebeln und Knoblauch bei mittlerer Hitze andünsten. Abkühlen lassen. Mit dem Mett und dem Parmesan mischen.

3 Sardellen und Oliven fein hacken, gut unterkneten, restliches Öl dazu, pfeffern und nur leicht salzen. Tomaten mit Saft in einen Topf schütten, kleinschneiden und erhitzen, Tomatenmark einrühren. Offen einköcheln lassen, mit Salz, Pfeffer und Aceto balsamico abschmecken.

4 Die Wirsingblätter flach hinlegen. Die Füllung in 8 längliche Portionen teilen, auf die Blätter legen, seitliche Ränder einschlagen, aufrollen. In die Tomatensauce setzen, zugedeckt 30 Minuten bei schwacher Hitze schmoren.

So viel Zeit muß sein: 1 Stunde
Das schmeckt dazu: knuspriges Weißbrot
Kalorien pro Portion: 450

Glacierte Möhren
Einfach fein

Für 4 als Beilage:
600 g Möhren, Salz
50 g Butter, 1 TL Zucker
2–3 Stengel Petersilie oder einige Blätter Basilikum oder Minze oder Schnittlauch

1 Die Möhren schälen, das Grün abschneiden. Möhren längs halbieren oder vierteln, wenn sie sehr dick sind. Dann nochmal quer in etwa 3 cm lange Stücke schneiden.

2 In eine Pfanne legen, knapp mit Wasser bedecken und leicht salzen. 5–10 Minuten bei mittlerer Hitze köcheln. Die Möhren sollen auf jeden Fall noch bißfest sein. Jetzt die Flüssigkeit aus der Pfanne vorsichtig abgießen bis auf einen kleinen Rest von 1–2 EL.

3 Die Butter in Stückchen unter die Möhren mischen, Zucker drüberstreuen. Bei schwacher Hitze noch 5 Minuten dünsten und die Möhren dabei oft wenden, damit sie eine schöne Glasur bekommen. Mit frisch gehackten Kräutern bestreuen.

So viel Zeit muß sein: 25 Minuten
Das schmeckt dazu: Fleisch, Geflügel, Fisch
Kalorien pro Portion: 130

Sahne-Kohlrabi
Schön altmodisch

Für 4 als Beilage:
2 Kohlrabi (600 g)
2 EL Butter
1 EL Mehl
3/8 l Gemüsebrühe
150 g Sahne
Salz, Pfeffer aus der Mühle
frisch geriebene Muskatnuß

1 Die Kohlrabiblätter mit den Stielen von der Knolle abschneiden, die zarten Blätter waschen und in feine Streifen schneiden. Knollen rundum schälen, in 1 cm dicke Scheiben und dann in Stifte schneiden.

2 In einem breiten Topf die Butter schmelzen, das Mehl unterrühren und bei mittlerer Hitze nur hellgelb werden lassen, nicht zu dunkel anrösten. Brühe und Sahne angießen, alles kräftig verrühren, salzen und pfeffern. Kohlrabistifte dazu, 15 Minuten bei schwacher Hitze zugedeckt köcheln lassen, bis der Kohlrabi gar und die Sauce schön sämig ist. Mit Salz, Pfeffer und Muskat abschmecken, die fein geschnittenen Blätter aufstreuen.

So viel Zeit muß sein: 30 Minuten
Das schmeckt dazu: Kartoffelpüree
Kalorien pro Portion: 130

Gebratene Zucchini
Mediterrane Anfänger-Übung

Für 4 als Beilage oder Vorspeise:
500 g Zucchini
2 Knoblauchzehen
3 EL Olivenöl
Salz, Pfeffer aus der Mühle
1 EL Zitronensaft
1 EL Aceto balsamico

1 Zucchini waschen, in Scheiben schneiden, größere nochmal halbieren oder alle Scheiben in Stifte schneiden.

2 Knoblauch schälen und fein hacken. Das Olivenöl in einer Pfanne heiß werden lassen. Zucchini reingeben, anbraten. Dann Knoblauch dazu, Zucchini wenden, 5 Minuten weiterbraten. Mit Salz und Pfeffer, Zitronensaft und Aceto balsamico abschmecken.

So viel Zeit muß sein: 20 Minuten
Das schmeckt dazu: Gegrilltes, Lamm
Kalorien pro Portion: 70

Tip:
Lecker auch mit 1 TL Pesto, fertig aus dem Glas und einfach zum Schluß untergemischt.

Sesam-Spinat
Verwandlung eines Kindertraumas

Für 4 als Beilage:

1 kg Blattspinat, 3 EL Sesamsamen

3 EL Olivenöl

Salz, Pfeffer aus der Mühle

2 EL Zitronensaft

1 Den Spinat ins Spülbecken werfen und viel Wasser einlaufen lassen. Dicke Wurzeln abknipsen, die Blätter richtig gut waschen, ins Sieb geben. Nochmal frisches Wasser einlaufen lassen, Spinat nochmal waschen.

2 Einen richtig großen Topf auf die heiße Herdplatte stellen, Spinat tropfnaß reinwerfen, Deckel zu. Nach wenigen Minuten sind die Blätter zusammengefallen, und jetzt weiß man auch, warum man Berge davon heimgeschleppt hat: Es bleibt nicht allzuviel übrig.

3 Spinat etwas abkühlen lassen, ausdrücken, grob hacken. Den Topf wieder auf die heiße Herdplatte stellen. Sesamsamen darin kurz anrösten, dann das Öl angießen. Spinat wieder gut unterrühren, dann mit Salz, Pfeffer, Zitronensaft abschmecken.

So viel Zeit muß sein: 35 Minuten
Das schmeckt dazu: Fleisch, Geflügel
Kalorien pro Portion: 105

Linsen mit Schalotten
Mal nicht aus der Dose

Für 4 als Beilage oder Vorspeise:

200 g Linsen, 1 Lorbeerblatt

4 – 5 Schalotten (oder kleine Zwiebeln)

5 EL Olivenöl, 1/8 l Weißwein

3 EL Weißweinessig, 1 TL scharfer Senf

Salz, Pfeffer aus der Mühle

1 Prise Zucker, 2 EL Schnittlauchröllchen

1 Linsen mit Lorbeer in einem Topf mit kaltem Wasser bedecken und zugedeckt bei mittlerer Hitze weich kochen (dauert je nach Alter und Sorte zwischen 40 und 60 Minuten).

2 Schalotten schälen, in feine Scheiben schneiden. In 2 EL Öl bei schwacher Hitze glasig dünsten. Wein angießen, zur Hälfte einköcheln lassen. Vom Herd nehmen.

3 Die gekochten, aber noch bißfesten Linsen abtropfen lassen. Warme Linsen mit Schalotten gut mischen. Essig mit restlichem Öl und Senf verrühren, untermischen. Mit Salz, Pfeffer, Zucker kräftig abschmecken. Schnittlauch aufstreuen.

So viel Zeit muß sein: 15 Minuten plus Kochen
Das schmeckt dazu: Entenbrust, Geflügel
Kalorien pro Portion: 260

Zuckerschoten mit Zitronenbutter
Schnell & gut

Für 4 als Beilage:

500 g Zuckerschoten

2 EL Butter

abgeriebene Schale von 1 unbehandelten Zitrone und 1 – 2 EL Saft

Salz, Pfeffer aus der Mühle

1 Prise Zucker

1 Die Zuckerschoten waschen, abtropfen lassen, die spitzen Enden knapp abschneiden und dabei den Faden abziehen, falls einer dran ist.

2 In einer Pfanne die Butter zerlassen, die Hälfte der Zitronenschale einrühren. Die Zuckerschoten reingeben, in der Zitronenbutter schwenken und wenden, 8 – 10 Minuten dünsten, sie sollen noch schön knackig zu beißen sein. Mit Salz, Pfeffer, Zitronensaft und 1 Prise Zucker abschmecken. Mit der übrigen Zitronenschale bestreuen.

So viel Zeit muß sein: 20 Minuten
Das schmeckt dazu: Fisch, Kalbfleisch
Kalorien pro Portion: 100

Süßes

Sind Sie ein echtes Zuckerstückchen oder nicht?

Sind Sie ein echtes Zuckerstückchen oder nicht?
Machen Sie den Test!

1. Sie werden von einem ziemlich netten Menschen zum Essen ausgeführt. Was trinken Sie?
a frischgepreßten Orangensaft
b warme Bananenmilch
c immer nur das Beste

2. Der nette Mensch bekocht Sie zum ersten Mal. Als er den Nachtisch holt, fällt Ihnen ein, daß Sie noch verabredet sind. Was tun Sie?
a bleiben, natürlich
b gehen, was sonst
c kommt auf den Nachtisch an

3. Erstes Frühstück beim netten Menschen. Was macht Sie jetzt glücklich?
a frische Croissants mit hausgemachter Zitronenmarmelade
b Müsli mit Joghurt und Früchten
c Nutella löffelweise

Auflösung Seite 151

Fünf süße Fünf-Minuten-Saucen

fixe Fruchtsauce

Dosenfrüchte wie Pfirsiche, Aprikosen oder Ananas mit ein bißchen Saft pürieren und mit Zitronensaft und/oder Likör abschmecken (geht auch mit frischen Beeren und Puderzucker). Schmeckt zu allem, zu dem Früchte passen.

fixe Kirschsauce

1 1 großes Glas Kirschen in ein Sieb gießen und den Saft auffangen.
2 4 EL Saft mit je 2 EL Vanillepuddingpulver und Zucker verrühren, übrigen Saft aufkochen, die Pulvermischung neben dem Herd einrühren und nochmal aufkochen.
3 Kirschen rein und abkühlen lassen. Schmeckt zu Mehlspeisen, Eis, Creme.

fixe Vanillesauce

1 1 Päckchen Vanillepuddingpulver für $^1/_2$ Liter mit 1 Liter Milch wie auf der Packung beschrieben verkochen.
2 Mit Kakao drin wird daraus Schokoladensauce. Vanillesauce schmeckt zu Mehlspeisen, Fruchtdesserts, Schokolade, Kuchen.

fixe Schokoladensauce

1 $^1/_2$ Becher Sahne (100 g) erhitzen und darin 1 Tafel Lieblingsschokolade schmelzen.
2 Nach Lust und Laune noch mit Weinbrand, Obstbrand, Likör, Rum oder löslichem Kaffeepulver abschmecken. Schmeckt zu Cremes, schoko-tauglichen Früchten und leichten Mehlspeisen

fixe Mascarponesauce

1 1 Orange auspressen und den Saft mit 250 g Mascarpone, 1 EL Honig und einem Schuß Mandellikör verrühren. Schmeckt zu Fruchtsalat, Schokoladeneis, Waffeln, Pfannkuchen

In

Erdbeeren im Frühling, Melone im Sommer, Trauben im Herbst, Papaya im Winter • mehr als drei Apfelsorten kennen • mal Honig oder Sirup statt Zucker • Süßes mit Kokosmilch • alte Klassiker • Variationen zu einem Thema, z. B. Schokolade • Sahne mit dem Schneebesen steif schlagen • Für immer und ewig: Pudding, Eis und Schokolade

Out

Erdbeeren zu Weihnachten, Trauben an Ostern, Orangen in der Sommerzeit, Rhabarber im Herbst • "Äpfel sind doch alle gleich" • nur Zucker statt Geschmack • Optik um jeden Preis • Dessertteller, auf denen nichts zusammenpaßt • ein Nachtisch, der alleine schon satt macht • nie und nimmer: gar kein Nachtisch

Wie süß bin ich?

Auflösung des Tests auf Seite 149
1a: 1 Punkt, 1b: 3 Punkte, 1c: 2 Punkte
2a: 3 Punkte, 2b: 0 Punkte, 2c: 1 Punkt
3a: 2 Punkte, 3b: 0 Punkte, 3c: 3 Punkte

7-9 Punkte: kleines Süßchen

Für Sie muß Nachtisch kuscheln, also weich und am besten noch warm sein, damit Sie faul und glücklich in der Ecke liegen können. Mehr braucht es nicht, weder vorher noch nachher. Das tut schon gut – aber auf die Dauer kuschelt sich's anders besser.

Ihre Süßspeisen: Crème Caramel, Schokoladenpudding, Kaiserschmarren, Bratapfel, Arme Ritter und Mamas Grießbrei: $^1/_2$ l Milch aufkochen, 60 g Grieß einrieseln und unter Rühren 5 Minuten kochen lassen; 1 Eiweiß mit 1 Prise Salz und 1 EL Zucker steif schlagen; 1 Eigelb schnell unter den fertigen Grießbrei schlagen, Eischnee unterheben.

4-6 Punkte: verwöhntes Süßmaul

Einfach nur süß ist Ihnen zu simpel. Sie schätzen mehr die raffinierte Überraschung zum Dessert. Gibt's die nicht, werden Sie schon mal abschätzig. Das spornt an – und frustriert. Daher bitten wir um etwas Milde; auch Puddingkochen kann nett sein.

Ihre Süßspeisen: Panna cotta, Orangencreme, Crêpes Suzette, Zitronentarte, Mousse au chocolat und Caffè alla pappa: 1 Kugel Vanilleeis ins Glas, 1 Tasse starken heißen Espresso mit 1 Schuß Brandy darüber, gehackte Kaffeebohnen obendrauf und sofort servieren – so simpel kann Raffiniertes sein.

1-3 Punkte: Früchtchen

Was Süßes finden Sie ganz nett – wenn es gesund, munter und wenig Mühe macht. Deswegen beißen Sie lieber in den sauren Apfel, als ewig in den Ofen zu glotzen. Ihre Spritzigkeit reißt mit. Aber müssen Sie immer gleich nach dem Essen aufspringen?

Ihre Süßspeisen: Rote Grütze pur, Obstsalat (zur Not auch gratiniert), Orangencreme, Zitronentarte (wenn Sie sie nicht machen müssen) und Apfelquark: 250 g Magerquark mit 5 EL Bio-Apfelmus, 1 EL Honig und 1 Prise Zimt verrühren, dazu ein paar italienische Mandelkekse – geht fix, macht frisch und beruhigt zugleich.

Unsere liebste Frucht

Der Apfel

engl. apple; franz. pomme; ital. mela

Das ist er

• die liebste Frucht Europas und der Welt die drittliebste (hinter Zitrusfrüchten und Bananen)
• das ganze Jahr zu haben bis hinunter aus Neuseeland
• am besten aus eigenen Gärten von Juli (Sommersorten wie Klaräpfel) über September (Herbstsorten wie Cox, Elstar) bis in den April (eingelagerte Wintersorten wie Granny, Delicious)
• vieltausendfältig in Sorten und Namen: z. B. Renette von Montfort, Minister von Hammerstein, Kardinal Graf Galen, Uhlhorns Augustklavill, Doktor Seelings Orangenpepping, Stina Lohmann, Josef Musch

Das hat er

• 50 Kalorien je 100 g
• 2 g Kohlenhydrate
• kaum Eiweiß und Fett
• reichlich Ballaststoffe und Pektin
• je nach Sorte ordentlich Vitamin C (Boskoop etwa)

Das bringt er

• regt die Verdauung an
• macht frisch und fit
• alle Tage Äpfel essen – und den Arzt kann man vergessen

Das mag er

• Butter, Quark, Sahne
• Anis, Vanille, Zimt, Zucker
• Mandeln, Nüsse, Rosinen, Zitrone
• Curry, Meerrettich, Pfeffer, Salz

Das will er

• nicht angestoßen werden, gibt schnell Flecken
• nicht im Kühlschrank liegen
• keine Kartoffeln oder Zitrusfrüchte neben sich, die lassen ihn schneller reifen
• am liebsten mit Schale gegessen werden
• geschält schnell verarbeitet werden, sonst wird er braun
• sanftes, kurzes Garen

Panna cotta
Sündhaft gut!

Mit Sahne pur (und ganz ohne Milch) wird's noch 'ne fettere Sünde.

Für 8 als süßer Höhepunkt:

400 g Sahne

600 ml Milch (oder 1 l Sahne pur)

100 g Zucker + 4 EL fürs Beerenkompott

2 Vanilleschoten

8 Blatt weiße Gelatine

400 g gemischte Beeren (Johannisbeeren, Erdbeeren, Himbeeren, Brombeeren – was grade frisch und günstig ist)

1 Die Sahne und die Milch in einen Topf gießen, 100 g Zucker unterrühren. Die Vanilleschoten mit einem scharfen Messerchen längs aufschlitzen, das Vanillemark (für die schwarzen Pünktchen in der Creme) mit der Messerspitze rauskratzen und in die Sahnemilch rühren. Die ausgekratzten Vanilleschoten auch dazugeben.

2 Alles bei schwacher Hitze zum Köcheln bringen, 15 Minuten sachte köcheln lassen. Die Gelatineblätter in einen Suppenteller legen und mit kaltem Wasser begießen, damit sie aufweichen.

3 Den Topf vom Herd nehmen, Vanilleschoten rausfischen und die Sahnemilch etwas abkühlen lassen. Dann die Gelatineblätter mit der Hand etwas ausdrücken und nacheinander unter die Milch rühren, bis sie sich aufgelöst haben.

4 Die Creme in 8 kalt ausgespülte Förmchen (Metallförmchen oder Souffléförmchen aus Porzellan) von je etwa 150 ml Inhalt gießen. Im Kühlschrank über Nacht kalt stellen und fest werden lassen.

5 Die Beeren abbrausen, abtropfen lassen, Stiele, Blätter und welke Stellen entfernen, Erdbeeren kleinschneiden. Beeren in einem Topf mit 4 EL Zucker erwärmen, aber nur leicht zerkochen lassen. (Schmeckt warm oder kalt.)

6 Panna cotta aus den Förmchen auf Teller stürzen (dafür mit einem heiß abgespülten Messer ringsum die Creme vom Förmchen lösen oder das Förmchen kurz in heißes Wasser halten oder auch beides). Mit dem Beerenkompott garnieren.

So viel Zeit muß sein: 45 Minuten, plus Abkühlzeit
Das schmeckt dazu, davor oder danach: Espresso
Kalorien pro Portion: 290

Crème caramel
Jeder liebt sie

Für 6 zum süßen Finale:

8 EL Zucker

$^1/_2$ l Milch

1 Prise Salz

1 Vanilleschote

4 Eier

1 Zuerst wird der Karamelsirup gekocht: In einem Töpfchen 4 EL Zucker zerfließen bei schwacher Hitze und ganz leicht bräunen lassen, 2 EL Wasser einrühren, dann schnell runter vom Herd.

2 Den Sirup auf 6 kleine feuerfeste Förmchen (125 – 150 ml Creme sollten jeweils reinpassen) verteilen, die Förmchen schwenken, damit sich der Guß gleichmäßig auf dem Boden verteilt.

3 Den Backofen vorheizen auf 180 Grad (erst später einstellen: Umluft 160 Grad). Das tiefe Blech vom Backofen (Fettpfanne) mit Wasser füllen und unten einschieben.

4 Die Milch mit der Prise Salz und dem restlichen Zucker in einen Topf geben und langsam erhitzen. Vanilleschote längs aufschlitzen, das Mark rauskratzen und mit der Schote in die Milch geben. Kurz aufkochen, Topf dann schnell vom Herd nehmen.

5 Die Eier in einer Schüssel verquirlen. Vanilleschote aus der Milch fischen, einige Löffel der heißen Vanillemilch mit den Eiern verrühren. Dann nach und nach die übrige Milch auch einlaufen lassen, mit dem Schneebesen kräftig unterrühren.

6 Eiermilch in die vorbereiteten Förmchen mit dem Karamelboden gießen. Ins Wasserbad (in der Fettpfanne) stellen, ungefähr 20 Minuten garen, bis die Masse fest wird. Dann Förmchen rausnehmen, erstmal kurz abkühlen lassen und dann im Kühlschrank noch richtig gut durchkühlen lassen (am besten über Nacht).

7 Zum Servieren die Förmchen mit der Unterseite kurz in heißes Wasser tauchen, die Creme außerdem mit einem heiß abgespülten Messer rundum vom Rand lösen und auf Teller stürzen.

So viel Zeit muß sein: Aktiv sein 30 Minuten, Relaxen 20 Minuten (plus Abkühlzeit)
Das schmeckt dazu: Espresso
Kalorien pro Portion: 190

Variante

Die gleiche Eiermilchcreme kann man auch mit einer knusprigen Karamel-Kruste zubereiten.
Wie oben beschrieben aus $^1/_2$ l Sahne (oder Milch), 4 EL Zucker und den verquirlten Eiern die Flanmasse anrühren. In Förmchen (ohne Karamel) füllen, im heißen Wasserbad garen. Abkühlen lassen. Vorm Essen die Förmchen in ein eiskaltes Wasserbad stellen (Fettpfanne vom Backofen mit kaltem Wasser und Eiswürfeln füllen). Jede Portion mit 1 EL Zucker bestreuen und unterm Backofengrill oder im sehr heißen Backofen schnell überkrusten. Nochmal abkühlen lassen (Lippenbrandgefahr) und erst dann servieren.

Schokoladen-pudding

Schmeckt wie früher

Heißt im strengen Küchendeutsch eigentlich Flammeri, aber wir wollen lieber Pudding essen.

Für 4 Puddingesser:

100 g Schokolade (halbbitter)

2 Eigelbe

4 EL Zucker

$^{1}/_{2}$ l Milch

40 g Speisestärke

1 Vanilleschote

1 Die Schokolade in kleine Stücke brechen oder grob raspeln. Eigelbe und Zucker in eine Schüssel geben, mit dem Schneebesen oder den Quirlen vom Handrührgerät einige Minuten lang schön cremig aufschlagen.

2 $^{1}/_{8}$ l Milch abnehmen und mit der Speisestärke verrühren, die übrige Milch in einen Topf gießen. Die Schokolade reingeben, Vanilleschote längs aufschlitzen, das Mark rausschaben und mit der Schote in den Milchtopf geben. Bei mittlerer Hitze alles unter Rühren aufkochen.

3 Angerührte Speisestärke angießen, unter Rühren bei mittlerer Hitze dicklich einköcheln. Vanilleschote rausnehmen, dann Herd ausschalten. Eigelb-Zucker-Creme untermischen, aber nicht mehr aufkochen!

4 Topf vom Herd nehmen, noch ein bißchen weiterrühren und leicht abkühlen lassen.

5 Jetzt nur noch 4 Förmchen oder 1 größere Form (1 l Inhalt) kalt ausspülen, Pudding einfüllen, im Kühlschrank gut durchkühlen lassen (mindestens 1–2 Stunden).

6 Zum Servieren Förmchen unten in heißes Wasser tauchen, den Rand vom Pudding mit einem heiß abgespülten Messer lösen, auf Teller stürzen.

So viel Zeit muß sein: 50 Minuten, plus Abkühlzeit
Das schmeckt dazu: Vanillesauce oder halbsteif geschlagene süße Sahne
Kalorien pro Portion: 340

Wer den Pudding etwas lockerer will, kann vor dem Einfüllen in die Förmchen noch 1 steifgeschlagenes Eiweiß unterheben. Allerdings läßt sich der Pudding dann nicht mehr so gut stürzen.

Basic Tip

Vanillesauce

Ein echter Basic aus Milch, Zucker, Vanille, Speisestärke und Eiern. $^{1}/_{2}$ l Milch in einem Topf verrühren mit 1 TL Speisestärke, 1 Päckchen Vanillezucker und dem ausgekratzten Mark von 1 Vanilleschote. In einer Tasse 2 Eigelbe (oder 1 ganzes Ei) mit 3 EL Zucker verquirlen, in die Milch rühren. Dann erst erhitzen und unter viel Rühren fast, aber wirklich nur fast, zum Kochen bringen. Schmeckt warm oder kalt – und ganz und gar nicht nur zu Schokoladenpudding.

Rote Grütze
Macht auch Coole schwach

Für 8 zum Reinsetzen:

500 g Johannisbeeren (natürlich rote)

125 g Sauerkirschen

125 g Himbeeren (oder 250 g von einer Sorte)

250 g Erdbeeren

200 ml + 1/8 l roter Beerensaft (Johannisbeer- oder Sauerkirsch)

3 EL Zucker, 1 Zimtstange

30 g Speisestärke

1 Johannisbeeren waschen, die Beerchen abstreifen. Kirschen waschen und die Kerne rauslösen (auch dafür gibt's ein Spezialgerät, aber auch das kann man mit einem kleinen scharfen Messerchen bewältigen). Die Himbeeren besser nicht waschen, sondern nur die auslesen, die nicht mehr frisch und schön sind. Erdbeeren waschen, Stiele rauszupfen, große Erdbeeren halbieren oder vierteln.

2 Die 200 ml Saft mit 2 EL Zucker in einem großen Topf mischen, Zimtstange reingeben, aufkochen. Dann Johannisbeeren und Kirschen dazu, 2–3 Minuten köcheln lassen.

3 Mit dem übrigen 1/8 l Saft die Speisestärke glattrühren, in den großen Topf gießen und unter Rühren kochen lassen, bis die Mischung im Topf dicklich wird. Erst jetzt die Erdbeeren und die Himbeeren untermischen, alles nochmal mit Zucker abschmecken. Vom Herd nehmen und abkühlen lassen, Zimtstange rausnehmen. Im Kühlschrank richtig gut kalt werden lassen.

So viel Zeit muß sein: 45 Minuten, plus Abkühlzeit
Das schmeckt dazu: Vanillesauce (Rezept Seite 154) oder Vanilleeis
Kalorien pro Portion: 95

Gratinierter Obstsalat
Reste-Zauber

Für 4–6 als Nachtisch:

1–1,5 kg Obst (die Reste aus dem Obstkorb oder alles, was einen am Obststand anlacht – möglichst bunt gemischt, aber ohne Zitrusfrüchte)

4 EL Zitronensaft

2 Eier, 2 EL Zucker

1 Päckchen Vanillezucker

1/2 TL abgeriebene Zitronenschale

2 EL Mandel- oder Orangenlikör (z. B. Amaretto, Cointreau)

1 Obst je nach Sorte schälen oder waschen, in kleine Stücke schnipseln. Mit Zitronensaft beträufeln. Backofen auf 200 Grad vorheizen (auch Umluft jetzt schon: 180 Grad).

2 Die Eier in Eigelb und Eiweiß trennen. Die Eigelbe mit dem Zucker, dem Vanillezucker, Zitronenschale und Likör glattrühren. Eiweiße mit den Quirlen vom Handrührgerät steif schlagen. Mit der Eigelbcreme verrühren.

3 Den Obstsalat in eine feuerfeste Form füllen, mit dem Eierschaum bestreichen und im Backofen (Mitte) 10 Minuten überbacken.

So viel Zeit muß sein: 45 Minuten
Das schmeckt dazu: Löffelbiskuits
Kalorien pro Portion: 390

Orangencreme
Schmeckt nach mehr

Für 6 – 8:

2 Saftorangen mit unbehandelter Schale

1 unbehandelte Zitrone

6 Blatt weiße Gelatine

3 Eigelbe, 100 g Zucker

300 g Joghurt, 200 g Sahne

eventuell weiße Schokolade und abgeriebene Orangenschale zum Garnieren

1 Die Orangen und die Zitrone heiß abwaschen und die Schale fein abreiben. Dann die Früchte halbieren und auspressen.

2 Die Gelatineblätter in kaltem Wasser weich werden lassen. Fürs Wasserbad einen breiten Topf zur Hälfte mit Wasser füllen und erhitzen, aber nicht kochen. Jetzt braucht man nur noch eine hohe Rührschüssel aus Metall, die in den Topf hineinpaßt (oder einfach einen kleineren Topf). Eigelbe mit dem Zucker in die Schüssel geben, mit den Quirlen vom Handrührgerät glattrühren.

3 Die Schüssel nun in den Topf mit dem heißen Wasser setzen, abgeriebene Schale und Saft von Orangen und Zitrone dazu und im Wasserbad weiterrühren, bis die Masse schaumig, leicht und luftig ist. Schnell runter vom Herd.

4 Die Gelatineblätter leicht ausdrücken, nacheinander in die Creme rühren und auflösen. Kurz abkühlen lassen, dann Joghurt untermischen. 5 – 10 Minuten kalt stellen.

5 Die Sahne mit den (sauberen) Quirlen steif schlagen, locker unterziehen. Die Creme nun in 6 oder 8 kleine Förmchen oder in eine große Form füllen und im Kühlschrank richtig kalt und fest werden lassen. Wer möchte, garniert mit geraspelter weißer Schokolade und abgeriebener Orangenschale.

So viel Zeit muß sein: 45 Minuten, plus Kühlzeit
Das schmeckt dazu: Löffelbiskuits, Kekse
Kalorien pro Portion (8): 440

Bratäpfel
Aus Omas Kochbuch

Für 4 oder auch für 8 – je nach Appetit:

2 EL Rosinen

$^1/_8$ l Apfelwein oder Apfelsaft

8 kleine feste säuerliche Äpfel (z. B. Boskoop)

2 EL Zitronensaft, 2 EL Butter

50 g Mandelblättchen

1 – 2 EL Honig, $^1/_4$ TL Zimtpulver

1 – 2 TL abgeriebene unbehandelte Zitronenschale

1 Die Rosinen im Apfelwein oder Saft einweichen. Backofen vorheizen auf 180 Grad (auch schon jetzt: Umluft 160 Grad).

2 Die Äpfel gut waschen, trockenreiben. Die Kerngehäuse mit einem Messer vorsichtig, aber großzügig rausschneiden, ohne die Äpfel zu zerlegen. Die Höhlungen mit Zitronensaft beträufeln.

3 Eine feuerfeste Form mit 1 TL Butter ausstreichen. Die Rosinen abtropfen lassen, den Apfelwein oder Saft in die Form gießen. Mandelblättchen grob hacken, mit der restlichen Butter, Rosinen und Honig verrühren, mit Zimtpulver und abgeriebener Zitronenschale würzen.

4 Die ausgehöhlten Äpfel in die Form setzen, mit der Mischung füllen. Knapp 20 Minuten im Ofen braten (Mitte).

So viel Zeit muß sein: 45 Minuten
Das schmeckt dazu: Vanilleeis oder Vanillesauce (Rezept Seite 154)
Kalorien pro Portion (8): 120

Kaiserschmarrn mit Mascarpone
Statt Diät

Für 3 – 4 als königlicher Nachtisch:

4 Eier

1 Prise Salz

50 g Zucker

1 EL abgeriebene unbehandelte Zitronenschale

4 EL Milch

100 g Mehl

250 g Mascarpone (ersatzweise Doppelrahm-Frischkäse + 2 EL Sahne)

2 EL Butter

Puderzucker zum Bestäuben

1 Zwei der Eier in Eigelb und Eiweiß trennen. Die 2 Eigelbe in eine Rührschüssel geben, die beiden übrigen Eier aufschlagen und dazugeben. Mit 1 Prise Salz, dem Zucker und der Zitronenschale verquirlen.

2 Nacheinander Milch, Mehl und Mascarpone unterrühren. Die 2 Eiweiße mit den Quirlen vom Handrührgerät zu steifem Schnee schlagen. Nur ganz locker unter die Masse ziehen, es soll keine gleichmäßige Creme werden, sondern ein Teig mit deutlich erkennbaren Eiweißzipfeln.

3 In einer großen Pfanne (keine beschichtete) bei mittlerer Hitze die Butter zerlassen. Den Teig 2 – 3 cm dick einfüllen und glattstreichen. Die untere Seite anbacken, dann mit 2 Gabeln kreuz und quer durch den Teig pflügen und ihn in kleine Stücke zerrupfen.

4 Die Gabeln wieder weglegen und die Teigstückchen nun bei stärkerer Hitze mit dem Pfannenwender noch so lange umschichten und wenden, bis alle rundum knusprig gebacken sind. Mit Puderzucker bestäuben – frisch essen!

So viel Zeit muß sein: 35 Minuten
Das schmeckt dazu: Apfelmus (gibt's fertig im Glas – oder einfach geschälte Apfelstücke knapp mit Zitronensaft und Wasser bedeckt weich kochen, mit Zucker und Zimt würzen), Beerenkompott (siehe Panna cotta Seite 152) oder Früchtekompott jeglicher Art
Kalorien pro Portion (4): 555

Blueberry Muffins
Schwer im Kommen

Für 12 Stück:

1 Muffinblech und 12 Papier-Backförmchen oder 24 Papier-Backförmchen

250 g Mehl

3 TL Backpulver

1 Glas Heidelbeeren (200 g, oder frische Heidelbeeren oder tiefgekühlte)

1 großes Ei

150 g Zucker

1 Päckchen Vanillezucker

8 EL Sonnenblumenöl

150 g Buttermilch (geht auch mit Milch, Joghurt oder saurer Sahne)

1 Die 12 Papier-Backförmchen in die Vertiefungen des Muffinblechs setzen. Wer kein Muffinblech hat, setzt jeweils 2 Förmchen ineinander und stellt sie auf ein Backblech. Den Backofen schon mal auf 180 Grad vorheizen (auch schon jetzt: Umluft 160 Grad).

2 Das Mehl mit dem Backpulver mischen. Die Heidelbeeren in ein Sieb schütten und gut abtropfen lassen (den Saft trinken oder aufheben – den braucht man fürs Rezept nicht).

3 Das Ei in einer Rührschüssel verquirlen. Dann Zucker, Vanillezucker, Öl und Buttermilch untermischen, alles gut verrühren. Mehl nach und nach untermischen, dann die abgetropften Heidelbeeren dazu.

4 Den Teig in die 12 Vertiefungen füllen, im Backofen (Mitte) 20 – 25 Minuten backen. Herd ausschalten, Muffins noch kurz ruhen lassen. Dann aus den Förmchen lösen, warm oder abgekühlt essen.

So viel Zeit muß sein: Aktiv sein 20 Minuten, Relaxen 20 – 25 Minuten
Das schmeckt dazu: Vanillesauce (Rezept Seite 154)
Kalorien pro Stück: 210

Crêpes Suzette
Hauchdünne Pfannkuchen-Edelversion

Für 4 Frankophile:

50 g Butter für den Teig + 1 TL für die Orangensauce
2 Eier
150 ml Milch
1 Prise Salz
1 EL Zucker
100 g Mehl
4 Orangen (wenigstens 1 mit unbehandelter Schale)
1 EL Vanillezucker
2 EL Orangenlikör (Grand Marnier, Cointreau)
50 g Butterschmalz
Puderzucker

1 Butter für den Teig in einem Töpfchen schmelzen lassen, wieder vom Herd nehmen. Eier mit der Milch verquirlen, mit Salz und Zucker würzen. Mehl löffelweise dazugeben und alles zu einem glatten Teig ohne Klümpchen rühren.

2 $^1/_2$ Orange auspressen, den Saft unter die flüssige Butter rühren. Unter den Teig mischen, 30 Minuten im Kühlschrank abkühlen lassen.

3 Zweite Orangenhälfte und 1 weitere Orange auch noch auspressen. Die unbehandelte Orange heiß waschen und abtrocknen, die Schale abreiben. Die 2 Orangen rundum dick abschälen, bis man aufs Fruchtfleisch stößt. Dann die einzelnen Filets mit einem scharfen Messer zwischen den Häutchen rausschneiden. Den Saft, der dabei abtropft, zum anderen Saft geben.

4 Jetzt geht's an die Orangensauce: In einer Pfanne den TL Butter schmelzen. Vanillezucker einrühren, bei mittlerer Hitze ganz leicht anbräunen, dann Saft und Likör angießen, in 3 – 5 Minuten sirupartig einkochen. Orangenfilets reinlegen. Bei schwacher Hitze warm halten.

5 Eine beschichtete Pfanne mit Butterschmalz ausstreichen und erhitzen. Eine kleine Schöpfkelle voll Teig reingeben, Pfanne wenden und drehen, damit er sich gleichmäßig verteilt. Bei mittlerer Hitze $^1/_2$ – 1 Minute anbacken, dann wenden und in $^1/_2$ – 1 Minute fertigbacken. Crêpe zusammenfalten, in die Orangensauce legen.

6 Alle Crêpes backen, falten und in die Sauce legen (Pfanne immer wieder mal mit etwas Butterschmalz ausstreichen). Mit Puderzucker bestäuben und gleich essen.

So viel Zeit muß sein: 1 $^1/_4$ Stunden
Das schmeckt dazu: für ganz Süße 1 Kugel Vanilleeis
Kalorien pro Portion: 470

Arme-Ritter-Auflauf
Macht schwer was her

Für 3 – 4 zum Sattessen,
für 6 – 8 zum Dessert:
6 EL Butter, 50 g Rosinen
6 trockene Brötchen (vom Vortag, oder Weißbrot oder Brioches)
6 EL Zucker
4 mittelgroße feste säuerliche Äpfel (z. B. Boskoop)
1 unbehandelte Zitrone
1/2 l Milch
3 Eier, 1 Prise Salz
1 Päckchen Vanillezucker
1/2 TL Zimtpulver, 2 EL Pinienkerne

1 Den Backofen auf 200 Grad vorheizen (erst später einstellen: Umluft 180 Grad). Eine große Auflaufform mit 1 EL Butter einfetten. Rosinen waschen und abtrocknen.

2 Die Brötchen in dünne Scheiben schneiden. 3 EL Butter mit 2 EL Zucker unter Rühren schmelzen. Brotscheiben damit bestreichen, auf dem Backblech im Ofen 6 Minuten backen. Äpfel vierteln, schälen und die Kerngehäuse rausschneiden. Die Äpfel in Spalten schneiden. Brot- und Apfelscheiben dachziegelartig in die Auflaufform einschichten.

3 Die Zitrone heiß waschen, abtrocknen, die Schale fein abreiben. Die Milch mit der Zitronenschale, den Eiern, dem Salz, dem Vanillezucker und dem übrigen normalen Zucker mit dem Schneebesen kräftig verquirlen.

4 Über Äpfel und Brot gießen, mit Rosinen und Zimt bestreuen. Im Backofen (Mitte) 30 Minuten überbacken. Dann die Pinienkerne aufstreuen, restliche Butter in Flöckchen auf der Oberfläche verteilen und alles noch 10 – 15 Minuten weiterbacken.

So viel Zeit muß sein: Aktiv sein 30 Minuten, Relaxen 40 – 45 Minuten
Kalorien pro Portion (8): 265

Zitronentarte
Mediterraner Basic

Macht Lust auf mehr ... Schinharl-Rezepte!

Für 8 – 10 Genießer:

Für den Teig:

200 g Mehl

60 g Zucker

100 g kalte Butter

$^{1}/_{2}$ unbehandelte Zitrone

1 TL gemahlene Vanille

1 Eigelb

Für die Füllung:

2 $^{1}/_{2}$ unbehandelte Zitronen

4 Eier

1 Eigelb

200 g Zucker

125 g Sahne

1 EL Puderzucker

Außerdem getrocknete Bohnen oder Erbsen und Pergamentpapier zum Vorbacken

1 Das Mehl mit dem Zucker in eine Schüssel füllen. Die Butter in kleine Stücke schneiden. Die Zitronenschale fein abreiben, mit der Butter, Vanille und Eigelb zum Mehl geben.

2 Die Hände kalt abwaschen, damit der Teig kühl bleibt, dann alles nur so lange verkneten, bis keine Butterstückchen mehr im Teig zu sehen sind. Den Teig rund ausrollen – das geht sehr gut zwischen zwei Schichten Klarsichtfolie –, eine Tarteform von 30 cm Durchmesser damit auslegen und den Teig in der Form 1 Stunde kühl stellen.

3 Dann den Backofen schon mal auf 180 Grad einstellen (auch die Umluft schon jetzt: 160 Grad).

4 Den Teigboden in der Form mit einem Stück Papier belegen und mit Erbsen oder Bohnen beschweren. Den Teig im Ofen (Mitte) etwa 10 Minuten vorbacken.

5 Für die Füllung die Zitronen waschen und die Schale abreiben. Die Zitronen auspressen. Die Eier, das Eigelb und den Zucker mit den Quirlen vom Handrührgerät sehr schaumig schlagen. Zitronenschale und -saft zur Eiercreme geben. Die Sahne steif schlagen und unterziehen.

6 Bohnen oder Erbsen und Papier vom vorgebackenen Teig nehmen. Zitronencreme auf den Teig gießen und alles bei 150 Grad (Umluft jetzt nur noch 130 Grad) 50 Minuten backen, bis die Creme fest ist.

7 Tarte ganz auskühlen lassen. Vor dem Servieren den Backofengrill einschalten. Die Tarte mit dem Puderzucker bestäuben und unter den heißen Grillschlangen bräunen. Vorsicht, das kann weniger als 1 Minute dauern!

So viel Zeit muß sein: Aktiv sein 35 Minuten, Relaxen 1 $^{3}/_{4}$ Stunden
Das schmeckt dazu: Espresso
Kalorien pro Portion (10): 340

Mousse au chocolat
Dauerbrenner

Für 4 Unverdrossene:

250 g Halbbitter-Kuvertüre

50 g Butter

5 ganz frische Eier

Salz

2 EL Zucker

1 Schon wieder ein Rezept mit Wasserbad: Also einen größeren Topf zur Hälfte mit Wasser füllen und erhitzen. Eine passende Metallschüssel hineinstellen. Die Kuvertüre fein hacken und in die Schüssel geben. Langsam überm warmen Wasser flüssig werden lassen – aber immer bei mittlerer Hitze, damit die Schokolade nicht gerinnt. Ab und zu umrühren.

2 Die Butter in einem Töpfchen schmelzen, dann lauwarm abkühlen lassen – aber so, daß sie noch flüssig bleibt. Unter die flüssige Schokolade rühren, runter vom Herd. Den Topf mit dem heißen Wasser aber gleich stehenlassen für die Eiercreme.

3 Die Eier trennen. Eiweiße mit 1 Prise Salz steif schlagen (Quirle vom Handrührgerät). Die Eigelbe mit dem Zucker in eine Rührschüssel geben, zuerst in einen Topf mit zur Abwechslung mal eiskaltem (!) Wasser setzen und mit dem Schneebesen schaumig schlagen. Dann überwechseln zum warmen Wasserbad, die Masse dort dick-cremig aufschlagen.

4 Grande Finale: Eierschaum mit der Schokomasse verrühren. Dann vom Eischnee erst mal nur ein Drittel unterrühren. Den Rest vom Eischnee nur ganz locker unterheben, nicht richtig mischen, damit's schön luftig bleibt. Die Mousse abfüllen und sehr gut kühlen (mindestens 3 Stunden im Kühlschrank).

So viel Zeit muß sein: 30 – 40 Minuten (je nach Übung und Wasserbad-Erfahrung), plus Kühlzeit
Kalorien pro Portion: 535

Das No-Basics-Lexikon

Schon gemerkt, daß wir bisher wenig von Blanchieren oder Pochieren geschrieben haben? Wir wollten halt so schreiben, daß es jeder versteht.

Cool ist das nicht, weil es meistens deutsch ist. Aber wir fanden es ziemlich entspannend, mal ohne das übliche Wortgeklingel übers Essen zu schreiben. Das war wie kühles Wasser trinken nach lauen Nächten voller Chardonnay, Long Island Tea und Latte macchiato und trotzdem kein Essay darüber verfassen. Sondern einfach ein Kochbuch. Nur warum heißt das dann ausgerechnet „Basic cooking"? Ach Gott, muß denn immer alles eindeutig sein ... Und anscheinend haben Sie uns auch so ganz gut verstanden, oder würden Sie es sonst bis zur letzten Seite geschafft haben? Auf der finden Sie jetzt unser Lexikon für alle Fälle, die nicht in „Basic cooking" vorkommen: fürs Lesen und Verstehen von anderen Kochbüchern; für das, was nach dem Kochen beim Essen und Trinken geschieht; und für den Smalltalk dazu (siehe dort).

Ablöschen
Nach dem Anbraten Flüssigkeit in Topf oder Pfanne gießen, damit das Angebratene loskocht und zu Sauce wird. Beeindruckend: gerade, wenn die Gäste in die Küche schauen, einen lässigen Schuß besten Rotwein in die Pfanne zischen lassen. Blöd: vor lauter Aufregung die Flasche hinterherschmeißen.

Alkohol
Kann ein Gericht oder eine ganze Party verfeinern – oder versauen. Gegen letzteres hilft, an der Menge statt an der Qualität zu sparen.

Anschwitzen
Etwas anbraten, ohne daß es braun wird; meistens Zwiebeln oder Knoblauch.

Aperitif
Sanftes Einstiegsgetränk, macht locker und weckt Erwartungen. Prosecco, Sekt, Champagner etc. sind gut, aber auch der Weißwein, den es zum Essen gibt, Bier oder nicht zu süße Säfte. Harte Schnäpse sind nicht gut. Klassischer Versprecher: „Und jetzt noch einen schönen Aperitif nach dem Essen."

Backen
Ein Thema für sich und selten die Stärke von leidenschaftlichen Köchen. Deswegen in diesem Buch kaum vertreten (kommt aber noch).

Benehmen
Schadet nie, wenn man es richtig einzusetzen weiß. Immer gut: bitte, danke, Entschuldigung (in Maßen). Nicht so gut: bei spontanen Gelagen die höfische Etikette pflegen (stört nur). Nie gut: laut und feucht reden, niesen, rülpsen und noch mehr.

Besteck
Meist hilfreich. Messer (rechts) und Gabel (links) gehören zur Grundausstattung, Löffel bei Bedarf rechts vom Messer. Bei größeren Geschichten mit mehreren Gängen wird immer von außen nach innen gegessen. Erfreulich ist ein keck über dem Teller plazierter kleiner Löffel (Stiel nach rechts), weil er Süßes verspricht. Im Kommen: Stäbchen (werden parallel rechts neben das Porzellan oder von rechts kommend quer davor gelegt). Siehe auch Hände.

Blanchieren
Etwas kurz in stark kochendes Wasser geben, damit es vorgegart ist. Manchmal wird es danach in Eiswasser abgeschreckt, um die Farbe „einzufrieren".

Cappuccino
Espresso mit heißer Milch und viel Schaum. Kakaopulver drüber und Minikekse dazu müssen nicht sein. Auch lecker mit Schlagsahne, dann aber mit Schelte von Italo-Fans rechnen. Empfohlener Konter: „Noch nie was von Cappuccino Viennese gehört?" Ebenfalls in der Kritik: Cappuccino am Nachmittag, weil ihn der Italiener nur morgens trinkt. Empfohlener Konter: „Bist doch selber schuld, wenn du so früh aufstehst."

Diät
Wir haben die Sieben-Tage-Basic-Diät: Iß eine Woche lang, was Du magst, aber nie zweimal dasselbe.

Farce
Sehr fein zerkleinerte Masse aus Fleisch, Fisch oder Gemüse zum Füllen.

Fond
Kräftige Flüssigkeit, die vor allem aus Knochen, Gräten oder Gemüse gekocht wird. Gute Basis für Saucen und Suppen. Kann man auch kaufen.

Glacieren
1. Braten (z. B. Schweinsbraten) immer wieder mit Bratsatz beschöpfen, damit er eine glänzende Kruste bekommt;
2. Gemüse mit Fett, Flüssigkeit und etwas Zucker dünsten, so daß es von glänzendem Sirup überzogen wird.

Gläser
Es stimmt wirklich: auch das Glas macht den Geschmack eines Getränks (Wer's nicht glaubt, soll mal Kaffee aus dünnen und dicken Tassen trinken.) Dabei gilt: je feiner das Getränk, desto feiner die Unterschiede. Also Champagner lieber aus der länglichen Flöte nippen als aus dem weiten Sektpokal schlürfen. Prosecco dagegen ist sogar in Weißweingläsern salonfähig. Noch wichtig: Gläser rechts vom Teller, Wassergläser nicht

vergessen, Weingläser höchstens halbvoll machen.

Gratinieren
Heißt überbacken. Ein Gratin ist daher eher etwas Überbackenes als ein Auflauf.

Hände und Finger
Ideale Werkzeuge zum Kneten, Salatmischen (nicht bei Tisch), Abschmecken (auch nur, wenn keiner hinschaut) und Gäste begrüßen (vorher waschen). Mit den Händen essen macht einiges leichter (Sandwich, Hähnchenschenkel) und vieles sinnlicher (Spargel, Muscheln, Erdbeeren). Sinnvoll: eine Hand immer sauber halten.

Köcheln
Eine Flüssigkeit köchelt, wenn sie gerade so am Siedepunkt ist und kleine Bläschen aufsteigen. Bewegt sich die Oberfläche nur leicht, spricht man von Wallen oder Sieden.

Marinieren
Etwas in würziger Flüssigkeit oder Creme einlegen, z. B. Salat oder Grillfleisch. Siehe auch ziehen lassen.

Menü
Macht was her und läßt Gäste sich wertvoller fühlen. Schon ein Salat zuvor oder der Pudding danach macht aus einem Essen ein Menü. Erste Regel: Nicht übertreiben. Kein Sechs-Gang-Menü, wenn Freunde nur schnell mal vor dem Kino was essen wollten. Und auch nicht zwischen jedem Gang eine halbe Stunde laut fluchend in der Küche stehen, so daß am Tisch jedes Gespräch erstirbt. Zweite Regel: Abwechslung! Sahnesuppe, Sahneschnitzel und Sahnecreme sind nicht abwechslungsreich.

Mutters Küche
Geniales bis fatales Stichwort für die Tischkonversation: „Hinreißend dieser Schweinsbraten, so einen guten hab' ich zuletzt bei meiner Mutter gegessen." Genial, wenn die Köchin/ der Koch kein Altersproblem hat und die übrigen Gäste sofort eigene Erinnerungen herauskramen. Fatal, wenn der regelmäßig schweinsbratenkochende Partner am Tisch sitzt.

Parfüm
Die Zunge kann nur den Grundgeschmack des Essens erkennen, die Feinarbeit erledigt die Nase. Wenn man sich am Tisch einig ist, daß heute abend alles irgendwie nach Moschus/Veilchen/Kölnisch Wasser schmeckt, hat wohl jemand zu viel Duft aufgelegt. Noch schlimmer: Duftkerzen und -lampen. Siehe auch Rauchen.

Pochieren
Etwas in bewegt siedendem Wasser sanft garen. Siehe auch Köcheln.

Rauchen
Schwierig, schwierig. Aber eigentlich ganz klar: Rauchen und Schmecken verträgt sich nicht. Deswegen sollte beim Essen nur geraucht werden, wenn allen am Tisch die Zigarette oder was auch immer wichtig ist. Ansonsten: Wenn es in Ordnung geht, vor oder nach dem Essen rauchen. Oder in Pausen von größeren Gelagen das zugewiesene Raucherplätzchen aufsuchen.

Schlürfen
Weinkenner und Espressotrinker wissen, daß Schlürfen gute Tropfen noch besser macht, weil so das Aroma aufgepumpt wird. Und der genußvoll am Suppentellerrand vorgetragene Schlürf kann im privaten Kreis eine Ode an die Kochkunst sein. Trotzdem: ein herzliches Kompliment ist im Zweifel eher verständlich.

Servietten
Sind selbst bei der Mitternachtswurstbrotsession nützlich, wenn es nicht gerade kunstvoll gefaltete Damastschwäne sind, die jede Spontanität absterben und einen überlegen lassen, wie lange die einer schon in den Fingern gehabt hat.

Smalltalk
Auf deutsch Schmalgeschwätz. Als Aperitif für einen gelungenen Abend durchaus zu empfehlen, als Haupttischgespräch eher ernüchternd. Gute Themen: Wetter, Fernsehen, Sport, Unterhaltung, Essen, Trinken. Schlechte Themen: Naturkatastrophen, die Bibel, Krankheiten, Politik, Verdauung, Saufgeschichten. Siehe auch Mutters Küche.

Tranchieren
Einen Braten oder gebratenes Geflügel in Portionen teilen. Wirkt am Tisch imposant, wenn man es kann. Wenn nicht, sind Essen, Tafel, Garderobe, Gäste und der ganze Abend akut gefährdet.

Tratsch
„Mein Gott, war der Abend schrecklich. Sobald einer weg war, sind alle über ihn hergezogen." „Und warum bist Du dann als letztes gegangen?" „Na, damit mir das nicht auch passiert." Ein bißchen Tratsch gibt einem Essen Pfeffer. Zuviel davon macht es aber ungenießbar. Siehe auch Smalltalk.

Ziehen lassen
1. garziehen lassen: z. B. Tafelspitz in leicht wallender Flüssigkeit garen
2. durchziehen lassen: z. B. Nudelsalat stehenlassen, bis er alles Aroma aufgesogen hat
3. Gäste ziehen lassen: „Und morgen früh geht es für zwei Monate nach Australien. Haben wir eigentlich schon gepackt, Schatz?"

Register von A – Z

Hot & spicy

Low budget

Quick & easy

Vegetarisch

Impressum

GRÄFE UND UNZER Verlag
Leserservice
Postfach 86 03 13
81630 München
E-Mail:
leserservice@graefe-und-unzer.de

Telefon: 00800 / 72 37 33 33*
Telefax: 00800 / 50 12 05 44*
Mo–Do: 9.00 – 17.00 Uhr
Fr: 9.00 – 16.00 Uhr
(gebührenfrei in D, A, CH)*

GRÄFE UND UNZER VERLAG
Der erste Ratgeberverlag – seit 1722.

GRÄFE UND UNZER

Ein Unternehmen der
GANSKE VERLAGSGRUPPE

Die Autoren:

Sebastian Dickhaut und Sabine Sälzer beschlossen 1998, endlich das Kochbuch zu machen, das ihnen selbst noch fehlte. Zusammen mit ihrem Basic-Team tüftelten sie das Konzept fürs Buch und die Reihe aus: Mit Birgit Rademacker und Katharina Lisson (Redaktion), Thomas Jankovic und Sybille Engels (Gestaltung), den Fotografen Axel Walter und Barbara Bonisolli, Susanne Mühldorfer (Herstellung) – und mit Cornelia Schinharl (Lektorat), die zwischenzeitlich bei fast allen Basics die Rezepte beisteuert.

Die Fotografen und die Models:

Barbara Bonisolli
... gehört zu der jungen Generation der Foodfotografen. Neben gutem Essen gilt ihr Interesse allen schönen Dingen rund um Tisch und Küche. Das ansprechende Ambiente für ihre Fotos gestaltet Barbara Bonisolli deshalb selbst. Zu Ihrem Kundenkreis gehören Zeitschriften und Kochbuchverlage, daneben arbeitet sie für Werbung und Industrie. Das Foodstyling für die Rezeptbilder dieses Buches machte **Hans Gerlach**, gelernter Koch und Architekt, Mitinhaber der Agentur „food & text".
Alexander Walter
... ist Fotograf und ein begnadeter Kochkünstler, wenn es darum geht, die Kreativrezepte von Werbe-, PR- und Verlagsleuten in tolle Bilder umzusetzen. Seine Lieblingsthemen sind People, Reportage und Stillife, doch im Grunde ist er offen für alles – „sonst wird's ja langweilig". Für „Basic cooking" hat er die hinreißenden Models hinreißend in Szene gesetzt.
Gabie Ismaier schwärmt für arme Ritter, ist im bürgerlichen Leben Buchherstellerin und weiß jetzt endlich, wie man perfekte Sushi macht.
Markus Röleke (alias „THE FACE"), Spezialist im Pflanzerl-Auftürmen und Pfannkuchen-Werfen, ist hauptberuflich Geograph und mit der Kartographie in Reiseführern beschäftigt.
Janna Sälzer, die Frau mit dem Krokodil, praktiziert gerade in der Welt des Filmemachens und tanzt auf mehr als vielen Hochzeiten – am liebsten klassisches Ballett und Modernen Tanz.
Kai Schröter, der Bolognese-König, ist Musiker, Sänger, Komponist und mischt im Tonstudio mit.

Dankeschön an:

Christa Schmedes, unseren Engel bei der Fotoproduktion. Sie schnippelte und kochte und backte, instruierte die Models im Pfannkuchen-Werfen und Ingwerschneiden und half überall, wo es etwas zu tun gab.
Erdmute Albat und Klaus Neumann, die uns ihre schöne Wohnung zur Verfügung stellten.
Alle Kolleginnen aus der Kochbuchredaktion für seelisch-moralische und tatkräftige Unterstützung.
Ulla Thomsen fürs Korrekturlesen.
Die Firma **Siemens**, die uns den traumhaften Herd geliehen hat und den An- und Abtransport desselben in den vierten Stock ohne Lift gemanagt hat.
Die Firmen **Monopol**, **Rösle**, **WMF** und **Zassenhaus**, die uns einige der fantastischen 14 zur Verfügung stellten.

Bildnachweis:

Barbara Bonisolli: Rezeptfotos, Stepfotos, Garmethoden, „schnelle 17" und „fantastische 14", Fisch S. 102
Alexander Walter: alle People-Fotos; Stillife-Aufmacher S. 7

StockFood:
Walter Pfisterer: Nudel S. 38 u. S. 40/Picture Box: Zwiebel S. 66 u. S. 116/Maximilian Stock: Tomate auf U 4, S. 132 u. S. 135; Ei S. 10, S. 84 u. S. 86; Fisch S. 100; Apfel S. 151/Gerhard Bumann: Möhre S. 135/ S. & P. Eising: Sahne S. 148
Michael Boyny: S. 168 oben

Syndication:
www.jalag-syndication.de

Redaktion: Katharina Lisson
Lektorat: Cornelia Schinharl
Gestaltung und Layout: Sybille Engels und Thomas Jankovic
Herstellung: Susanne Mühldorfer
Satz: Filmsatz Schröter
Repro: Longo AG, Bozen
Druck & Bindung: Printer Trento s.r.l., Trento

ISBN 978-3-7742-1142-1

29. Auflage 2019

www.facebook.com/gu.verlag

Basic baking

Alles, was man braucht, um einfach gut zu backen

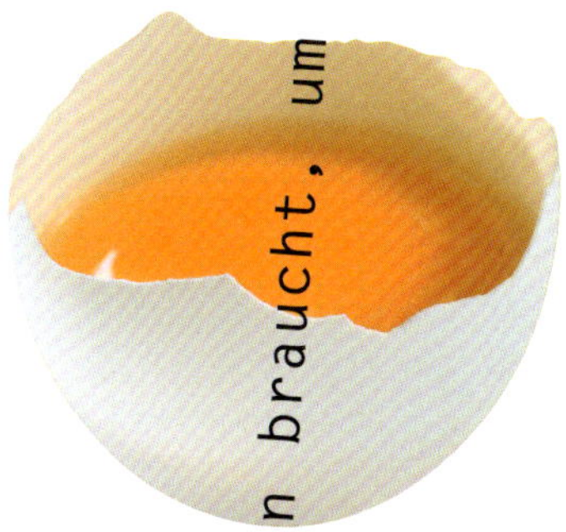

Cornelia Schinharl   Sebastian Dickhaut

Basic baking

Inhalt

Einfach Kuchen

Und noch ein bißchen mehr.

Josephine findet, ein richtig guter Schokoladenkuchen ist was fürs Leben. Oder wenigstens was für ein lebenswertes Wochenende. Axel kann backen wie ein Gott, aber nur Zitronenmuffins. Der Rest ist die Hölle. Saskia hat einen Ofen, der drei Jahre älter ist als sie, und macht einen Streuselkuchen, der dreimal besser ist als der ihrer Mutter. Nadine kann backen, was sie will, es wird immer anders als sie will.

Phil sagt, daß die Erschaffung seiner Espresso-Mascarpone-Torte ein Ritual ist und Kochen dagegen nur banal ist. »Männerquatsch«, sagt Gitte, »wer backen kann, kann halt nicht kochen.« Gabie, Janna und Markus können kochen, seit sie Basic cooking kennen. Jetzt wollen sie aber endlich mal was backen.

Bleibt noch Dagmar. Die liebt Kuchen und haßt Backen.

Dieses Buch ist für Josephine, Axel, Saskia, Nadine, Phil, Gitte, Gabie, Janna und Markus. Und für die Freunde von Basic cooking, die ab jetzt auch Apfelkuchen, Traubenfladen, Schwarzwälder Kirschtorte, Tarte tatin, Chocolate Chip Cookies, Focaccia mit Rosmarin oder Dampfnudeln machen wollen. Dafür haben wir uns (mal wieder) angestellt wie die ersten Menschen und so nacheinander das Feuer, den Buchdruck und die Sachertorte erfunden. Und dieses Backbuch gebastelt mit über 100 Na-endlich-ja-na-so-was-Rezepten gegen Kuchenkoller und Tortentortur.

Aber ist das jetzt auch ein Buch für Dagmar? Es ist vor allem ein Buch für Dagmar. Und für alle, die ab heute bei ihr zum Kaffee eingeladen sind.

basic

Know How

»Sieben Sachen und was sie im Kuchen machen«

»Kannst Du uns nicht mal schnell einen Marmorkuchen machen?« Leider nein. Kochen kann schnell gehen, backen aber nicht. Dafür ist es simpler: Hab' ich Butter, Zucker, Eier, Mehl, hab' ich schon den halben Kuchen. Sind noch Ricotta, Zimt und Luft dabei, wird es ein richtig feiner Kuchen. Marzipan, Sahne, Liebesperle? Hurra, es ist eine Torte!

»Rühr mich!
Schlag mich!
Mach mich fertig!
Und dann mach mich schön.«

Klingt ja gefährlich. Aber so anstrengend ist Backen gar nicht. Es ist nur so, daß Bäcker ein bißchen genauer als Köche wissen müssen, wann Butter gerührt und wann Eier geschlagen werden müssen. Denn wenn der Teig erst einmal in Form und Ofen ist, geht nichts mehr. Was ja auch schön ist, weil wir uns dann hinsetzen dürfen. Was wirklich weder gefährlich noch anstrengend ist.

Sieben Sachen und noch mehr

Mehl

ursprünglich: »Gemahlenes«
engl. flour; franz. farine; ital. farina

Backen heißt Mehl haben. Weil Mehl Gebäck den nötigen Halt gibt. Schon beim Teigmachen können sich die anderen Zutaten an ihm gut festklammern. Und später kümmert es sich im Ofen darum, daß alles zusammenbleibt. Dabei benimmt es sich wie der Mörtel in der Mauer: Erst feucht fängt es an zu wirken. Ist's wieder trocken, sitzt alles perfekt.

Das klappt deswegen so prima, weil Mehl klumpt. Oder schlauer gesagt: weil die Stärke in ihm alles Feuchte von Ei bis Quark an sich bindet. Aber auch wenn es nur mit Wasser zusammen kommt, wird daraus im Ofen kein hartes Brett. Denn Mehl hat noch ein Eiweiß der besonderen Sorte in sich. Das läßt es beim Kneten quellen und klebrig werden, so daß es ein stabiles Netz im Teig bildet, in dessen Maschen lauter kleine Bläschen hängen. Und dann passiert's: Im Ofen kommt das Wasser im Teig zum Kochen, sein Dampf bläst die Bläschen auf, das Mehlnetz wird zugleich fester – und am Ende ist da ein korrektes Stück Gebackenes.

Am besten klappt das mit Weizenmehl, weil es genug vom klebenden Eiweiß hat. In Basic baking ist mit »Mehl« immer Weizenmehl gemeint. Das ist hell, wenn es ohne Keim und Schale gemahlen wurde. Sind die dabei, ist es dunkler und heißt Vollkornmehl. Auch damit läßt sich fast jedes Rezept in diesem Buch machen, wenn ein bißchen mehr Flüssigkeit dabei ist. Speisestärke ist Stärke pur, die aus Mais oder Kartoffeln geholt wird. Gemeinsam mit Weizenmehl macht sie Kuchen feiner, alleine bindet sie Cremes zum Füllen. Grieß (Weizen grob gemahlen), Semmelbrösel oder gemahlene Mandeln und Nüsse können zum Teil als Mehlersatz einspringen.

Zucker

ursprünglich: »Kieselsteine«
engl. sugar; franz. sucre; ital. zucchero

Zucker macht aus Brot Kuchen und ist ein Mehl-Verwandter zweiten Grades. Deswegen kann er bei manchen Aufträgen kurz dessen Rolle übernehmen. Eiern etwa gibt er beim Aufschlagen gerade soviel Substanz, daß sie trotzdem noch genug in Schwung und Schaum kommen können. Anders als beim Mehl bindet nichts beim Zucker. Zugleich ist er aber noch gieriger nach Feuchtem. Wegen diesem Überdurst müssen zuckrig-feuchte Teige schnell in den Ofen, sonst laufen sie aus. »Feiner Zucker« ist der vielseitigste, grober Zucker taugt für extra langes Schlagen. Weil der gemahlene Puderzucker sich ruckzuck auflöst, eignet er sich besser für Glasuren als für Teige.

Zucker ist aber vor allem eins: süß. Und das findet jeder tief in seinem Inneren gut. Sogar frisch Geborene wählen auf Anhieb die süßere Nahrung, obwohl sie weder liebe Tanten noch lila Kühe kennen. Offenbar vermittelt schon der Mutterkuchen die fürs Überleben wichtigen Ur-Signale: Süßes macht fit (weil's gleich ins Blut geht), schlau (weil's dem Gehirn Nahrung gibt), stark (weil's die Muskeln gleich mitfüttert) und somit glücklich (weil man sich versorgt fühlt). Doch die Zeiten sind undeutlich, weswegen Ur-Signale heute nur noch selten klar verstanden werden. Ein klares Mißverständnis ist, daß Sesselhocken bei Kaffee und Kuchen alleine fit, stark und glücklich macht. Alleine macht nix glücklich. Also bunt leben und essen, dann gibt's auch Kuchen mit gutem Gewissen. Und Zähneputzen nicht vergessen. Womit nun genug ist mit der ernährungspolitischen Korrektheit.

Aber was ist mit braunem Zucker? Ist der besser? Im besten Falle ist es Zucker, dem die letzte Waschung auf dem Weg von der Rübe in die Tüte erspart geblieben ist. Er schmeckt nach Malz und Karamel, vor allem wenn er aus Zuckerrohr ist. Und Süßstoff? Gibt Diabetikern die Möglichkeit, Kuchen zu essen. Wer aber damit abnehmen will, sollte besser gar keinen Kuchen essen.

Butter

ursprünglich »Kuhquark«
engl. butter; franz. beurre; ital. burro

Butter macht den Teig fein. Dabei kommt es auf die Verbindungen an, die sie schafft. Wird sie lange und cremig gerührt, teilt sie sich in viele, viele kleine Fettbläschen, die das Mehl-Netz im Teig ganz feinmaschig werden lassen. Daraus bäckt ein zarter Rührkuchen. Gelangt die Butter in groben Stücken in den Teig, bleibt's Mehl eher für sich. So entsteht knuspriger Mürbeteigboden. Beiden gemeinsam ist dieser schöne satte Buttergeschmack, der sich im Ofen erst richtig entwickelt. Da wird die Butter in der Hitze flüssig und »brät« den Kuchen ein wenig. Deswegen ist Gebäck mit Butter darin noch sehr weich, wenn es aus dem Ofen kommt, und wird erst beim Abkühlen richtig fest.

Butter wird aus von der Milch getrennter Sahne gemacht. Dabei passiert dasselbe wie beim Sahneschlagen, wenn man zu lange aus der Küche gegangen ist: Die Flüssigkeit trennt sich von den sich zusammenballenden Fettkügelchen. Am Ende sind Butter und Buttermilch daraus geworden. 6 Liter Milch braucht man für ein 250 g schweres Stück Butter. Backen kann man auch mit Schweineschmalz, was aber nur bei Rustikalerem gut kommt. Margarine taugt nur dann zum Backen, wenn sie nicht zuviel Wasser enthält. Backmargarine tut das, Streichmargarine nicht.

Ei

ursprünglich »vom Vogel«
engl. egg; franz. oeuf; ital. uovo

Kann schon sein, daß das Huhn zuerst da war. Aber erst durch seine Eier hat es richtig Karriere gemacht. Heute steht in jedem guten Haushalt ein Ei, und wenn dort gebacken wird, sind's mindestens zwei bis zwölf. Das Hühnerei bringt Natur pur plus höhere Physik in den Kuchen, und je nachdem, was man mit ihm anstellt, macht es Gebäck luftig, saftig oder knusprig. Oder es macht alles auf einmal.

Das geht so: Wenn das Ei kräftig geschlagen wird, dann bläst es sich auf. Mit jedem Schlag entstehen aus seinem Eiweiß mehr kleine Bläschen, die sich mit Luft vollsaugen und dabei wachsen. Am Ende ist nur noch heller Schaum, der das Mehl-Netz im Teig erweitert und beim Backen aufpumpt. So macht das Ei Gebäck luftig und locker. Zugleich geben sein fettes Eigelb geschmeidige Bindung und das eiweißhaltige Eiklar knusprige Struktur. Besonders eindrucksvoll ist das, wenn Eiklar solo geschlagen wird und unbeschwert einen festen Schnee aus Eiweißbläschen aufbauen kann.

Am besten klappt dies alles mit Eiern, die etwa eine Woche auf der Welt und so auf dem Höhepunkt ihrer Kraft sind. Ende mit der Frische ist nach drei bis vier Wochen Existenz im Kühlen. Solch alte Eier schwabbeln beim Schütteln in der Schale, weil ihr Eiklar wäßrig ist. Ein frisches Ei bleibt geschüttelt länger ruhig; beim Aufschlagen ist das Eiklar fest und der Dotter gut gewölbt. Wichtig ist noch das Gewicht: Basic baking arbeitet mit Eiern Größe M (medium, 53–63 g), darüber gibt es noch Eier der Größe L (large, bis zu 73 g) und XL (extra large, alles was schwerer ist), darunter S (small, alles was weniger als 53 g wiegt).

Sahne

engl. cream; franz. crème; ital. panna; österr. Obers

Mit Sahne fängt der Luxus beim Backen an. Denn ihr Moment kommt erst, wenn der Ofen schon lange aus ist. Dann wird sie steif geschlagen und ums Gebäck oder sogar dazwischen gestrichen. Das Ganze darf sich dann Torte nennen. Oder sie bekommt ganz zum Schluß den Extraplatz neben dem Erdbeerkuchen. Was doch eher ein Grundbedürfnis befriedigt als Luxus zu sein.

Geschlagene Sahne gibt Gebackenem oft den letzten nötigen Rest. Luftig und schwer zugleich verleiht sie einem Obstboden das richtige Bißchen Substanz und dem Stück Sacher die angenehme Milde. In der Torte schmeckt sie deswegen so gut, weil sie fast jedes Aroma gut rüberbringt – dank Fett und Luft. Wie beim Eischnee teilt sich in der Sahne beim Schlagen alles in Schaum aus kleinen Bläschen. Durch das Fett darin wird der jedoch besonders fein, stabil und geschmackvoll.

Schlagsahne darf nur heißen, was mindestens 30 % Fett enthält. Drunter heißt es schlicht süße Sahne, die meist um die 28 % Fett hat, sich aber auch noch gut schlagen läßt. Saure Sahne, Schmand oder Crème fraîche sind durch Vergären eingedickt und gesäuert und haben 20 bis über 30 % Fett. Sie können in einer Creme und auch im Teig stecken, der so besonders saftig wird. Ebenso ist das bei Joghurt, Quark oder Ricotta, die außer Saft auch noch Auftrieb geben.

Luft

Mürbeteig braucht die Extra-Portion Luft nicht, weil er sowieso nicht hoch hinaus will. Biskuit braucht sie auch nicht, weil die Eier schon genug davon eingebracht haben. Aber einige Teige brauchen sie, um zum Kuchen zu werden. Der schwerfällige Rührteig zum Beispiel.

Um Gebäck luftig und locker zu bekommen, kommt es vor allem auf einen Teil der Luft an – das Kohlendioxid. Das klingt schon nicht mehr so gefährlich, wenn man weiß, daß dieses Gas auch in Mineralwasser steckt. Und es entsteht, wenn bestimmte Stoffe beim Teigmachen zusammenkommen. Wie zum Beispiel Backpulver und Flüssiges. Dabei passiert erst einmal noch wenig. Aber unter Ofenhitze gibt der Teig dann richtig Gas und bläst mit Hilfe des Kohlendioxid den Kuchen auf.

Anders geht Hefe an die Sache ran. Sie holt am meisten aus dem Teig raus, wenn er noch im Werden ist. Schön umwärmt und gut genährt durch Mehl und Zucker stößt sie dann ihre Gase aus, die das Teigstück aufgehen lassen wie einen Hefekloß. Hefe kann frisch (dann wird sie in Wasser gelöst) oder trocken – vermischt mit Mehl – in den Teig kommen. 1 Päckchen Trockenhefe hat übrigens soviel Kraft wie $^1/_2$ Würfel frische.

Safran und Salz

engl. safran and salt; franz. saffron et sel; ital. zafferano e sale

Beides ist heute eher ungewöhnlich beim Kuchen machen, doch beides gehört zu den klassischen sieben Sachen. Safran und Salz stehen für die Abteilung Backgewürze. Die waren einst nur europäischer Art, wie Anis, Fenchel, Koriander, Kümmel und eben Safran, der sogar bis nach England angebaut wurde und heute noch in der Schweiz geerntet wird. Inzwischen sind Exoten im Gebäck vertrauter: Ingwer, Kardamom, Muskat, Nelken oder Zimt. Ob Europäer oder Exot, alle werden am besten gut mit dem Mehl vermischt, damit sie sich richtig verteilen.

Bleibt noch das Salz. Eine kleine Prise davon tut auch Kuchen gut, weil es der Süße ein klein wenig Würze entgegensetzt, was den Geschmack des Gebäcks noch interessanter macht. Das machen die Profizuckerbäcker auch so. Und ganz Clevere schmecken würziges Süßes sogar mit Pfeffer ab, der die interessante Wirkung noch verstärkt. Pfefferkuchenbäcker sind das.

Rühren

Der ideale Einstieg für Bäcker, die bisher nur Köche waren. Denn Rühren können sie, und einen Kochlöffel kennen sie auch. Das reicht schon fast zum Rührteigmachen. Für die, die alles anbrennen lassen, ist der Brandteig da – bei dem gehört Anbrennen zum Programm.

Rührteig

Der Teig für Leute, die klare Aussagen für lebenserleichternd halten. Klare Aussage Nr. 1: Dieser Teig muß erst kräftig gerührt werden. Klare Aussage Nr. 2: Dieser Teig darf zum Schluß auf keinen Fall mehr gerührt werden. Klare Aussage Nr. 3: Wer Nr. 1 und 2 beachtet, bekommt zur Belohnung ein saftig sattes Stück Kuchen.

Rührer, Schüssel, Löffelstiel

Diesen Teig mit der Hand zu rühren ist wenig umweltfreundlich, weil ein menschlicher Rührer seine Umgebung bald mit Schwitzen und Gefluche belasten wird. Deswegen ist der beste Handgriff beim Rührteig der zur Maschine. Der Handmixer mit zwei Rührbesen tut es längst, wenn die Schüssel darunter in etwa so stabil und standfest ist wie die an der Küchenmaschine. Lassen sich auch noch 3 Liter Wasser ohne Überlaufen reingießen, paßt selbst Teig für eine Gugelhupfform rein. Rührteigformen sind am besten eng und hoch, um seinem In-die-Breite-Drang entgegegenzuwirken. Und dann ist da noch der Kochlöffel mit dem Loch.

Vier Sachen brauchen wir ...

... nämlich Butter, Zucker, Eier und Mehl. Und diese Zutaten sollten 2 Stunden in der Küche gestanden haben, damit sie schön warm sind und sich bestens verbinden. Losgerührt wird mit Butter und Zucker, bis alles hell und cremig ist (1). Und das geht nur, wenn die Butter warm und weich ist. Jetzt kommen die küchenwarmen Eier dran. So weitermachen, bis außerhalb der Schüssel kein Ei mehr und in der Schüssel fetter gelber Schaum ist.

Nun ist Schluß mit Rühren. Denn jetzt kommt das Mehl, und das quillt mit jeder Drehung mehr. Beim üppigen Rührteig (in dem etwa gleich viel Butter, Eier und Mehl stecken) ist jetzt die Zeit für den Lochkochlöffel gekommen (2). Mit dem wird das Mehl gerade so lange untergezogen, bis es verschwunden ist. Anders beim weniger üppigen Rührteig (mit etwa halb soviel Butter wie Mehl, in das noch Backpulver gemischt wird): Die Hälfte des Mehls darf noch mit der Maschine eingerührt werden, dann kommt der Löffel. Luftiger wird Rührkuchen, wenn das Eiweiß zum Schluß als Eischnee drunter kommt. Am besten ist es da, ein Drittel mit dem Mehl unterzurühren und dann den Rest vorsichtig unterzuheben.

... und ab in den Ofen

Rührteig will gleich gebacken werden, sonst zieht er Wasser und Backpulver verpulvert seine Energie. Also die Form buttern, den Teig hineinfüllen, gut von unten dagegenklapsen und ab in den meist 180 bis 200 Grad heißen Ofen. Ein hoher Kuchen in der Gugelhupfform kommt auf die untere, Kastenkuchen und Plätzchen kommen auf die mittlere Schiene. Nach dem Backen

1

den Kuchen noch 10 Minuten in der Form lassen, damit er ausdampfen und schrumpfen kann, so daß er sich leicht aufs Gitter stürzen läßt. Auf dem kühlt er dann ganz aus. Richtig satt und lecker schmeckt er erst ab Tag 1 nach dem Backen, gut verpackt hält er sich eine Woche und länger frisch.

Brandteig

Das ist der Teig für Leute, die immer alles anders machen müssen, dabei aber ganz genau wissen wollen, was sie tun. Er wird im Topf gekocht, bis er klumpt und anbrennt, ohne Form gebacken und am besten gleich wieder kaputtgemacht, wenn er fertig ist. Am Ende ist's trotzdem feinste Patisserie.

Der Topf für den Teig

Weil Brandteig auf dem Herd gemacht wird, braucht er einen Topf. Der sollte drei Liter fassen, einen dicken Boden haben und sich gut festhalten lassen. Gerührt wird umgekehrt wie beim Rührteig: erst mit dem Lochkochlöffel, dann in der Schüssel mit Maschine (und Knethaken). Aufs Blech kommt Brandteig per Löffel oder Spritzbeutel.

Mit Wasser abbrennen ...

Brandteig kann mit Wasser (rührt sich leichter, bäckt blasser) oder Milch (brennt leicht an, bäckt goldgelb) zubereitet werden. Die Flüssigkeit wird mit Butter aufgekocht und vom Herd gezogen, damit nix verdampft – beim Brandteig müssen die Mengen genau stimmen. Dann kommt das ganze Mehl auf einmal dazu. Sieht erst verboten aus, aber jetzt wird ja abgebrannt: Topf wieder auf den Herd und mit dem Löffel rühren und rühren, bis ein schön glatter Kloß mit Kruste am Topfboden entsteht (3). Der kann nun alle Luft der Welt aufnehmen.

Die bringen mal wieder die Eier ein. Damit die dabei nicht gerinnen, kommt der heiße Teig zum 15-minütigen Vorkühlen in die Schüssel. Dann wird mit dem Knethaken ein Ei eingerührt, bis es verschwunden ist, erst dann kommt Ei Nr.2 an die Reihe, bis am Ende alle verschwunden sind. Wenn Brandteig glänzend zäh vom Löffel hängt und nach dem Spritzen nicht außer Form gerät, ist er richtig.

... und ab in den Ofen

Ob aufs gebutterte Blech gespritzt oder gelöffelt, Brandteig muß gleich auf Mittelschiene in den mindestens 200 Grad heißen Ofen – sonst wird er grau und trocken. Weil das Mehl bereits in der Hitze des Topfes kräftig gequollen ist, hält es den Teig beim Backen fest zusammen. Dagegen setzen Ei und Flüssigkeit Dampf, so daß das Gebäck wie ein Luftballon aufgeblasen wird. Kein Wunder also, daß die Lage im Ofen bis kurz vor Schluß zum Zerreißen gespannt ist – weswegen die Klappe auch erst im letzen Backdrittel geöffnet werden darf. Das fertige Gebäck kommt gleich auf ein Gitter, und wenn es wie beim Windbeutel aufgeschnitten werden soll, geschieht das am besten auch gleich – damit innen nichts klamm wird. Brandteiggebäck schmeckt frisch am allerbesten, kann aber gleich nach dem Abkühlen eingefroren und fix wieder aufgetaut werden.

Schlagen

Nichts ist zarter als Biskuit und nichts muß mehr geschlagen werden als er. Dabei bekommt vor allem das Hühnerei die ganze Gewalt zu spüren, genauer gesagt, sein Eiweiß. Das hat einen Soloauftritt, wenn Baiser gemacht wird – das Süßeste, was aus einem Ei werden kann.

Biskuit

Biskuitboden ist auch hausgemacht ein Massenprodukt - denn Sachen, die mit viel Ei gemacht werden, heißen beim Zuckerbäcker »Masse« statt Teig. Biskuitmasse also. Die kann klassisch (mit geschlagenem Eigelb und Eischnee), wienerisch (mit warm geschlagenem Eigelb und flüssiger Butter) oder nach Basic-Art zubereitet werden. Bei allem kommt am Ende Mehl dazu – aber gaaaanz vorsichtig!

Besen geben Luft

Wichtigstes Werkzeug bei der süßen Massenschlägerei ist der Besen mit dem Stecker hintendran. Wer mag, kann Eiweiß auch per Hand und Schneebesen steifschlagen, muß aber in diesem Fall die Eieruhr auf 45 Minuten stellen. Dann doch lieber das Handrührgerät mit zwei Rührbesen oder die Küchenmaschine mit einem großen Besen anschalten und in die bekannt stabile 3-Liter-Schüssel halten. Später beim Mehlunterheben geht der Handbesen in Ordnung. Auch gut: ein feines großes Sieb (wird gleich verraten, warum). Biskuit bäckt am liebsten flach in Springform oder Blech.

Ei trennt sich ...

Damit sich im Biskuit alles aufs Lockerste verbindet, muß Eiweiß von Eigelb getrennt werden. Verborgen in unterirdischen Wiener Zuckerbäckergruften machen sie das zehnfingrig mit einem Sechserpack auf einmal. Schon schön, aber für den Basic-Grundbackkurs zu knifflig. Denn bereits ein Tröpfchen Eigelb kommt dem Eiweiß so fett, daß es kein fester Eischnee mehr werden will.

Also der Reihe nach. Los geht's mit einem sauberen Kantenschlag. Dünne, aber feste Schüsselränder sind ideal dafür. Am besten wird jedes Ei über einer Extraschüssel getrennt, deren Inhalt bei Erfolg in die große Rührschüssel kommt. So kostet ein Mißgeschick nur ein Ei. Wer gleich über der großen Schüssel arbeitet, kann sicher sein: Geht es schief, dann immer beim letzten Ei, nach Geschäftsschluß und in dem Moment, in dem die Nachbarn gerade ihren Notvorrat zu Rührei gemacht haben.

Also das Ei in seiner Mitte anschlagen. Dabei gilt das Motto »beherzt, aber nicht herzlos«. Nicht durchhauen und genausowenig nur anpicken, so daß später das Eigelb aufschrammt und Splitter ins Eiweiß geraten. Nach dem Hieb das Ei wenden, Daumen an die Schlagkanten ansetzen, Finger hinters Ei legen und alles etwas senkrecht drehen. Nun eine Hälfte nach oben aufklappen. Ein Teil des Eiweiß flutscht jetzt in die Schüssel, während das Eigelb mit dem Rest in der unteren Schalenhälfte bleibt. Von da wird es behutsam in die andere Hälfte gegossen, wobei das Eiweiß wieder in Richtung Schüssel strebt (und das Eigelb hoffentlich heil bleibt). Jetzt nochmal zurück von 2 zu 1, und das sollte es sein. Im Zweifel lieber ein bißchen Eiweiß beim Eigelb lassen, als durch viel Hin und Her Eigelb im Eiweiß riskieren.

... Ei schlägt sich ...

Daß der liebe Gott beim Eiermachen einen besonders guten Tag hatte, zeigt nicht nur sein funktionales Verpackungs-Design. Ein kleines Wunder ist auch die Verwandlung von Eiweiß in Eischnee. Die Wissenschaft sieht's eher so: Wenn Eiweiß kräftig geschlagen wird, trennen sich seine Bausteine und setzen sich wieder als lauter luftgefüllte Eiweißbläschen zusammen, die mit jedem Schlag fester, zahlreicher und größer werden, bis alles zu einer großen Portion Schaum geworden ist. Der gelingt am besten, wenn das Eiweiß kalt ist und noch ein Spritzer Zitronensaft oder eine Prise Salz

1

für Stabilität sorgen. Damit beim Schlagen mit dem Handrührgerät die Luft überall hinkommt, muß das gut bewegt werden, und die Schüssel darf nicht zu eng und hoch sein. Profis schwören auf den langsamen Start mit stetiger Steigerung, aber mit voller Kraft von Anfang an geht's auch gut.

Ist der Schnee noch etwas weich, kommt Zucker dazu. Wäre der von Anfang an dabei, würde er sich gleich mit Flüssigkeit vollsaufen und im Suff alles kaputtmachen. Jetzt aber rieselt er beim Weiterschlagen ein und schweißt die Eiweißbläschen zusammen, bis sie fester, glänzender Schaum sind, in dem ein Messer einen glatten Schnitt hinterläßt (1). Das ist je nach Maschinenkraft nach 10 – 15 Minuten der Fall – bei zu langem Schlagen geht ihm die Luft wieder aus.

... Ei verträgt sich ...

Damit das Wasser nicht wieder ausläuft, wird gleich weitergemacht, und zwar mit der Wiedervereinigung von Eiweiß und Eigelb nach Basic-Art. Dabei wird ein Eigelb nach dem anderen in den Eischnee geschlagen, bis es jeweils darin verschwunden ist und zum Schluß alles eine schön schaumige Masse ist (2). Aber normalerweise wird doch das Eigelb schön schaumig ...? Und wird nicht Eiweiß unter Eigelb ...? Ja, aber wozu die Mühe, wenn auf diese simple Art ein genauso toller Biskuit entstehen kann.

Zu dem fehlt der Masse allerdings noch das Mehl. Wird es gesiebt, schöpft es noch mal Luftigkeit. Und die bleibt der Masse erhalten, wenn es behutsam untergezogen wird. Das geht so: Mehl auf den Eischaum sieben, Schneebesen hineinstecken und den langsam mit leichter Drehung nach oben ziehen. Und dann nochmal. Und dann nochmal. So lange, bis das Mehl gerade eben verschwunden ist. So kurz, daß die meiste Luft in der Masse bleibt.

... und ab in den Ofen

Damit die Luft sich nicht wieder auflöst, muß die Masse gleich ins Rohr. Backpapier bekommt ihr am besten, und zwar nur am Boden von Form oder Blech, so daß der Teig ungehindert hochsteigen kann. Wichtig ist, daß die Oberfläche schön glatt ist, damit nichts zu dunkel wird. Nach dem Backen bei meist 180 (Springform) bis 200 Grad (Blech) dampft der Biskuit kurz aus, dann wird er auf ein Gitter gestürzt und das Papier sofort abgezogen. Soll er in Tortenböden geschnitten werden, bekommt ihm eine Nacht Ruhe gut. Ansonsten gilt: je frischer, je besser.

Baiser

Baisermasse ist Biskuitmasse ohne Eigelb und Mehl. Oder einfacher: Eischnee mit sehr viel feinem Zucker (z. B. 4 Eiweiße + 200 g feiner Zucker + einige Tropfen Zitronensaft). Gebacken wird Baiser gar nicht, sondern eher lange getrocknet bei 100 bis 120 Grad (60 – 90 Minuten). Mehr Hitze würde Baisergebäck braun werden lassen (tabu), bevor es durch und durch trocken ist (ein Muß). Damit es das bleibt, bleibt es am besten über Nacht auf einem Gitter im ausgeschalteten Ofen liegen. Gut aufgehoben ist es danach in luftdichten Dosen oder Tüten.

2

Kneten

Wenn viel Mehl mit wenig Flüssigkeit zusammenkommt, hilft kein Rühren und Schlagen mehr. Dann wird geknatscht, geknutscht, geknautscht. Geknetet eben. Die Wonne für trainierte Handarbeiter, aber die Maschine mit Knethaken macht's auch. Macht sie es lange, wird meist Hefeteig daraus. Macht sie es kurz, wird alles zu Mürbeteig.

Hefeteig

Verglichen mit Autofahren ist Fliegen die sicherste Fortbewegungsart. Wenn es aber dabei kracht, dann richtig. Weswegen es mehr Flugangst als Fahrangst gibt. Ähnlich ist's beim Hefeteig: Falsch machen kann man bei ihm viel weniger als bei Rühr- oder Mürbeteig. Aber wenn was schiefgeht, kann man ihn wegschmeißen. Weswegen er der gefürchteste unter den Grundteigen ist. Dabei sind Hefepilze so dankbare Geschöpfe. Geben wir ihnen nur ein wenig Nahrung, Luft und Wärme, machen sie die schönsten Sachen für uns: Hefezopf, Zwetschgendatschi, Pizza ai funghi. Nur wie sie das machen, ist bedenklich. Kaum kommt die Metropole Hefewürfel (Einwohner: ca. 3,8 Millionen Hefezellen) mit Teig in Berührung, verwandelt sie sich in Sodom und Gomorrha. Fressen, Saufen sowie – äh – Fortpflanzen und Gase lassen ist das einzige, was dann für sie zählt.

Alles zusammen ...

Warum macht die Hefe das? Schauen wir ihr bei der Arbeit zu. Dabei helfen ihr Mehl und Flüssigkeit (Milch, Wasser), dazu können Zucker, Ei und Butter kommen. Sie alle schaffen am liebsten bei Küchenwärme von 20 Grad – Kühlschrankkaltes erreicht das nach 1–2 Stunden an der frischen Luft. Die Flüssigkeit wird mit der zerbröckelten Hefe glattgerührt und mit dem Restrezept verknetet. Nix Vorteig, dreimal gehen lassen oder Fett zum Schluß. Be basic. Klappt immer (Nur der schwere Gugelhupf braucht Zwischengas.)

... hoch, klatsch und gehen lassen ...

Nun zum Kneten. Das kann mit einer kraftvollen Maschine passieren, aber mit dem Handrührer wird trotzdem der Arm lahm. Keine schlechte Gelegenheit also für Handgreiflichkeiten, zu denen es am besten in der großen, schweren Schüssel kommt. Dort wird erst alles mit den Fingern zusammengeführt, dann mit den Handballen etwas elastisch gewalkt, und nun geht's rund: die Hand bis zum Schüsselboden unter den Teig stecken, hoch das Ganze und wieder zurückklatschen. Und hoch, und klatsch. Bis der Teig schön glatt und blasig ist. Endlich darf das Mehl mal richtg quellen, damit ein stabiles Netz im Teig entsteht.

Das füllt die Hefe nun in aller Ruhe und Wärme mit Leben – klassisch in der mit Tuch abgedeckten Schüssel oben auf dem Küchenschrank, weit weg von offenen Türen und Fenstern (1). Da treibt es die mit Stärke gedopten Hefepilze zur Vermehrung. Und dabei geben sie Gas ab, sprich Kohlendioxid, mit dem das feste Teignetz sich aufbläst wie einen Fesselballon. Kurz: Der Teig geht. (Kühlschrank-Trick: Gekneteten, aber noch nicht gegangenen Hefeteig abgedeckt in einer Schüssel in den Kühlschrank stellen. Dort bleibt er stundenlang einsatzbereit, geht viel langsamer, z. B. über Nacht, und wird auch noch feiner).

... und ab in den Ofen

Hat der Teig sich etwa verdoppelt, wird er nochmals durchgeknetet, damit die Hefe wieder Luft bekommt. Dann wird er zum Zopf geflochten oder zur Pizza ausgerollt, und je nach Rezept geht er noch einmal oder kommt in den Ofen. Dort ist ab 50 Grad Feierabend für die Hefe. Sie hinterläßt der Nachwelt ein lockeres Gebäck mit Biß, das ganz frisch am allerbesten schmeckt. Am zweitbesten: noch lauwarm einfrieren.

Mürbeteig

Auch wenn er Knetteig heißt, will er mit seinen durchgewalkten Brüdern nichts zu tun haben. Je weniger er angefaßt wird, desto dankbarer ist er. Und weil er auch von Treibmitteln nicht viel hält, ist das Flache, Unscheinbare, jedoch Zarte seine Bestimmung – und deswegen haben ihn die Star-Kuchen und -Torten so gerne unter sich.

Dazu wird er plattgedrückt und stückweise großzügig darin verteilt. Nun mit den Handballen flachdrücken – so, daß er etwa 2-3 mm dick wird und der Überschuß sich nach außen verdrückt. Damit läßt sich dann der Rand hochziehen. Jetzt noch Unebenheiten glattbügeln – fertig. Wer lieber ausrollt, macht das zwischen zwei Bögen Klarsichtfolie, damit nichts klebt. Dann wird der Teig entlang des Formbodens ausgeschnitten, eingesetzt und der Rand per Hand angedrückt. Beide Male wird die Form mit Folie gut abgedeckt und 1 Stunde in den Kühlschrank gestellt. Soviel Zeit muß sein nach dieser Intensivbehandlung.

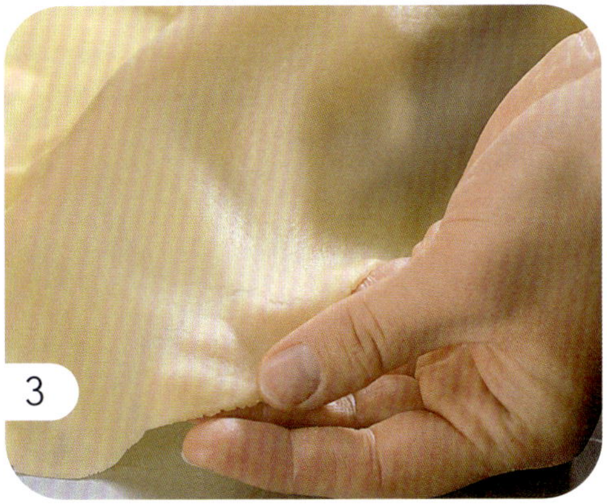

Mürbe mit der 3-K-Methode ...

Das zarte Geheimnis des Mürbeteigs ist, daß er das Mehl direkt mit Butter verbindet, so daß keine Flüssigkeit es zum Quellen bringt. Würde die Butter weich werden, würde sie Wasser lassen und den Mürbeteig zum Sprödeteig machen. Doch davor schützt die 3-K-Methode: Kneten, kurz und kalt. Kalt heißt, daß alle Zutaten – Mehl, Butter, evtl. Zucker, Ei – am besten die Nacht im Kühlschrank verbracht haben, vielleicht sogar mit Rührschüssel und Knethaken zusammen? Kommt es zum Teigmachen, wird die Butter gewürfelt und per Maschine mit dem Rest verknetet. Das sieht erst so aus, als ob nie was daraus wird (2). Doch plötzlich entsteht aus dem trockenen Gekrümel ein glattes Großkrümelgemenge. Dann die Maschine gleich auschalten, denn das ist schon der Mürbeteig, und jede Drehung mehr schadet nur. Man kann natürlich auch die klassische Auf-der-Marmorplatte-krümelig-hacken-mit-tiefgekühlten-Händen-weiterkneten-Methode anwenden. Nur wozu?

... drücken vor kühlen ...

Ebenso sparen wir uns den 30-Minuten-Kühlen-Schritt und packen den Teig gleich in die ungefettete Form.

... und blind in den Ofen

Weil Mürbeteig oft die knusprige Hülle für saftige Kuchen wird, bäckt er oft am Anfang erstmal alleine. Er wird »blind« ohne Füllung vorgebacken, damit ihm die Säfte nichts mehr anhaben können. Dazu wird der Boden mit der Gabel eingestochen, darauf kommt ein kreisrunder Bogen Butterbrotpapier, der auch den Rand bedeckt. Aber nicht festdrücken, sonst hängt später alles fest. In die Form kommt eine 2 cm hohe Schicht getrocknete Hülsenfrüchte, die beim Backen den Boden gleichmäßig flach macht und den Rand oben hält. Gebacken wird meist im 200 bis 220 Grad heißen Ofen.

Noch zwei Kneter

Neben diesem Starpaar gibt es zwei Knetteige, die selten im Ofen auftreten, aber fest zum Backensemble gehören. Der Strudelteig hat sich diese Stellung fast alleine übers Apfelstrudeln verdient, für das er mit Geschick und mindestens zwei Händen (mehr auf Seite 58) dünn ausgezogen (3) und dann samt Füllung verwickelt wird. Quark-Öl-Teig (z. B. Seiten 47, 76, 88, 156) fasziniert erstens durch die ungewöhnlichen Zutaten und zweitens dadurch, daß er damit auch noch die beste Zweitbesetzung für Hefeteig ist.

mohn
aroma
vanille
zitrone
mandeln
farbe
kokos
tortenguß
schokolade

die süßen 16

Alles, was das Backen besser macht

Der Mohn

engl. poppy; franz. pavot; ital. papavero; indisch khus-khus

Macht er dumm, der Mohn? Oder gar süchtig? In Deutschland höchstens kriminell, weil jeder Pflanzer von Schlafmohn als möglicher Dealer gesehen wird – auch Vati im Schrebergarten. Tatsächlich läßt sich aus der unreifen Samenkapsel Rauschgift keltern, die reifen Samen dagegen sind so harmlos wie vom Klatschmohn am Feld oder vom Islandmohn in der Vase. Sie kommen im Ganzen auf Mohnbrötchen und pikantes Gebäck oder in würzige Brote, gemahlen werden sie für die Füllung von Mohnstrudeln, -taschen oder -zöpfen (die schon süchtig machen können).

Das Aroma

engl. aroma; franz. arôme; ital. aroma

Im Ofen bei 200 Grad geht der stärkste Rum flöten. Rumaroma aber hält den Geschmack, ohne daß der Kuchen trieft vor Sprit. Fürs Backen sind Backaromen gut genug. Besonders, wenn sie »natürlich« statt »naturidentisch« sind, die geschmackvollen Öle also aus Bittermandel, Zitronenschale oder Vanilleschote gezogen wurden. Für die Nachbehandlung von Gebäck ist das zu heftig, da hilft eher die Verlängerung: Kirschwasser für die Schwarzwälder, Orangenlikör für die Orangentorte. Aber Eierlikörkuchen? Gewinnt durch den Likör eher an Ei, Süße und Saftigkeit als an Geschmack.

Die Vanille

engl. vanilla; franz. vanille; ital. vaniglia

Nein, sie wächst nicht in Papiertütchen heran – die Vanilleschote stammt von einer Orchidee und bekommt erst durch Beizen ihr Aroma. Um an das heranzukommen, werden Schoten längs aufgeschlitzt und das Mark mit dem Messerrücken herausgeschabt. Das kann für eine Creme samt Schote ausgekocht oder aber in Teig gemischt werden. In den Tütchen steckt meist Vanillin-Zucker, dessen künstliches Aroma aus Nelkenöl, Fichtenharz und vor allem einem Abfallprodukt der Zellstoffgewinnung gezogen wird. Und am Ende ist es dann nur einer von den 30 Geschmacksstoffen der Vanille. Dann doch lieber gleich das Original.

Die Zitrone

engl. lemon; franz. citron; ital. limone

Zitrone ist sauer, was sich gut zu Süßem macht. Und ihre Schale hat Aroma für zehn Kuchen. Beides zusammen kann Wunder wirken, wie der Zitronenkuchenliebhaber weiß. Liebhaber von Orange und Limette berichten Ähnliches. Sie alle wissen, daß Zitrusschale für Kuchen immer unbehandelt ist und vor dem Reiben heiß abgewaschen wird. Achtung: Der Saft kann Ei und/oder Butter gerinnen lassen, wenn er damit verrührt wird – etwas Mehl zuvor schützt davor. Schon besser: Zitronensaft macht Eischnee stabiler und hält Äpfel hell. Auch nicht schlecht: Zitronat und Orangeat (im Doppel Sukkade), zum Kuchenfüllen und Tortenschmücken.

Die Mandel

engl. almond; franz. amande; ital. mandorla

Der Fruchtstein ist beim Backen die Nr. 1 unter Nuß und Kern. Es gibt sie mit und ohne Haut (läßt sich nach Rösten oder Eintauchen in Kochwasser abrubbeln), in Blättchen oder gestiftet (zur Verzierung), gehackt oder gemahlen (zur Verfeinerung) und in Marzipan. Hält kühl, dunkel und trocken 6 Monate. Konkurrenz: Haselnuß (ganz, gehackt bzw. zu Krokant karamelisiert, gemahlen, in Nougat; hält 6 Monate); Walnuß (ohne Schale bald ranzig); Erdnuß (die billigste; hält 9 Monate); Pinienkern (aromatisch, teuer; hält 3 Monate); Pistazie (hübsch, aromatisch, teurer; hält 6 Monate). Rösten läßt sie besser schmecken.

Die Farbe

engl. colour; franz. coleur; ital. colore

Grundnahrungsmittel dürfen keine Speisefarbe enthalten, weswegen im Kuchen kaum welche steckt. Erst wenn er zum Luxus wird – gefüllt, überzogen, verziert – kommt sie ins Spiel. Stammen Dottergelb oder Kirschrot dabei von den Namensgebern ab – vorbildlich. Nur oft zu blaß. Manchmal hilft schon Stufe 2 mit Sirup (rot durch Himbeer, Holunder), Pulver (gelb mit Kurkuma, Safran) oder Karamel. Stufe 3 ist natur- und geschmackloser mit gelbem Kurkumin (E 100), Riboflavin (E 101) oder Chinolin (E 104), rotem Cochenille (E 120) oder Betanin (E 162), grünem Chlorphyll (E 140) und brauner Zuckercouleur (E 150). Für Snobs: Färben mit Blattgold.

Die Kokosnuß

engl. coconut; franz. noix de coco; ital. noce di cocco

Kokos kurios: Das Fruchtfleisch sind eigentlich die Fasern (gut für Fußmatten), und aus der Schale wird Holzkohle gemacht. Basic-Bäcker interessiert mehr, was drunter ist – der Samen mit der leckeren Milch und dem weißen Fleisch. Das kommt geraspelt und getrocknet ins Backregal, wo es vor allem auf Plätzchenbäcker wartet. Das aus ihm gepreßte Fett bietet sich beim Kaufmann offen zum Braten an und versteckt sich in Schoko-Riegeln als Kakaobutterersatz. Kokosmilch gibt es in dick (besser) und dünn, ungesüßt (besser) oder gezuckert, sie macht Cremes exotisch.

Der Tortenguß

so einmalig wie unübersetzlich

Wie der Tortenboden scheint er exklusiv und mysteriöserweise für Obstkuchen geschaffen zu sein. Und wie alles Tütenwerk ist er schlicht genial ersonnen: Bloß Stärke, Geliermittel (oft aus atlantischen Rotalgen) und Säure (meist Weinsäure) in geheimer Kombination machen Flüssigkeit zum klaren Etwas, das sich glänzend über Früchte legt und im Nu fest wird. Wie's schmeckt liegt an einem selbst: Mit Zuckerwasser ist es nicht doll, mit frischem Saft und verlängertem Fruchtpüree viel besser. Tortenguß kann auch zum Binden von Fruchtfüllungen in Torten (endlich!) genommen oder durch Rote-Grütze-Pulver ersetzt werden.

Die Schokolade

engl. chocolate; franz. chocolat; ital. cioccolata

Ob man nur über Kakaofrüchte seinen Nährstoffbedarf decken kann, ist umstritten. Sicher ist, daß die Zuckerbäckerei ohne Schokolade ärmer wäre. Denn die schmeckt und ist praktisch dazu, vor allem in der dunklen milchlosen Ausführung. Je mehr Kakaobutter in Schokolade steckt, desto geschmeidiger in der Wärme und stabiler nach dem Abkühlen ist sie. Die buttrigste, Kuvertüre, ist ideal für Überzüge und Verzierungen. Tafelschokolade taugt für Cremes und alles, bei dem Aroma mehr zählt als Konsistenz. Block- oder Kochschokolade hat so wenig Kakaobutter, daß sie im Ofen kaum fließt – gut für Schoko-Chips in Cookies.

die süßen 16

Alles, was das Backen besser macht

Die Konfitüre

engl. jam; franz. confiture; ital. confettura
»Ich will aber Marmelade!« Wirklich? Rein europarechtlich gibt's dann mit Zucker verkochte Zitrusfrüchte. Der Rest aus Erdbeer oder Aprikose darf/muß sich Konfitüre nennen. Je mehr Frucht und je weniger Zucker die hat, desto besser, auch wenn sie irgendwann nur noch »Gourmet-Aufstrich« heißt. Genau richtig, um mit erhitzter und durchgestrichener Konfitüre Tortenböden vor dem Füllen und Kuchen vor dem Überziehen zu bestreichen. Fein ist sie als Obstersatz in Plätzchen. Apropos Ersatz aus Gläsern: Die Blütenstaubkonfitüre Honig taugt als Zuckerersatz – aber beim Austauschen 20 % mehr Flüssigkeit reinrechnen.

Die Tüte

so einmalig wie unübersetzlich
Was war zuerst da – Tüte oder Kuchen? Auf jeden Fall haben Tütenmacher die Lust am Backen so angeheizt, daß ohne die viele Kuchen ungebacken geblieben wären (Hallo Doktor!). Und ein paar Pulver taugen ja als Geburtshilfe. Backpulver und Tortenguß hatten schon die Ehre, aber das Lob auf »Stärke, Salz, Aroma, Farbstoff« fehlt noch: Super, Puddingpulver! Denn mit Dir lassen sich Cremes oder Früchte binden und Teige anreichern. Mini-Jubel für »Traubenzucker, Stärke, Trennmittel«, weil Sahne nur zur Not Steifmacher braucht. Kaum Applaus für »Stärke, Aroma«, weil Stärke pur dem Käsekuchen genauso hilft.

Die Rosine

engl. raisin; franz. raisin; ital. uva passa
Wer Rosinen sagt, meint oft Sultaninen, die größer, heller und saftiger sind als die kleinen, schwarzen Korinthen. Egal, ob sie nun aus Kalifornien oder Griechenland kommen, beide werden aus Trauben getrocknet, was meistens noch unter der Sonne passiert. 1 Pfund Trauben ergibt 100 g Rosinen voller konzentriertem Zucker. Durstig wie der ist, schlägt er im Kuchen angelangt demselben gleich ein Geschäft vor: »Gib mir deinen Saft, dann gebe ich dir meine Süße.« Klappt immer, weswegen Kuchen mit Rosinen drin weniger Zucker brauchen und länger saftig bleiben. Gleiches gilt auch für alle anderen Trockenfrüchte.

Der Löffelbiskuit

engl. sponge finger; franz. biscuit à la cuiller; ital. savoiardo; österr. Biskotte
Warum immer alles selber machen, wenn andere etwas auch ganz gut können? Löffelbiskuits für eine Charlotte backen zum Beispiel. Oder Kekse für den Kalten Hund. Gar nicht zu reden von Brötchen, Hörnchen oder Brot für süße Aufläufe und andere Mehlspeisen. Und gar überhaupt nicht den Zwieback für den kaltgebackenen Boden der Philadelphiatorte. Wer macht die schon selber? Je größer die Rolle des Fertiggebäcks allerdings ist, desto besser muß es ausgesucht sein. Denn nur ein Erdbeerkuchen mit dem Biskuit vom Lieblingsbäcker schmeckt fast wie ein selbstgebackener Lieblingskuchen.

Der Kakao

engl. cocoa; franz. cacao; ital. cacao; aztekisch cacahuatl; kindisch kaukau
Wenn Kakaobohnen geröstet, geschält, gemahlen und zu Kakaomasse geworden sind, wird entweder Schokolade daraus – oder soviel Kakaobutter rausgepreßt, das am Ende schwach (mit 20 % Kakaobutterrest) oder stark (10 % Rest) entöltes Kakaopulver übrig bleibt. Anders als Instant-Kakao löst sich das schwer in Milch, aber gut in Fetterem wie Sahne. In die kann es gerührt werden, um eine Creme schokoladiger werden zu lassen. Soll es das gleich im ganzen Kuchen tun, wird es mit dem Mehl vermischt. Kakao solo kann über Torten gesiebt werden oder Trüffel überziehen.

Die Liebesperle

engl. hundreds and thousands; franz. nonpareilles; ital. coralli zuccherati
Sie sind die bunte Sünde und der pure Luxus, weil die kulinarisch inkorrekte Kombination »Zucker, Farbstoff und sonst nix« keiner braucht. Doch Liebesperlen machen aus Kuchen Geburtstagskuchen und eine Hochzeitstorte zu einem fröhlichen Stück. Wem das zu billig ist, der nimmt fertige Zuckerblüten, was aber nicht schöner sein muß. Ein bißchen mehr Natur bieten gezuckerte Veilchenblüten oder kandierte Kirschen, ein bißchen mehr Geschmack versprechen Schokostreusel, Lakritz sowie Gewürzkörner in Zuckerguß, der aber immer, immer bunt sein muß.

Das Marzipan

engl. marzipan od. marchpane; franz. massepain; ital. marzapane
Marzipanrohmasse besteht aus gemahlenen Mandeln, Puderzucker (höchstens 35 %) und Aroma wie Bittermandel- oder Rosenöl. Wird das mit mehr Puderzucker verknetet (höchstens soviel wie die Rohmasse), darf es sich Marzipan nennen. Weniger Zucker macht es edler, aber auch schwerer zu verarbeiten wie beim Ausrollen für Tortenverkleidung. Weil Marzipan sich so gut färben und formen läßt, ist es prima für Tortenverzierungen. Es kann aber auch Kuchenteigen Schwere und Aroma geben oder Stollen füllen. Persipan ist ein Ersatz mit Pfirsich- oder Aprikosenkernen.

Fertig machen

aAlles gebacken? Fein. Aber ein bißchen was ist noch zu tun, wenn's ein Erdbeerkuchen werden soll oder die dicke Cremetorte. Jetzt wird zugeschnitten, aufgefüllt und glattgestrichen. Aus Rohbau wird Bauwerk – demnächst verzierfertig.

Obstboden machen

Ein mit Obst belegter und mit Guß vollendeter Tortenboden ist der Einstieg in »Kuchenmachen für Fortgeschrittene«. Wer den Grundkurs überspringt und fertigen Boden kauft – geht schon mal. Fertigobst geht aber nur bei tiefer Liebe zu Dosenpfirsich oder extremer Zeitnot. Ansonsten: bitte frisch bleiben.

Obst, frisch und weich

Schnittweiches wie Beeren, Trauben, Mango, Kiwi, Papaya oder Feigen darf ohne Vorbehandlung auf den Boden, Aprikose und Pfirsich werden gehäutet (einritzen, in kochendes und in Eiswasser tauchen) und in Zuckerwasser gegart oder roh in Scheiben aufgelegt. Ananas wird immer gegart. Wird Obst gemischt, schmeckt es am besten, wenn sich Saures und Süßes die Waage halten. Und wenn der Boden länger steht, schützen gestreute Stärke, Oblaten oder eine feste Cremeschicht vor dem Durchweichen.

Gut im Guß

Tortenguß wird so gekocht, wie es auf der Tüte steht. Sirup, Saft, Fruchtpüree, Wein oder Säure machen ihn dabei nur besser. Tabu ist der Schneebesen, weil der Bläschen macht. Besser sachte mit dem Eßlöffel gerührt. Zum Ausgießen ist eine Saucenkelle am besten. Mit der wird Guß in die Mitte des Bodens plaziert und von dort spiralförmig bis zum Rand übers Obst geschöpft. Nicht hektisch, aber schnell genug, daß wenig im Topf hängen bleibt. Zum Schluß wird dort, wo es im Gegenlicht nicht glänzt, nachgebessert und dann ab in den Kühlschrank – bis der Tisch gedeckt ist, kann gegessen werden.

Torte bauen

Das Schöne am Tortenbauen ist, daß am Ende alles gnädig verputzt wird. Das Gemeine ist, daß grober Pfusch dann beim Anschneiden doppelt auffällt. Daher der Basic-Rat: Solide bleiben, ohne es zu übertreiben. Torten sind nix für die Ewigkeit und schmecken frisch am besten.

Der gerade Querschnitt

Am Anfang ist ein (Biskuit-)Boden, aus dem zwei bis drei werden sollen. Das geht einen Tag nach dem Backen gut, weil er da nicht mehr so bröselt. Wurde der Boden nach dem Ausdampfen gestürzt, müßte er auf beiden Seiten glatt sein. Ist er es nicht, wird glattgeschnitten. Der entscheidende Schnitt geht aber quer durch den Boden – am besten mit einem starken Bindfaden, der über Kreuz zusammengezogen wird (1) oder auch mit dem scharfen, schmalen Messer (noch besser mit Säge), das so lang ist wie der Boden breit. Mit dem wird rundum eine gerade Spur gesägt, wobei die andere Hand obenauf liegt und den Kuchen nach jedem Sägezug dreht. So geht es weiter, bis die Mitte erreicht und der Boden durch ist.

Gut gefüllt

Gefüllt wird meist mit Sahne oder Creme, manchmal kommt noch Konfitüre oder Flüssiges zum Tränken auf den Boden. Kommen Früchte dazu wie bei der Schwarzwälder Kirschtorte, werden sie in Saft mit Stärke gebunden, damit beim Anschneiden nichts purzelt. Je glatter die Creme aufgetragen wird, desto weniger wackelt das Ganze später. Profis streichen mit der Palette, aber ein großes Messer oder der Teigschaber tun's auch.

Gut verkleidet

Nun wird der Tortenrohbau mit dem Rest der Füllung verputzt. Dazu wird er auf den Springformboden gezogen, auf eine Hand gesetzt und erst einmal am Rand entlang grob die Hälfte der übrigen Füllung aufgetragen. Nun die Klinge des großen Küchenmessers oder eine Palette ansetzen und die Torte drehen, so daß der Rand schön glattgestrichen wird. Bevor man sich aber verrenkt, lieber mal absetzen – oder eine Vertrauensperson mit beidhändigem Drehen beauftragen. Daß jetzt oben was übersteht, macht nichts. Weil da

1

2

3

kommt ja nun der Rest der Füllung drauf und alles zusammen wird glattgestrichen – am besten in einem gezirkelten Schwung, der sich um die Mitte der Torte dreht (2).

Sahne steif schlagen

Die schlichteste Tortenfüllung und Kuchenzugabe heißt Schlagsahne. Und die kann man zum Erstaunen der Elektrofachhändlersgattin auch ohne Strom zubereiten. Allerdings muß Schlagsahne immer gut gekühlt sein (Glück gehabt, Elektrofachhändler), und die Schüssel am besten auch. Die Schüssel: weit und rund, damit die Sahne Platz zum Luftholen hat und der Schneebesen Schwung holen kann. Metall ist gut, muß aber nicht sein. Der Schneebesen: vielspeichig und nicht zu starr. Das Schlagen: locker aus der Hand. Am besten geht das, wenn der Schlagarm einfach nur hängen kann, wenn die Schüssel also im Waschbecken steht oder am anderen Arm hängt. Darin taucht der Besen an der einen Schüsselseite in die Sahne ein, gleitet schwungvoll über den Boden, fliegt auf der anderen Seite wieder nach oben und gleich im Bogen zurück. Daß es dabei auch noch vor und zurück geht, ist der einzige Job für den Restarm – ansonsten soll er nur Ruhe und die Hand halten, während sich diese aus dem Gelenk heraus dreht wie der beste Kugellagermixer. Bei der Arbeit am Handmixer gilt im Grunde das gleiche: eine weite Schüssel (also nicht das hohe Litermaß, in dem alles schneller geht, aber schnell auch Butter aus Sahne wird), in der die Rührbesen kräftig umherwandern. Langsames Anschlagen ist dabei nicht falsch, da so bis zum Festwerden genug Luft in die Sahne kommt. Vor allem bei der Küchenmaschine ist am Ende wichtig, den Moment vor der Butterwerdung abzupassen. Wer damit Probleme hat, geht am besten per Hand und Besen in die Schlußphase – die sich durch langsames Formen der Sahne abzeichnet. Dann ist auch der Moment fürs Zuckern gekommen. Sobald die Sahne schwer wird und in festen Spitzen vom Schneebesen abstehen kann, ist sie fertig. Wird sie fester, gelb und klumpig, ist sie Butter.

Von der Sahne zur Creme

Manchmal darf's auch ein bißchen mehr als Sahne pur um und im Kuchen sein. Die schnellste Variante: für Schokosahne gesiebten Kakao unter die geschlagene Sahne rühren. Satter: 150 g Kuvertüre in 250 g warmer Sahne schmelzen, über Nacht kühlen und schlagen. Flüssiges wie Alkohol oder Sirup wird ganz zum Schluß unter geschlagene Sahne gezogen.

Noch üppiger sind Cremes. Die schmecken gut und sind trotzdem nicht schwer zu machen, wenn ihre Basis Eierpudding ist – also mit viel Ei und ein bißchen Stärke gebundene Milch. Da kann dann noch geschlagene Sahne, schaumig gerührte Butter oder geschmolzene Kuvertüre (3) dazukommen (Genaueres dazu im Kapitel »Ganz fein«). Wichtig: Daß beim Mischen alles Küchentemperatur hat, damit nichts gerinnt oder sich zu wenig verteilt.

Schön machen

Mit Essen spielt man nicht? Aber wenn's doch so süß ist! Nur ein paar Sahnetupfer wenigstens. Und da noch ein Streuselchen. So ein Schokoröllchen geht doch auch noch. Wie? Alles in Schokolade hüllen? Warum nicht. Ach, ist das schön ... (Nur an eins denken: Erst wenn alles getan ist, das gute Stück vom Gitter auf die Platte heben).

Drumherum schön machen

Die einfachste Art, Kuchen rundum schön zu machen, ist das Schütteln mit einem Sieb voll Puderzucker darüber – schon ist alles eingeschneit. Aber sparsam bitte, wenn er sich nicht gerade verstecken muß, denn Kuchen ist süß genug. Auch schön: Schablonen vor dem Bestreuen auflegen – gibt kontrastreiche Muster. Für Stufe 2 kommt Flüssigkeit dazu – Saft, Sirup, Alkohol, nach Wunsch noch Farbe. Gut 3 EL verrührt mit 200 g Puderzucker reichen für eine gut fließende Glasur. Mit 2 – 2 1/2 EL ist sie dicker und gut für Plätzchen, mit 4 EL entsteht ein durchsichtiger Film. Übergossen oder aufgestrichen mit Pinsel oder Messer wird dann, wenn das Gebäck ausgedampft und nicht mehr krümelig ist. Und zwar zügig, weil die Glasur schnell trocknet. Auch schön: auf feuchte Glasur mit Kuvertüre Muster zeichnen und mit Stäbchen verzieren.

Noch feiner ist ein Schoko-Überzug aus geschmolzener Kuvertüre (vordere Klappe) oder Sahneglasur (200 g Kuvertüre plus 50 g Butter in 1/8 l Sahne schmelzen). Beides kommt handwarm fließend übers Gebäck. Wird das verstrichen, braucht's weniger Überzug, der aber nicht glatt wird. Perfekter wird es aus einem Guß, wobei das Stück wie die Pfanne beim Crêpes-Braten gedreht wird, damit der Überzug überall hinläuft (ein Blech unterm Gitter sammelt die Reste).

Randum schön machen

Eine am Rand verzierte Torte hat viele gute Seiten: mehr Geschmack, hübsches Aussehen und einen kleine Fehler verdeckenden Sichtschutz. Meistens ist es Kleinzeug, das da auf Sahne oder feuchte Glasur kommt: geriebene Schokolade, Schokostreusel, geröstete Mandelblättchen, Pinienkerne, Pistazien, Kokosraspel, gemahlene Nüsse, Krokant, Liebesperlen, Zuckerzeug, Baiserbrösel. In die Vertikale kommt das durch Annäherung an die Horizontale: Die Torte wird auf dem Springformboden mit einer Hand schräg gehalten, während die andere gut gewölbt und gefüllt ganz dicht einen Streifen Tortenrand nach dem anderen von oben nach unten abfährt, so daß die Sachen mehr dagegenrutschen als fallen. Wenn's nötig ist, wird zum Schluß nochmal etwas festgedrückt.

Schön gespritzt

Er hat was von Alte-Tante-Torte und Sonntagsnachmittag im Parkcafé – der gespritzte Tupfer auf dem Tortenstück. Aber bis heute sagt er der Oma wie der Enkelin: »Jetzt kommt was Feines. Hab' ich nur für Dich gemacht.« Dazu braucht es Spritzbeutel und Tülle. Damit dabei alles sauber zugeht, wird der Beutelrand zum Einfüllen wie beim Schaftstiefel gut 5 cm umgeschlagen. Dann von der linken Hand (bei Linkshändern die rechte) den Daumen locker in die eine und die übrigen

1

Finger in die andere Richtung spreizen – als wenn ein Glas dazwischen wäre. Daran den Beutel mit der Stulpe einhängen, so daß Daumen und Zeigefinger den Schaft verstärken und die Öffnung offen halten. Dort hinein wird mit dem Teigschaber die Füllung geschaufelt – ein paar mal Rucken läßt sie nach unten rutschen. Ist der Beutel zu $^3/_4$ voll, wird der Teigschaber über den Zeigefingerrand abgestreift, der Schaft hochgeschlagen und eingedreht. Daumen und Zeigefinger verschließen dabei wie eine Klammer den Beutel, die übrigen Finger kümmern sich gleich mal ums Nach-unten-Drücken, damit alle Luft entweicht.

Und die andere Hand? Die führt nur und drückt kein bißchen. Dazu greift sie unten wie beim Pfannenstiel um den kerzengerade gehaltenen Beutel – Daumen vorne, Restfinger hinten. Und dann geht es los: Mit einer von der unteren Hand vollführten leichten Drehung auf dem Punkt wird der senkrecht stehende Beutel ein wenig nach oben gezogen, wobei die obere Hand kurz zudrückt. Am Ende die Tülle vor dem Abziehen leicht in den Tupfer stippen, damit kein Sahneschwänzchen entsteht (1). Fertig. Nochmal? Ok: Einmaldrehung auf dem Punkt mit der unteren Hand, Nachdruck durch die obere, beide ziehen dabei den Beutel gerade nach oben, stippen – und fertig. Und jetzt nochmal. Und nochmal. Nochmal. Mit etwas Training wird das zu einer einzigen Bewegung. Wer trocken üben will, spritzt auf ein Blech mit Backpapier, tut das in den Tiefkühler und plaziert dann die gefrorenen Erfolgstupfer auf der Torte.

Schön geschrieben

Torten zum Lesen haben die Extra-Portion »Nur für Dich« – ob nun die Geburtstagszahl oder ein kurzer Liebesbrief draufsteht. Die Zahl ist einfach gemacht: Sie wird entweder bunt und schlicht mit Schokolinsen auf Sahne oder feuchten Guß gelegt oder mit Kleinkram (wie für »Randum schön machen«) gestreut. Dabei hilft es, die Umrisse in die Glasur vorzuzeichnen und dann mit süßem Streu zu füllen.

Ein paar Worte mehr lassen sich mit der Zuckerschrifttube sagen. Wer seine Zeilen mit Glasur oder flüssiger Kuvertüre persönlich abschmecken will, faltet sich ein Tütchen aus Pergamentpapier: Dazu ein Quadrat mit 15 cm Seitenlänge zuschneiden und diagonal in zwei Dreiecke teilen. Nun aus einem Dreieck eine strammes Tütchen rollen, bei dem der Mittelpunkt der langen Seite Drehpunkt und Spitze ist. Perfekt gelungen ist es, wenn oben an der Öffnung zwei der Ecken hochragen (2). Die äußere nach innen und die innere nach außen gefaltet, dann hält das Tütchen von selbst. Sonst hilft Klebeband außen rum. Nun wird das Tütchen gefüllt, zugefaltet, mit einem Schnitt unten geöffnet und losgeschrieben – die Schreibhand führt, die andere sorgt mit Daumen-Zeigefinger-Druck für Nachschub. Auch hier hilft Vorschreiben mit einem Holzstäbchen, und natürlich können mit dem Tütchen auch Muster oder Bilder gezeichnet werden.

Auch noch schön

Für kreative i-Tüpfelchen ist geschmolzene Kuvertüre (siehe Vorderklappe) ideal. Simpel: Kuvertüre mit Pergamenttütchen übers Gebäck spritzen. Raffinierter: Ornamente auf Pergamentpapier vorzeichnen, wenden und mit dem Tütchen nachziehen. Für Blätter: Minzblätter von unten mit Kuvertüre bestreichen und nach dem Trocknen abziehen. Für Röllchen: aufs Blech gestrichene Kuvertüre kurz vor dem Trocknen schräg mit Spachtel oder Pfannenwender lösen. Für Löckchen: mit Messer oder Schäler Kuvertüre vom Block raspeln. Für Kontraste: dunkle, helle und weiße Kuvertüre mischen.

Kreativmasse Nr. 2 ist das Marzipan. Mit Puderzucker verknetete Rohmasse kann gefärbt, ausgerollt und ausgestochen werden – zu Blümchen, Blättern oder auch Buchstaben. Oder es werden Knetmännchen daraus gemacht – frei Schnauze oder klassisch wie bei den Möhrchen: mit roter und gelber Farbe orange gefärbte Röllchen spitz zurollen, mit dem Messerrücken einkerben und mit Marzipangrün vollenden. Auf Seite 40 wartet schon jemand darauf.

wecker
löffel
schüssel
maß
teigschaber
schneebesen
form
pinsel
topflappen

die tüchtigen 17

ohne die geht's nicht

Der Wecker

Geschafft vom Kuchenmachen sitzen wir bei Likör am Küchentisch, blättern verträumt im Lieblingsbackbuch und fühlen uns richtig schön benebelt – bis wir merken, daß das hier Rauch statt Nebel ist und unser Lieblingskuchen nun Brikett heißt! Muß doch nicht sein. Auch wer einen Küchenwecker besitzt, kann ein lässiger Genießer sein. Gleich in den Herd eingebaute Wecker haben den Nachteil, daß man sie nicht mit ins Wohnzimmer nehmen kann und daß sie nie repariert werden, wenn sie kaputt gehen. Zum kräftigen Klingeln wird der Wecker mit Überschwung aufgezogen und auf die nötige Zeit zurück gestellt, die ein bißchen kürzer ist. Weil Nachbacken besser als Abkratzen ist.

Der Löffel

Profi-Konditoren haben den Kochlöffel öfters in der Hand als Profi-Köche. Weil der Koch höchstens mal damit umrührt, der Konditor aber mit ihm einrührt, unterhebt, vermengt und so weiter. Sein Löffel hat dabei allerdings ein Loch, damit er so leicht wie möglich durch Teig, Masse oder Creme hindurch geht. Hat er noch eine Ecke nach einer Seite hin, kommt er auch in die verborgensten Nischen (von denen eine Rührschüssel mehr hat als man denkt). Ob er als Holz- oder Plastiklöffel rührt, ist eher Geschmackssache – besonders beim naturverbundenen Holzmodell, das wie der Backpinsel gerne Aroma für sich behält und deswegen gut geputzt werden muß.

Die Schüssel

Wer bäckt, kann nie genug Schüsseln haben. Aber nur wer gerne spült, sollte mehr als genug haben. Für den Rest empfielt sich beschränkte Vielfalt. Ein Muß ist die »Mutterschüssel« fürs Sahneschlagen, Teigkneten usw. Passen 3 Liter hinein, paßt das. Ist sie schwer, rund, stabil und bodenständig (am besten durch einen Standring mit Gummi drin, zur Not hilft ein feuchter Lappen drunter), wird sie eine gute Mutter sein. Aus Metall? Fein. Aus festem Kunststoff? Auch fein. Der Rest der Sippe: ein bis zwei kleinere Abbilder der Mutter für Nebenarbeiten wie Eischneeschlagen. Eine hohe Schüssel mit Ausgießer zum Mixen. Billigschüsselchen für kleine Jobs. Tiefe Teller gehen aber auch.

Das Maß

Wichtig in kontinental-europäischen Backstuben, weil es wie die Waage das Zusammenrühren von Zutaten nicht zum gefährlichen Abenteuer macht. Überlebenswichtig in einigen anglo-amerikanischen Backstuben, weil es dort auch noch die Waage ersetzt, wenn in Rezepten das Gewicht in »cups« angegeben wird. Das entspricht einer 240- bis 250-ml-Tasse voll, was aber nur selten die gleiche Grammzahl bedeutet. Uns geht es hier aber nur ums Messen von Flüssigem. Ob der Saft für den Tortenguß reicht, zeigt sich am besten im durchsichtigen Maß. Damit dann auch noch die Kirschtorte nicht zu beschwipst wird, sollte es nicht erst bei 100 ml mit dem Messen beginnen und bloß in groben 50-ml-Schritten den Liter auffüllen.

Der Teigschaber

Wenn er wirklich schabt, taugt er nichts. Weil er dann so starr ist, daß er aus den Rundungen der Schüssel nicht alles herausholt. Weswegen das Kompaktmodell aus einem Plastikguß besser im Laden bleibt. Lieber das Traditionsstück nehmen: Mit Solo-Stiel, auf dem ein gemäßigt rechteckiger Spatel aus gummi-ähnlichem Kunststoff (oder ist's kunststoff-ähnlicher Gummi?) festsitzt, der zu den Rändern hin genug nachgibt, um wirklich alles aus der Schüssel zu holen. Am besten klappt das, wenn drei Ecken rund und die eine oben eckig ist. Nicht die übelste Alternative: der halbkreisförmige Profi-Schaber aus festem Plastik, mit dem sich prima Kleinkram von der Arbeitsfläche kratzen läßt – und Creme auf der Torte glattstreichen.

Der Schneebesen

Selbst Handkneter und Raketenlaufwerkbäcker kommen ohne ihn nicht aus. Die Freunde des Handwerks schlagen mit dem Schneebesen Sahne steif oder Eier schaumig, wozu das Modell mit vielen elastischen Drähten das beste ist. Hat dessen Griff weder Haken noch Kanten, liegt es auch bei starkem Schlagen gut in der Hand. Die Gerätefetischisten andererseits sind zugleich Perfektionisten. Und als solche wissen sie, daß keine Maschine so gründlich und sauber unterheben kann wie es die Hand tut. Der Kochlöffel ist ihnen dafür aber doch etwas zu gering, weswegen sie zu einem Schneebesen greifen, der starkdrahtiger und luftiger zwischen den Speichen ist als der Schlagbesen.

Die Form

Mit dem Trio Kasten-, Gugelhupf- und Springform inkl. Backblech läßt sich fast jedes Gebäck der Welt backen. Ob die Springform dabei 26 oder 28 cm Durchmesser hat, ist nicht wirklich wichtig. Je nach Backlust können Formen für Obstböden, Kranzkuchen, Tartes oder Muffins dazustoßen. Ist das alles aus Weißblech, wirkt es professionell-dekorativ, aber schwarzblecherne oder noch besser beschichtete Formen machen weniger Ärger – wenn sie gepflegt werden. Das geht so: Gleich wenn das Gebäck draußen ist, mit warmem Wasser spülen, am besten ohne Spülmittel und nie mit dem Topfkratzer.

Der Pinsel

Beim Teigmachen und Backen hat er nichts zu tun, aber ohne ihn geht es trotzdem nur selten. Denn meistens ist es der Pinsel, der die Butter in alle Ecken einer Form bringt, damit später der Kuchen wieder gut aus ihr herauskommt. Der klassische Backpinsel – flach, hölzern und ausgestattet mit einem gut zwei Zentimeter breiten Naturborstenschnitt – ist immer noch das beste Stück dafür. Weil er Aromen gerne speichert, wird er vom glasierten Schweinsbraten ferngehalten und nach jeder Arbeit gründlich mit heißem Wasser ausgewaschen. Solche Arbeit kann auch sein: Bestreichen von Schokoladenkuchen mit Überzug, Bepinseln von Plätzchen sowie Mehl von Teigplatten kehren.

Der Topflappen

Wo ein Ofen läuft, hängt der Topflappen nicht weit. Denn ohne ihn ist alles Backen nichts, trotz des irreführenden Namens. Ob er Modefarben trägt, ist dem Besitzer spätestens dann egal, wenn er sich mit dem Designerstück die erste handfeste Brandblase geholt hat. Viel mehr zählt, daß Topflappen groß und dick genug sind, um ein Backblech ein paar Sekunden länger zu halten, aber nicht so groß und dick, daß das Backblech schon nach einer Sekunde wegflutscht. Weswegen lähmende Backhandschuhe auch nicht die beste Lösung sind. Bewährt hat sich das großzügig die Hand abdeckende Quadrat, tückisch sind runde oder gar asymmetrische Topflappen.

Das Sieb

Früher wurde Mehl gesiebt, damit es am Ende auch Mehl war – ohne Kornreste und weniger appetitliche Zusätze. Heute ist es von Haus aus frei davon, aber bei luftigem Gebäck bringt Mehlsieben immer noch etwas, nämlich Luft ins Gebäck. Mehrfach durchs Sieb geschüttelt verleiht es dem Biskuit noch mehr Schwebekraft. Dazu reicht das normale Drahtsieb völlig aus, wenn es fein genug und knapp schüsselgroß ist. Es taugt auch zum Waschen von Erdbeeren und Durchstreichen von Erdbeerpüree, zum Abtropfen von Kirschen für die Schwarzwälder und zum Bepudern mit Puderzucker. Weil es dafür wie fürs Mehlsieben ganz trocken sein muß, haben Intensivbäcker immer zwei Siebe parat.

Die Waage

Backen ohne Waage ist wie Autofahren ohne zu kucken: Es geht. Vor allem schief. Wer mit der Digitalwaage gegensteuern will, muß aber manchmal erst den Führerschein dafür machen. Denn drauf das Zeug und Ablesen ist bei ihr nicht ohne (mehrfaches) Knöpfchendrücken. Was nicht heißt, daß Wiegen ohne Batterie bei 50 g beginnen muß. Reicht die Skala in 10-g-Schritten bis zu 1 kg oder noch besser 2 kg, ist das gut. Findet eine entsprechende Schüssel problemlos auf der Waage Halt, ist das perfekt. Ist die Waage auch perfekt? Mach den Kaufladentest: mit dem Pack Zucker für den Kilotest, mit Kaffee für die Pfundprobe, mit Butter für 250 g, Schokolade in Rippe und Stück für Feinheiten.

Der Ofen

Er ist schon da, wenn dieses Buch ins Haus kommt, und wird kaum wegen ihm gehen. Kein Wort also über Supermodelle, denn: Kannst du nicht haben was du möchtest, mußt du mögen was du hast. Das ist ein Elektro-Ofen? Sehr beliebt, und wer weiß, daß er wie der Gasherd vorne und unten etwas kühler als hinten und oben bäckt, hat was fürs Leben. Umluftofen? Prima Kerl, bäckt ohne Vorheizen auf allen Schienen, nur darf er nicht so heiß laufen. Zu allen Öfen gehört das Gitter, auf dem der Kuchen Hitze von allen Seiten bekommt. Unser Rat: Erkenne Deinen Ofen. Erfolge notieren, Schwächen schweigend umschiffen – der Beginn einer wunderbaren Freundschaft.

Die Reibe

Die richtige Reibe für Zitronenschale sieht ein bißchen so aus, als hätte jemand die Löcher mit einem feinen Nagelbrett hineingedrückt. Weil hier das Blech in alle Richtungen hochsteht, läßt sich darauf in alle Richtungen reiben. Damit läßt sich Feines machen, was bei der Zitronenschale viel gelbes Aroma und wenig bitteres Weiß bedeutet. Fürs Raspeln sind Reiben gut, die nur in eine Richtung funktionieren. Je nach Größe der Löcher und damit des abstehenden Blechs läßt sich damit fein raspeln oder grob raspeln. Gut: die vierseitige Kombireibe. Nicht so gut: die sechsseitige, weil die Reibeflächen zu klein sind. Ganz simpel: Zitrone mit Zuckerstückchen abreiben

die tüchtigen 17

ohne die geht's nicht

Das Papier

Braucht der Bäcker Backpapier? Eigentlich nicht, weil Pinsel und Butter tun es auch - nämlich den Kuchen aus Form oder Blech kommen lassen. Soweit die Theorie. Die Praxis besteht aber zu oft aus häßlich festsitzenden Kuchen, um allein auf die natürliche Lösung zu vertrauen. Backpapier also: Aber bitte, bitte nur wirklich glatte Formen (Spring, Kasten, Backblech) wirklich glatt damit auslegen, sonst schafft die Falte, was die Form nicht konnte – den Kuchen hängen zu lassen. Weiteres Nützliches von der Rolle: Butterbrotpapier zum Blindbacken. Alufolie, zum Abdecken, bevor Gebäck schwarz wird – mit der die Hitze reflektierenden Glanzseite nach oben.

Der Teigroller

Er heißt auch Nudelholz, wird aber fast nur für die Bäckerei verwendet, etwa für Blechkuchen und Plätzchen. »Holz« gilt aber immer noch – für die mindestens 5 cm dicke Rolle wie für die durch eine Achse hindurch verbundenen beiden Griffe. Die verdienen ihren Namen, wenn sie sich ordentlich greifen und nichts wackeln lassen. Die Rolle ist eine richtige Rolle, wenn sie – richtig rollt, dazu 30 cm breit und kein Federgewicht ist. Wie die Marmorrolle, an der weniger kleben bleibt, die aber teuer ist oder bei Billigmodellen schnell aus dem Ruder läuft. Bei allen Rollen ist wichtig, daß ihre Kanten nicht zu scharf sind, weil sie sonst tiefe Spuren im Teig hinterlassen. Und: Immer mit der Hand spülen.

Das Gerät

Kuchen nur mit Handgeknete, Torte bloß per Planetenlaufwerk? Wem Körperkraftaroma oder Raketentechnik beim Backen eher fremd sind, greift zum Handrührgerät. Ist es mindestens 300 Watt (ideal: 500 Watt) stark, kann es mit Rührbesen fürs Schlagen und Rühren sowie Knethaken für Groberes viel bewegen. Wird's zu grob oder anspruchsvoll, ist die backtaugliche Küchenmaschine angebracht: große, feststehende Rührschüssel mit einem Kraftarm, der von oben in alle Winkel schlagen, rühren oder kneten kann. Immer gut: vier oder mehr Schaltstufen plus eine fürs Sekundenkneten, wenige Knöpfe, einfache Umbauten, keine Ritzen zum Reinigen – und der feste Stammplatz in der Küche.

Der Spritzbeutel

Er kommt an die Reihe, wenn alles gebacken ist. Cremes und Sahne bringt er mit der zackigen Sterntülle gemustert auf die Torte. Sie sollte nicht zu eng sein, sonst sieht das Gespritzte eher sparsam aus. Perfekt: zwei Größen, die sich bei Metalltüllen noch zurechtbiegen lassen. Und die Lochtülle für Tupfen, Stränge und gezieltes Füllen. Der Beutel selbst sollte aus stabilem, aber geschmeidigem Material und nicht zu klein sein. Reicht er über die Hand gestülpt bis zur Mitte des Unterarms, geht das Füllen leichter und reicht auch für eine Weile. Säubern ist einfach: Beutel mit warmem Wasser vollaufen lassen, rausdrücken, gut auswaschen und zum Trocknen umgekehrt auf eine Flasche stülpen.

die rezepte

basic

Ganz p

Der Duft eines Nußkuchens kann Phantasien auslösen ...

ur

Für mich bitte keine Sahne. Und auch keinen Saft. Einfach nur Kuchen. Weil so mag ich's am liebsten.

Lieblingskuchen sind ganz oft ganz, ganz pur. Der Duft eines Nußkuchens kann Phantasien auslösen, gegen die jeder Sahnetortentraum so spannend wie Beamtenschlaf wirkt. Und ein Gugelhupf aus dem eigenen Ofen macht aus der kleinsten Mietzelle wieder das Elternhaus mit Garten, in dem stundenlang Geburtstag gefeiert wird.

Kuchen ist wie Mutter, Vater, Bruder, Tochter – denn auch sein Name kommt aus der Kindersprache. Da heißt Kuchen Brei. Und pure Kuchen sind gebackener Brei. Mehl, Butter, Eier und Zucker zusammengerührt, in den Ofen damit und wieder heraus, fertig ist das gute Stück. Was besseres gibt's kaum. Außer vielleicht das zweite Stück. Aber das ist bei puren Kuchen sowieso immer mit drin.

S.O.S

Antworten auf alle FAVs (Fragen aus Verzweiflung) von unserer Basic-Backtante

Raus aus dem Formtief!
Ich backe gerne und esse gerne Kuchen, aber was dazwischen kommt, ist furchtbar: den Kerl aus seiner Form kriegen. Freiwillig kommt er fast nie raus, und wenn, dann als Mehrteiler. Was mache ich nur falsch, daß er nie macht, was ich will?
Luise aus Hörgenau

Tante Ilse rät:

Wie schaut denn Deine Form aus, Luise? Schrundig wie Schiefer? Wegschmeißen. Glatt wie Glas? Weitermachen. Also gut buttern, vor allem in den Kanten. Beim Backpapier (nicht verwechseln mit Pergament- oder Packpapier) denk dran, daß jede Falte den Kuchen festhält. Mein Trick: ein Blatt für den Boden und einen Streifen rundum mit etwas Butter drunter glattstreichen. Mein Springformtrick: Boden solo mit Papier abdecken, das mit dem Rand festklemmen, Reste außen abreißen – sitzt perfekt.

Wichtig: Nach dem Backen den Kuchen 10 Minuten in der Form lassen, damit er sich zusammenzieht (ganz kalt würde er festkleben). Dann mit dem Messer am Rand rumfahren, Gitter auf die Form legen, das Ganze wenden und warten. Kommt er? Dann zieh das Backpapier ab, wenn nötig. Kommt nichts? Form samt Gitter mit beiden Händen umfaßt ruckartig nach unten stoßen – nicht schmeißen, auch wenn Du große Lust dazu hast. Immer noch nichts? Lege ein naßkaltes Tuch um die Form. Auch nichts? Dann mußt Du den Kuchen wohl rausschneiden. Ist immer noch besser als aus dem Fenster werfen – ich hab beides ausprobiert.

Formensprache

Schon bei mehr als 10 cm Abstand zwischen den Außenrändern einer Kuchenform wird der Haufen Teig darin beim Backen schneller außen dunkelhart als er innen durch sein kann. Kein Problem für die Kuchenformdesigner der Jahrhunderte. Hier ihre Lösungen:

Die Kastenform
Die einfachste Lösung, weil sie die 10-cm-Zone in Höhe und Breite bis an die Grenzen auslotet. So kommt die Hitze von allen Seiten schnell genug zur Mitte und die Form kann es sich leisten, in die Länge zu gehen, damit am Ende trotzdem genug Kuchen da ist. Gut für schwerere Teige, die nicht zu hoch hinauswollen, wie üppiger Rührteig.

Die Gugelhupfform
Die raffinierte Lösung, weil sie das 10-cm-Gebot durchlöchert, um es in Höhe wie Breite zu ignorieren. Der Trick: Durch den Schlot in der Mitte wird auch von innen gebacken. Gut für Teige, die stark aufgehen, wie Rührteig mit viel Ei und Backpulver oder Hefeteig. Für schwerere Teige gibt es die niedrigere Kranzform.

Die Springform
Die Notlösung für Purbäcker, weil in ihr Dinge gebacken werden, die selten vom Teig alleine leben können: Biskuitböden für Torten; Mürbeteig, der einer Füllung die Form gibt; Rührteig, der sich an Früchten hochzieht. Ausnahmen: Eiergranaten wie die Sachertorte oder konsequent Flaches wie der Schnelle Orangenkuchen aus Spanien.

Das Backblech
Die Speziallösung, weil es fast unverantwortlich in die Breite geht und sich dabei nicht um die Höhe schert. Doch das hat Methode, denn am Ende gleicht sich beides aus und heraus kommen Lieblingskuchen wie Bienenstich. Gut für Teige, die mit Substanz aufgehen wie Hefe- oder Rührteig.

Keine Form
Die Nullösung, weil hier der Teig zwar in Form gebracht, aber nicht in einer Form gebacken wird. Nichts für fließende Teige, die automatisch zum Blechkuchen werden; gut für stabile Teige wie Hefe-, Brand- oder Brotteig.

Aus dem Kaffeesatz

Kaffee kochen

In Italien gibt es ihn hinterher und zwischendurch, in Skandinavien wird er rund um die Uhr eingeatmet und in Österreich ist er Kulturgut. Aber der Kaffee zum Kuchen wird in Deutschland gebrüht, wo man »Kaffeetrinken geht«, wenn man Kuchen essen will. Und dazu paßt am besten der milde Filterkaffee, bei dem das durchlaufende Wasser Aroma und Koffein in die Tasse holt. Meistens macht das eine Maschine, und deren Brodeln gehört für viele schon zum Kuchenkult so wie das Sahneschlagen.

Noch mehr Ritus liegt aber im selbstgebrühten Filterkaffee, der gut gemacht besonders voll schmecken kann. Die Zutaten sind für beide Methoden die gleichen: Wasser – am besten mit Härtegrad 8–10 (weiß das Wasserwerk), bei weniger hilft Salz, bei mehr Natriumkarbonat aus der Apotheke. Und Kaffeepulver 8–10 g pro 150-ml-Tasse bzw. ein guter Eßlöffel oder das Kaffeelot voll. Wenn eine ganze Kanne gekocht wird, gibt's einen Löffel extra.

Für die Handmethode wird das Pulver grober gemahlen, weil es länger vom Wasser ausgelaugt wird. Zuerst kommt nur ein kleiner Schluck kochendes Wasser aufs Pulver, damit es quellen kann. Dann wird der Filter vollgegossen und stehengelassen, bis alles durchgelaufen ist, und das wird so oft gemacht, bis die Kanne so voll ist wie geplant. Egal aber, wie der Kaffee gemacht und warmgehalten wird – frisch ist er am allerbesten, nach 30 Minuten schon schmeckt er eher platt als voll. Also lieber warten mit der zweiten Kanne. Und Wiener Kaffeehauskellner raten: Am besten zum Kaffee schmeckt Kuchen pur – ohne Frucht und keine Torte.

Am besten bis ...

Manche Kuchen wollen möglichst gleich nach dem Backen gegessen werden, manche brauchen noch ein bißchen Zeit, um auf den richtigen Geschmack zu kommen. Ein Überblick darüber, wann Gebackenes am besten schmeckt und wie lange

Gebackenes aus	am Backtag	am Tag danach	nach ein paar Tagen	auf Dauer
Rührteig	ok, aber noch nicht so aromatisch	saftig und aromatisch	immer noch gut, bei schwerem Gebäck bzw. mit Früchten gar besser	Kühl und luftdicht 1 Woche bis 1 Monat
Brandteig	am allerbesten	eher zäh und trocken	höchstens noch Suppeneinlage	ganz frisch luftdicht einfrieren (1 Monat)
Biskuit	am besten zum Belegen	ok, wenn gut verpackt aufbewahrt; ideal zum Schneiden in Böden	zäh und trocken	trocken für Brösel oder Auflauf
Mürbeteig, blindgebacken	ok, wenn völlig abgekühlt	besser, weil mürber	ok, wenn trocken und luftdicht aufbewahrt	am besten rohen Teig einfrieren (3 Monate)
Mürbeteig, mitgebacken (Apfelkuchen)	am besten	ok, kann aber aufweichen	aufgeweicht, schmeckt alt	am besten rohen Teig einfrieren (3 Monate)
Hefeteig, leicht (Hefezopf)	am allerbesten	geht noch	altbacken, hart	ganz frisch luftdicht einfrieren (1 Monat)
Hefeteig, schwer (Gugelhupf oder Stollen)	nur wenn es sein muß	schon besser bei Gugelhupf	noch besser bei Gugelhupf	Stollen wird nach 4 Wochen luftdicht erst richtig gut

Marmorkuchen
Einfach, klassisch, gut

Nicht vergessen: Butter, Eier, Quark und Milch wollen Zimmerwärme, also 30 Minuten vor dem Rührstart aus dem Kühlschrank nehmen.

Für 25 Stück Kuchen
100 g Zartbitter-Schokolade
250 g weiche Butter
1 EL Quark (macht ihn besonders saftig, wenn der aber nicht im Haus ist, geht's auch ohne)
175 g Zucker
5 große Eier
500 g Mehl
1 Päckchen Backpulver
1 Prise Salz
knapp $^1/_8$ l Milch
50 g gemahlene Mandeln
2 EL Grappa oder Rum
Für die Form: Butter und Mehl
Nach dem Backen: Puderzucker
Rührteig • 1–1 $^1/_4$ Std. • 180 Grad
Napfkuchen- oder Gugelhupfform

1 Als erstes schon mal die Form fetten. Dann eine Handvoll Mehl reinschütten und die Form hin und her drehen, bis sich das Mehl überall verteilt hat.

2 Jetzt die Schokolade reiben. Am einfachsten geht das in der Küchenmaschine, ein bißchen langwieriger mit der Reibe. Dran denken: Schokolade schmilzt zwischen den warmen Fingern, also mit Einwickelpapier anfassen.

3 Den Backofen schon mal auf 180 Grad vorheizen (ohne Vorheizen: Umluft 160 Grad). Die weiche Butter in Stücke schneiden und mit dem Quark und dem Zucker in die Rührschüssel. Mit den Quirlen durchrühren, bis alles hell und cremig aussieht. Eier einzeln dazu schlagen und immer nur so lange unterrühren, bis keine Eispur mehr zu sehen ist.

4 Mehl mit Backpulver und Salz vermischen. Mehl und Milch unter die Buttercreme rühren, abwechselnd, damit man immer wieder die Konsistenz vom Teig prüfen kann. Er soll zum Schluß schwer sein und nur langsam von den Quirlen abfallen, fast abreißen.

5 Teig halbieren, unter eine Hälfte die geriebene Schokolade mit den Mandeln und dem Grappa oder dem Rum rühren. Mit einem großen Löffel einen dicken Klecks hellen Teig in die Form geben. Dicht daneben eine Portion dunklen Teig, dann wieder einen hellen und so weiter. Und jetzt kommt das Vermischen: Mit einer Gabel Spiralen durch den Teig ziehen, so daß sich der dunkle und der helle Teig marmorartig vermischen.

6 Kuchen auf der mittleren Schiene 1 1/4 Stunden backen. Nach 1 Stunde mal mit einem Holzstäbchen prüfen, ob er fertig ist. Kuchen in der Form 5 – 10 Minuten stehen lassen, auf ein Kuchengitter stürzen und ganz abkühlen lassen. Vor dem Essen Puderzucker drüber stäuben.

So viel Zeit muß sein: knapp 2 Stunden, davon aber nur ungefähr 30 Minuten Arbeit
Kalorien pro Stück: 230

Variante:

Marmorkuchen mit Erdnußbutter

250 g weiche Butter und 200 g Erdnußbutter mit 200 g Zucker cremig rühren, dann nach und nach 5 Eier darunterschlagen. 230 g Mehl mit 2 TL Backpulver und 1/2 TL Salz mischen und abwechselnd mit 1/8 l Milch unter die Buttermasse ziehen. Teig halbieren, unter eine Hälfte 100 g geschmolzene Zartbitter-Kuvertüre ziehen, unter die andere 50 g gehackte Erdnüsse mischen. Die beiden Teige abwechselnd in eine gebutterte Kranzform geben, mit einer Gabel verziehen und bei 180 Grad (Umluft 160 Grad) auf der mittleren Schiene 50 – 60 Minuten backen.

Schneller Orangenkuchen

Ziemlich billig

Für 12 Stück Kuchen

Für den Teig:

1 unbehandelte Orange, 4 Eier, 70 g Zucker
80 g Grieß, 1/8 l frisch gepreßter Orangensaft (von ungefähr 3 Orangen)
1 Prise Salz, 100 g Mehl

Zum Tränken:

1/8 l frisch gepreßter Orangensaft (siehe oben), 70 g Zucker
Für die Form: Butter und Backpapier

Biskuitteig • 20 –25 Min. • 190 Grad

Springform, 26 oder 28 cm Ø

1 Die Orange heiß waschen und 1 – 2 TL Schale dünn abreiben. Die Eier trennen. Die Eigelbe mit dem Zucker und der Orangenschale dickschaumig schlagen. Den Grieß mit dem Orangensaft in die Eigelbmasse rühren und 10 Minuten beiseite stellen. Die Eiweiße mit Salz steif schlagen.

2 Den Backofen auf 190 Grad vorheizen (ohne Vorheizen: Umluft 170 Grad). Die Form am Rand buttern, den Boden mit Backpapier belegen.

3 Eischnee auf die Eigelbmasse häufen, Mehl darüber sieben, mit dem Schneebesen vorsichtig unterheben. Teig in die Form füllen, glattstreichen und auf der mittleren Schiene 20 – 25 Minuten backen.

4 Inzwischen zum Tränken Orangensaft und Zucker so lange kochen, bis ein dickflüssiger Sirup zustande gekommen ist.

5 Den Kuchen nach dem Backen 5 – 10 Minuten in der Form ausdampfen lassen, auf eine Platte setzen. Den Kuchen so lange mit dem warmen Sirup bestreichen, bis er ihn komplett aufgenommen hat.

So viel Zeit muß sein: 1 Stunde, davon 30 Minuten zu tun
Kalorien pro Stück: 135

Fetter Nußkuchen
Wenn schon, denn schon

Für 25 Stück Kuchen Nusskuchen:

2 Tafeln von der Lieblingsvollmilchschokolade (200 g), 200 g gemahlene Haselnüsse

6 Eier, 130 g Mehl, 1 TL Backpulver

1 TL Zimtpulver, 220 g weiche Butter

250 g Zucker, 1 Prise Salz

200 g Haselnußglasur oder Kuvertüre

1 Beide Tafeln Schokolade schnappen und zusammen auf der Küchenreibe grob raspeln, mit den Haselnüssen vermengen. Die Eier trennen. Das Mehl mit dem Backpulver und dem Zimt mischen.

2 Den Backofen auf 180 Grad vorheizen (Umluft ohne Vorheizen 160 Grad). 200 g Butter und Zucker mit den Quirlen des Handrührgeräts cremig rühren, dann nach und nach die Eigelbe darunter rühren. Nuss-Schoko-Mischung unter die Buttermasse mengen, die Mehlmischung locker unterrühren. Die Eiweiße mit Salz steif schlagen, unterheben.

3 Eine Kastenform (30 cm Länge) mit der übrigen Butter ausfetten und den Teig einfüllen. Den Kuchen 55 Minuten im Ofen (Mitte) backen. Zur Sicherheit noch die Stäbchenprobe: Zahnstocher reinstecken. Wenn kein Teig mehr dranhängt, ist alles gut. Den fertigen Kuchen 10 Minuten in der Form ausdampfen lassen, dann auf ein Kuchengitter stürzen, über Nacht ganz kalt werden lassen.

4 Am nächsten Tag die Haselnussglasur nach Packungsaufschrift erhitzen und über den Kuchen gießen. Nusskuchen noch mal 15 Minuten in den Kühlschrank stellen, dann Augen schließen und genießen.

So viel Zeit muß sein: 50 Minuten
(+ 55 Minuten Backzeit
Kalorien pro Stück: 305

Spanischer Vanillekuchen
Mit echter Vanille

Für 12 Stück Kuchen

100 g Zartbitter-Schokolade

1 Vanilleschote, 150 g Mehl

50 g gehackte Mandeln

1 TL Backpulver, 1 Prise Salz

6 große Eier, 1 TL Zitronensaft

200 g Marzipan-Rohmasse

150 g Butter + Butter für die Form

150 g Zucker,

Nach dem Backen:

150 g Halbbitter- Kuvertüre

2 EL gehackte Pistazien

Rührteig • 45 Min. • 180 Grad

Spring- oder Rosenkuchenform,

26 oder 28 cm Ø

1 Schokolade nicht zu fein hacken. Vanilleschote aufschlitzen, Mark rauskratzen. Mit Mehl, Mandeln, Backpulver und Salz mischen. Den Backofen auf 180 Grad vorheizen (ohne Vorheizen: Umluft 160 Grad). Die Form gut fetten.

2 Eier trennen. Eiweiße steif schlagen, dabei den Zitronensaft reintröpfeln. Marzipan-Rohmasse würfeln und mit der Butter und dem Zucker mit den Quirlen sehr gut verrühren. Eigelbe nacheinander unterrühren. Mehlmischung mit Schokolade auch unterrühren. Und jetzt noch den Eischnee: eine Hälfte drunterrühren, die andere unterheben.

3 Teig in der Form glattstreichen. Auf der mittleren Schiene ungefähr 45 Minuten backen. In der Form 10 Minuten stehenlassen, rauslösen, abkühlen.

4 Glasur schmelzen lassen. Kuchen damit überziehen, Pistazien (oder Mandeln) drauf streuen. Trocknen lassen, essen!

So viel Zeit muß sein: 1 1/2 Stunden, davon die Hälfte der Zeit aktiv
Kalorien pro Stück: 355

Eierlikörkuchen
Super saftig

Für 15 Stück Kuchen

5 Eier, 180 g Puderzucker

2 Päckchen Vanillezucker

1 Prise Salz

$^1/_4$ l Eierlikör

$^1/_4$ l Pflanzenöl

150 g Speisestärke, 100 g Mehl

1 Päckchen Backpulver

Für die Form: Butter

Nach dem Backen: Puderzucker

Rührteig • 60 – 70 Min. • 180 Grad

Gugelhupfform

1 Den Ofen auf 180 Grad vorheizen (ohne Vorheizen: Umluft 160 Grad). Form mit Butter ausstreichen.

2 Die Eier mit Puderzucker, Vanillezucker und Salz in einer großen Schüssel dick und schaumig schlagen. Noch weiterschlagen, dabei aber den Eierlikör dazugießen. Dann nach und nach das Öl dazugießen. 2 Minuten lang weiterschlagen.

3 Speisestärke und Mehl mit Backpulver vermischen und über die Eierlikörmasse stäuben. Mit einem Schneebesen vorsichtig unter die Masse ziehen.

4 Den Teig in die Form füllen, im Ofen auf der mittleren Schiene 60 – 70 Minuten backen. Den Kuchen 5 – 10 Minuten in der Form ausdampfen lassen, auf ein Kuchengitter stürzen und auskühlen lassen. Vor dem Essen Puderzucker drüber sieben.

So viel Zeit muß sein: 1 $^1/_2$ Stunden, davon 20 – 30 Minuten zu tun
Kalorien pro Stück: 270

Rotweinkuchen
Unbedingt probieren!

Für 25 Stück Kuchen

100 g Zartbitter-Schokolade

4 Eier

200 g weiche Butter

200 g Zucker

250 g Mehl

$^1/_2$ Päckchen Backpulver

1 TL Zimt

2 TL Kakaopulver

$^1/_8$ l trockener Rotwein

Für die Form: Butter und Mehl

Rührteig • 1 Std. • 180 Grad

Kastenform, 30 cm

1 Schokolade mit einem großen schweren Messer fein hacken. Eier trennen. Die Eiweiße auch gleich steif schlagen und in den Kühlschrank stellen, damit der Eischnee fest bleibt.

2 Butter und Zucker in der Rührschüssel mit den Quirlen kräftig durchrühren, bis das Ganze schön cremig und hell ist.

3 Den Backofen auf 180 Grad vorheizen (ohne Vorheizen: Umluft 160 Grad). Form fetten und mehlen: einfach eine Handvoll Mehl reinschütten und die Form so lange drehen und wenden, bis alle Seiten mehlweiß sind.

4 Jetzt kommen nacheinander die Eigelbe zur Buttercreme. Immer so lang unterrühren, bis keine gelbe Spur mehr erkennbar ist. Mehl mit Backpulver, Zimt, Kakao und Schokolade vermischen, abwechselnd mit dem Rotwein unter die Buttercreme rühren. Ein Drittel vom Eischnee unterrühren, den Rest unterheben.

5 Teig in der Form glattstreichen, auf der mittleren Schiene 1 knappe Stunde backen. Kuchen kurz in der Form ruhen lassen, dann herauslösen und kalt werden lassen.

So viel Zeit muß sein: 30 Minuten aktiv, knapp 1 Stunde relaxed
Kalorien pro Stück: 165

Sandkuchen
Fein wie Sand vom Ostseestrand

Für 25 Stück Kuchen

250 g Butter, 5 Eier

150 g Zucker

2 Päckchen Vanillezucker

2 EL Rum (wer mag)

abgeriebene Schale von $^1/_2$ unbehandelten Zitrone

1 Prise Salz, 125 g Mehl

125 g Speisestärke

1 TL Backpulver

Für die Form: Butter und Mehl

Nach dem Backen: Puderzucker

Rührteig • 1 Std. • 180 Grad

Kastenform, 30 cm

1 Diesmal wird die Butter im Topf zerlassen (das Butterpapier aufheben, die Reste dran reichen zum Fetten der Form), bei schwacher Hitze, damit sie nicht braun wird oder sogar anbrennt. Wieder lauwarm abkühlen lassen.

2 Den Backofen auf 180 Grad vorheizen (ohne Vorheizen: Umluft 160 Grad). Die Form mit dem Butterpapier ausstreichen und mit Mehl bestäuben.

3 Eier in eine Schüssel aufschlagen, Zucker und Vanillezucker dazuschütten und alles mit den Quirlen so lang aufschlagen, bis die Masse heller, schaumiger und mehr ist. Rum und Zitronenschale und Salz unterrühren.

4 Mehl mit Speisestärke und Backpulver mischen. Etwas Mehlmischung unter die Eiercreme rühren, das übrige Mehl abwechselnd mit der Butter unterrühren.

5 Teig in die Form füllen, glattstreichen. Im Ofen auf der unteren Schiene ungefähr 1 Stunde backen. Zur Sicherheit die Stäbchenprobe machen und eventuell noch ein wenig länger backen.

6 Kuchen in der Form 5 – 10 Minuten stehenlassen, dann stürzen, wieder umdrehen und auf einem Kuchengitter ganz abkühlen lassen. Vor dem Servieren den Kuchen dünn mit Puderzucker übersieben.

So viel Zeit muß sein: 1 $^1/_2$ Stunden, davon nur 30 Minuten zu tun
Kalorien pro Stück: 160

Varianten:

Zitronenkuchen

200 g weiche Butter schaumig schlagen. 180 g Zucker unterrühren. 4 Eier und die abgeriebene Schale von 2 großen unbehandelten Zitronen dazu. 250 g Mehl, 125 g Speisestärke, 1 Prise Salz und $^1/_2$ Päckchen Backpulver mischen und nach und nach unterrühren. Falls der Teig zu fest wird, also nicht mehr vom Löffel fallen will, einige Löffel Milch dazugeben. In der vorbereiteten Kastenform bei gleicher Temperatur genauso lang backen. Nach dem Erkalten 200 g Puderzucker mit 2 – 3 EL Zitronensaft glatt und glänzend verrühren. Auf dem Kuchen verstreichen, trocknen lassen.

Schokokuchen

150 g Zartbitter-Schokolade fein reiben, mit 2 EL Kakaopulver mischen. 200 g weiche Butter mit 150 g Zucker und 1 Prise Salz schaumig schlagen. 4 Eier nacheinander drunterrühren. 250 g Mehl mit Schoko und $^1/_2$ Päckchen Backpulver verrühren und abwechselnd mit ungefähr $^1/_8$ l zimmerwarmer Milch unterrühren. Bei gleicher Temperatur ungefähr 1 Stunde backen. Nach dem Erkalten mit dunkler Schokoglasur überziehen.

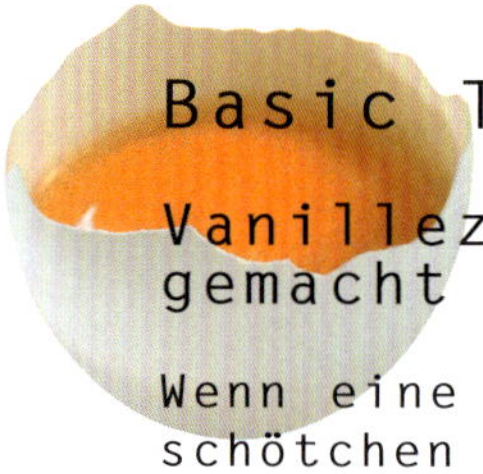

Basic Tip

Vanillezucker selbst gemacht

Wenn eine der feinen Vanilleschötchen aufgeschlitzt und ausgekratzt wird, muß sie nicht in den Mülleimer wandern. Lieber die noch immer aromatischen Schoten in 2-3 cm lange Stücke schneiden und mit normalem Zucker in einem Schraubglas mischen. Der Zucker riecht und schmeckt schon nach kurzer Zeit nach dem feinen Gewürz.

Zucchinikuchen
Gemüse mal anders

Für 25 Stück Kuchen

200 g junge kleinere Zucchini

120 g Kürbiskerne, 1 unbehandelte Orange

oder Zitrone, 4 Eier, 1 Prise Salz

200 g brauner Zucker, 1 Prise Nelkenpulver

1 Prise gemahlener Anis, 1 TL Zimt

100 g Mehl, 1 TL Backpulver

Für die Form: Backpapier

Nach dem Backen: Puderzucker

Biskuitteig • 50 Min. • 180 Grad

Kastenform, 30 cm

1 Zucchini waschen und fein reiben. Kürbiskerne fein hacken. Orange heiß waschen, abtrocknen und die Schale abreiben.

2 Den Backofen schon mal auf 180 Grad vorheizen (ohne Vorheizen: Umluft 160 Grad). Für die Form Backpapier zuschneiden. Form damit auslegen, das Papier muß die Wände hochgehen.

3 Eier trennen. Eiweiße und Salz mit den Quirlen gut steif schlagen. Eigelbe mit Zucker mit den gleichen Quirlen zu einem schönen Schaum aufschlagen. Nelken, Anis und Zimt dazu. Mehl mit Backpulver mischen, mit Zucchini, Orangenschale und Kürbiskernen unterrühren. Zum Schluß die Hälfte vom Eischnee unterrühren, die andere unterheben.

4 Teig in die Form füllen, glattstreichen. Im Ofen auf der unteren Schiene ungefähr 50 Minuten backen. Kurz in der Form stehenlassen, dann herauslösen. Ganz abgekühlt mit Puderzucker bestäuben.

So viel Zeit muß sein: 1 1/4 Stunden, davon 50 Minuten abwartend
Kalorien pro Stück: 85

Pumpkin Pie
Schmeckt nicht nur an Halloween

Für 12 Stück saftigen Pie

Für den Belag:

1 Stück Kürbis (so ungefähr 850 g kaufen)

4 Eier, 2 EL Crème fraîche

5 EL Zuckerrübensirup, 2 TL abgeriebene

unbehandelte Zitronenschale

je 1 Prise Zimt und Nelkenpulver

Für den Teig:

200 g Mehl, 1 EL Zucker

125 g kalte Butter, 1 Prise Salz

Mürbeteig • 40 Min. • 200 Grad

Tarte- oder Springform, 28 oder 30 cm Ø

1 Backofen auf 200 Grad schalten (Umluft jetzt oder später: 180 Grad). Aus dem Kürbisstück die Kerne mit dem faserigen Geflecht rausschneiden. Stück aufs Blech legen und im Ofen so um die 40 Minuten backen, bis das Kürbisfleisch weich ist.

2 Inzwischen für den Teig das Mehl mit dem Zucker, der Butter in kleinen Stücken, Salz und 1–2 EL kaltem Wasser zu einem glatten Teig verkneten. Zur Kugel formen, zwischen zwei Lagen Klarsichtfolie zu einem runden Teigstück ausrollen. Form damit auslegen, dabei auch einen Rand formen, ungefähr 3 cm hoch. Teig in der Form für circa 1 Stunde kühl stellen.

3 Kürbis etwas abkühlen lassen, aus der Schale löffeln und fein pürieren – benötigt werden 500 g. Die Eier mit dem Kürbispüree, Crème fraîche, Zuckerrübensirup, Zitronenschale, Zimt und Nelken verquirlen.

4 Den Backofen wieder auf 200 Grad (Umluft 180 Grad) schalten. Die Kürbismasse auf dem Teigboden verteilen und den Pie im Ofen auf der mittleren Schiene etwa 40 Minuten backen, bis der Belag fest und gebräunt ist. Abkühlen lassen, aber ganz frisch servieren. Optimal dazu: gut gekühlte Crème fraîche, einfach zum Draufklecksen.

So viel Zeit muß sein: 3 Stunden, davon aber wirklich nur 40 Minuten aktiv
Kalorien pro Stück: 200

Misses Chesseoo's Schnitten
Unwiderstehlich

Man kann ja viel über Australiens Küche sagen, und manches Schlechte auch. Aber gut backen können sie wirklich down under. Danke fürs Rezept, Misses Chesseoo.

Für 25 Stück Kuchen

Für den Teig:

500 g Möhren

250 g Pekan-Nüsse (oder Walnußkerne)

250 g Vollkorn-Weizenmehl

2 TL Natron (gibt dem Kuchen Luft und gibt es in jedem Supermarkt)

2 TL Zimt, 200 g Sultaninen

300 g brauner Zucker, 4 Eier, 1/4 l Pflanzenöl

Für die Creme:

200 g Doppelrahm-Frischkäse

120 g Puderzucker, 80 g Butter

1 Päckchen Vanillezucker

Fürs Blech: Butter

Rührteig • 40 – 50 Min. • 180 Grad

1 Die Möhren schälen und raspeln. Die Nüsse fein hacken. Das Mehl mit Natron, Zimt, Sultaninen und Zucker vermischen.

2 Den Ofen auf 180 Grad vorheizen (ohne Vorheizen: Umluft 160 Grad). Ein tiefes Backblech mit Butter ausstreichen.

3 Die Eier schaumig schlagen, dann nach und nach das Öl drunterschlagen. Die Eiercreme mit den übrigen Zutaten vermengen, auf dem Backblech glattstreichen. Den Kuchen im heißen Ofen 40 – 50 Minuten backen. Auf dem Blech abkühlen lassen.

4 Für die Creme alle Zutaten schaumig schlagen und auf den Kuchen streichen. Mit einem Eßlöffel darauf Wellenlinien formen.

So viel Zeit muß sein: 1 Stunde 20 Minuten, davon 50 Minuten aktiv
Kalorien pro Stück: 305

Rüeblichueche
Süß – diese Schweizer!

Für 16 Stück Kuchen

250 g zarte Möhren

abgeriebene Schale und 1 EL Saft von 1 großen unbehandelten Zitrone

2 EL Kirschwasser (wer mag)

250 g gemahlene Mandeln

50 g Mehl, 2 TL Backpulver

6 Eier, 160 g Zucker

Für die Form: Butter und Semmelbrösel

Nach dem Backen: 200 g Puderzucker, 2 – 3 EL Zitronensaft und Marzipanmöhrchen (siehe Seite 23)

Biskuitteig • 40 Min. • 180 Grad

Springform, 26 oder 28 cm Ø

1 Die Möhren schälen, putzen und fein (!) reiben. Mit Zitronenschale und -saft und eventuell mit Kirschwasser mischen.

2 Den Backofen schon mal auf 180 Grad vorheizen (ohne Vorheizen: Umluft 160 Grad). Form fetten und Semmelbrösel reinschütten.

3 Mandeln, Mehl und Backpulver mischen. Die Eier trennen, Eiweiße steif schlagen, dabei nach und nach den Zucker einrieseln lassen. Eigelbe nacheinander darunterziehen. Möhren und Mehlmischung drauf häufen, mit dem Schneebesen untermischen.

4 Teig in die Form füllen, im Ofen auf der mittleren Schiene ungefähr 40 Minuten backen. Stäbchenprobe nicht vergessen! Kuchen in der Form 5 – 10 Minuten stehenlassen, dann herauslösen und auf dem Kuchengitter vollkommen abkühlen lassen. Puderzucker mit Zitronensaft verrühren und auf der Oberfläche verstreichen.

So viel Zeit muß sein: 1 1/4 Stunden, davon 35 Minuten aktiv
Kalorien pro Stück: 185

Linzer Torte
Fast für die Ewigkeit

Für 16 Stück Torte

200 g Mehl, 300 g gemahlene Mandeln

150 g Zucker, 1 Prise Salz

1 gehäufter TL Zimt, 1 Prise Nelkenpulver

abgeriebene Schale von 1/2 unbehandelten Zitrone, 200 g kalte Butter, 3 + 1 Eigelbe

250 g Preiselbeer- oder Himbeermarmelade

40 g Mandelblättchen

Mürbeteig • 45 Min. • 180 Grad

Springform, 26 oder 28 cm Ø

1 Mehl und Mandeln mit Zucker, Salz, Zimt, Nelken, Zitronenschale, der gewürfelten Butter und 3 Eigelben zu einem glatten Teig verkneten. 30 Minuten kühl stellen.

2 Den Backofen auf 180 Grad vorheizen (ohne Vorheizen: Umluft 160 Grad). Zwei Drittel vom Teig in die Form legen. Rundherum mit den Fingern in alle Richtungen drücken – am Rand ein bißchen dicker, aber nicht viel.

3 Die Marmelade glattrühren, auf dem Teigboden verstreichen. Restlichen Teig auf wenig Mehl nicht zu dünn (vielleicht 2 – 3 mm dick) ausrollen. Mit dem Messer in 1 – 2 cm breite Streifen schneiden. Die kommen jetzt auf die Marmelade und zwar wie ein Gitter.

4 Teiggitter mit dem übrigen Eigelb bepinseln. Kuchen im Ofen auf der mittleren Schiene etwa 45 Minuten backen. Nach der Hälfte der Zeit die Mandelblättchen drauf streuen.

5 Und jetzt heißt es, Geduld haben. Nach dem Abkühlen in Alufolie wickeln und mindestens zwei Tage warten. Linzer Torte braucht Zeit. Dafür hält sie sich aber auch mindestens zwei Wochen.

So viel Zeit muß sein: 1 3/4 Stunden,
davon 35 Minuten zu tun
Kalorien pro Stück: 350

Schoko-Pinienkern-Kuchen
Fast wie Konfekt

Für 12 Stück Kuchen

250 g Butter, 200 g Zartbitter-Schokolade

6 Eier, abgeriebene Schale und 1 EL Saft von 1 unbehandelten Zitrone, 120 g Zucker

50 g Pinienkerne, 2 EL Speisestärke

Für die Form: Butter und Mehl

Nach dem Backen: Puderzucker und Kakaopulver

Rührteig • 45 Min. • 180 Grad

Springform, 26 oder 28 cm Ø

1 Butter und Schoko würfeln, im Topf bei mittlerer Hitze so lange auf den Herd stellen, bis sie geschmolzen sind. Immer wieder umrühren.

2 Eier trennen. Die Eiweiße gut steif schlagen. Den Zitronensaft dazugeben, der macht den Schnee fester. Kühl stellen.

3 Die Eigelbe sind in einer anderen Schüssel. Dazu kommt der Zucker mit der Zitronenschale. Mit den gleichen Quirlen alles so lange kräftig durchrühren, bis es schön schaumig und hellcremig aussieht. Nach und nach die Butter-Schoko-Masse unterrühren. Pinienkerne auch unterrühren.

4 Den Backofen auf 180 Grad vorheizen (ohne Vorheizen: Umluft 160 Grad). Form fetten und überall Mehl darin verteilen. Eischnee auf die Schokomasse geben, Speisestärke drüber sieben. Alles mit dem Schneebesen locker untereinander mischen.

5 Teig in die Form füllen und im Ofen auf der mittleren Schiene ungefähr 45 Minuten backen, bis er fest ist. Stäbchenprobe machen. In der Form kurz stehenlassen, herauslösen und abkühlen lassen. Mit Puderzucker und Kakao in einem eleganten oder doch lieber wilden Muster bestäuben und verzieren.

So viel Zeit muß sein: 35 Minuten aktiv,
45 Minuten faul
Kalorien pro Stück: 360

Griechischer Honigkuchen

Supereinfach

Für 25 Stück Kuchen

4 unbehandelte Zitronen, 6 EL Olivenöl

60 g Margarine (oder auch Butter)

250 g Honig (muß nicht der teuerste sein)

350 g Mehl, 1 1/2 Päckchen Backpulver

250 g Grieß

1/2 TL gemahlene Muskatnuß

450 ml Milch, 6 Eiweiße

1 Prise Salz, 4 EL Sesamsamen

Fürs Blech: Backpapier

Rührteig • 25–30 Min. • 200 Grad

1 Die Zitronen heiß abwaschen und von 2 Zitronen die Schale dünn abreiben. Alle vier auspressen. Das Öl, die Margarine und 140 g Honig schmelzen lassen. Mehl, Backpulver, Grieß und Muskat mischen.

2 Den Ofen auf 200 Grad vorheizen (ohne Vorheizen: Umluft 180 Grad). Ein tiefes Backblech mit Backpapier auslegen.

3 Vom Zitronensaft 8 EL wegnehmen, den Rest mit der Schale und der Milch in die warme Honigmischung rühren. Mehlmischung darunterrühren. Eiweiße mit Salz steif schlagen und unter den Teig ziehen.

4 Auf dem Blech glattstreichen, mit Sesam bestreuen und auf der mittleren Schiene 25–30 Minuten backen. Mit einem Zahnstocher einstechen. Restlichen Honig und Zitronensaft verrühren und über den noch heißen Kuchen verteilen. Über Nacht stehenlassen.

So viel Zeit muß sein: 1 Stunde,
davon gut die Hälfte aktiv
Kalorien pro Stück: 175

Engadiner Nußtorte

Ganz schön haltbar, diese Schweizer!

Für 16 Stück Kuchen

Für den Teig:

350 g Mehl, 1 Prise Salz, 1 Ei

80 g Puderzucker, 175 g kalte Butter

Für die Füllung:

350 g Walnußkerne, 200 g Zucker

250 g Sahne, 50 g Honig

abgeriebene Schale und 1 EL Saft von 1 unbehandelten Zitrone

Zum Bestreichen: 1 Eigelb, 1 EL Milch

Mürbeteig • 45 Min. • 180 Grad

Springform, 26 oder 28 cm Ø

1 Mehl, Salz, Ei, Puderzucker und Butter kräftig zusammenkneten. In Folie verpackt 1 Stunde kühlen.

2 Walnußkerne nicht zu fein hacken. Zucker in einen Topf schütten und auf die heiße Herdplatte stellen. Warten, bis er am Rand anfängt, flüssig zu werden. Dann die Hitze etwas reduzieren und so lang gut rühren, bis der Zucker flüssig und hellbraun ist. Sahne, Honig und Zitronensaft dazuschütten und weiterrühren, bis der Zucker, der kurz vom Schock fest geworden ist, wieder flüssig wird. Dickflüssig, um genau zu sein. Aber Geduld, das kann 15 Minuten dauern. Nüsse und Zitronenschale dazu, abkühlen lassen.

3 Den Backofen auf 180 Grad vorheizen (ohne Vorheizen: Umluft 160 Grad). Vom Teig knapp zwei Drittel zwischen zwei Lagen Klarsichtfolie rund ausrollen, Form damit auslegen, auch am Rand – ungefähr 3 cm hoch. Restlichen Teig zum Deckel ausrollen, mit einer Gabel mehrmals einstechen.

4 Nußmasse auf den Teig streichen. Teigdeckel auf die Füllung legen und am Rand andrücken. Eigelb mit Milch verrühren, Teigdeckel damit bepinseln. Nußtorte im Ofen auf der mittleren Schiene ungefähr 45 Minuten backen. Abkühlen lassen, in Alufolie wickeln und mindestens 2 Tage lang beherrschen!

So viel Zeit muß sein: 2 Stunden,
davon ungefähr 1 Stunde aktiv
Kalorien pro Stück: 445

Hefezopf
Frühstücks-Hit

Kein Grund zur Panik: Hefeteig ist nicht schwierig, sondern macht eigentlich fast keine Arbeit, geht immer auf, wenn die Hefe frisch ist und ist auch sonst gar nicht so empfindlich.

Für 20 Scheiben Zopf

30 g frische Hefe

1/8 l lauwarme Milch

150 g weiche Butter

80 g Zucker, 1 Ei, 3 Eigelbe

abgeriebene Schale von

1 unbehandelten Zitrone

50 g Mandelsplitter

500 g Mehl, 1 Prise Salz

Fürs Blech: Backpapier

Zum Bestreichen und Bestreuen:

1 EL zerlassene Butter

1–2 EL grober Zucker (Hagelzucker)

Hefeteig • 45 Min. • 180 Grad

1 Hefe fein zerkrümeln und in der lauwarmen Milch glatt verrühren. 10–15 Minuten stehenlassen.

2 In dieser Zeit die Butter mit dem Zucker schön cremig schlagen. Ei und Eigelbe nach und nach unterrühren. Zitronenschale und Mandelsplitter auch. Mehl mit Salz und die Hefe-Milch-Mischung ebenfalls gut unterrühren. Der Teig soll mittelfest sein und sich als zäher Kloß vom Schüsselrand lösen. Teig zugedeckt an einen warmen Platz stellen und etwa 1 Stunde in Ruhe aufgehen lassen. Ungefähr doppelt so groß soll er werden.

3 Dann das Backblech mit Backpapier auslegen, die Arbeitsfläche mit Mehl bestäuben. Den Teig noch mal durchkneten, in drei gleich große Teile teilen. Jedes Teil auf Mehl zu einer 3–4 cm dicken Rolle rollen. Sie müssen nicht unbedingt alle gleich dick sein, aber gleich lang schon.

4 Die drei Teigrollen legt man jetzt nebeneinander auf das Blech und drückt die Enden an einer Seite zusammen. Und jetzt ans Zöpfeflechten in der Kindheit erinnern: Den linken Strang über den mittleren nach innen, dann den rechten, dann wieder den linken. Erinnert? Wenn der Zopf fertig ist, die anderen Enden ebenfalls zusammendrücken. Noch mal zudecken und 15 Minuten in Ruhe lassen.

5 Den Backofen auf 180 Grad vorheizen (ohne Vorheizen: Umluft 160 Grad). Den Zopf mit der Butter bepinseln, mit dem Zucker bestreuen und im Ofen auf der mittleren Schiene ungefähr 45 Minuten backen, bis er wunderbar aufgegangen und gebräunt ist. Abkühlen lassen. Ganz frisch essen!

So viel Zeit muß sein: 2 1/4 Stunden, davon aber nur 35 Minuten zu tun
Kalorien pro Scheibe: 200

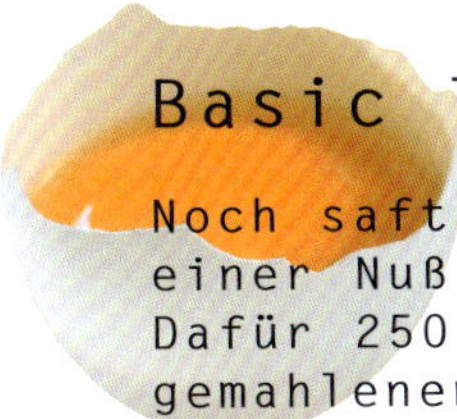

Basic Tip

Noch saftiger wird der Zopf mit einer Nuß- oder Mohnfüllung: Dafür 250 g gemahlene Nüsse oder gemahlenen Mohn mit 50 g Zucker, 50 g Sahne, 1 Prise Zimt und 1 Ei verrühren. Jeden Strang erst flachdrücken und in die Mitte etwas Füllung geben, über der Füllung schließen und rund rollen. Flechten wie beschrieben.

Rosenkuchen

All' italiana: Torta della rosa

Für 16 Stück Kuchen

Für den Teig:

400 g Mehl, 50 g Zucker
2 Päckchen Vanillezucker
1 Prise Salz, 150 ml Milch
100 g Butter, 30 g frische Hefe
3 EL Amaretto (oder Marsala)

Für die Füllung:

1 große unbehandelte Zitrone
75 g Pistazienkerne
50 g Pinienkerne
100 g Zartbitter-Schokolade
250 g Ricotta
50 g Honig, 1 Ei

Für die Form: Butter
Zum Verarbeiten: Mehl
Zum Bestreichen: 2 EL Orangenmarmelade

Hefeteig • 45 Min. • 200 Grad
Springform, 26 oder 28 cm Ø

1 Mehl mit Zucker, Vanillezucker und Salz in einer Schüssel mischen. Milch mit Butter lauwarm werden lassen. Hefe fein zerkrümeln und in der Milch verrühren.

2 Mehl mit der Milchmischung und dem Amaretto zu einem glatten Teig verkneten, der nicht zu fest sein soll und sich vom Schüsselrand löst. Den Teig zudecken und ungefähr 1 Stunde Zeit geben zum Aufgehen. Doppelt so groß sollte er werden.

3 Inzwischen für die Füllung Zitrone heiß waschen und abtrocknen, Schale fein abreiben, 1/2 Zitrone auspressen. Pistazienkerne und Pinienkerne hacken. Schokolade auch. Ricotta mit Zitronensaft und -schale, Honig und Ei verrühren. Pistazien, Pinienkerne und Schokolade untermischen.

4 Die Form ausbuttern. Den Teig nochmal durchkneten und auf Mehl zu einem ungefähr 1/2 cm dünnen Rechteck ausrollen. Ricottafüllung darauf verstreichen – nicht ganz bis zum Rand. Die Rolle von der Längsseite her aufrollen, etwa 3 cm dicke Scheiben abschneiden. Scheiben mit der Schnittfläche nach oben nebeneinander in die Form drücken, nochmals 15 – 20 Minuten gehen lassen.

5 Den Backofen auf 180 Grad vorheizen (ohne Vorheizen: Umluft 160 Grad). Den Kuchen im Ofen auf der mittleren Schiene ungefähr 45 Minuten backen. Marmelade in einem Topf vorsichtig erwärmen, bis sie sich streichen läßt. Den noch warmen Kuchen damit bepinseln, auskühlen lassen.

So viel Zeit muß sein: 2 1/4 Stunden, davon ungefähr 45 Minuten aktiv
Kalorien pro Stück: 295

Bienenstich
Schmerzhaft gut!

Für 16 große Stück Kuchen

Für den Teig:

$^1/_4$ l Milch, 500 g Mehl, 100 g Zucker

1 Päckchen Vanillezucker, 1 Prise Salz

1 Würfel frische Hefe (42 g), 170 g Butter

Für den Belag:

80 g Butter, 100 g Zucker

100 g Sahne, 200 g Mandelblättchen

Für die Füllung:

3 Blatt helle Gelatine

1 Päckchen Vanillepudding-Pulver, $^1/_2$ l Milch

3 EL Zucker, 1 Päckchen Vanillezucker

2 TL abgeriebene Bio-Zitronenschale

250 g Sahne

Fürs Blech: Backpapier

Hefeteig • 20 – 25 Min. • 200 Grad

1 Milch lauwarm werden lassen. Mehl mit Zucker, Vanillezucker und Salz mischen, in der Mitte eine Mulde formen. Hefe zerkrümeln, in der Milch glatt anrühren, in die Mulde geben und 15 Minuten Zeit lassen.

2 Inzwischen Butter schmelzen und wieder lauwarm abkühlen. Zum Mehl geben und alles kräftig durchkneten. Teig zugedeckt ungefähr 1 Stunde lang ruhen lassen, bis er circa doppelt so groß ist.

3 Für den Belag Butter, Zucker und Sahne aufkochen. Mandelblättchen untermischen und weiterkochen, bis die Sahne einigermaßen aufgesogen ist. Abkühlen lassen. Gelatine in kaltem Wasser einweichen. Puddingpulver mit wenig Milch anrühren. Übrige Milch mit Zucker zum Kochen bringen. Pudding nach Packungsaufschrift zubereiten, Zitronenschale untermischen. Gelatine einzeln darin auflösen. Pudding kalt werden lassen.

4 Das Backblech mit Backpapier auslegen. Hefeteig nochmals durchkneten, auf dem Blech zu einer etwa 1 $^1/_2$ cm dicken Platte ausrollen. Nochmals ungefähr 15 Minuten gehen lassen, Backofen auf 200 Grad vorheizen (auch schon jetzt: Umluft 180 Grad).

5 Mandelmasse auf dem Teig verstreichen. Teig im Ofen auf der mittleren Schiene 20 – 25 Minuten braun backen. Leicht abgekühlt vierteln. Ganz abkühlen lassen und jedes Viertel vorsichtig quer halbieren.

6 Sahne steif schlagen und unter den Pudding heben. Obere Teigstücke jeweils noch mal vierteln. Untere Teigstücke mit der Vanillesahne bestreichen, obere aufsetzen. Leicht andrücken, ganz durchschneiden.

So viel Zeit muß sein: gut 2 Stunden, davon 1 $^1/_4$ Stunden zu tun
Kalorien pro Stück: 475

Butterkuchen
Echt billig und schön altmodisch

Für 20 Stück Kuchen

Für den Teig:

400 g Mehl, 50 g Zucker, 1 Prise Salz

30 g frische Hefe, $^1/_8$ l lauwarme Milch

70 g zerlassene Butter, 2 Eier, abgeriebene Schale von 1 unbehandelten Zitrone

Für den Belag:

100 g grober Zucker (Hagelzucker),

1 – 2 TL Zimt, 125 g Butter

100 g gehackte Mandeln

Fürs Blech: Butter

Hefeteig • 25 Min. • 180 Grad

1 Mehl mit Zucker und Salz mischen. Hefe zerkrümeln, in der Milch anrühren. Kurz stehenlassen, damit die Hefe aktiv wird. Dann mit Butter, Eiern und Zitronenschale zum Mehl geben und alles gut verkneten.

2 Zudecken und an einem warmen Platz ungefähr 1 Stunde in Ruhe lassen, bis er ungefähr doppelt so groß ist. Backblech fetten, Teig drauf, mit dem bemehlten Nudelholz gleichmäßig ausrollen.

3 Zucker und Zimt mischen, Butter in kleine Würfel schneiden. Den Backofen auf 180 Grad

vorheizen (ohne Vorheizen: Umluft 160 Grad). In die Teigplatte mit dem Finger kleine Mulden drücken. Da kommt jetzt jeweils ein Butterwürfelchen rein. Mandeln und Zimtzucker auf die ganze Teigplatte streuen.

4 Butterkuchen auf der mittleren Schiene ungefähr 25 Minuten backen, bis er schön braun ist. Abkühlen lassen, gleich aufessen!

So viel Zeit muß sein: $2\,^1/_2$ Stunden,
davon aber nur 30 Minuten in Aktion
Kalorien pro Stück: 220

Gugelhupf
Schmeckt wie früher

Für 25 Stück Kuchen

100 g Rosinen, 2 EL Rum oder Apfelsaft

100 g gehäutete Mandeln oder Walnüsse

500 g Mehl, 150 g Zucker

1 Päckchen Vanillezucker, 1 Prise Salz

1 Würfel frische Hefe (42 g)

$^1/_8$ l lauwarme Milch, 150 g Butter, 1 Ei

4 Eigelbe, 2 TL abgeriebene Zitronenschale

Für die Form: Butter

Nach dem Backen: Puderzucker

Hefeteig • 1 Std. • 180 Grad

Gugelhupfform

1 Rosinen mit Rum mischen und stehenlassen. Mandeln mittelfein hacken. Mehl mit Zucker, Vanillezucker und Salz mischen, eine Mulde formen. Hefe zerkrümeln und mit der Milch ganz glatt verrühren. In die Mulde geben und 15 Minuten ruhen lassen. Wenn schwere Zutaten wie Butter und Eier im Spiel sind, tut sich die Hefe leichter mit dem Teiglockern, wenn man ihr vorher etwas Zeit gibt.

2 Die Butter bei schwacher Hitze schmelzen und wieder lauwarm werden lassen. Butter, Ei, Eigelbe, Zitronenschale, Rosinen und Mandeln zum Mehl geben und alles gründlich vermischen. Der Teig soll weich sein, aber sich trotzdem vom Rand der Schüssel lösen.

3 Form fetten, den weichen Teig drin verteilen und in der Form zugedeckt an einen warmen Platz stellen, 2–3 Stunden in Ruhe lassen. So sehr aufgehen tut er dabei nicht, das passiert erst beim Backen.

4 Den Backofen auf 180 Grad vorheizen (ohne Vorheizen: Umluft 160 Grad). Den Kuchen auf der mittleren Schiene ungefähr 1 Stunde backen, bis er aufgegangen und gebräunt ist. Falls er zu braun wird, mit Alu abdecken. Kurz ruhen lassen, dann aus der Form stürzen und auf dem Kuchengitter erkalten lassen. Vor dem Servieren mit Puderzucker bestäuben.

So viel Zeit muß sein: $1\,^1/_2$ Stunden ohne
Ruhezeit, davon nur 30 Minuten zu tun
Kalorien pro Stück: 200

Mohnkuchen
Auch nach ein paar Tagen noch super

Für 20 Stück Kuchen

Für den Teig:

150 g Quark, 6 EL neutrales Öl

1 Ei, 2 Päckchen Vanillezucker

1 Prise Salz, abgeriebene Schale von

1 unbehandelten Zitrone

300 g Mehl, 3 TL Backpulver

Für den Belag:

2 Vanilleschoten, 6 Eier

200 g weiche Butter, 200 g Honig

1 Prise Zimt, 150 g gemahlene Mandeln

250 g frisch gemahlener Mohn

Fürs Blech: Butter

Quark-Öl-Teig • 40–50 Min. • 180 Grad

1 Für den Teig Quark, Öl, Ei, Vanillezucker, Salz und Zitronenschale gut verrühren. Mehl und Backpulver mischen, die Hälfte unterrühren, den Rest unterkneten. Falls der Teig zu trocken ist, 1–2 EL Wasser drunterkneten.

2 Den Backofen auf 180 Grad vorheizen (auch schon jetzt: Umluft 160 Grad). Das Backblech fetten, den Teig daraufgeben und mit dem Nudelholz ausrollen.

3 Die Vanilleschoten längs aufschlitzen, das Mark rauskratzen. Eier trennen. Die Eiweiße sehr steif schlagen. Den Teigboden für 10 Minuten in den Backofen auf die mittlere Schiene schieben.

4 Die Butter ganz cremig rühren, nach und nach die Eigelbe unterrühren. Vanille, Honig, Zimt, Mandeln und Mohn unterrühren. Den Eischnee unterheben.

5 Temperatur auf 160 Grad (Umluft 140 Grad) zurückschalten. Blech aus dem Ofen holen, Mohnmasse auf dem Teig verstreichen. 30–40 Minuten backen, bis sie fest ist.

So viel Zeit muß sein: $1\,^1/_4$ Stunden,
davon 35 Minuten zu tun
Kalorien pro Stück: 330

Gekochter Früchtekuchen

Superlecker ab den ersten Herbststürmen

Naja, gebacken wird schon auch, aber das Kochen ersetzt die ganze Teigkneterei.

Für 25 – 30 Stück Kuchen

500 g gemischte, nicht zu weiche Trockenfrüchte (Sultaninen, Feigen, Aprikosen, Apfelringe etc.), 100 g kandierte Kirschen
120 g gehäutete Mandeln (Tip), 1 TL Zimt
$^{1}/_{2}$ TL Natron (aus dem Supermarkt, Backecke!), 200 g brauner Zucker
2 Eier, 1 Prise Salz, 250 g Mehl
1 $^{1}/_{2}$ TL Backpulver, 2 EL Rum
Für die Form: Butter und Mehl
Rührteig • 1 Std. • 180 Grad
Kastenform, 30 cm

1 Die größeren Trockenfrüchte auf Sultaninengröße bringen. 1 bis 2mal grob über die Kirschen und Mandeln hacken. All das mit Zimt, Natron, Zucker und $^{1}/_{4}$ l Wasser in einen Topf geben und 5 Minuten kochen lassen.

2 Den Ofen auf 180 Grad vorheizen (ohne Vorheizen: Umluft 160 Grad). Form mit Butter ausstreichen und mit Mehl ausstäuben.

3 Die Eier mit Salz dickschaumig schlagen. Mehl mit Backpulver mischen, über die Fruchtmasse sieben und daruntermengen. Zum Schluß die Eiercreme mit dem Rum darunterziehen.

4 Den Teig in die Form füllen und auf der unteren Schiene etwa 1 Stunde backen. 10 Minuten in der Form ausdampfen lassen und auf ein Kuchengitter setzen. Den Kuchen über Nacht ganz durchkühlen lassen. Mindestens 1 Woche in Folie verpackt und gut verschlossen in einer luftdichten Dose sollte man ihm geben, nach einem Monat ist er dann perfekt.

So viel Zeit muß sein: 1 Stunde 35 Minuten, davon 1 Stunde relaxed
Kalorien pro Stück: 130

Tip

Mandeln schmecken besser ohne Haut

Im Fruchtmarkt gibt es Mandeln ohne Haut, die sind aber teuer. Und so macht man's selber: mit kochendem Wasser überbrühen, kurz ziehen lassen und abtropfen. Jetzt lassen sie sich aus den Häuten rausdrücken.

Honigkuchen

Wird eine Woche lang täglich besser

Schmeckt am besten mit Butter bestrichen zum Frühstück.

Für 25 – 30 Scheiben süßen Kuchen
250 g Honig, 100 g brauner Zucker
500 g Mehl, 1 Päckchen Backpulver
1 TL Zimt, $^{1}/_{2}$ TL Nelkenpulver
100 g gemahlene Mandeln oder Haselnüsse
abgeriebene Schale von 1 großen unbehandelten Zitrone
1 Ei, etwa 200 ml Buttermilch
2 EL Weinbrand oder anderer Schnaps (was halt so im Schrank steht, es geht aber auch ganz ohne)
Für die Form: Backpapier
Rührteig • 1 Std. • 170 Grad
Kastenform, 30 cm

1 Honig mit Zucker in einem Topf warm werden lassen, aber nicht zu heiß, weil der Honig sonst anbrennt. Rühren, bis der Zucker geschmolzen ist. Wieder abkühlen.

2 Mehl, Backpulver, Zimt, Nelken, Mandeln und Zitronenschale mischen. Den Backofen auf 170 Grad vorheizen (ohne Vorheizen:

Umluft 150 Grad). Form mit Backpapier auskleiden. Dazu an den seitlichen Kanten das Papier mit der Schere einschneiden, damit man die Form glatt auslegen kann.

3 Ei, Buttermilch und Weinbrand zum Honig geben. Mehlmischung drunterrühren. Es entsteht ein schwerer Teig, der vom Rührlöffel zäh abreißt. Wenn er zu fest ist, Buttermilch dazu, im umgekehrten Fall etwas Mehl.

4 Teig in die Form füllen, glattstreichen, im Ofen auf der mittleren Schiene ungefähr 1 Stunde backen. Stäbchenprobe machen. Kurz stehenlassen, dann stürzen und auf dem Kuchengitter abkühlen.

So viel Zeit muß sein: 1 1/2 Stunden,
davon 30 Minuten aktiv
Kalorien pro Scheibe (bei 30): 120

Früchtemarzipan-Quark-Stollen
Schmeckt ziemlich nach Weihnachten

Für 24 Scheiben Stollen

Für die Füllung:

50 g getrocknete Aprikosen, 50 g Pistazienkerne, 100 g Marzipan-Rohmasse

50 g Puderzucker, 1/2 Päckchen Vanillezucker

Für den Teig:

150 g Butter, 250 g Quark, 2 Eier

1 Päckchen Vanillezucker, 150 g Zucker

5 Tropfen Bittermandelaroma, 3 EL Rum

250 g Korinthen, 150 g Zitronat

100 g Mandelstifte, 500 g Mehl

1 Päckchen Backpulver

1 TL Lebkuchengewürz

Fürs Blech: Butter

Außerdem:

starke Alufolie

etwa 150 g Butter zum Bestreichen

80 g Zucker

1 Päckchen Vanillezucker

4 EL Puderzucker

Rührteig • 1–1 1/4 Std. • 180 Grad

1 Für die Füllung Aprikosen und Pistazien hacken und mit den übrigen Zutaten verkneten. Daraus eine 4 cm dicke und 30 cm lange Rolle formen und abgedeckt kühl stellen.

2 Für den Teig die Butter schmelzen und abkühlen lassen. Quark mit Eiern, Vanillezucker, Zucker, Mandelaroma und Rum aufschlagen. Die Korinthen abwaschen und trockenreiben, Zitronat hacken. Beides mit den Mandeln in einer trockenen großen Pfanne anwärmen. Mehl in der Pfanne mit Backpulver, Gewürz, Korinthen, Zitronat und Mandeln mischen und mit der noch flüssigen Butter unter die Quarkmasse kneten.

3 Den Ofen auf 180 Grad vorheizen (ohne Vorheizen: Umluft 160 Grad). Das Backblech buttern. Den Teig auf wenig Mehl zu einem 30 cm langen Laib formen und mit der Handkante der Länge nach in der Mitte eindrücken. Mit dem Nudelholz den Spalt so verbreitern, daß die Marzipanrolle gut hineinpaßt und sich längsseits ein großer und ein kleiner Wulst bilden.

4 Die Marzipanrolle in den Spalt legen und den Teig so darüber schlagen, daß der große Wulst auf der Rolle und dem kleinen Wulst liegt. Den Stollen auf das Backblech legen, etwas nachformen, wenn er verbeult ist. Aus starker Alufolie einen breiten Streifen falten, außen rund um den Stollen legen und die Enden gut zusammenfalten, damit sie auch zusammenhalten.

5 Den Stollen im Ofen auf der unteren Schiene 1–1 1/4 Stunden backen. Butter zerlassen und den Stollen nach 20 Minuten Backzeit immer wieder damit bepinseln. Nach dem Backen übrige Butter auf den heißen Stollen streichen. Zucker und Vanillezucker mischen und den Stollen damit bestreuen. Abkühlen lassen und mit Puderzucker bestreuen.

So viel Zeit muß sein: 2 1/2 Stunden,
davon 50 Minuten aktiv
Kalorien pro Stück: 360

Geburtstags-kuchen
Überirdisch gut

Das ist der Kuchen, von dem wir alle immer geträumt und den wir nie bekommen haben. Aber jetzt ist es soweit.

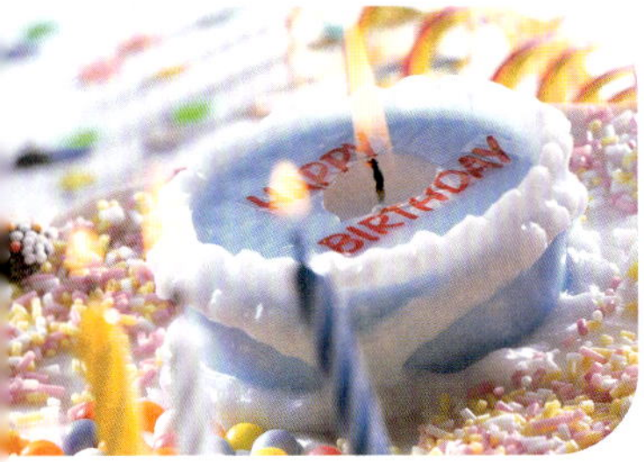

Für 16 Stück Kuchen

Für den Teig:

50 g Speisestärke

2 TL Backpulver

100 g Mehl

200 g Zucker

6 Eiweiße

$^1/_4$ TL Salz

2 Päckchen Vanillezucker

3 Eigelbe

Für den Guß:

50 g weiche Butter

250 g Puderzucker

2–3 EL Zitronensaft

Für die Form: Backpapier

Außerdem:

bunte Geburtstagskerzen

buntes Zuckerzeug, z. B. Liebesperlen

Eiweißteig • 40–50 Min. • 160 Grad

Springform, 26 oder 28 cm Ø

1 Den Ofen auf 160 Grad vorheizen (ohne Vorheizen: Umluft 140 Grad). 1 EL Speisestärke mit dem Backpulver verrühren, die übrige Stärke mit dem Mehl und 100 g Zucker mischen. Diese Mischung dreimal durchsieben (ungewöhnlich, aber wichtig, damit der Kuchen schön luftig wird).

2 Die Eiweiße langsam schaumig, aber noch nicht fest schlagen. Backpulver-Mischung darunterschlagen. Jetzt den Eischnee auf höchster Stufe schnittfest schlagen und dabei nach und nach das Salz, den restlichen Zucker und den Vanillezucker einrieseln lassen.

3 Die Eigelbe einzeln nacheinander unter den Eischnee rühren. Die Mehl-Zucker-Mischung darüber sieben und behutsam darunterziehen. Die Form am Boden mit Backpapier auslegen, den Teig hineinfüllen und im heißen Ofen auf der mittleren Schiene 40–50 Minuten backen.

4 Den Kuchen 15 Minuten im offenen, ausgeschalteten Ofen ausdampfen lassen, dann am Rand von der Form lösen. Form öffnen, Kuchen auf ein Gitter stürzen, Formboden abnehmen, Papier abziehen. Kuchen völlig abkühlen lassen.

5 Für die Glasur die Butter schaumig rühren, dann nach und nach den Puderzucker einrieseln lassen. Darunter den Zitronensaft schlagen, so daß die Glasur noch dick, aber etwas fließend ist.

6 Die Glasur großzügig auf den Kuchen streichen, damit sie an der Seite in dicken Nasen und Tropfen herunterläuft, ohne alles zuzudecken. Die Jahreszahl groß mit Zuckerperlen o. ä. drauf streuen, den Kuchen mit Kerzen bestecken und die Glasur 2–3 Stunden trocknen lassen. Und dann herzlichen Glückwunsch!

So viel Zeit muß sein: 1 $^1/_2$ Stunden, davon ungefähr 35 Minuten aktiv, plus 2–3 Stunden Trocknenlassen
Kalorien pro Stück: 155

Varianten:

Frühlingsgeburtstags-kuchen
Waldmeistersirup statt Zitronensaft in die Glasur geben und den Kuchen mit kleinen Zuckerblüten dekorieren

Sommergeburtstags-kuchen
Den Kuchen dick mit Schlagsahne einstreichen und mit Beeren und Minze verzieren.

Herbstgeburtstags-kuchen
200 g Vollmilch-Kuvertüre und 20 g Butter in 200 g Sahne schmelzen. Abkühlen lassen, bis es dick zu werden beginnt. Dann wie oben den Kuchen damit übergießen. Mit Schoko-Blättern und Borkenschokolade verzieren.

Wintergeburtstags-kuchen
400 g Marzipan-Rohmasse mit 250 g Puderzucker verkneten und auf Backpapier, das man vorher mit Puderzucker bestreut hat, dünn ausrollen. Einen Kreis in Kuchengröße und einen Streifen für den Rand ausschneiden. 150 g Aprikosenkonfitüre durch ein Sieb streichen, Kuchen rundum damit einstreichen und in Marzipan hüllen. Puderzucker darüber sieben.

BIRTHDAY

Käsekuchen
Klassiker – und niemals out!

Für 12 Stück Kuchen

Für den Teig:

230 g Mehl, 1 Messerspitze Backpulver

1 Prise Salz, 50 g Zucker, 110 g kalte Butter

1 Eigelb, 1–2 EL saure Sahne oder Joghurt

Für den Belag:

100 g Butter, 5 Eier, 500 g Quark oder Schichtkäse, 100 g Zucker, 200 ml Milch

abgeriebene Schale und 4 EL Saft von 1 unbehandelten Zitrone

90 g Grieß, 1/2 TL Backpulver

1 EL Kirschwasser oder Grappa (wer mag)

Zum Blindbacken: Butterbrotpapier und getrocknete Bohnen oder Erbsen

Mürbeteig • 1 1/4 Std. • 180 Grad

Springform, 26 oder 28 cm Ø

1 Zuerst den Teig machen: Mehl, Backpulver, Salz, Zucker, Butter in kleinen Stückchen, Eigelb und saure Sahne glatt verkneten. Teig zur Kugel formen und zwischen zwei Blättern Klarsichtfolie rund ausrollen. Dann kommt er in die ungefettete (!) Form, und man drückt auf allen Seiten einen Rand hoch, ungefähr 3 cm. Teig in der Form 30 Minuten kühlen.

2 In dieser Zeit die Butter schmelzen und zwar bei schwacher Hitze. Abkühlen lassen. Eier schon mal trennen.

3 Den Backofen auf 180 Grad vorheizen (auch schon jetzt: Umluft 160 Grad). Den Teigboden mit Butterbrotpapier und einer Lage Hülsenfrüchten beschweren und auf der mittleren Schiene 15 Minuten vorbacken.

4 Inzwischen den Quark mit der flüssigen Butter, dem Zucker, der Milch und den Eigelben verrühren. Zitronenschale, Zitronensaft, Grieß und Backpulver untermischen. Jetzt käme auch das Feuerwasser dazu. Wenn der gebackene Teig übrigens auf den Belag warten muß, macht das gar nichts. Also keinen Streß aufkommen lassen.

5 Eischnee steif schlagen. 1–2 EL davon unter die Quarkmasse rühren, den Rest unterheben. Auf den vorgebackenen Teig füllen und glattstreichen. Wieder in den Ofen schieben, diesmal auf die untere Schiene und nochmals 1 Stunde backen, bis der Belag fest und leicht gebräunt ist.

6 Kuchen kurz in der Form stehenlassen, dann Rand abnehmen und ein feines Kuchengitter auf den Käsekuchen legen. Dann vorsichtig stürzen. Das hilft gegen traurig eingesunkene Käsekuchenbeläge.

So viel Zeit muß sein: 1 3/4 Stunden, davon 45 Minuten aktiv
Kalorien pro Stück: 370

California Cheesecake
American dream

Für 12 Stück Kuchen

Für den Bröselteig:

100 g Butter, 200 g Zwieback oder Kekse

1 Prise Zimt, 1 Päckchen Vanillezucker

Für den Belag:

4 Eier, 200 g Zucker

800 g Doppelrahmfrischkäse

2 EL Zitronensaft, 200 g Crème fraîche

1 Päckchen Vanillezucker

Bröselteig • 1 Std. 10 Min. • 150 Grad

Springform, 26 oder 28 cm Ø

1 Butter zerlassen und abkühlen lassen. Zwieback grob zerbröseln und in einen stabilen Beutel geben. Mit dem Nudelholz hin und her rollen, bis alles ganz fein zerbröselt ist.

2 Butter mit Zwiebackmischung, Zimt und Vanillezucker vermischen und als Boden in die ungefettete Form drücken.

3 Backofen auf 150 Grad vorheizen (Umluft ohne Vorheizen: 140 Grad). Eier mit Zucker mit den Quirlen ganz schaumig schlagen. Frischkäse dazulöffeln und gut unterschlagen. Zitronensaft dazu, auf den Bröselboden füllen.

4 Kuchen im Ofen auf der mittleren Schiene ungefähr 1 Stunde backen. Crème fraîche mit Vanillezucker mischen und auf dem Käsebelag verstreichen. Nochmals ungefähr 10 Minuten backen. Rausholen, abkühlen lassen.

So viel Zeit muß sein: 1 3/4 Stunden,
davon 30 Minuten aktiv
Kalorien pro Stück: 480

Ricottakuchen mit Zitrone
Bodenlos

Für 12 Stück Kuchen

100 g weiche Butter, 170 g Zucker

250 g Ricotta, 3 Eier, 250 g Mehl

1 1/2 TL Backpulver

3 TL abgeriebene Schale und 6 EL Saft von 1–2 unbehandelten Zitronen

1 Prise Salz

Für die Form: Butter

Nach dem Backen: Puderzucker

Rührteig • 45 Min. • 180 Grad

Springform, 26 oder 28 cm Ø

1 Butter mit Zucker und Ricotta cremig rühren. Eier trennen und die Eigelbe nacheinander unter die Ricottamasse mischen. Mehl mit Backpulver mischen und unter die Ricottamasse rühren, Zitronenschale und Saft untermischen.

2 Den Ofen auf 180 Grad vorheizen (ohne Vorheizen: Umluft 160 Grad). Form mit Butter auspinseln.

3 Die Eiweiße mit der Prise Salz steif schlagen, vorsichtig unter die Ricottamasse ziehen. Teig in die Form füllen. Den Ricottakuchen im Ofen auf der mittleren Schiene etwa 45 Minuten backen. 10 Minuten in der Form ausdampfen lassen. Dann den Kuchen auf ein Kuchengitter setzen und ganz auskühlen lassen. Vor dem Servieren mit Puderzucker bestreuen.

So viel Zeit muß sein: 1 Stunde 10 Minuten,
davon 25 Minuten zu tun
Kalorien pro Stück: 255

Käsekuchen ohne Boden
Ein Kinderspiel!

Für 12 Stück Kuchen

100 g Rosinen, 1 EL Rum, 4 Eier

200 g Zucker, 1 Päckchen Vanillezucker

1 kg Quark, abgeriebene Schale und Saft von 1 großen unbehandelten Zitrone

1 Päckchen Käsekuchenhilfe (in dem Fall wirklich eine Hilfe), 1 Päckchen Backpulver

Für die Form: Butter und Semmelbrösel

Nach dem Backen: Puderzucker

Quarkmischung • 1 Std. • 170 Grad

Springform, 26 oder 28 cm Ø

1 Rosinen im Rum einweichen. Eier trennen. Eiweiße schon mal steif schlagen und in den Kühlschrank stellen. Form gründlich ausbuttern und mit Semmelbröseln ausstreuen. Den Backofen auf 170 Grad vorheizen (ohne Vorheizen: Umluft 150 Grad).

2 Eigelbe mit Zucker und Vanillezucker gut schaumig schlagen. Quark nach und nach unterrühren. Zitronenschale und -saft auch untermischen. Rosinen unterrühren. Eischnee drauf häufen, Käsekuchenhilfe und Backpulver drüber stäuben. Alles mit dem Schneebesen locker untereinander heben. In die Form füllen.

3 Kuchen im Ofen auf der mittleren Schiene ungefähr 1 Stunde backen, bis er fest ist. Abkühlen lassen und aus der Form lösen. Vor dem Essen Puderzucker drüber stäuben.

So viel Zeit muß sein: 1 Stunde 20 Minuten,
davon nur 20 Minuten zu tun
Kalorien pro Stück: 220

Ganz safti

Durst auf Kuchen? Hunger auf Saft? Ja was machen wir denn da?

g

Durst auf Kuchen? Hunger auf Saft? Ja was machen wir denn da? Saftige Kuchen backen. Mit Apfel, Kirsche, Erd-, Him-, Johannis- und Stachelbeere. Mit Aprikose, Pfirsich und Nektarine. Mit Passionsfrucht, Ananas und Mango. Mit Traube, Zwetschge, Birne. Mit Zitrone und Banane. Mit Rhabarber, Rhabarber. Und mit O-Saft. Prost.

Aus dem Kaffeesatz

Schokolade kochen

Danke, Ihr lieben modernen Kaffeehausbesitzer. Danke dafür, daß Ihr Euch so um einen ordentlichen Cappuccino bemüht und sogar ab und zu anständigen Drei-Minuten-Tee ohne Beutelware für uns macht. Schade nur, daß Eure heiße Schokolade zu oft noch aus Fertigpulver und Wasser besteht und mit Sprühsahne passend vollendet wird. Muß doch nicht sein. Schaut mal, was wir uns kochen, wenn wir einen stärkenden Schluck vom Glück brauchen:

1 Für eine Tasse Schokolade 2–3 Rippen bzw. $^{1}/_{4}$ Tafel Zartbitterschokolade fein hacken und mit ein paar Eßlöffeln heißer Milch in der heißen Tasse glattrühren.

2 Dann je nach Tasse 200–250 ml Milch mit einer winzigen Prise Salz aufkochen und mit dem Schneebesen kräftig schaumig schlagen.

3 Das in die Tasse gießen und sanft mit der Schokolade verrühren. Zucker und Schlagsahne? Nur wer's noch braucht.

S.O.S

Antworten auf alle FAVs (Fragen aus Verzweiflung) von unserer Basic-Backtante

Statt Sahne
Immer nur Sahne zum Obstkuchen ist wie immer nur Kakao zum Käsebrot – schon schön, aber auch öd. Gibt es da denn nicht noch was anderes?
Der Ferdinand aus Helgoland

Tante Ilse rät:

Sahne und Erdbeeren gehören zwar zusammen wie Schneewittchen und die sieben Zwerge. Aber es gibt süße Prinzen, die Obstkuchen noch märchenhafter machen können. Zum Beispiel Sahniges: ein Löffel Mascarpone oder Crème fraîche mit ein bißchen Vanillezucker dazu und ein paar Mandeln drüber; Schlagsahne und Passionsfruchtmark zu Bananenkuchen vom Blech.

Oder Vanilleeis! Zu warmen Apfelsachen!! Oder zu anderen süß-sauren Sachen wie Rhabarber, Nektarinen, Kirschen – Kirschstreusel mit Vanilleeis, ach ja ... Auch nicht schlecht: Nußeis zu Herbstfrüchten wie Birnen und Zwetschgen (ofenwarmer Datschi!), Pistazieneis zu Erdbeeren oder Ananas (mit Kokos!). Schlichte, schwere, sirupgetränkte Rührkuchen mögen auch Eis.

Oder Fruchtiges: gezuckerte Orangenfilets (mit einem Spritzer Sherry?) zum Orangenkuchen; gepuderzuckerte Erdbeeren zum Ricottakuchen; Kompottbirnen zu Schokokuchen mit Vanilleeis; pürierte Himbeeren zur Zitronentarte. Da bekommen Kuchen sogar Nachtischqualität.

5 fixe Obstböden

Schon komisch: Ohne alles heißen sie Tortenböden, aber sobald was drauf liegt, werden sie zum Obstkuchen. Und wie schnell das geht (vor allem mit einem gekauften Boden).

Fixer Himbeerboden

150 g Joghurt und 150 g Mascarpone mit 2 Päckchen Vanillezucker verrühren und auf einen Boden streichen. 250 g Himbeeren darüber verteilen und vor dem Servieren mit Puderzucker bestreuen

Fixer Exotenboden

4 Bananen in Scheiben schneiden und mit 2 EL Zitronensaft mischen. 200 g Sahne mit 2 EL Puderzucker und 1 Päckchen Sahnefestiger steif schlagen und mit dem Mark von 4 Passionsfrüchten mischen. Bananen auf einem Boden verteilen, Fruchtsahne darüber streichen

Fixer Kirschboden

300 g Sahne mit 3 EL Instant-Kakao steif schlagen. Einen Boden mit Kakao bestreuen, Sahne mit dem Eßlöffel grob darauf verteilen und 200 g abgetropfte Kirschen aus dem Glas reinstecken. Mit Eierlikör beträufeln und mit Schokoraspeln bestreuen

Fixer Erdbeerboden

250 g Erdbeeren waschen, putzen und halbieren. Einen Boden damit auslegen. 1 kleine Dose Aprikosen mit Saft pürieren, so daß es gut $^{1}/_{4}$ l Püree ergibt. Das mit klarem Tortenguß binden (so wie es auf der Tüte steht) und über den Erdbeeren verteilen. Mit Schlagsahne servieren

Fixer feiner Apfelboden

3 Äpfel schälen, entkernen und würfeln. Mit $^{1}/_{4}$ l Apfelsaft, 200 g Sahne und 1 EL Zucker aufkochen und mit 1 Päckchen Vanillepuddingpulver und 3 EL Sahne binden (so wie es auf der Tüte steht). 1 Eigelb unterrühren und Schnee von 1 Eiweiß unterheben. Das Ganze auf einen Boden streichen und mit Zimt bestreuen

Saftige Zeiten

Die richtigen Früchte für den Kuchen der Saison

für saftige Frühlingskuchen:
Erdbeeren, junger Rhabarber; schon ein bißchen Nektarinen und Mangos

für saftige Sommerkuchen:
alle Beeren; Kirschen, Mirabellen, Pfirsiche, Aprikosen, Melonen, Rhabarber, Kiwi

für saftige Herbstkuchen:
Äpfel, Birnen, Trauben, Zwetschgen und Pflaumen; frische Feigen

für saftige Winterkuchen:
Orangen, Mandarinen, Kumquats, Limetten, Ananas, Passionsfrüchte und andere Exoten. Und immer noch Äpfel

Der Fünfzehnfrüchteplan

Kann ich Orangen mitbacken? Wieso schmeckt die Kiwi-Sahne-Schnitte so bitter? Und was mach' ich mit der Kiste Äpfel vom Opa? Unser Plan für den richtigen Umgang mit Früchten

	Backen oder nicht?	Aber Achtung!	Und was mach ich damit?
Ananas, Kiwi	besser auf dem Kuchen als darin	macht Sahne bitter; vorher in Sirup garen hilft	Obstboden, Biskuit mit Vanillesahne, Flockentorte
Apfel, Birne	muß immer backen	wird schnell braun, Zitrone und schnelles Arbeiten hilft	Rührkuchen, Strudel und Pie; auf Mürbeteig backen
Aprikose, Pfirsich	kann roh backen, vorgegart auf Böden	für Belag häuten: dazu einritzen, überbrühen und abschrecken	Rührkuchen mit Aprikose drin; Biskuit mit Aprikose drauf
Brombeere, Erdbeere, Himbeere	eher nicht backen	geben gezuckert viel Saft, abtropfen und -tupfen hilft. Oder gleich reife Früchte kaufen	Biskuitböden belegen, Rouladen und Torten füllen
Heidelbeere	sowohl als auch	zum Backen nur feste Früchte	gebacken: Muffins, Blechkuchen; roh: Obstböden, Rouladen, Torten
Johannisbeere	sowohl als auch	recht sauer, also gut zuckern	Kuchen mit Baisermasse
Kirsche	sowohl als auch	zum Backen nur feste Früchte	gebacken: Streuselkuchen, Donauwellen, Kirschenplotzer
Orange, Zitrone	Schale mitbacken, Saft sowohl als auch	Schale nur von unbehandelten Früchten dünn abreiben	Rührkuchen und Biskuits mit Saft und Schale im Teig bzw. mit Saft getränkt; Saft in Cremes für Tartes und Torten, Stücke zum Verzieren

Apfelstrudel
Erinnert an glückliche Kindertage

Rosinenfans streuen noch ungefähr 100 g davon über die Äpfel, wenn sie auf dem Teig liegen.

Für 2 Strudel (aus jedem werden ungefähr 10 Stück)

Für den Teig:

250 g Mehl

1 Prise Salz

2 EL Pflanzenöl

1 Ei

Für die Füllung:

1,5 kg säuerliche Äpfel

2–3 TL abgeriebene unbehandelte Zitronenschale

1 EL Zitronensaft

50 g Butter

2 Handvoll (ungefähr 40 g) gemahlene Haselnüsse oder Mandeln

70–100 g Zucker (je nachdem wie sauer die Äpfel sind)

1 TL Zimt

200 g saure Sahne oder Crème fraîche

Strudelteig • 1 Std. • 180 Grad

Auflaufform oder Backblech

1 Jetzt geht es erst einmal um den Teig: Mehl mit Salz, Öl, Eigelb und etwa 100 ml lauwarmem Wasser in einer Schüssel mischen, dann auf der Arbeitsfläche weitermachen. Mindestens 5 Minuten lang kräftig durchkneten, bis der Teig glatt ist und glänzt wie frisch eingeölte Haut. Oma-Trick: Wer den Teig dabei immer wieder mit Pep auf die Arbeitsfläche schlägt (am besten an den größten Feind denken und so richtig wütend werden), der bekommt den Teig optimal hin.

2 Und jetzt will er ruhen, und zwar im Warmen. Am besten macht man das so: kochendes Wasser in eine Porzellanschüssel schütten und warten, bis die Schüssel gut heiß ist. Wasser ausgießen und die warme Schüssel umgedreht über den Teig (vorher in Butterbrotpapier einpacken) stülpen. So lassen wir ihn 30 Minuten lang ganz in Ruhe.

3 Die Zeit kann genutzt werden: Äpfel vierteln, schälen und die Kerngehäuse rausschneiden. Äpfel in schmale Spalten schneiden. Mit Zitronenschale und -saft verrühren. Wenn die Äpfel jetzt beim Stehen ein bißchen braun werden, macht das gar nichts, nach dem Backen sind sie das sowieso. Die Butter in einem Töpfchen zerlassen, aber nicht anbrennen lassen.

4 Jetzt wenden wir uns wieder dem Teig zu. Der wird halbiert, die eine Hälfte kommt im Papier wieder unter die Schüssel. Ein sauberes Küchentuch (am besten eins mit Muster. Warum? Dazu später mehr) auf die Arbeitsfläche legen und mit Mehl bestäuben. Den Teig nochmal durchkneten und auf das Küchentuch legen. Mit dem Nudelholz nach allen Richtungen ausrollen. Wenn sich da nicht mehr viel bewegt, wird es spannend. Den Teig jetzt über beide Handoberflächen legen und die Hände von der Mitte aus unter dem Teig nach außen ziehen. Der Teig wird dabei immer dünner. Wenn er in der Mitte so dünn ist, daß man langsam Angst kriegt, daß er reißt, legt man ihn wieder aufs Tuch. Ist das Muster jetzt zu sehen? Falls nicht, ist er noch nicht dünn genug. Und die Ränder werden jetzt im Liegen vorsichtig nach außen gezogen. Wer faul ist, schneidet die dicken Ränder einfach ab.

5 Die hauchdünne Teighälfte mit flüssiger Butter bepinseln. Die Hälfte der Äpfel drauf streuen, aber nicht ganz bis zum Rand. Von allem anderen auch die Hälfte drauf verteilen: Nüsse, Zucker, Zimt und saure Sahne oder Crème fraîche in Tupfen (und die Rosinen, wer mag).

6 Eine Auflaufform – so lang und breit, daß beide Strudel nebeneinander Platz drin finden – auch mit Butter auspinseln. Ach ja, wer keine solche Form hat, kann den Strudel auch auf dem Blech backen. Aber in der Form wird er saftiger, und deshalb ist sie unser Favorit! Jetzt wird's nochmal spannend: Die Ränder rundherum ein bißchen nach innen klappen, dann das Tuch an der Seite, die einem am nächsten liegt, ein bißchen anheben. Noch ein bißchen, und der Teig fängt an, sich durch die Steigung wie von selbst aufzurollen. Zum Schluß soll er am anderen Ende des Tuchs liegen. Mitsamt dem Tuch hochheben, an den Formrand halten und reinrollen lassen.

7 Den Backofen auf 180 Grad vorheizen (ohne Vorheizen: Umluft 160 Grad). Das andere Teigstück genauso ausziehen, belegen und aufrollen. Wenn beide in der Form liegen, die Strudel mit Butter bepinseln und ab in den Ofen. Dort brauchen sie auf der mittleren Schiene ungefähr 1 Stunde, bis sie schön knusprig braun sind und wunderbar duften. Schmecken tut der Strudel warm, z. B. mit Vanillesauce, lauwarm oder kalt. Also Genuß für mehr als einmal.

So viel Zeit muß sein: 2 Stunden, davon ist 1 Stunde Vorfreude ohne Arbeit
Kalorien pro Stück: 145

Variante:

Quark-Kirsch-Strudel

Teig genauso machen, wie's beim Apfelstrudel steht. Für die Füllung 30 g weiche Butter mit 100 g Zucker, 1 Päckchen Vanillezucker, abgeriebener Schale von 1 unbehandelten Zitrone und 3 Eigelben schaumig schlagen. 1 kg Topfen oder Quark mit 4 EL saurer Sahne untermischen. 3 Eiweiße mit 1–2 TL Zitronensaft steif schlagen und unterheben. 1 kg Kirschen waschen, entstielen und entsteinen (oder einfach Kirschen aus dem Glas nehmen). Teighälften ausrollen und ausziehen, mit zerlassener Butter bepinseln, mit je 2–3 EL gemahlenen Mandeln bestreuen und mit der Quarkmasse bestreichen. Kirschen drauf streuen. Strudel aufrollen, in die Form lupfen und mit Butter bepinseln. Bei 180 Grad (Umluft 160 Grad) ungefähr 1 Stunde backen, bis er schön braun ist. Vor dem Essen Puderzucker drüber streuen.

Aprikosenkuchen mit Thymian und Honig

Schmeckt nach Sommer und Sonne

Für 12 Stück Kuchen

Für den Teig:

200 g Mehl, 1 Prise Salz, 3 EL Zucker

1 TL abgeriebene Zitronenschale (unbehandelt)

100 g kalte Butter, 1 Ei

1 EL Joghurt (oder kaltes Wasser)

Für den Belag:

700 g Aprikosen

5 – 6 Zweige frischer Thymian, eventuell mit Blüten

2 EL Honig, 50 g Butter

1 Ei, 2 EL Sahne, 4 EL gemahlene Mandeln

200 g Crème fraîche, 1 EL Zucker

Zum Blindbacken: Butterbrotpapier und getrocknete Bohnen oder Erbsen

Mürbeteig • 35 Min. • 200 Grad

Tarte- oder Springform, 28 oder 30 cm Ø

1 Mehl mit Salz, Zucker, Zitronenschale, Butter in kleinen Stücken, Ei und Joghurt rasch zusammenkneten. Nur so lange, bis der Teig glatt ist. Zur Kugel formen, 1 Stunde kühlen.

2 Aprikosen waschen, halbieren und den Stein rauslösen. Thymian waschen und trocknen. Die Blättchen abstreifen, entgegen der Wuchsrichtung! Honig mit Butter und Thymian in einer Pfanne zerlaufen lassen. Aprikosen mit der runden Seite nach unten reinlegen und bei mittlerer Hitze 3 – 4 Minuten garen. Umdrehen und nochmals 3 – 4 Minuten ziehen lassen.

3 Den Backofen auf 200 Grad vorheizen (Umluft auch schon jetzt: 180 Grad). Teig zwischen zwei Lagen Klarsichtfolie annähernd rund ausrollen. In die ungefettete Form legen und einen 2 cm hohen Rand formen.

4 Teig mit Butterbrotpapier und einer Lage Hülsenfrüchten beschweren und auf der mittleren Schiene etwa 15 Minuten vorbacken. Hülsenfrüchte rausschütten, Ei mit Sahne und Mandeln verrühren, auf dem Teig verstreichen. Nochmal ungefähr 20 Minuten backen, bis der Belag goldgelb ist. Leicht abkühlen lassen.

5 Crème fraîche mit Zucker verrühren und auf dem Teig verstreichen. Aprikosen mit der runden Seite nach oben drauf verteilen. Der Kuchen schmeckt frisch am allerbesten.

So viel Zeit muß sein: 2 Stunden, davon ungefähr 40 Minuten zu tun
Kalorien pro Stück: 285

Brot-Kirsch-Kuchen

Supereasy, supersaftig

Für 20 Stück Kuchen

1 Glas Schattenmorellen (680 g Inhalt)

150 g dunkles Brot (am besten nicht ganz frisch), 4 große Eier

150 g Zucker, 1 TL Zimt, 1/4 TL Nelkenpulver

Für die Form: Butter und Semmelbrösel

Nach dem Backen: Puderzucker

Rührteig • 50 Min. • 180 Grad

Kastenform, 30 cm

1 Kirschen abtropfen lassen. Brot fein zerkrümeln. Backofen schon mal auf 180 Grad vorheizen (ohne Vorheizen: Umluft 160 Grad). Form buttern, Semmelbrösel reinstreuen.

2 Eier mit Zucker schaumig schlagen. Zimt, Nelken und Brot unterheben. Teig in die Form füllen und die Kirschen darauf verteilen.

3 Kuchen auf der mittleren Schiene ungefähr 50 Minuten backen, in der Form 10 Minuten stehenlassen, rauslösen und kalt werden lassen. Puderzucker drüber rieseln lassen.

So viel Zeit muß sein: 1 Stunde 5 Minuten, davon aber wirklich nur 15 Minuten aktiv
Kalorien pro Stück: 85

Tarte tatin
Verdrehter Genuß, von den Franzosen erfunden

Für 12 Stück Kuchen

Für den Teig:

250 g Mehl, 1 Prise Salz, 2 EL Zucker

125 g kalte Butter, 1 Eigelb

Für drunter:

gut 1 kg säuerliche, nicht zu große Äpfel

100 g Butter, 100 g Puderzucker

Mürbeteig • 25 Min. • 220 Grad

Tarteform aus Metall, 30 cm Ø

1 Mehl mit Salz, Zucker, Butter und Eigelb gut verkneten. Teig in Klarsichtfolie wickeln, 1 Stunde kühl stellen.

2 So nach der Hälfte der Kühlstunde Äpfel schälen und achteln. Aus jedem Achtel das Kerngehäuse rausschneiden.

3 Metall-Tarteform auf eine Herdplatte setzen. Wer keine hat, nimmt die Alupfanne und füllt die Äpfel später in eine Springform um. Butter in Stücken reingeben und schmelzen, bei schwacher Hitze, sonst wird sie braun. Puderzucker gut unterrühren, bis er flüssig ist. Apfelachtel dazu, gut umrühren und noch 10–15 Minuten weitergaren, bis sie vom bräunlichen Karamel überzogen sind. Immer weiterrühren und auf keinen Fall weggehen,

weil die Äpfel leicht anbrennen. Wenn das Gegenteil der Fall ist und sich Flüssigkeit bildet, muß die Hitze höher gestellt werden und die Flüssigkeit verdampfen. Auch das unter Rühren. Form vom Herd ziehen, Äpfel kühler werden lassen. Wer keine Tarteform hat, füllt die Äpfel jetzt in die Springform.

4 Den Backofen auf 220 Grad vorheizen (auch schon jetzt: Umluft 200 Grad). Teig noch mal kneten und zwischen zwei Stück Klarsichtfolie rund ausrollen. Damit der Teig einigermaßen rund wird, das Teigstück immer mal wieder ein wenig drehen. Und das Ganze soll etwas größer werden als die Form.

5 Die obere Folie abziehen. Teig locker zusammenrollen und über den Äpfeln in der Form wieder ausrollen. Obere Folie vorsichtig abziehen, Teigränder rundherum nach innen in die Form klappen und etwas andrücken.

6 Tarte in den Ofen auf die mittlere Schiene stellen und ungefähr 25 Minuten backen, bis der Teigdeckel knusprig ist. 10 Minuten warten, dann den Teig am Rand der Form ablösen, eine Platte umgedreht auf den Kuchen legen und das Ganze gemeinsam stürzen. Lauwarm schmeckt die Tarte tatin am besten. Und zwar besonders gut mit Crème fraîche oder halbsteif geschlagener Sahne. Vanilleeis ist auch nicht schlecht dazu.

So viel Zeit muß sein: 1 1/2 Stunden, davon ungefähr 55 Minuten aktiv
Kalorien pro Stück: 295

Johannisbeer-tarte
Echt eine Sünde wert

Für 12 Stück Kuchen

Für den Teig:

300 g Mehl, 70 g Zucker

1 Prise Salz, 100 g kalte Butter, 1 Ei

Für den Belag:

500 g rote Johannisbeeren, 80 g Butter

200 g gemahlene Mandeln, 200 g Zucker

40 g Speisestärke, 2 Obstkuchenoblaten (die richtig großen), 3 Eiweiße, 1 Prise Salz

Für die Form: Butter

Nach dem Backen: Puderzucker

Mürbeteig • 50–60 Min. • 200 Grad

Springform, 26 oder 28 cm Ø

1 Für den Teig das Mehl mit Zucker, Salz, Butter in Stückchen und Ei verkneten, 30 Minuten in den Kühlschrank legen.

2 Johannisbeeren waschen und mit den Fingern abzupfen. Butter schmelzen und die Hälfte der Mandeln darin mit 100 g Zucker bei mittlerer Hitze unter Rühren leicht braun rösten. Mit Beeren und Stärke mischen.

3 Den Backofen auf 200 Grad vorheizen (ohne Vorheizen: Umluft 180 Grad). Den Teig zwischen Klarsichtfolie rund ausrollen. In die ungefettete Form legen, einen 2 cm hohen Rand hochziehen. Teig mit einer Gabel oft einstechen und mit den Oblaten belegen.

4 Die Eiweiße mit Salz steif schlagen, dann nach und nach den restlichen Zucker einrieseln lassen. Dies mit der Beerenmasse und den übrigen Mandeln vermengen, in der Form glattstreichen. Den Kuchen im Ofen auf der mittleren Schiene 50–60 Minuten backen. Mit etwas Puderzucker bestäuben und in der Form 20 Minuten ausdampfen lassen. Vorsichtig aus der Form lösen, abkühlen lassen.

So viel Zeit muß sein: 2 Stunden, davon die Hälfte der Zeit zu tun
Kalorien pro Stück: 425

Italienischer Traubenfladen

Aus der Toskana – gut zu jungem Rotwein

Wenn die Winzer nicht mehr stillsitzen können, ist es bald soweit: die Trauben werden reif. Und dann gibt's nicht nur viel zu tun, sondern auch diesen besonderen Leckerbissen: die Schiacciata con l'uva.

Für 1 pizzagroßen Fladen

70 g Rosinen

2 EL Grappa oder Wasser

100 g Walnußkerne

2 Zweige frischer Rosmarin

1 TL Fenchelsamen (ersatzweise Anis)

150 g Zucker

30 g frische Hefe

$^{1}/_{8}$ l lauwarme Milch

500 g Mehl

1 EL Olivenöl

800 g blaue Weintrauben

1 EL feiner Zucker zum Bestreuen

Für das Blech: Öl oder Butter

Hefeteig • 35 Min. • 180 Grad

1 Rosinen im Grappa oder Wasser einweichen. Walnüsse mit den Fingern grob zerbrechen. Rosmarin waschen und die Nadeln abzupfen. Fenchelsamen im Mörser etwas andrücken, damit sie ihr Aroma bereitwilliger hergeben. Als Ersatz für den Mörser tut's auch die Klinge von einem breiten Messer.

2 Zucker in einen mittelgroßen Topf schütten. Herdplatte auf mittlere Hitze schalten und warten, bis der Zucker am Rand flüssig wird. Dann immer wieder durchrühren, bis kein Körnchen mehr zu sehen ist und die Flüssigkeit leicht braun wird. $^{1}/_{8}$ l lauwarmes Wasser dazuschütten. Jetzt bilden sich kleine Zuckerklümpchen, und die sollen sich wieder auflösen. Also solange weiter rühren und erhitzen. Abkühlen lassen.

3 Hefe zerkrümeln und mit der Milch verrühren. Mehl in die Schüssel geben. Hefe, Rosinen, Fenchelsamen, Rosmarin, Walnüsse, Zuckerwasser und Öl dazu. Gründlich verkneten. Zugedeckt in Ruhe lassen, ungefähr 1 Stunde, bis der Teig doppelt so groß ist.

4 Inzwischen Trauben waschen, abzupfen und halbieren. Wer sich dran stört, entfernt die Kerne – mit der Spitze eines kleinen Messers. Den Backofen auf 180 Grad vorheizen (ohne Vorheizen: Umluft 160 Grad). Backblech fetten. Den Teig nochmal durchkneten, auf wenig Mehl rund ausrollen, aufs Blech legen. Keine Angst, er ist zäh und stabil.

5 Trauben auf der Oberfläche verstreuen. Zucker draufgeben. Fladen im heißen Ofen auf der mittleren Schiene ungefähr 35 Minuten backen. Er soll aufgehen, schön braun werden und rötliche Traubensaftspuren bekommen.

So viel Zeit muß sein: 3 Stunden, davon ist aber höchstens 1 Stunde lang was zu tun
Kalorien pro Stück: 335

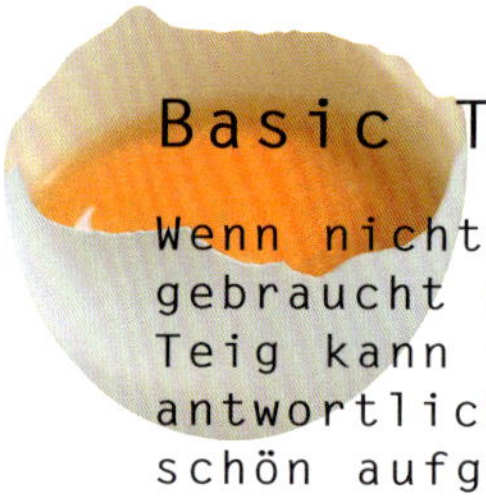

Basic Tip

Wenn nicht der ganze Hefewürfel gebraucht wird – zuviel Hefe im Teig kann nämlich auch dafür verantwortlich sein, daß er nicht schön aufgehen will – bleibt die Frage: was machen mit dem Rest? Der kann in frische Klarsichtfolie gewickelt noch weiter gekühlt und für ein anderes Gebäck verbraucht werden, bis zum Verfallsdatum. Das also am besten immer drauf schreiben.

Versunkener Apfelkuchen
Mit Knusper-Trick!

Für 12 Stück Kuchen

1 unbehandelte Zitrone

750 g säuerliche Äpfel

100 g Marzipan-Rohmasse

200 g weiche Butter

100 g Zucker

1 Päckchen Vanillezucker, 4 Eier

3 EL Calvados oder Grappa oder Milch

200 g Mehl

1 TL Backpulver

2 EL Mandelblättchen

2 EL Puderzucker

Für die Form: Butter und Mehl

Nach dem Backen: Puderzucker

Rührteig • 45 Min. • 180 Grad

Springform, 26 oder 28 cm Ø

1 Zitrone unter heißem Wasser abschrubben, trocknen und die Schale abreiben. Zitrone durchschneiden und aus einer Hälfte den Saft pressen. Äpfel schälen, achteln und das harte Kernhaus aus jedem Stück rausschneiden. Die Achtel mit dem Zitronensaft mischen. Jetzt noch das Marzipan in kleine Würfel schneiden, dann geht's an den Teig.

2 Schon mal den Backofen auf 180 Grad vorheizen (Umluft 160 Grad, aber ohne Vorheizen). Die Form fetten und mehlen: 1 EL Mehl reinschütten und die Form hin und her drehen, bis alles mehlweiß ist.

3 Butter in die Rührschüssel und ganz cremig rühren, sie wird dabei viel heller. Zucker, Vanille und Zitronenschale unterschlagen, dann einzeln die Eier. Und zwar immer gerade so lang, bis keine Spuren mehr davon zu sehen sind. Calvados unterrühren. Mehl mit dem Backpulver mischen, wenn's bröckelig ist, besser durchsieben. Mit den Marzipanwürfeln unter die Buttercreme rühren.

4 Teig in die Form löffeln und mit dem Löffelrücken glattstreichen. Wenn der Teig zu sehr klebt, den Löffel unters fließende kalte Wasser halten. Die Äpfel auf den Teig legen, die sinken dann beim Backen ein.

5 Kuchen in den Ofen auf die mittlere Schiene stellen und ungefähr 45 Minuten backen. Und jetzt kommt der Knusper-Trick: Grill einschalten und heiß werden lassen. Mandelblättchen und Puderzucker mischen, auf den Kuchen streuen und nochmal kurz unter die heißen Grillschlangen stellen. Aber wirklich nur für 1–2 Minuten und nur, bis der Zucker schmilzt und karamelisiert. Immer im Auge behalten, weil er schnell zu dunkel werden kann. Und wer keinen Grill hat, schaltet auf höchste Stufe und läßt den Kuchen ein bißchen länger im Ofen, ganz so knusprig wird er nicht, aber auch gut.

6 Kuchen in der Form ungefähr 10 Minuten stehenlassen, dann rauslösen und auf dem Kuchengitter erkalten lassen. Vor dem Essen Puderzucker drauf sieben.

So viel Zeit muß sein: 1 Stunde, 20 Minuten, davon 45 Minuten ganz relaxed
Kalorien pro Stück: 345

Apple Pie
Der mit dem Deckel

Für 12 Stück Pie

Für den Teig:

350 g Mehl, 1 EL Zucker, 1/4 TL Salz

80 g Schweineschmalz, 2 kleine Eier (S)

125 g kalte Butter

Für die Füllung:

1 kg säuerliche Äpfel

1 EL Zitronensaft

1 EL Mehl, 100 g brauner Zucker

je 1 kräftige Prise Zimt, geriebene Muskatnuß und Nelkenpulver

Für die Form: Butter oder Schmalz

Zum Bestreichen: 1–2 EL flüssige Butter

Pieteig • 55 Min. • 180 Grad

Tarte- oder Springform, 28–30 cm Ø

1 Mehl mit Zucker und Salz mischen. Schmalz, Eier und Butter dazugeben. Zu einem glatten Teig verkneten. Zur Kugel formen, 1 Stunde kühl stellen.

2 Die Äpfel vierteln, schälen und das harte Kernhaus rausschneiden. Äpfel in dünne Schnitze schneiden, mit dem Zitronensaft vermischen.

3 Die Form fetten. Den Teig halbieren und jeweils in Größe der Tarteform zwischen zwei Lagen Klarsichtfolie rund ausrollen.

4 Den Backofen auf 180 Grad vorheizen (Umluft 160 Grad, aber ohne Vorheizen). Einen Teigboden in die Form legen, einen kleinen Rand hochziehen. Äpfel mit Mehl, Zucker, Zimt, Muskat und Nelken mischen und auf dem Teig verteilen. In den anderen Teig mit einem Messer sternförmig Schlitze schneiden, Teig als Deckel auflegen und die Ränder gut zusammendrücken.

5 Pie im Ofen auf der mittleren Schiene 35 Minuten backen. Mit flüssiger Butter bestreichen und noch ungefähr 20 Minuten backen, bis er schön gebräunt ist. Am besten schmeckt der Pie lauwarm – mit Schlagsahne, Vanilleeis oder Vanillesauce.

So viel Zeit muß sein: 2 1/4 Stunden, davon ungefähr 1 Stunde aktiv
Kalorien pro Stück: 330

Apfelweinkuchen

Muß eigentlich Äppelwoi-Kuchen heißen

Sauer macht lustig, und da fallen einem die tollsten Sachen ein. Zum Beispiel dieser Kuchen, der allen Nicht-Hessen den Genuß von Apfelwein versüßt.

Für 12 Stück Kuchen

Für den Teig:

120 g weiche Margarine (oder auch Butter)

120 g Zucker, 1 Päckchen Vanillezucker

1 Ei, 250 g Mehl, 1/2 Päckchen Backpulver

Für den Belag:

3–4 feste säuerliche Äpfel (300 g)

1 TL Zitronensaft

3/4 l Apfelwein (zur Not auch trockener Cidre oder Weißwein)

200 g Zucker

2 Päckchen Vanillepudding-Pulver

400 g Sahne, 1 Päckchen Vanillezucker

Rührteig • 1 Std. • 180 Grad

Springform, 26 oder 28 cm Ø

1 Für den Teig die Margarine mit dem Zucker und Vanillezucker cremig rühren, dann das Ei darunterrühren. Das Mehl mit dem Backpulver mischen und unter den Teig kneten. Den Teig zu einer Kugel formen, in Folie wickeln und gut 30 Minuten in den Kühlschrank legen.

2 Inzwischen für den Belag die Äpfel schälen, vierteln und die Kerngehäuse rausschneiden. Die Viertel in ungefähr 1/2 cm dicke Scheiben schneiden und mit dem Zitronensaft mischen.

3 Vom Apfelwein 650 ml abmessen und mit dem Zucker aufkochen. Das Puddingpulver mit dem übrigen Apfelwein glattrühren und dann neben der Herdplatte in den heißen Wein rühren. Nochmals unter Rühren 3 Minuten kochen lassen.

4 Den Ofen auf 180 Grad vorheizen (ohne Vorheizen: Umluft 160 Grad). Den Teig auspacken und flachdrücken. Die ungefettete Form mit dem Teig auskleiden, dabei den Teig mit den Händen flachdrücken und am Rand bis zur halben Höhe der Form hochziehen.

5 Die Äpfel mit dem angedickten Apfelwein vermischen und in die Form geben. Den Kuchen im Ofen auf der mittleren Schiene etwa 1 Stunde backen und in der Form auskühlen lassen. Die Sahne mit dem Vanillezucker steif schlagen und auf dem fertigen Kuchen glattstreichen. Den Kuchen vor dem Servieren 1 Stunde kühlen.

So viel Zeit muß sein: 2 3/4 Stunden, davon aber nur 45 Minuten zu tun
Kalorien pro Stück: 450

Crostata mit Pfirsichen

Für Bastelfreaks

Für 12–14 Stück Kuchen

Für den Teig:

300 g Mehl, 1 Prise Salz

2 Päckchen Vanillezucker

125 g kalte Butter

1 Ei, 1 Eigelb

Für den Belag:

4 große oder 8 kleine reife Pfirsiche (toll schmeckt's auch mit Pflaumen oder Zwetschgen: dann braucht man ungefähr 700 g)

100 g Honig

2 EL Amaretto oder Milch und einige Tropfen Bittermandelaroma

abgeriebene Schale und 1 EL Saft von 1 unbehandelten Zitrone

Zum Bestreichen:

1 Eigelb, 1 EL Milch, 1 EL Amaretto oder Milch und 3–4 Tropfen Bittermandelaroma

Mürbeteig • 45 Min. • 180 Grad

Tarte- oder Springform, 28 oder 30 cm Ø

1 Mehl mit Salz, Vanillezucker, Butter in kleinen Stücken, Ei und Eigelb so lange kneten, bis der Teig glatt ist, nicht länger! Teig zur Kugel rollen, in Folie wickeln und 1 Stunde in den Kühlschrank legen.

2 Die Zeit läßt sich nutzen! Pfirsiche schmecken besser ohne die Haut. Bei ganz reifen Früchten läßt sie sich einfach abziehen, bei härteren Früchten muß man nachhelfen. Kochendes Wasser drüber gießen, kurz warten, kalt abschrecken, Haut abziehen. Pfirsiche halbieren, entsteinen, ganz klein würfeln und mit Honig, Amaretto, Zitronenschale und Saft gut verrühren.

3 Den Backofen auf 180 Grad vorheizen (ohne Vorheizen: Umluft 160 Grad). Teig dritteln. Zwei Drittel zur Kugel formen, zwischen zwei Klarsichtfolienstücken rund ausrollen. In die ungefettete Form legen, einen 2 cm hohen Rand formen. Restlichen Teig auch dünn ausrollen, aber eckig. Mit dem Messer gut 1 cm breite Teigstreifen abschneiden.

4 Auf den Teig in der Form kommen die Obststücke. Und darauf ein Gitter aus Teigstreifen. Eigelb, Milch und Amaretto verrühren, Teigrand und -streifen damit bepinseln. Auf der mittleren Schiene etwa 45 Minuten backen, bis die Crostata ihrem Namen alle Ehre macht, also knusprig ist.

So viel Zeit muß sein: 1 1/2 Stunden, davon die Hälfte zu tun
Kalorien pro Stück (bei 14): 215

Erdbeerkuchen

Frühsommerfreuden

Für 12 Stück Kuchen

Für den Teig:

4 Eier, 100 g Zucker

110 g Mehl, 1 Messerspitze Backpulver

Für die Füllung:

2 Vanilleschoten

1 gehäufter EL Speisestärke (das sind 25 g)

3 Eigelbe, 1/4 l Milch, 80 g Zucker

800 g Erdbeeren, 2 EL Zitronensaft

2 EL beliebiger Fruchtsirup (z. B. Erdbeer)

100 g Sahne, 1 TL Puderzucker

Für die Form: Butter und Mehl

Biskuitteig • 40 Min. • 180 Grad

Springform, 26 oder 28 cm Ø

1 Den Backofen auf 180 Grad vorheizen (Umluft 160 Grad, ohne Vorheizen). Form mit Butter auspinseln und Mehl hineinstreuen.

2 Die Eier trennen. Eiweiße steif schlagen, Zucker einrieseln lassen. Eigelbe nacheinander unterrühren Mehl mit Backpulver drauf häufen. Mit dem Schneebesen mischen. In der Form glattstreichen. Biskuit auf der unteren Schiene ungefähr 40 Minuten backen. In der Form kurz stehenlassen, rauslösen und 1–2 Stunden ruhen lassen.

3 Vanilleschoten aufschlitzen, Mark rausschaben, mit Schoten in einen Topf geben. Speisestärke, Eigelbe und die Hälfte von der Milch verquirlen.

4 Die übrige Milch mit dem Zucker zur Vanille in den Topf schütten und heiß werden lassen. Schoten rausfischen. Topf vom Herd ziehen, Eigelbmilch unter die Milch rühren. Und jetzt heißt's aufpassen: Das Ganze wird noch mal heiß gemacht, und zwar unter Rühren, darf aber nicht kochen. Wenn die Creme dicklich wird, kommt sie in eine Schüssel und soll ganz kalt werden. Zwischendurch mal umrühren.

5 Die Erdbeeren kurz waschen. Kelche rauszupfen, ein paar schöne Erdbeeren weglegen, den Rest klein würfeln.

6 Den Tortenboden waagerecht einmal durchschneiden. Zitronensaft mit Sirup mischen und den unteren Teigboden damit begießen. Gewürfelte Erdbeeren unter die Hälfte der Vanillecreme heben auf dem unteren Teig verstreichen. Zweiten Teig drauf legen. Sahne steif schlagen, Puderzucker einrieseln lassen. Unter die übrige Vanillecreme heben und das Ganze auf der Oberfläche und am Rand des Kuchens verteilen. Mit Erdbeeren garnieren.

So viel Zeit muß sein: 2 Stunden, davon 1 Stunde aktiv – ohne Ruhezeit
Kalorien pro Stück: 170

Passionsfruchttarte

Frisch und fruchtig

Für 12 Stück Kuchen

Für die Creme:

4–5 Eier

150 g Zucker, 150 g Crème fraîche

1/8 l frischer Passionsfruchtsaft (dafür braucht man 8–10 Früchte: aufschneiden, Mark rauslöffeln, durch ein Sieb streichen)

5 EL Zitronensaft

Für den Teig:

70 g kalte Butter, 250 g Mehl

90 g Puderzucker, Salz

5 EL kalte Milch, 2 Eigelbe

Zum Blindbacken: Butterbrotpapier und getrocknete Bohnen oder Erbsen

Mürbeteig • 1 Std. 10 Min. • 180 / 150 Grad

Tarte- oder Springform, 28 oder 30 cm Ø

1 Damit die Passionsfrucht-Creme beim Backen schön sämig bleibt, wird sie am besten einen Tag vorher gemacht: Eier mit Zucker schaumig schlagen. Vorsichtig die Crème fraîche unterziehen, die Säfte einrühren. Creme zugedeckt kühl stellen.

2 Für den Teig die Butter in Stückchen schneiden und mit Mehl, Puderzucker, 1 Prise Salz, Milch und Eigelben rasch verkneten. Teig in Folie wickeln und 30 Minuten kühlen.

3 Den Ofen auf 180 Grad vorheizen (auch schon jetzt einstellen: Umluft 160 Grad). Den Teig zwischen Klarsichtfolie dünn ausrollen. Die ungefettete Form mit dem Teig auskleiden.

4 Aus Butterbrotpapier einen Kreis schneiden, der den Boden der Tarte bedeckt. Darauf eine Lage Hülsenfrüchte schütten und die Tarte 30 Minuten im heißen Ofen »blindbacken«. Aus dem Ofen nehmen, Hülsenfrüchte rausschütten, die Temperatur auf 150 Grad (Umluft 120 Grad) runterdrehen.

5 Nach ungefähr 15 Minuten kommt die Tarte wieder mit der nochmals behutsam verrührten Creme in den Ofen. Wer ruhige Hände hat, füllt sie auf der Arbeitsfläche ein und stellt die Tarte wieder in den Ofen. Aufgeregte Bäckerinnen und Bäcker stellen die Tarte erst aufs Gitter und füllen die Creme mit einem Litermaß langsam auf den vorgebackenen Teig.

6 Die Passionsfruchttarte ungefähr 40 Minuten backen. Sie ist fertig, wenn die Füllung stockt, in der Mitte aber noch ein klein bißchen »wabbelig« ist. 4 Stunden kühl stellen.

So viel Zeit muß sein: 2 1/4 Stunden, davon 30 Minuten zu tun, ohne Kühlzeiten
Kalorien pro Stück: 300

Savarin mit Erdbeeren

Schön rund, schön bunt

Für 16 Stück Kuchen

Für den Teig:

400 g Mehl, 60 g Zucker, 1 Prise Salz

abgeriebene Schale von

1 unbehandelten Zitrone

etwa 175 ml Milch

1 Würfel frische Hefe (42 g)

100 g weiche Butter, 3 Eier

Zum Tränken:

150 ml Orangensaft (frisch gepreßt oder gute Qualität)

150 g Zucker

2 EL Orangenlikör (z. B. Grand Marnier)

Zum Servieren:

700 g Erdbeeren

200 g Sahne

2 EL Zucker

1 Päckchen Vanillezucker

Für die Form: Butter und Mehl

Hefeteig • 30 Min. • 180 Grad

Savarin- oder Kranzform, 28 oder 30 cm Ø

1 Form mit Butter ausstreichen und Mehl reinstreuen. Für den Teig Mehl und Zucker und Salz und Zitronenschale vermischen. Milch lauwarm werden lassen, Hefe zerkrümeln und darin verrühren.

2 Hefemilch mit Butter und Eiern zum Mehl geben und mit den Knethaken vom Handrührer gut durchmischen. So lang, bis sich das Ganze zum zähen Teig zusammenballt und sich vom Rand der Schüssel löst.

3 Den Teig gleich in die Form füllen und gleichmäßig darin verteilen, z. B. mit einer Gabel. Ein Tuch drüber legen und den Teig ungefähr 1 Stunde stehenlassen. Er mag es warm und ohne Zugluft. Und nach der Ruhezeit soll er ungefähr doppelt so hoch sein.

4 Den Backofen auf 180 Grad vorheizen (Umluft 160 Grad, aber ohne Vorheizen). Den Kuchen im Ofen auf der mittleren Schiene ungefähr 30 Minuten backen, bis er schön gebräunt ist.

5 In dieser Zeit schon mal Orangensaft mit Zucker in einen Topf schütten und 5 Minuten kochen lassen. Dann den Orangenlikör untermischen und den Topf vom Herd nehmen.

6 Den gebackenen Savarin 5–10 Minuten in der Form lassen. Dann ein langes Holzstäbchen oder eine Stricknadel nehmen und den Kuchen viele Male einstechen, schön tief, aber nicht ganz durch. Auf eine Platte stürzen, wieder umdrehen und den Sirup darüber träufeln und mit dem Pinsel verteilen. Immer nur so viel auf einmal, daß es gleich in die Löcher und nicht daneben laufen kann. So, und jetzt noch mal 1 Stunde lang was andres machen.

7 Bevor es richtig losgeht, die Erdbeeren in stehendem kalten Wasser kurz hin und her schwenken. Rausfischen und auf eine dicke Lage Küchenpapier legen. Die Stiele rausziehen oder lieber schneiden, wenn das mit dem Ziehen nicht so ganz klappt. Erdbeeren in dünne Scheiben schneiden. Sahne mit dem Zucker und dem Vanillezucker gut steif schlagen, mit den Erdbeeren locker mischen. Und das kommt jetzt in die Mitte des Teigrings und alles gleich auf den Tisch.

So viel Zeit muß sein: 3 Stunden, davon 50 Minuten aktiv
Kalorien pro Stück: 280

Variante:

Kokossavarin mit Ananas

Der Teig wird zubereitet wie beschrieben, aber nur mit 300 g Mehl und dafür noch 150 g Kokosflocken. Und statt dem weißen Zucker braunen oder sogar Melasse (aus dem Naturkostladen) nehmen. Zum Tränken den Zucker mit Limettensaft wie oben kochen und zum Schluß Kokoslikör oder weißen Rum untermischen. Und statt der Erdbeeren 1 Ananas schälen, in Scheiben schneiden und um die harte Mitte herum in Würfel schneiden. Oder gleich ungesüßte Ananasstückchen aus der Dose nehmen. Die werden dann auch mit Sahne gemischt. Der Savarin sollte aber wirklich gleich gegessen werden, sonst schmeckt die Sahne bitter. Statt Sahne geht auch eine kleine Dose Kokosmilch (einen Teil vom Flüssigen weggießen), vermischt mit Vanillezucker.

Beschwipste Charlotte

Damit wird einem auch ohne Ofen warm

Nix für kleine Kinder, großartig für beschwingte Sommernächte – auch als Dessert.

Für 8 Stück

750 g Himbeeren, 170 g Zucker

100 ml Kirschwasser oder ein anderes

Obstwasser, 50 ml Sekt oder Weißwein

30 Löffelbiskuits, 200 g Sahne

1 Die Himbeeren verlesen, also alle faulen Früchte, Blätter und sonstiges, was nicht zu den Beeren gehört, aussortieren. Beeren in einer Schüssel behutsam mit Zucker, Kirschwasser und Sekt oder Weißwein vermischen und etwa 5 Minuten durchziehen lassen, bis der Zucker sich aufgelöst hat. Die Beeren in ein Sieb geben und den Saft auffangen.

2 Eine Schüssel suchen, am besten eine mit schrägem Rand, die etwas höher als die Löffelbiskuits ist und am oberen Rand nicht mehr als 20 cm Durchmesser hat. Die Löffelbiskuits werden nun nach und nach für 1–2 Minuten auf beiden Seiten im Himbeersaft getränkt. Aber aufpassen, daß sie nicht zerfallen! Dann den Rand und Boden der Schüssel mit den frischgetränkten Biskuits auslegen.

3 Jetzt kommt eine gut fingerdicke Lage Himbeeren in die Schüssel, darauf wieder frischgetränkte Biskuits. Die können ruhig gekürzt und angestückelt werden. Darauf wieder eine Lage Himbeeren, Biskuits und so weiter, die letzte Schicht sind Biskuits.

4 Jetzt wird die Charlotte mit Folie zugedeckt und kommt in den Kühlschrank. Nach 10 Stunden ist sie bereit, gestürzt zu werden. Dazu gibt es Schlagsahne und den übrigen Himbeersaft. Prost und guten Appetit.

So viel Zeit muß sein: 20 Minuten, dazu kommen dann noch 10 Stunden zum Durchziehen
Kalorien pro Stück: 295

Sommertörtchen

Wenn es viel zu heiß ist, um den Ofen anzuschalten

Für 4 Stück

750 g gemischte frische Beeren (z. B. Erdbeeren, Himbeeren und Heidelbeeren)

50 g Zucker

etwa 12 Scheiben Toastbrot (muß nicht frisch sein), 4 Kugeln Vanilleeis

1 Die Beeren möglichst nur mit einem Tuch abreiben, entstielen. Dann in einem Topf mit dem Zucker vermischen und behutsam erhitzen. Knapp 1 Minute sanft köcheln lassen, bis sich der Zucker gelöst und Saft gebildet hat, die Beeren aber noch ganz sind. Die Beeren in ein Sieb geben, den Sirup auffangen und alles abkühlen lassen.

2 Toastbrot entrinden. 4 Scheiben so rundschneiden, daß sie den Boden von 4 großen Tassen oder Schüsselchen (Inhalt je 200 ml) großzügig bedecken. Übrige Brote in 2–3 cm breite Streifen schneiden. Toastscheiben für den Boden kurz im Sirup tränken und die Tassen damit auslegen. Toaststreifen im Sirup tränken und damit leicht überlappend die Tassenwände auskleiden.

3 Tassen zur Hälfte mit Beeren füllen, mit einer Lage getränkter Toastabschnitte und -streifen belegen. Mit übrigen Beeren auffüllen und mit übrigen getränkten Toaststreifen abschließen. Mit Folie umhüllen und die Tassen leicht beschweren, z. B. mit anderen Tassen, die zur Hälfte mit Wasser gefüllt sind. So kann alles gut durchziehen, und zwar über Nacht und im Kühlschrank.

4 Am nächsten Tag die Folie entfernen, die Törtchen stürzen und mit Vanilleeis sowie dem übrigen Sirup servieren.

So viel Zeit muß sein: 30 Minuten, ohne Ruhezeit
Kalorien pro Törtchen: 315

O-Saft-Kuchen

Kommt auch ohne Hitze gut

Für 12 Stück Kuchen

1 l Orangensaft (gute Qualität, bitte)

50 g Aprikosenmarmelade

1 fertiger Obsttortenboden

2 Päckchen Vanillepudding-Pulver

50 g Zucker

200 g Sahne

1 Päckchen Vanillezucker

etwa 20 Löffelbiskuits

100 g Zartbitter-Schokolade

1 Vom Orangensaft 200 ml abmessen. 2 EL davon mit der Marmelade verrühren. Auf den Obstboden streichen.

2 Vom übrigen Orangensaft 100 ml mit dem Puddingpulver glattrühren, den Rest (sind dann noch 700 ml) mit dem Zucker aufkochen und neben der Herdplatte das Puddingpulver einrühren. Dies rührender Weise noch 3 Minuten kochen lassen.

3 Den angedickten Orangensaft ganz abkühlen lassen und auf dem Obstboden verstreichen. Die Sahne mit dem Vanillezucker steif schlagen und auf der Orangencreme glattstreichen.

4 Die Löffelbiskuits im zurückbehaltenen Orangensaft (die 200 ml minus den 2 EL von Punkt 1) tränken und leicht in die Sahne drücken, bis alle Biskuits verbraucht sind oder der Kuchen bedeckt ist (was übrig bleibt, ist zum Naschen).

5 Die Schokolade in eine Tasse bröckeln und im Wasserbad schmelzen. Mit einem Teelöffel nach Lust und Laune auf die Löffelbiskuits tropfen. Den Kuchen 1 Stunde durchkühlen lassen.

So viel Zeit muß sein: 35 Minuten, dazu kommt dann noch die 1 Stunde Kühlzeit
Kalorien pro Stück: 280

Kalte Hundeschnauze oder kalter Hund

Hit aus der Kindergeburtstagsvergangenheit

Kleine Schummelei in diesem Kapitel, weil nicht supersaftig, aber trotzdem supergut und ohne Ofen – wie alle hier auf der Seite.

Für 16 Stück Kuchen

100 g Zartbitter-Schokolade

120 g Butter

80 g Puderzucker

3 EL gehackte Mandeln

2 EL Raspelschokolade

etwa 24 Butterkekse

Kakaopulver zum Bestäuben

1 Schokolade in Stücke brechen, Butter würfeln, beides in einem Topf bei schwacher Hitze schmelzen lassen. Immer mal wieder umrühren, damit das gleichmäßig vor sich geht.

2 Puderzucker, Mandeln und Raspelschokolade untermischen.

3 Eine Kastenform von 20 cm Länge mit einer Lage Butterkekse auslegen. Eine nicht zu dicke Schicht Schokoladenbutter drauf gießen und verstreichen. Wieder Kekse und Schokobutter und so weiter, bis alles aufgebraucht ist.

4 Kalte Hundeschnauze mindestens 1 Stunde kühl stellen, dann aus der Form stürzen, mit Kakao bestäuben und in Scheiben schneiden.

So viel Zeit muß sein: 1 1/4 Stunden, aber davon nur 15 Minuten aktiv
Kalorien pro Stück: 165

Stachelbeer-Wähe
Saftig, saftig!

Für 12 Stück Kuchen

Für den Teig:

200 g Quark, 5 EL neutrales Öl (z.B. Sonnenblumenöl), 250 g Mehl

1 Prise Salz, 2 EL Zucker

Für den Belag:

500 g Stachelbeeren, 250 g Quark

100 g Sahne, 1 Ei, 1 EL Speisestärke

abgeriebene Schale von 1 unbehandelten Zitrone, 1 Päckchen Vanillezucker

50 g Honig (wenn die Stachelbeeren noch sauer sind, ruhig ein bißchen mehr)

Für die Form: Butter oder Öl

Nach dem Backen: Puderzucker

Knetteig • 45 Min. • 180 Grad

Tarte- oder Springform, 28 oder 30 cm Ø

1 Quark, Öl und Mehl mit 50 ml kaltem Wasser, Salz und Zucker so lange kneten, bis der Teig glatt ist.

2 Form fetten. Teig in die Form legen und mit den Fingern gut drin verteilen, einen Rand hochziehen, etwa 2 cm wären gut. Teig 1 Stunde in den Kühlschrank stellen.

3 Stachelbeeren waschen. Blütenansatz, der wie ein kleines Krönchen ausschaut, am besten abzupfen, auch wenn's ein bißchen Arbeit macht.

4 Backofen auf 180 Grad vorheizen (auch schon jetzt einstellen: Umluft 160 Grad). Teig im Ofen auf der mittleren Schiene 10 Minuten vorbacken. In der Zeit schon mal für den Guß den Quark und die Sahne mit dem Ei, der Speisestärke, Zitronenschale, Vanillezucker und Honig gut verrühren.

5 Stachelbeeren auf den vorgebackenen Teig schütten, Guß drüber gießen. Wähe wieder in den Ofen schieben und nochmal ungefähr 35 Minuten backen. Der Belag soll dann verführerisch braun sein. Abkühlen lassen, Puderzucker drüber, frisch aufessen!

So viel Zeit muß sein: $2\,^{1}/_{4}$ Stunden, davon aber nur 35 Minuten zu tun
Kalorien pro Stück: 195

Tip aus der Schweiz

Es müssen nicht unbedingt Quark und Sahne sein. Ein echter Schweizer macht eine Wähe auch zur Reste(n!)verwertung. Also alle Milchprodukte (auch Joghurt und Frischkäse), die noch im Kühlschrank sind, werden gemischt und gebacken. Es müssen einfach zusammen 350 g sein.

Schoko-Mandel-Mango-Kuchen
Da ist für jeden was drin

Für 12 Stück Kuchen

100 g Zartbitter-Schokolade

1 große oder 2 kleine reife, aber noch feste Mangos

2 EL Zitronensaft, 5 Eier

180 g Zucker, 1 Päckchen Vanillezucker

250 g gemahlene Mandeln

150 g Mehl, $^{1}/_{2}$ Päckchen Backpulver

100 g Crème fraîche oder Sahne

50 g Kokosraspel

Für die Form: Butter und Mehl

Rührteig • 1 Std. • 180 Grad

Springform, 26 oder 28 cm Ø

1 Schokolade in Stücke brechen, dann fein hacken. Die Mangos schälen, von $^{1}/_{4}$ oder $^{1}/_{2}$ Mango möglichst schöne feine Schnitze abschneiden, die werden später zum Verzieren gebraucht. Beim restlichen Fruchtfleisch spielt es keine Rolle, wie es vom Stein abgeschnitten wird. Nachher einfach in kleine Würfel schneiden. Die Schnitze mit 1 EL Zitronensaft beträufeln und mit Klarsichtfolie abdecken, die Würfel mit dem übrigen Zitronensaft mischen.

2 Den Backofen auf 180 Grad vorheizen (ohne Vorheizen: Umluft 160 Grad). Die Form mit Butter auspinseln, etwas Mehl reinschütten und gut verteilen.

3 Die Eier trennen. Zuerst die Eiweiße steif schlagen. Dabei ungefähr die Hälfte vom Zucker einrieseln lassen. Eischnee kühl stellen.

4 Übrigen Zucker und Vanillezucker zu den Eigelben und alles gut schaumig schlagen. Es soll heller und mehr werden. Mandeln mit Mehl und Backpulver mischen, mit der Crème fraîche unter die Eigelbcreme rühren.

5 Mangowürfel (nicht die Schnitze) und Schokolade daraufgeben, Eischnee drüber häufen und alles mit dem Schneebesen locker, aber gründlich miteinander vermischen. Teig in die Form füllen und glattstreichen.

6 Kuchen im Ofen auf der mittleren Schiene ungefähr 1 Stunde backen. Stäbchenprobe machen. Kuchen in der Form 5 – 10 Minuten stehenlassen, dann vom Rand lösen, auf ein Kuchengitter heben und ganz abkühlen lassen. Kokosflocken auf den Kuchen streuen, Mangospalten darauf auslegen. Dazu schmeckt Schlagsahne, mit Ingwerpulver gewürzt oder mit gehacktem kandierten Ingwer.

So viel Zeit muß sein: 1 1/2 Stunden, davon 40 Minuten zu tun
Kalorien pro Stück: 380

Kirschstreusel

Ein ganzes Blech voll Kuchenglück

Für 20 Stück Kuchen

Für Belag und Streusel:

1 kg Kirschen, am besten Sauerkirschen

150 g kalte Butter, 200 g Mehl

120 g Zucker, 1 Prise Salz, 1 TL Zimt

Für den Teig:

150 g weiche Butter, 100 g Zucker

3 große Eier

abgeriebene Schale von

1 unbehandelten Zitrone

1 Prise Salz, 375 g Mehl

3 TL Backpulver, 100 ml Milch

Fürs Blech: Butter und Mehl

Rührteig • 35 Min. • 200 Grad

1 Kirschen waschen. Und jetzt ist die große Frage: entsteinen oder nicht entsteinen? Ohne Stein geben die Kirschen mehr Saft ab und der Teig wird röter und feuchter, mit Stein kann man später Weit-Wett-Spucken machen. Also machen wir es uns leicht und sagen: jeder wie er will!

2 Für die Streusel die Butter in kleine Stücke schneiden. Mit Mehl, Zucker, Salz und Zimt in eine Schüssel füllen und mit den Fingerspitzen zerreiben und leicht zusammendrücken, bis mittelgroße Streusel draus werden.

3 Den Backofen auf 200 Grad vorheizen (erst später einstellen: Umluft 180 Grad). Backblech buttern und mit Mehl bestäuben. Was nicht haftet, ausschütten.

4 Nun zum Teig: Butter und Zucker mit den Quirlen gut cremig rühren. Eier einzeln aufschlagen und unterrühren, bis keine Spuren mehr zu entdecken sind. Zitronenschale und Salz dazugeben.

5 Mehl mit Backpulver mischen und abwechselnd mit der Milch unter die Buttermasse rühren. Der Teig soll schwer sein, beim Hochheben der Quirle langsam abfallen.

6 Teig auf das Blech geben und mit einem feuchten Teigschaber oder einem breiten Messer (vorher unter fließendes Wasser halten) gleichmäßig auf dem Blech verteilen. Kirschen drauf, und auf die Kirschen die Streusel.

7 Kuchen in den Ofen auf die mittlere Schiene schieben und ungefähr 35 Minuten backen, bis er etwas aufgegangen und gebräunt ist. Abkühlen lassen, in Stücke schneiden und vom Blech ablösen.

So viel Zeit muß sein: 1 1/2 Stunden, davon 50 Minuten aktiv (inklusive Entsteinen)
Kalorien pro Stück: 300

Zwetschgen-datschi mit Walnußstreuseln

Ohne den darf kein Sommer zu Ende gehen

Für 20 Stück Kuchen

Für den Teig:

350 g Mehl, 1 Prise Salz

50 g Zucker

etwa 180 ml Milch

30 g frische Hefe

50 g weiche Butter, 1 Ei

Für den Belag:

2 kg Zwetschgen

130 g kalte Butter

100 g Mehl

100 g gemahlene Walnüsse (gibt's manchmal so zu kaufen, ansonsten selber mahlen oder Mandeln nehmen)

1 TL Zimt

130 g brauner Zucker

Fürs Blech: Butter

Hefeteig • 35 Min. • 200 Grad

1 Mehl mit Salz und Zucker in der Schüssel verrühren. Milch lauwarm werden lassen, Hefe zerbröseln und darin verrühren. Butter in Stücke schneiden und auch in die Milch geben. Sie wird dann richtig schön weich.

2 Milchmischung und Ei zum Mehl geben, mit den Knethaken so lange durchrühren, bis der Teig eine zähe Angelegenheit wird und nicht mehr am Schüsselrand haftet. Jetzt braucht der Teig nur noch Ruhe und Wärme. Also zudecken und 1 Stunde stehenlassen.

3 Inzwischen kann man schon mal die Zwetschgen waschen und an einer Seite aufschlitzen. Aufklappen, den Stein rausholen. Zwetschgenhälften nochmal oben und unten einschneiden, damit sie sich flachlegen lassen.

4 Das Backblech mit Butter auspinseln. Teig nochmals kurz durchkneten, in die Mitte des Blechs legen und mit den bemehlten Fingern oder mit dem bemehlten Nudelholz gleichmäßig nach allen Seiten verteilen. Aber mit den Fingern geht's eigentlich fast besser und macht mehr Spaß. Jetzt nochmal das Tuch drüber breiten und den Teig wieder 15 Minuten in Ruhe lassen.

5 Inzwischen für die Streusel die Butter in kleine Stücke schneiden. Mit Mehl, Nüssen, Zimt und Zucker mit den Fingerspitzen zerreiben und leicht zusammendrücken, bis kleine Streusel entstehen.

6 Den Backofen auf 200 Grad vorheizen (ohne Vorheizen: Umluft 180 Grad). Zwetschgen dicht nebeneinander auf den Teig legen, Streusel drauf verteilen.

7 Datschi auf der mittleren Schiene ungefähr 35 Minuten backen. Abkühlen lassen, mindestens handwarm und mit viel Schlagsahne essen. Und nicht über die Wespen ärgern, die mitessen wollen. Cool bleiben!

So viel Zeit muß sein: 2 Stunden, davon ungefähr 40 Minuten aktiv
Kalorien pro Stück: 275

Tip

Macht den Datschi noch nussiger: 1 Handvoll Walnußkerne mit den Fingern zerbrechen und über die Zwetschgen und die Streusel streuen.

Bananen-Zitronen-Kuchen

Schnell, quadratisch, gut

Für 20 Stück Kuchen

3 unbehandelte Zitronen

4 reife Bananen (ungefähr 500 g mit Schale)

250 g weiche Butter

150 g brauner Zucker

4 große Eier

350 g Mehl

2 TL Backpulver

2 EL Rum (oder auch nicht)

Fürs Blech: Butter

Rührteig • 30 Min. • 200 Grad

1 Zitronen unter dem heißen Wasserstrahl gründlich bürsten. Abtrocknen und die Schale abreiben. Alle Zitronen auspressen.

2 Den Backofen auf 200 Grad vorheizen (ohne Vorheizen: Umluft 180 Grad). Das Backblech fetten. Die Bananen schälen und mit der Gabel fein zerdrücken.

3 Butter mit Zucker gut cremig rühren, die Masse wird trotz braunem Zucker heller. Eier einzeln aufschlagen und unterrühren, Bananen und Zitronenschale mit Saft auch. Mehl mit Backpulver mischen und mit dem Rum dazurühren.

4 Teig auf dem Backblech verstreichen. Im Ofen auf der mittleren Schiene ungefähr 30 Minuten backen, bis er schön gebräunt ist. Abkühlen lassen und in Quadrate schneiden.

So viel Zeit muß sein: 50 Minuten, davon 30 Minuten abwartend
Kalorien pro Stück: 220

Birnen-Blech-Kuchen

Supersaftig, supergut

Für 20 Stück Kuchen

Für den Teig:

150 g Quark
6 EL Pflanzenöl, 1 Ei
2 Päckchen Vanillezucker
1 Prise Salz
1 EL Kakaopulver
300 g Mehl
3 TL Backpulver

Für den Belag:

1,5 kg reife saftige Birnen
abgeriebene Schale und Saft von
1 großen unbehandelten Zitrone
3 Eier
250 g Quark
250 g Crème fraîche
75 g Zucker
1 Päckchen Vanillezucker
1 EL Speisestärke
1 Prise Nelkenpulver
Fürs Blech: Butter

Quark-Öl-Teig • 30 Min. • 200 Grad

1 Quark, Öl, Ei, Vanillezucker, Salz und Kakao ganz glattrühren. Mehl mit Backpulver mischen, etwa die Hälfte unterrühren, den Rest unterkneten. Wenn der Teig zu fest ist, 1–2 EL Wasser unterkneten. Das Backblech mit Butter auspinseln. Teig darauf mit dem Nudelholz nach allen Seiten hin ausrollen.

2 Birnen schälen, der Länge nach vierteln, Kerngehäuse und Schale abschneiden. Birnen in nicht zu dünne Scheiben schneiden, sie zerfallen sonst beim Backen. Mit Zitronensaft und -schale vorsichtig mischen. Backofen auf 200 Grad vorheizen, Umluft nicht vorheizen, einfach später auf 180 Grad einstellen.

3 Zurück zum Belag: Eier trennen. Zuerst Eiweiße steif schlagen. Eigelbe mit Quark, Crème fraîche, Zucker, Vanillezucker, Speisestärke und Nelkenpulver glattrühren. Eischnee auf die Quarkmasse häufen. Mit dem Schneebesen locker mischen.

4 Birnen auf den Teig, Creme drüber verstreichen. Kuchen im Ofen auf der mittleren Schiene so ungefähr 30 Minuten backen, bis er schön fest ist. Abkühlen lassen!

So viel Zeit muß sein: 45 Minuten aktiv,
30 Minuten relaxed
Kalorien pro Stück: 220

Rhabarberkuchen

Mit Guß und Baiser doppelt gut!

Für 20 Stück Kuchen

Für den Teig:

400 g Mehl, 100 g Zucker
1 Prise Salz, 200 g kalte Butter
2 Eigelbe, 2 EL Joghurt

Für Belag und Guß:

1,2 kg Rhabarber, 120 g Zucker
1 Vanilleschote, $^1/_2$ l Milch
1 EL Speisestärke
50 g gemahlene Haselnüsse
4 Eigelbe, 2 Eiweiße

Für das Baiser:

3 Eiweiße, 150 g Zucker, 1 TL Zitronensaft

Mürbeteig • 40–45 Min. • 200 Grad

1 Mehl mit Zucker, Salz, Butter, Eigelben und Joghurt kräftig durchkneten, zur Kugel formen und für etwa 30 Minuten in den Kühlschrank legen.

2 Rhabarber waschen. Oben und unten ein Stück abschneiden und wenn sich dabei auch die Haut schon löst, kann man sie abziehen. Wenn nicht, die Stangen, so wie sie sind, in 1 cm breite Stücke schneiden. Mit 40 g Zucker mischen und Saft ziehen lassen.

3 Für den Guß die Vanilleschote aufschlitzen, Mark auskratzen. Beides mit der Milch und dem übrigen Zucker in einen Topf schütten. Stärke mit 2–3 EL der Milch anrühren, wieder untermischen. Haselnüsse und Eigelbe untermischen und die Milch unter Rühren (!) bei mittlerer Hitze erwärmen, bis sie dickflüssiger wird. Vom Herd ziehen, Vanilleschote rausfischen. Eiweiße steif schlagen und unter die leicht abgekühlte Creme heben.

4 Den Backofen auf 200 Grad vorheizen (auch schon jetzt einstellen: Umluft 180 Grad). Teig auf dem ungefetteten Blech ausrollen, einen kleinen Rand hochziehen. Teig auf der mittleren Schiene etwa 10 Minuten vorbacken.

5 Rhabarber abtropfen lassen und auf den Teig legen. Vanillecreme drauf laufen lassen, verteilen. Nochmal 20 Minuten backen.

6 Nach ungefähr 10 Minuten für das Baiser die Eiweiße schlagen. Wenn der Eischnee fast steif ist, den Zucker nach und nach einrieseln lassen, den Zitronensaft dazu tröpfeln und weiterschlagen, bis der Eischnee sehr fest ist. In einen Spritzbeutel (Ersatz siehe Seite 23) füllen.

7 Rhabarber mit einem Gitter aus Baiser verzieren, nochmals 10–15 Minuten backen. Abkühlen lassen, frisch servieren.

So viel Zeit muß sein: 1 1/2 Stunden, davon ungefähr 50 Minuten aktiv
Kalorien pro Stück: 285

Schneewittchen-Kuchen

Alias Donauwellen

Für 20 Stück Kuchen

Für den Teig:

2 Gläser Sauerkirschen (je 670 g Inhalt)

250 g weiche Butter, 180 g Zucker

1 Prise Salz, 6 Eier, 400 g Mehl

3 TL Backpulver, 4 EL Milch

2 EL Kakaopulver, 2 EL Rum oder Milch

Für den Belag:

1 Päckchen Vanillepudding-Pulver

1/2 l Milch, 1 EL Zucker

200 g weiche Butter, 50 g Puderzucker

200 g Halbbitter-Kuvertüre

25 g Kokosfett

Fürs Blech: Butter

Rührteig • 30 Min. • 180 Grad

1 Für den Belag das Puddingpulver mit einigen EL Milch und dem Zucker verrühren. Restliche Milch aufkochen und das angerührte Pulver gründlich untermischen. Nach Packungsangabe kochen. Abkühlen lassen, dabei öfter mal umrühren.

2 Backofen auf 180 Grad vorheizen (ohne Vorheizen: Umluft 160 Grad). Backblech fetten.

3 Kirschen abtropfen lassen. Butter in Stücken in die Rührschüssel legen. Zucker dazustreuen, Salz auch, cremig rühren. Eier einzeln aufschlagen und immer nur so lange unterrühren, bis keine Spuren mehr davon zu entdecken sind.

4 Mehl und Backpulver gut verrühren und unter die Butter-Eier-Creme rühren. Die Milch untermischen. Wie immer soll der Teig schwer vom Quirl fallen. Die Hälfte vom Teig kommt jetzt schon mal aufs Blech, mit einem feuchten Teigschaber gleichmäßig verstreichen. Den übrigen Teig mit dem Kakao bräunen, Rum oder Milch unterrühren. Den dunklen auf den hellen Teig streichen, die Kirschen drauf legen und ganz leicht in den Teig drücken.

5 Kuchen im Ofen auf der mittleren Schiene ungefähr 30 Minuten backen. Kuchen auf dem Blech kalt werden lassen.

6 Die Butter mit dem Puderzucker schön cremig rühren, Pudding löffelweise gut untermischen, auf dem kühlen Teig verstreichen.

7 Kuvertüre in Stücke brechen und mit dem Kokosfett in einer Tasse im Wasserbad flüssig werden lassen. Kuvertüre dünn und vorsichtig auf die Buttercreme laufen lassen, mit einem Löffel verstreichen. Fest werden lassen. Kühl schmeckt der Kuchen am besten.

So viel Zeit muß sein: 1 3/4 Stunden, davon tatsächlich 1 1/4 Stunden aktiv
Kalorien pro Stück: 465

Biskuitroulade mit Erdbeer-Zitronenfüllung
Schmeckt nach Mama

Perfekt oder nicht perfekt, das ist hier keine Frage! Weil die Roulade nämlich auch super schmeckt, wenn sie nicht ausschaut wie beim Konditor gekauft.

Für 20 Stück Roulade

Für den Teig:

4 Eier

1 Prise Salz

50 g Zucker

1 Päckchen Vanillezucker

2 Eigelbe

125 g Mehl

1 Messerspitze Backpulver

Für die Füllung:

1 große unbehandelte Zitrone

600 g Erdbeeren

50 g Puderzucker

2 Päckchen Vanillezucker

500 g Sahne

Fürs Blech: Backpapier

Nach dem Backen: Puderzucker

Biskuitteig • 8 – 10 Min. • 200 Grad

1 Den Backofen auf 200 Grad vorheizen (auch schon jetzt einstellen: Umluft 180 Grad). Backblech mit Backpapier auslegen.

2 Eier trennen. Eiweiße in eine kalte Schüssel geben und mit den Quirlen gut schlagen. Wenn sie anfangen, fest zu werden, Salz, Zucker und Vanillezucker einrieseln lassen und weiter schlagen, bis der Eischnee fest ist.

3 Nach und nach alle 6 Eigelbe einrühren. Mehl mit Backpulver mischen und darüber streuen. Alles mit dem Schneebesen locker, aber gründlich mischen.

4 Teig gleich aufs Backpapier geben, mit dem Teigschaber oder einem breiten Messer verstreichen. Ungefähr 1 cm dick.

5 Teig im heißen Ofen 8 – 10 Minuten backen. Er soll, wenn man mit dem Finger drauf langt, nicht mehr kleben, aber noch hell und feucht sein. Ganz wichtig: während der Teig im Ofen ist, ein Tuch unter heißem Wasser feucht machen, gut ausdrücken und auf ein Backbrett oder die Arbeitsfläche legen.

6 Den gebackenen Biskuit sofort auf das Tuch stürzen, Backpapier an einer Ecke mit der Messerspitze ablösen, vorsichtig abziehen. Teigplatte mit dem Tuch aufrollen, also wirklich das Tuch mitrollen! Erkalten lassen.

7 Inzwischen für die Füllung Zitrone heiß waschen und abtrocknen. Schale fein abreiben, am besten geht das mit dem Zestenreißer, aber eine Reibe tut es auch. Zitrone halbieren und auspressen.

8 Erdbeeren vorsichtig in stehendem kalten Wasser hin und her schwenken, abtrocknen und die Kelchblätter abziehen oder ausschneiden. Ein paar Erdbeeren beiseite legen. Den Rest mit der Gabel zerdrücken. Puderzucker untermischen.

9 Sahne mit dem Vanillezucker steif schlagen. Erdbeeren, Zitronenschale und Zitronensaft gründlich verrühren. Sahne unterheben.

10 Biskuitplatte wieder entrollen, mit der Erdbeersahne bestreichen, aber nicht zu dick und nicht ganz bis zum Rand, sonst läuft beim Aufrollen zu viel aus – lieber den Rest nachher außenrum verstreichen. Das Tuch anheben und die Platte wieder aufrollen. Dazu einfach das Tuch immer weiter anheben, sie rollt sich fast von selbst locker auf. Auf eine Platte gleiten lassen, ideal wäre es natürlich, wenn das offene Ende unten liegt. Rolle also mit der übrigen Erdbeersahne bestreichen und eventuell mit Puderzucker bestäuben. Erdbeeren in Scheiben schneiden und die Rolle damit garnieren.

So viel Zeit muß sein: 45 Minuten
Kalorien pro Stück: 160

Varianten:

Zitronenfüllung
Abgeriebene Schale und Saft von 2 unbehandelten Zitronen mit 250 g Quark unter die Sahne mischen.

Schokofüllung
150 g Lieblingsschokolade schmelzen und wieder abkühlen. Mit 200 g Quark, Ricotta oder Mascarpone mischen. 500 g Sahne mit 1 Päckchen Vanillezucker steif schlagen und mit 1 Prise Zimt unterheben.

Ricottakuchen mit Nektarinen und Himbeeren

It's Summertime...

Für 12 Stück Kuchen

4 Nektarinen

2 EL Saft und abgeriebene Schale von

1 unbehandelten Zitrone

4 Eier, 2 Eigelbe

150 g Zucker, 1 Päckchen Vanillezucker

500 g Ricotta

75 g Hartweizengrieß

400 g Himbeeren

1 Päckchen klarer Tortenguß

1/4 l roter Johannisbeer- oder Himbeersaft

Für die Form: Backpapier

Käsemasse • 50 Min. • 180 Grad

Springform, 26 oder 28 cm Ø

1 Nektarinen waschen, rundherum um den Stein einschneiden und die beiden Hälften gegeneinander drehen, bis sie sich lösen. Stein aus der einen Hälfte rauslösen. Nektarinen in knapp 1 cm dicke Schnitze schneiden, mit dem Zitronensaft beträufeln.

2 Schon mal den Backofen auf 180 Grad vorheizen (ohne Vorheizen: Umluft 160 Grad). Die Form für diesen Kuchen besser mit Papier auskleiden. Also einen Kreis für den Boden und einen Streifen für den Rand zuschneiden und in die Form legen.

3 Die 4 Eier trennen. Zuerst die Eiweiße steif schlagen. Alle Eigelbe mit dem Zucker, dem Vanillezucker und der Zitronenschale schön schaumig schlagen, die Eigelbmasse wird dabei heller und deutlich mehr! Ricotta löffelweise unterrühren, dann den Hartweizengrieß. Eischnee drauf häufen und unterheben.

4 Erst mal die Hälfte von der Ricottamasse in die Form füllen, mit Nektarinen belegen, darauf den Ricottarest. Kuchen im Ofen auf der mittleren Schiene 50 Minuten backen, bis alles fest und leicht gebräunt ist. Kuchen zum Abkühlen noch in der Form lassen.

5 Und dann kommt die Haube: Himbeeren bitte nicht waschen, nur gründlich anschauen und angefaulte aussortieren. Auf den Kuchen, der immer noch in der Form ist, legen.

6 Tortenguß nach Packungsaufschrift mit dem Fruchtsaft zubereiten und gleichmäßig über die Himbeeren gießen. Fest werden lassen, und erst dann den Kuchen aus der Form holen. Mit dem Papier vom Boden auf einen Teller heben, damit er ganz bleibt.

So viel Zeit muß sein: 1 Stunde 50 Minuten, davon 50 Minuten zu tun
Kalorien pro Stück: 280

Zitronentarte

Eine alte Bekannte, die auch hier nicht fehlen darf!

Für 12 Stück Tarte

Für den Teig:

200 g Mehl

50 g Zucker

1 Päckchen Vanillezucker

abgeriebene Schale von

1/2 unbehandelten Zitrone

100 g kalte Butter

1 Eigelb

Für die Füllung:

2 1/2 unbehandelte Zitronen

4 Eier, 1 Eigelb

200 g Zucker

125 g Sahne

1 EL Puderzucker

Zum Blindbacken: Butterbrotpapier und getrocknete Bohnen oder Erbsen

Mürbeteig • 1 Std. • 180 / 150 Grad

Tarte- oder Springform, 28 oder 30 cm Ø

1 Für den Teig Mehl mit Zucker, Vanillezucker und Zitronenschale vermischen. Butter in kleine Stücke schneiden und mit dem

Eigelb draufgeben. Mit kühlen Händen zu einem glatten Teig verkneten.

2 Teig gleich rund ausrollen, so groß, daß man die Form damit auskleiden kann. Am besten geht das zwischen zwei Lagen Klarsichtfolie. Teig in die ungefettete Form legen, auch am Rand 2 – 3 cm hochziehen, in der Form 1 Stunde kühl stellen.

3 Den Backofen auf 180 Grad vorheizen (auch Umluft vorheizen: 160 Grad). Teigboden in der Form mit einer Gabel ein paarmal einstechen. Ein rundes Stück Papier zuschneiden und reinlegen, mit einer Lage Bohnen oder Erbsen beschweren. Teig auf der mittleren Schiene 10 Minuten vorbacken.

4 Für die Füllung die Zitronen waschen, abtrocknen und die Schale abreiben. Saft auspressen. Die ganzen Eier, das Eigelb und den Zucker mit den Quirlen schön schaumig schlagen, Zitronenschale und -saft unterrühren. Sahne steif schlagen, mit dem Schneebesen unterheben.

5 Bohnen oder Erbsen und Papier vom Teig nehmen. Zitronencreme auf den Teig gießen und die Tarte wieder in den Ofen schieben. Bei 150 Grad (Umluft nur noch 130 Grad) ungefähr 50 Minuten backen. Die Tarte soll nicht braun werden, aber die Creme fest.

6 Tarte rausnehmen und in der Form abkühlen lassen. Vor dem Servieren den Backofengrill einschalten. Puderzucker über die Tarte sieben, unter die heißen Grillschlangen schieben und ungefähr 1 Minute bräunen. Aber immer beobachten, es kann auch schneller gehen, und der Zucker verbrennt leicht! Und: Wer keinen Grill hat, muß auf diese Kruste verzichten. Die Tarte schmeckt aber auch ohne gut, vielleicht trotzdem eine dünne Schicht Puderzucker drauf stäuben.

So viel Zeit muß sein: Aktiv sein 35 Minuten, Relaxen 1 3/4 Stunden
Kalorien pro Stück: 290

Schnelle Birnentarte

Aus dem Vorrat für plötzliche Gelüste oder unangemeldete Gäste

Für 12 Stück Kuchen

300 g TK-Blätterteig

1 Päckchen Schokoladenpudding-Pulver

2 Päckchen Vanillezucker, 450 ml Milch

100 g Sahne, 1 EL Kakaopulver

1 große Dose Birnenhälften (460 g Abtropfgewicht)

Zum Blindbacken: Butterbrotpapier und getrocknete Bohnen oder Erbsen

Blätterteig • 20 Min. • 200 Grad

Tarte- oder Springform, 28 oder 30 cm Ø

1 Blätterteigplatten ausbreiten und mit einem Tuch bedeckt in 15 Minuten auftauen lassen.

2 In dieser Zeit das Puddingpulver mit dem Vanillezucker und 1/8 l Milch gut verrühren. Übrige Milch aufkochen und den Pudding unterrühren. Nach Packungsaufschrift zubereiten und wieder abkühlen lassen. Damit sich obendrauf keine dicke Haut bildet, immer wieder umrühren.

3 Sahne steif schlagen, mit Kakaopulver unter den Pudding heben. Birnenhälften abtropfen lassen, in Schnitze schneiden.

4 Den Backofen auf 200 Grad vorheizen (Umluft auch schon jetzt: 180 Grad). Die Form kalt ausspülen und nicht abtrocknen.

5 Teigplatten aufeinanderstapeln, auf wenig Mehl ausrollen. Rund geht das nicht bei Rechtecken, deshalb einfach passend zuschneiden. In die Form legen, einen Rand hochziehen, mit einem Stück Butterbrotpapier und Hülsenfrüchten beschweren. Im Ofen auf der mittleren Schiene ungefähr 12 Minuten backen.

6 Abkühlen lassen, dann Schokocreme drauf füllen, Birnenschnitze auch. Für 1 oder 2 Stunden in den Kühlschrank stellen.

So viel Zeit muß sein: 50 Minuten, davon 20 aktiv
Kalorien pro Stück: 235

Ganz klei

Ich will ein bißchen was – aber das von allem!

n

»Ich will alles! Und zwar gleich!!« Wie niedlich. Und wie naiv. Geb' nur mal »Apfelkuchen« in die Web-Suchmaschine ein, und dann schau mal, was es da alles gibt. Es reicht aber auch schon, im Berliner Telefonbuch das Kapitel »Müller« zu lesen, um seine Grenzen kennenzulernen.

Wer den Rest des Lebens nicht mit Apfelkuchenessen bei Müllers vertrödeln will, der sollte sich ein bißchen konzentrieren und kleinere Kuchen backen. Muffins zum Beispiel. Oder Amaretti, Nußecken, Vanillekipferl, Löffelbiskuits. Denn das sind die Laptops der Zuckerbäckerei: kleiner, simpler und handlicher als die großen Vorbilder. Und trotzdem haben sie alles, was die auch haben.

Wer also keine Tortenplatte im Haus will oder es haßt, daß die Schwarzwälder immer den ganzen Rucksack einsaut, der sagt sich beim Kuchenbacken: »Ich will ein bißchen was – aber das von allem.« Und das gibt's dann wirklich gleich. Auch niedlich. Und clever dazu.

Aus dem Kaffeesatz

Café Global

Eine kleine Farbtafel nach Wiener Kaffeehaus-Art als Wegweiser durch den weltweit wuchernden Kaffeedschungel

SCHWARZ

Deutschland

Tasse Kaffee: eine Tasse schwarzer Filterkaffee
Kännchen Kaffee: meist keine zwei Tassen Filterkaffee; spart Kellnern Arbeit, bringt Wirten Geld
Mokka: kleiner, kräftiger Filterkaffee spezieller Röstung

Italien

caffè: kleiner Kaffee, für den Wasser mit Dampfdruck ganz kurz durchs Pulver gepreßt wird, was ihm viel Aroma, etwas Schaum und wenig Koffein verleiht (in der übrigen Welt: espresso)
ristretto: caffè gekürzt um die ersten Tropfen
doppio: doppelter caffè
lungo: caffè mit mehr Wasser
Americano: caffè mit Wasser aufgegossen

Österreich

Schwarzer: kräftiger schwarzer Filterkaffee, klein oder groß
Verlängerter: Schwarzer mit mehr Wasser
Mokka: kleiner, kräftiger Filterkaffee spezieller Röstung
Lauf: Mokka mit mehr Wasser

Rest der Welt

short black (Australien): caffè bzw. Espresso, oft eher lungo
türkischer Mokka: kräftiger kleiner Kaffee mit Satz und Zucker, samt Pulver mehrfach gekocht
Café (Frankreich), coffee (USA, England): Filterkaffee
Schümli-Café (Schweiz): frisch gebrühte Tasse Kaffee mit cremiger Krone

SCHWARZ UND WEISS

Deutschland

Pharisäer: Tasse Kaffee mit Rum und obenauf Schlagsahne

Italien

caffè macchiato: caffè mit Tupfen heißem Milchschaum, manchmal auch minimal Milch dabei
caffè con panna: caffè mit Schlagsahne obenauf

Österreich

Einspänner: Mokka im Glas mit obenauf Schlagsahne

BRAUN

Deutschland

Kaffee mit Milch: Tasse Kaffee mit Schuß kalter Milch (oder Kaffeesahne)
Kapputschino: Tasse Kaffee mit obenauf Sprühsahne (null verwandt mit Cappuccino)

Italien

cappuccino: $^1/_3$ caffè, $^1/_3$ heiße Milch, $^1/_3$ Milchschaum

Österreich

Brauner: Schwarzer mit Schuß heißer Milch, klein oder groß
Kapuziner: Mokka mit Schuß heißer Milch

Rest der Welt

flat white (Australien): short black mit heißer Milch, kaum bzw. kein Schaum

GOLDEN

Deutschland

Milchkaffee: Tasse Kaffee mit viel heißer Milch und ohne Schaum

Italien

Caffè latte: caffè im Glas langsam aufgegossen mit viel heißer Milch, kaum bzw. kein Schaum
Latte macchiato: heiße geschäumte Milch im Glas, auf die langsam ein caffè gegossen wird

Österreich

Melange: Mokka mit gleich viel heißer Milch, kaum bzw. kein Schaum
Wiener Melange: Melange mit Schaum
Verkehrter: Melange mit mehr Milch als Kaffee
Franziskaner: Verkehrter mit Schaum

Rest der Welt

Café au lait (Frankreich): Tasse Filterkaffee mit viel heißer Milch und ohne Schaum

S.O.S

Antworten auf alle FAVs (Fragen aus Verzweiflung) von unserer Basic-Backtante

Wo steckt der Blätterteig?
Ist ja ganz nett hier, aber was ist eigentlich mit Blätterteig. Wie mach ich den? Was mach ich dann? Und was mach ich daraus? Was ist mit TK-Teig? So was lehne ich ja eigentlich ab, aber meine Mutter sagt, der ginge in Ordnung? Hat sie recht? Oder ist sie nur zu faul? Oder was?

Harry aus Bremen

Tante Ilse rät:

Du bist ja ein Neugieriger, lieber Harry. Da wollen wir mal am Ende anfangen: Weißt Du denn, was alles im TK-Blätterteig steckt? Bis zu gut 200 Butter- und Mehl-Teig-Schichten, die recht verwirrend verfaltet wurden. Bei allem Respekt, Harry, das kriegst Du nie hin. Und das sag ich nicht, weil ich einen Vertrag mit denen hab. Sondern weil ich so faul wie Deine Mutter bin. Drum hör wenigstens jetzt auf sie und nimm den TK-Teig mit heim.

Dort: Teigplatten auf den Tisch, bis der Frost weg ist (nach 15 – 20 Minuten). Dann: Loslegen, damit der Teig nicht zu weich wird. Soll alles eine Platte werden, gibt's zwei Möglichkeiten: mit Wasser bestrichene Teigränder überlappen und auf Mehl ausrollen. Wird eher flach. Oder alle Teigplatten bis auf eine mit Wasser bestreichen, stapeln und mit trockener Platte obenauf dünn ausrollen. Wird eher luftig.

Dann den Teig anheben, damit er nicht so spannt und sich beim Backen verzieht. Gabelpieksen hilft, wenn die Löcher nicht stören. Jetzt mit scharfem Messer schneiden, sonst preßt es die Kanten zusammen. Obacht auch mit Eigelb als »Klebstoff« für Teigtaschen, weil es ebenso Kanten verkleben kann. Beide Male geht der Teig nicht hoch.

Nun ab in den Ofen auf einem Blech, das vorher mit kaltem Wasser besprenkelt wird. Warum? Weil das beim Verdampfen den Teig hochtreibt. Blättriger macht. Noch was? Was man draus machen kann? Mach Deine Augen auf, Harry. Und hör mehr auf Deine Mutter. Weil faule Frauen praktisch denken. Sag ich Dir.

Abstecher ins Cookie-Universum

Daß die Natur keine Gerade kennt, aber voller Rundungen steckt, beweist schon der Blick ins Universum: Da krümmt sich jeder noch so pfeilschnell geradeaus schießende Sonnenstrahl irgendwann, und wenn man die Materie nur ein paar Millennien sich selbst überläßt, klumpt sie sich zu Planeten in ballrunder Perfektion zusammen.

Dieses Phänomen läßt sich auch im naturwissenschaftlichen Alltag gut beobachten – etwa im Backofen, in dem das Aufeinanderprallen von Materie und Energie im Kleinformat geschieht. Und hier zeigen vor allem die kleinen Formen, wo es langgeht. Das folgende Experiment beweist es:

Man nehme einen Eßlöffel Rührteig, klatsche ihn irgendwie auf ein Backblech und schiebe das Ganze in den gut heißen Ofen. Schon bald verläuft sich der unförmige Haufen in eine runde Scheibe, die sich schließlich in ein leckeres, knuspriges Cookie verwandelt.

Interessant. Nur warum ist dann die Erde keine Scheibe? Weil sie die Schwerkraft ignoriert. Gäbe es Backöfen mit Schwerkraftignorator, könnte man den Teig direkt ins Rohr schmeißen und da würde er dann schwebend zum Ball backen wie ein im heißen Fett schwimmender Krapfen. Allerdings wäre damit das Problem des gerechten Kuchenschneidens noch um eine Dimension erweitert. Weswegen es wohl so bald keine Backöfen mit Schwerkraftignorator geben wird.

Was haben wir gelernt? Ob Cookie, Krapfen oder Muffin, die Vollkommenheit des Backens liegt im Kreis. Wird der durchbrochen, ist Menschenhand im Spiel – wie bei der Quarktasche, dem Teighörnchen oder dem Zimtstern. Und spätestens auf dem klassisch runden Kuchenteller ist auch mit dieser Geradlinigkeit wieder Schluß. Müssen wir das alles wissen? Nicht wirklich. Aber interessant ist es schon, oder?

Blueberry Muffins
Ganz easy!

Für 12 Stück

250 g frische Heidelbeeren (oder tiefgefrorene und aufgetaute)

250 g Weizen- oder Dinkelmehl

2 TL Backpulver, 1 Prise Salz

1 Ei, 100 g Zucker

1 Päckchen Vanillezucker

250 g Buttermilch

8 EL zerlassene Butter oder neutrales Öl

Für die Form: Butter

Rührteig • 20 Min. • 200 Grad

Muffinblech oder Papierbackförmchen

1 Heidelbeeren in einem Sieb kurz abbrausen, abtropfen lassen. TK-Beeren im Sieb auftauen lassen. Den Backofen auf 200 Grad vorheizen (auch schon jetzt: Umluft 180 Grad). Das Muffinblech fetten. Wer das nicht hat – gibt's übrigens für 6 oder 12 Stück –, setzt 2 Papierförmchen ineinander und stellt sie auf dem Backblech bereit.

2 Mehl mit Backpulver und Salz mischen. Ei in eine Schüssel aufschlagen, Zucker und Vanillezucker dazuschütten und mit den Quirlen gut schaumig schlagen. Buttermilch kräftig untermischen, dann die Mehlmischung löffelweise dazurühren. Ganz zum Schluß kommt noch das flüssige Fett in den Teig und die Heidelbeeren.

3 Teig in die Vertiefungen im Blech oder in die Papierhüllen löffeln, nur zu zwei Drittel, damit der Teig noch Platz hat, aufzugehen. Im Ofen auf der mittleren Schiene ungefähr 20 Minuten backen, bis alles aufgegangen und gebräunt ist. Abkühlen lassen, herauslösen und essen!

So viel Zeit muß sein: 40 Minuten, davon 20 Minuten nur beobachtend
Kalorien pro Muffin: 130

Lemon Muffins
Säuerlich erfrischend

Für 12 Stück
2 unbehandelte Zitronen
50 g ungesalzene Pistazien oder gehackte Mandeln
250 g Mehl
2 TL Backpulver
1 Prise Salz
2 Eier
150 g brauner Zucker
$^1/_8$ l Milch
125 g Joghurt
60 ml Öl
Für die Form: Butter

Rührteig • 20 Min. • 200 Grad

Muffinblech oder Papierbackförmchen

1 Zitronen unter heißem Wasser waschen, abtrocknen. Schale fein abreiben. Beide Zitronen auspressen Saft beiseite stellen. Pistazien mit dem großen Messer mittelfein hacken, ein paar weglegen.

2 Mehl mit Backpulver und Salz verrühren. Den Backofen auf 200 Grad vorheizen (auch schon jetzt: Umluft 180 Grad). Das Muffinblech fetten oder jeweils 2 Papierbackförmchen ineinander stellen.

3 Die Eier mit dem Zucker in die Schüssel füllen und mit den Quirlen kräftig durchschlagen. Milch, Joghurt und Öl dazu, gut durchrühren. Löffelweise immer wieder etwas Mehl unterrühren. Zum Schluß Zitronenschale- und Saft mit den gehackten Pistazien unterheben.

4 Mit dem Löffel Teig in die Mulden oder die Backförmchen füllen. Aber nicht ganz bis zum Rand, sonst quillt der Teig beim Backen über. Restliche Pistazien drauf setzen.

5 Muffins im Ofen auf der mittleren Schiene etwa 20 Minuten backen, bis sie gebräunt und aufgegangen sind. Kurz stehenlassen, rauslösen und aufs Kuchengitter zum Auskühlen stellen.

So viel Zeit muß sein: 50 Minuten, davon 30 aktiv
Kalorien pro Muffin: 170

Chocolate Muffins
Schokolade satt

Für 12 Stück
200 g Vollmilch-Schokolade
100 g Butter, 200 ml Milch
1 Ei, 100 g saure Sahne
50 g brauner Zucker
250 g Mehl
1 EL Speisestärke
2 TL Backpulver
3 EL Kakaopulver
1 Prise Salz
Für die Form: Butter und brauner Zucker

Rührteig • 20 – 25 Min. • 180 Grad

Muffinblech oder Papierbackförmchen

1 Die Schokolade in kleine Stücke hacken. Butter mit 30 g Schokolade in einem Topf gerade so zerlaufen lassen. Milch mit Ei, saurer Sahne und Zucker verquirlen.

2 Den Backofen auf 180 Grad vorheizen (auch schon jetzt: Umluft 160 Grad). Das Mehl mit Speisestärke, Backpulver, Kakao und der Prise Salz vermischen. Mit dem Kochlöffel die Eiermilch, die Schoko-Butter und die übrigen Schokostückchen locker daruntermengen. Dabei gerade so lange rühren, daß sich die Masse verbindet.

3 Eine Muffinform ausbuttern und die Böden mit Zucker ausstreuen. Oder jeweils 2 Papierförmchen ineinander setzen. Den Teig hineinfüllen und behutsam glattstreichen – die Vertiefungen sollten nicht ganz gefüllt sein.

4 Die Muffins im Ofen auf der mittleren Schiene 20 – 25 Minuten backen. 5 Minuten in der Form ausdampfen lassen, dann auf einem Kuchengitter auskühlen lassen.

So viel Zeit muß sein: 40 – 45 Minuten, davon die Hälfte der Zeit aktiv
Kalorien pro Stück: 275

Quarktaschen
Super zum Einfrieren für Überraschungs-besuch

Für 16 Stück

Für den Teig:

150 g Quark, 6 EL Pflanzenöl

1 Ei, 2 Päckchen Vanillezucker

1 Prise Salz, 300 g Mehl

3 TL Backpulver

Für die Füllung:

350 g Quark, Topfen oder Schichtkäse

3 EL Crème fraîche, Sahne oder saure Sahne

1 Ei, 70 g Zucker

2 Päckchen Orangenfrucht mit Zucker (gibt's im Supermarkt)

1 EL Schokoraspel (oder auch nicht)

Zum Bestreichen: 1 Eigelb, 1 EL Milch

Fürs Blech: Backpapier

Quark-Öl-Teig • 20 Min. • 200 Grad

1 Quark, Öl, Ei, Vanillezucker und die Prise Salz ganz glattrühren. Mehl mit Backpulver mischen, die Hälfte unterrühren, den Rest unterkneten.

2 Backofen auf 200 Grad vorheizen (Umluft auch schon jetzt: 180 Grad). Backblech mit Backpapier auslegen. Quark mit Crème fraîche, Ei, Zucker, Orangenfrucht und Schokoraspeln verrühren.

3 Eigelb mit Milch gut verrühren. Mehl auf die Arbeitsfläche streuen, den Teig drauf legen und mit dem Nudelholz (auch bemehlt) nach allen Seiten dünn ausrollen – etwa so dick wie ein Messerrücken. Quadrate von ungefähr 10 x 10 cm ausschneiden. In die Mitte von jedem Quadrat knapp 1 EL Quarkfüllung häufen. Die Ecken mit Eigelb bepinseln, nach innen klappen und leicht zusammendrücken und verdrehen.

4 Quarktaschen auf das Blech legen, am besten mit dem Pfannenwender, sonst reißen sie. Mit dem übrigen Eigelb bepinseln und im Ofen auf der mittleren Schiene ungefähr 20 Minuten backen, bis sie schön braun sind. Abkühlen lassen, essen.

So viel Zeit muß sein: 1 Stunde, davon 40 Minuten zu tun
Kalorien pro Tasche: 210

Nußhörnchen
Gleich aufessen!

Für 18 Hörnchen

6 Platten TK-Blätterteig

150 g gemahlene Haselnüsse oder Mandeln

5 EL Sahne, 4 EL Honig, 1 TL Zimt

abgeriebene Schale und 1 EL Saft von $^1/_2$ unbehandelten Zitrone

Zum Bestreichen: 1–2 EL zerlassene Butter

Nach dem Backen: Puderzucker

Blätterteig • 20 Min. • 200 Grad

1 Blätterteigplatten nebeneinander legen, ein Küchentuch drüber decken und auftauen lassen, dauert ungefähr 15 Minuten.

2 Für die Füllung Nüsse mit Sahne, Honig, Zimt, Zitronenschale und -saft gut verrühren. Den Backofen auf 200 Grad vorheizen (auch jetzt: Umluft 180 Grad). Backblech kalt abspülen, nicht abtrocknen.

3 Die Blätterteigplatten jeweils auf etwas Mehl zur doppelten Größe ausrollen, in je drei Dreiecke schneiden. Nußfüllung in die Mitte der Dreiecke verteilen. Dreiecke von der längsten Seite aus aufrollen, leicht zu Hörnchen biegen und auf das Blech legen, mit Butter bepinseln.

4 Hörnchen im Ofen auf der mittleren Schiene ungefähr 20 Minuten backen, bis sie schön braun sind. Abkühlen lassen. Puderzucker drauf streuen.

So viel Zeit muß sein: 1 Stunde, davon 25 Minuten zu tun
Kalorien pro Hörnchen: 120

Brioches
Très français

Für 12 Brioches

500 g Mehl, 30 g frische Hefe

1 Päckchen Vanillezucker, 5 Eier

1 gute Prise Salz, 200 g weiche Butter

Zum Bestreichen: 1 Eigelb

Hefeteig • 20 Min. • 220 Grad

24 Papier-Backförmchen

1 Mehl auf die Arbeitsfläche häufen. In der Mitte eine Mulde formen. Hefe zerkrümeln, mit 3 EL lauwarmem Wasser anrühren und in die Mulde geben.

2 Vanillezucker, Eier und Salz dazugeben, schon mal gut vermengen. Butter in kleine Stücke schneiden, dazugeben und alles so lange kräftig verkneten, bis keine Butterstückchen mehr zu sehen sind. Den Teig in eine Schüssel legen, mit einem Tuch bedecken und über Nacht in den Kühlschrank stellen.

3 Teig nochmal gut durchkneten, in 12 Stükke teilen. Von jedem Stück ein Viertel abnehmen und zu einer Kugel rollen. Die übrigen drei Viertel zu einer größeren Kugel rollen. Jeweils zwei Papierbackförmchen ineinander setzen. Die größere Kugel reinlegen, die kleinere drauf legen und leicht andrücken. Alle anderen Teigstücke genauso formen.

4 Die Brioches müssen jetzt nochmal gehen, ungefähr 1 Stunde an einem warmen Ort. Den Backofen auf 220 Grad vorheizen (auch schon jetzt: Umluft 200 Grad). Die Brioches auf ein Backblech stellen und mit dem Eigelb bepinseln. Im Ofen auf der mittleren Schiene ungefähr 20 Minuten backen, bis sie aufgegangen und schön braun sind. Frisch mit frischer Butter und Marmelade essen.

So viel Zeit muß sein: 2 Stunden, davon etwa 35 Minuten aktiv – ohne die Ruhezeit über Nacht
Kalorien pro Brioche: 315

Mandel-Friandaises
Bitte nicht schlagen! (Das Eiweiß)

Saftige, knusprige Küchlein wie aus einer Pariser Patisserie. Eigentlich werden sie ganz elegant in ovalen Förmchen gebacken, aber ein Muffinblech geht auch.

Für 12 Stück

190 g Butter, 250 g Puderzucker, 80 g Mehl

130 g gemahlene Mandeln, 1 Prise Salz

6 Eiweiße, 50 g Mandelblättchen

Mandel-Mürbeteig • 20 Min. • 200 Grad

ovale Förmchen oder Muffinblech

1 Die Butter in einem Töpfchen bei mittlerer Hitze zerlassen und so lange auf dem Herd lassen, bis sie zu bräunen beginnt – das gibt den Friandaises diesen schön warmen Buttergeschmack. Jetzt aber runter mit der Butter, sonst bleibt nur Brandaroma übrig. Den Ofen auf 200 Grad vorheizen (auch schon jetzt: Umluft 180 Grad).

2 Puderzucker, Mehl, Mandeln und Salz miteinander vermischen. Die Eiweiße miteinander verrühren, aber bitte nicht schlagen. Sie sollen nämlich die Törtchen nur knusprig, aber nicht luftig machen. Dazu werden sie jetzt mit der Zucker-Mehl-Mischung verrührt, bis alles eine schön glatte Masse ist. Und bitte, bitte, nicht schlagen!

3 Jetzt wird die Butter daruntergerührt. Aber nicht heiß. Zum Schluß die Mandelblättchen druntermengen. Ovale Förmchen oder das Muffinblech schön ausbuttern und zu drei Viertel mit dem Teig füllen. Dann kommen sie für 5 Minuten auf der mittleren Schiene in den Ofen, bis die Hitze auf 180 Grad (Umluft 160 Grad) runtergedreht wird. Nun dauert es noch einmal gute 20 Minuten, bis die Friandaises schön knusprig sind. Ofen aus, noch 5 Minuten warten. Ofen auf und raus damit, aber die Friandaises noch 10 Minuten in den Förmchen lassen, bevor sie zum Abkühlen auf ein Kuchengitter kommen.

So viel Zeit muß sein: 55 Minuten, davon 30 Minuten aktiv
Kalorien pro Stück: 320

Nußecken

Schlager für alle und ewig – zumindest 10 Tage lang

Für 20–30 knusprige Ecken

Für den Teig:

220 g weiche Butter, 150 g Puderzucker

1 Ei, 1 Eigelb

1 TL abgeriebene Zitronenschale (unbehandelt)

350 g Mehl

1 1/2 TL Backpulver

Für den Belag:

60 g Orangeat

60 g Zitronat

70 g Haselnußkerne oder Mandeln

60 g Pistazienkerne

200 g Honig, 200 g Butter

8 EL Sahne

370 g gemahlene Haselnüsse oder Mandeln

1/2 TL Zimt

1 Prise Nelkenpulver

70 g Mandelstifte

Nach dem Backen:

300 g Halbbitter-Kuvertüre

Mürbeteig • 20–25 Min. • 180 Grad

1 Für den Teig die Butter schaumig rühren, dabei nach und nach Puderzucker, Ei, Eigelb und Zitronenschale zugeben. Mehl mit Backpulver vermengen und schnell darunterkneten. Den Teig auf einem ungefetteten tiefen Backblech mit dem bemehlten Nudelholz ausrollen.

2 Den Ofen auf 180 Grad vorheizen (ohne Vorheizen: Umluft 160 Grad). Für den Belag Orangeat und Zitronat fein, die Haselnüsse und Pistazien grob hacken. Honig, Butter und Sahne mit den gemahlenen (!) Haselnüssen und den Gewürzen in einem Topf vermengen. So lange erhitzen, bis ein dicklicher Brei entstanden ist.

3 Gehackte Haselnüsse, Pistazien und Mandelstifte darunterrühren und alles 5 Minuten abkühlen lassen. Masse auf dem Teig glattstreichen. Alles im Ofen (Mitte) 20–25 Minuten backen, über Nacht völlig abkühlen lassen.

4 Die Teigplatte in etwa 10 cm große Quadrate schneiden und die dann diagonal in Dreiecke. Die Kuvertüre hacken, im Wasserbad schmelzen und die Ränder der Nußecken darin eintauchen. Zum Trocknen auf ein Gitter setzen. Halten sich 10 Tage lang frisch.

So viel Zeit muß sein: 1 1/2 Stunden, davon ungefähr 1 Stunde aktiv
Kalorien pro Ecke (bei 30): 385

Variante:

Kokosecken

375 g Mehl, 175 g Butter, 60 g Zucker, 1 Ei und 1 Prise Salz verkneten. Backofen auf 180 Grad vorheizen (ohne Vorheizen: Umluft 160 Grad). Den Teig auf dem Blech mit dem Nudelholz ausrollen. 4 Eier mit 200 g Sahne, 150 g Zucker, 2 TL Zitronenschale und 250 g Kokosflocken verrühren. Auf dem Teig verstreichen. Auf der mittleren Schiene ungefähr 30 Minuten backen. Abkühlen lassen, in Quadrate, dann in Dreiecke schneiden. 100 g Kuvertüre schmelzen. Ecken der Ecken reintauchen, trocknen lassen. Bis zum nächsten Tag gedulden.

Peanut-Brownies

Schmecken nach Amerika

Für 40 Stück

150 g Halbbitter-Kuvertüre, 200 g Butter

100–200 g ungesalzene frische Erdnußkerne

6 Eier, 350 g brauner Zucker

150 g Erdnußcreme oder -butter

150 g Crème fraîche

200 g Mehl, 4 EL Kakaopulver

1 Prise Salz

Fürs Blech: Backpapier

Rührteig • 30 Min. • 180 Grad

1 Die Kuvertüre fein hacken, mit der Butter im Wasserbad schmelzen und etwas abkühlen lassen. Die Erdnußkerne grob hacken. Die Eier mit dem Zucker dickschaumig schlagen. Schokoladenmasse, Eiercreme und Erdnußcreme miteinander aufschlagen. Crème fraîche unterrühren.

2 Das Mehl mit dem Kakaopulver und der Prise Salz vermischen. Den Backofen auf 180 Grad vorheizen (ohne Vorheizen: Umluft 160 Grad). Mit dem Kochlöffel das Mehlgemisch samt den Erdnüssen unter die Schokoladenmasse ziehen, dabei nur so lange wie nötig rühren.

3 Den Teig auf ein mit Backpapier belegtes Blech streichen und im Ofen auf der mittleren Schiene etwa 30 Minuten backen. Er sollte in der Mitte noch ein wenig feucht sein, ohne daß Reste an einem hineingesteckten Holzstäbchen hängenbleiben.

4 Die Schokoplatte auf dem Blech völlig auskühlen lassen. Dann in etwa 8 x 5 cm große Rechtecke schneiden, vom Blech heben.

So viel Zeit muß sein: 1 Stunde, davon 30 Minuten in aller Ruhe
Kalorien pro Brownie: 180

Aprikosenriegel
Bringt Energie zurück

Für etwa 18 Riegel

50 g getrocknete ungeschwefelte Aprikosen

180 g Butter, 2 – 3 EL Honig

250 g Crunchies oder Knusper Honeys

80 g gehackte Mandeln, 1 Ei, 1 Eigelb

100 g Mehl, 100 g Aprikosenmarmelade

1 EL Zitronensaft

Fürs Blech: Butter

Knetteig • 30 Min. • 180 Grad

1 Die Aprikosen klein würfeln. Mit der Butter und dem Honig bei schwacher Hitze erwärmen, bis die Butter geschmolzen ist. Crunchies in einen Plastikbeutel füllen. Mit dem Nudelholz drüber rollen, bis die Crunchies fein sind. Mit Mandeln, Ei, Eigelb und Mehl mischen. Den Backofen auf 180 Grad vorheizen (ohne Vorheizen: Umluft 160 Grad). Die Hälfte vom Backblech fetten.

2 Die Crunchie-Mischung mit der Butter-Aprikosen-Masse vermengen. Die Hälfte davon auf die Blechhälfte geben und andrücken. Marmelade mit dem Zitronensaft verrühren und darauf verteilen. Die restliche Crunchiemischung darauf drücken.

3 Riegel auf der mittleren Schiene etwa 30 Minuten backen, bis die Oberfläche schön gebräunt ist. Lauwarm abkühlen lassen, in 5 x 5 cm große Quadrate schneiden.

So viel Zeit muß sein: 50 Minuten, davon 20 aktiv
Kalorien pro Riegel: 205

Schokoriegel
Ganz ohne Backofen

Für etwa 16 Riegel

100 g Zartbitter-Schokolade

100 g Vollmilch-Schokolade, 80 g Butter

1 EL Honig, 2 EL Sahne

100 g Backpflaumen

50 g Walnußkerne, 100 g Löffelbiskuits

2 EL Kokosflocken

1 Schokolade mit Butter, Honig und Sahne bei schwacher Hitze schmelzen.

2 Backpflaumen kleinschneiden, Walnußkerne fein zerbrechen. Biskuits fein zerkrümeln. All das unter die Schokomasse rühren, in eine eckige (18 x 18) Form füllen. Kokosraspel drüber streuen, im Kühlschrank abkühlen lassen. In Stücke schneiden.

So viel Zeit muß sein: 15 Minuten (ohne Abkühlzeit)
Kalorien pro Riegel: 170

Apfelkücherl
Vornehme sagen Beignets dazu

Die werden nur in Fett gebacken und das geht blitzschnell!

Für 14 Stück

3 große säuerliche Äpfel, 2 EL Zucker

2 EL Zitronensaft, 125 g Mehl

1 Prise Salz

1 Ei, $^1/_8$ l Bier (Helles, Dunkles oder Weißbier) oder Mineralwasser

1 Eiweiß

Zum Ausbacken: 750 g Fritierfett

Zum Bestreuen: Zimtzucker (Zucker mit etwas Zimt gemischt)

1 Die Äpfel zuerst einmal im Ganzen schälen. Jetzt muß das Kernhaus raus. Geübte Apfelkücherl-Bäcker haben dafür einen Apfelausstecher. Ohne den geht's so: Rund um den Blüten- bzw. Stielansatz mit dem Messer von oben bis unten ein rundes Loch in den Apfel schneiden, das Kernhaus rausdrücken. Wenn jetzt noch Kernhausreste drin sind, mit der Spitze vom Kartoffelschäler rauslösen. Und wer jetzt keinen schönen Apfel ohne Kernhaus hat, der schneidet ihn gleich in kleine Stücke und mischt ihn später unter den Teig.

2 Wenn die Äpfel ohne Kernhaus sind, werden sie in 1 cm dicke Ringe geschnitten. Mit dem Zucker bestreuen, mit dem Zitronensaft beträufeln und stehenlassen.

3 Für den Teig das Mehl mit Salz in der Schüssel mischen. Das Ei trennen. Eigelb und Bier unter das Mehl rühren. Der Teig soll so dickflüssig sein, daß er an den Äpfeln haften bleibt. Beide Eiweiße steif schlagen und unterziehen.

4 Fett im größten Topf erhitzen (wann's heiß genug ist, steht im Tip). Apfelringe durch den Teig ziehen und immer nur so viele auf einmal ins Fett geben, daß sie nebeneinander schwimmen können. Auf beiden Seiten jeweils in etwa 1 Minute goldgelb backen. Die, die kein Glück beim Apfelausstechen hatten, mischen die Würfel unter den Teig und setzen mit einem Löffel Küchlein ins Fett. Mit dem Schaumlöffel rausholen und auf Küchenpapier abtropfen lassen. Möglichst warm essen, mit Zimtzucker bestreut.

So viel Zeit muß sein: 30 Minuten
Kalorien pro Kücherl: 135

Basic Tip
Fett, dem man einheizen kann

Damit Fritiertes nicht so fett ist, daß es nachher einfach nur schwer im Magen liegt, muß das Fett richtig heiß sein. Dann bildet sich nämlich gleich eine Kruste, die nicht mehr Fett reinläßt. Und soviel Hitze mag nicht jedes Fett, manches wie Butter verbrennt, anderes ist einfach nicht mehr gesund. Also zum Beispiel das zu Platten gepreßte Kokosfett, Butterschmalz oder raffiniertes Pflanzenöl dafür nehmen. Und ob's dann im Topf auch heiß genug ist, erkennt man so: einen hölzernen Kochlöffelstiel reinhalten: steigen gleich viele Bläschen an ihm hoch, kann's losgehen. Oder einen Würfel Weißbrot reinlegen. Der darf höchstens 1 Minute brauchen, bis er braun und knusprig ist!

Blätterteigschnitten mit Zitronencreme

Schmecken an heißen Tagen, und auch an kalten. Und auch am nächsten Tag!

Für 10 Schnitten

1 Paket TK-Blätterteig (450 g)

1 unbehandelte Zitrone + 3 Zitronen

4 Eier

40 g weiche Butter

150 g Puderzucker

200 g Sahne

1 Päckchen Sahnesteif (dann hält's länger)

Blätterteig • 15 Min. • 220 Grad

1 Blätterteigplatten nebeneinander ausbreiten und mit einem Tuch abdecken. Auftauen lassen. Das dauert so ungefähr 15 Minuten.

2 Inzwischen schon mal für die Creme die Zitrone gut abwaschen, abtrocknen und die Schale fein abreiben. Aus allen Zitronen den Saft auspressen.

3 Den Backofen auf 220 Grad vorheizen (auch schon jetzt: Umluft 200 Grad). Die Blätterteigplatten aufeinander legen und zu einem dünnen Rechteck ausrollen. In 3 gleich große Stücke schneiden. Über das Backblech kaltes Wasser laufen lassen und nicht abtrocknen. Blätterteigplatten draufgeben. Im Ofen auf der mittleren Schiene ungefähr 15 Minuten backen. Kurz abkühlen lassen, dann eine der Platten gleich in 10 Stücke schneiden, damit sich die Schnitten später auch schneiden lassen.

4 Schon mal eine Schüssel mit kaltem Wasser und Eiswürfeln bereitstellen. Für die Creme die Eier mit der Butter, dem Puderzucker, der Zitronenschale und dem Saft in einen Topf geben. Die Hitze knapp unter Mittelmaß einstellen, die Masse unter ständigem Rühren so lange erwärmen, bis sie dicklich wird. Kochen darf sie nicht, sonst gerinnen die Eier. Den Topf ins Eiswasser stellen und die Creme so lange rühren, bis sie kalt ist.

5 Sahne mit dem Sahnesteif sehr steif schlagen und unter die Zitronencreme ziehen. Eine Teigplatte mit der Hälfte der Creme bestreichen. Zweite Teigplatte auflegen, mit der übrigen Creme bestreichen und 10 kleine Teigstücke drauf setzen. Vor dem Essen ungefähr 30 Minuten kühl stellen.

So viel Zeit muß sein: 45 Minuten aktiv, 15 Minuten in Ruhe
Kalorien pro Schnitte: 370

Schokoküchlein

Fast ohne Mehl

Für 4 Törtchen (reicht für 8)

200 g Halbbitter-Kuvertüre, 4 Eier

4 EL Zucker, 4 EL Puderzucker

200 g weiche Butter, 4 gestrichene EL Mehl

Für die Förmchen: Butter und Mehl

Nach dem Backen: Puderzucker

Eierteig • 30 Min. • 180 Grad

4 kleine Backförmchen, 10 oder 12 cm Ø

1 Die Kuvertüre im Wasserbad schmelzen. Die Eier trennen. Eiweiße steif schlagen, Zucker einrieseln lassen. Die Eigelbe mit dem Puderzucker dickschaumig schlagen.

2 Ofen auf 180 Grad vorheizen (ohne Vorheizen: Umluft 160 Grad). Kuvertüre mit Butter glattrühren, unter die Eigelbe ziehen. Eischnee drauf häufen, Mehl drüber sieben, unterheben. Die Masse in die gebutterten und bemehlten Förmchen füllen, auf der mittleren Schiene ungefähr 30 Minuten backen. Die Törtchen im ausgeschalteten Ofen bei leicht geöffneter Tür 10 Minuten ruhen lassen. Herauslösen und auf einem Gitter abkühlen lassen. Puderzucker drauf streuen.

So viel Zeit muß sein: 1 Stunde, davon die Hälfte der Zeit aktiv
Kalorien pro Törtchen: 840

Beerentörtchen mit Vanillecreme

Sommertagstraum

Für 8 Törtchen

Für den Teig:

200 g Mehl, 1 Prise Salz

2 Päckchen Vanillezucker, 100 g kalte Butter

Zum Blindbacken:

Butterbrotpapier und getrocknete weiße

Bohnen oder Kichererbsen

Für den Belag:

2 Vanilleschoten, $^{1}/_{4}$ l Milch

50 g Zucker, 2 Eigelbe

20 g Speisestärke

100 g Sahne, 1 TL Zitronenschale

400 g Beeren

Mürbeteig • 18 Min. • 200 Grad

8 Tartelettförmchen, 10 cm Ø

1 Mehl mit Salz, Vanillezucker und Butter in Würfeln zu einem glatten Teig verkneten, dabei ungefähr 2 EL kaltes Wasser untermischen. 1 Stunde in den Kühlschrank legen.

2 Den Backofen auf 200 Grad vorheizen (auch schon jetzt: Umluft 180 Grad). Teig in 8 gleich große Stücke schneiden und jeweils in ein Tartelettförmchen drücken, auch am Rand. Aus dem Papier 8 Stücke zuschneiden. Auf den Teig legen, eine Lage Bohnen oder Kichererbsen drauf streuen.

3 Törtchen im heißen Ofen auf der mittleren Schiene etwa 18 Minuten backen, bis der Teig schön braun ist. Dann Bohnen oder Erbsen mit Papier rausnehmen. Törtchen auf ein Kuchengitter stürzen, abkühlen lassen.

4 Vanilleschoten aufschlitzen, Mark rauskratzen und mit den Schoten in einen Topf mit der Milch geben. Erhitzen, vom Herd ziehen. Zucker mit Eigelben, Speisestärke und einem Viertel von der Vanillemilch mit dem Schneebesen gut verquirlen. Das Ganze dann unter ständigem Schlagen unter die übrige Milch (Vanilleschoten vorher rausfischen) im Topf rühren und noch einmal langsam erhitzen. Wenn alles ein bißchen dicker wird und anfängt zu blubbern, vom Herd ziehen. Die Creme muß jetzt kalt werden, ab und zu durchrühren.

5 Sahne steif schlagen, dabei Zitronenschale einrühren. Unter die Creme heben. Beeren verlesen. Törtchen aus den Förmchen lösen. Vanillecreme auf die Törtchen verteilen, Beeren drauf. Törtchen essen.

So viel Zeit muß sein: 2 Stunden 20 Minuten, davon 1 Stunde zu tun
Kalorien pro Törtchen: 315

Vanille Tartes

Feines zu Caffè latte und Café au lait

Für 6 Törtchen

2 Platten TK-Blätterteig, 1 Vanilleschote

5 Eigelbe, 200 g Sahne, 1 TL Speisestärke,

30 g Zucker

abgeriebene Schale von $^{1}/_{2}$ unbehandelten

Zitrone

Außerdem:

2 TL Puderzucker und $^{1}/_{4}$–$^{1}/_{2}$ TL Zimt

Blätterteig • 10 Min. • 220 Grad

6 kleine Tartelettförmchen, 8 oder 10 cm Ø

1 Die Teigplatten ausbreiten, auftauen lassen. Vanilleschote der Länge nach aufschlitzen, Mark rauskratzen. Eigelbe durch ein Sieb in einen Topf streichen, Mark einrühren.

2 Von der Sahne 2 EL mit der Speisestärke verrühren. Restliche Sahne und Zucker zum Eigelb gießen. Zitronenschale untermischen. Bei schwacher Hitze langsam erwärmen. Damit nichts anbrennt, ist Rühren wichtig. Wenn die Creme warm ist, Speisestärke unterrühren. Fängt sie an zu dampfen, wird sie langsam dicker. Aber die Creme darf nicht kochen, weil sonst das Eigelb gerinnt. Dickflüssige Creme lauwarm werden lassen.

3 Den Ofen auf 220 Grad heißlaufen lassen (auch schon jetzt: Umluft 200 Grad). Förmchen kalt ausspülen, nicht abtrocknen. Teigplatten einzeln auf wenig Mehl längs ausrollen, bis man aus jeder 3 runde Teigstücke für die Förmchen schneiden kann. Förmchen umgedreht drauf legen und jeweils mit 1 cm Abstand rundherum ausschneiden. Teig in die Förmchen legen.

4 Die Förmchen auf ein Blech stellen. Die Creme fast bis zum Rand einfüllen. Die Tartes auf der mittleren Schiene etwa 10 Minuten backen, bis die Oberfläche braune Punkte bekommt. Abkühlen lassen, mit Puderzucker und Zimt bestäuben.

So viel Zeit muß sein: 30 Minuten, davon 20 zu tun
Kalorien pro Törtchen: 230

Zwetschgen-nudeln
Auf das Innenleben kommt es an

Für etwa 15 Stück

500 g Mehl, 1 Prise Salz

etwa 200 ml Milch

1/2 Würfel frische Hefe (21 g)

50 g Zucker

1 Päckchen Vanillezucker

50 g weiche Butter

1 Ei

100 g Marzipan-Rohmasse

etwa 15 große Zwetschgen

Für die Form: 50 g Butter

Nach dem Backen: Zimtzucker (1 EL Zucker mit 1/4 TL Zimt gemischt)

Hefeteig • 30 Min. • 180 Grad

1 Mehl in die Schüssel schütten und mit der Prise Salz mischen. Milch lauwarm werden lassen. Hefe zwischen den Fingern zerkrümeln und in der Milch verrühren.

2 Hefemilch, Zucker, Vanillezucker, Butter und Ei zum Mehl geben und alles kräftig durchkneten. Rauskommen soll ein mittelfester Teig. Den legt man jetzt wieder in die Schüssel, deckt ihn mit einem Küchentuch zu und stellt ihn an einen warmen Ort. Nach etwa 1 Stunde sollte er sein Volumen deutlich vergrößert haben.

3 Marzipan in 15 Stücke schneiden. Die Zwetschgen waschen, an einer Seite aufschneiden und den Stein rauslösen. An die Stelle kommt stattdessen ein Stück Marzipan. Die Butter in eine eckige und ausreichend große ofenfeste Form geben, kurz auf dem Herd schmelzen lassen.

4 Den Teig nochmal durchkneten, in 15 Stücke teilen. Die Stücke rund formen, in die Hand nehmen und etwas flachdrücken. Jeweils 1 Zwetschge drauf legen, den Teig über der Zwetschge wieder zusammenlegen und nochmals rund rollen. Die Zwetschgennudeln mit etwas Abstand nebeneinander in die Form auf die zerlassene Butter setzen. Nochmal ungefähr 15 Minuten gehen lassen.

5 Den Backofen auf 180 Grad vorheizen (ohne Vorheizen: Umluft 160 Grad). Die Zwetschgennudeln darin auf der mittleren Schiene ungefähr 30 Minuten backen, bis sie aufgegangen und gebräunt sind. Kurz stehenlassen, dann auf eine Platte stürzen und noch warm mit Zimtzucker berieseln. Erst nach dem Abkühlen auseinanderlösen.

So viel Zeit muß sein: 2 Stunden, davon 35 Minuten aktiv!
Kalorien pro Nudel: 230

Krapfen
Auf dem Herd und in Fett gebacken

Durch einen einfachen Trick werden Krapfen besonders plustrig: Beim Fritieren erstmal einen Deckel auf den Topf geben, dann bläst der so entstehende Dampf die Krapfen richtig auf.

Für etwa 10 Stück

1/2 Würfel frische Hefe (21 g)

5–7 EL lauwarme Milch, 2 EL Zucker

200 g Mehl, 2 Eigelbe, 2 EL weiche Butter

Außerdem:

2 kg Fritierfett, Zucker (normaler Zucker für Liebhaber, Puderzucker für den Rest)

Hefeteig • pro Topffüllung 3 Min.

1 Hefe zerbröckeln, mit der lauwarmen Milch und dem Zucker verrühren. Mit dem Mehl glatt verkneten, zum Schluß die Eigelbe und die weiche Butter kräftig unterkneten.

2 Den Teig zugedeckt an einem warmen Ort 10 Minuten gehen lassen. Dann erneut durchkneten und nochmals 10 Minuten gehen lassen. Den Teig ausrollen und mit einem großen Glas Plätzchen ausstechen (8 – 10 cm Durchmesser). Auf Backpapier setzen und mit einem Tuch bedeckt in 10 – 20 Minuten zu doppelter Größe aufgehen lassen.

3 Das Fritierfett in einem großen Topf auf 180 Grad erhitzen (siehe Tip Seite 92) und so viele Plätzchen hineinsetzen, daß sie nebeneinander schwimmen können. Einen Deckel aufsetzen und die Krapfen in etwa $1\,^1/_2$ Minuten auf einer Seite goldbraun fritieren, wenden (geht am besten mit zwei Kochlöffeln) und ohne Deckel fertigbacken – nochmals $1\,^1/_2$ Minuten.

4 Die Krapfen herausheben, auf Küchenpapier kurz abfetten lassen und noch warm im Zucker wälzen (ansonsten die abgekühlten Krapfen mit Puderzucker übersieben). Übrige Krapfen auf die gleiche Weise backen.

So viel Zeit muß sein: $1\,^1/_2$ Stunden, davon 40 Minuten zu tun
Kalorien pro Krapfen: 205

Variante:

Amerikanische Krapfen heißen **Doughnuts** und haben ein Loch in der Mitte. Der Teig ist etwas fester, also 500 g Mehl nehmen und etwa $^3/_8$ l Milch, ansonsten bleiben alle Zutaten gleich. Nach dem Ausrollen braucht man einen kleinen und einen großen runden Ausstecher, damit das Loch in die Mitte kommt.

Windbeutel mit Schokofüllung

Vorsicht – Suchtgefahr!

Für 16 Windbeutel

Für den Teig:

80 g Butter, 1 EL Zucker, 1 Prise Salz

150 g Mehl, 4 Eier, 1 TL Backpulver

Für die Füllung:

1 Päckchen Schokopudding-Pulver

knapp $^1/_2$ l Milch, 50 g Zucker

2 EL Crème fraîche, 1 EL Schokoraspel

1 Prise Zimt

Fürs Blech: Backpapier

Nach dem Backen: Puderzucker oder Kakaopulver

Brandteig • 35 Min. • 180 Grad

1 Für den Teig $^1/_4$ l Wasser in einen Topf schütten. Butter in Stücken mit Zucker und der Prise Salz dazugeben. Wasser zum Kochen bringen. Herd ganz klein stellen, Topf wegziehen.

2 Das Mehl auf einmal in das Butterwasser schütten, dabei gut rühren. Topf wieder auf den Herd stellen und den Teig so lange weiterrühren, bis sich der feste Kloß fast nicht mehr rühren läßt und am Topfboden eine weiße dünne Schicht zu sehen ist.

3 Teig in eine Schüssel umfüllen. In etwa 15 Minuten lauwarm werden lassen, dann einzeln die Eier druntermischen. Mit dem letzten Ei auch das Backpulver dazugeben.

4 Den Backofen auf 180 Grad vorheizen (auch schon jetzt: Umluft 160 Grad). Das Backblech mit Backpapier auslegen. Vom Teig mit zwei Teelöffeln großzügige Teighäufchen mit Abstand voneinander auf das Blech setzen. Auf der mittleren Schiene ungefähr 35 Minuten backen, bis sie aufgegangen und braun sind. Die ersten 20 Minuten auf gar keinen Fall die Ofentür aufmachen, sonst fällt der Traum wieder zusammen!

5 Inzwischen Puddingpulver mit ungefähr 6 EL von der Milch und mit dem Zucker verrühren. Die übrige Milch in einen Topf schütten und aufkochen. Kurz vom Herd ziehen, Puddingpulver reinrühren. Nochmal 1 Minute kochen lassen. Pudding in eine Schüssel füllen und abkühlen lassen. Immer wieder umrühren, sonst gibt's eine Haut auf dem Pudding.

6 Die Windbeutel nach dem Backen gleich mit der Küchenschere in der Mitte aufschneiden, dann abkühlen lassen. Crème fraîche und Raspelschokolade und Zimt unter den Pudding rühren. Pudding in die Windbeutel füllen. Windbeutel hell oder dunkel bestäuben und gleich essen.

So viel Zeit muß sein: 2 Stunden, davon 35 Minuten zu tun
Kalorien pro Beutel: 155

XMas-Cookies
Einfach süß!

Für etwa 40 Stück

Für den Teig:

80 g weiche Butter

100 g Zucker

1 Päckchen Vanillezucker

1 Ei / 2 Eier

2 EL Sahne

250 g Mehl 280 Mehl

~~130 g Speisestärke~~

1 Päckchen Backpulver

Außerdem:

Mehl zum Ausrollen

Ausstecher

Zum Verzieren:

1 Eiweiß

250 g Puderzucker

knapp 2 EL Zitronen- oder Orangensaft, Rum, Calvados, Kaffee oder jede andere Flüssigkeit

Lebensmittelfarben

Zuckerschrift

Liebesperlen

Zuckerstreusel

Schokostreusel

und was man sonst so in der Backabteilung findet

Fürs Blech: Butter oder Backpapier

Mürbeteig • 8 Min. • 180 Grad

1 Die Butter schaumig rühren, dann nach und nach Zucker, Vanillezucker, Ei und Sahne zugeben und weiterrühren, bis alles schön cremig ist.

2 Das Mehl mit Speisestärke und Backpulver vermischen, zur Hälfte mit dem Rührlöffel schnell daruntermengen, den Rest unterkneten. Den Teig in Folie wickeln und 1 Stunde kühlen.

3 Den Ofen auf 180 Grad vorheizen (auch schon jetzt: Umluft 160 Grad). Das Backblech mit Butter fetten oder mit Backpapier auslegen. Auf die Arbeitsfläche Mehl streuen, Teig darauf dünn ausrollen und nach Wunsch ausstechen. Die Ausstecher dafür immer mal wieder ins Mehl tauchen. Übrigen Teig verkneten, erneut ausrollen und ausstechen.

4 Die Plätzchen auf das Blech setzen und ungefähr 8 Minuten backen, bis sie hellbraun sind. Nicht zu dunkel werden lassen. Auf einem Gitter über Nacht auskühlen lassen.

5 Für die Glasur Eiweiß mit Puderzucker und der Flüssigkeit, die man am liebsten hat, glattrühren und nach Belieben färben. Die Kekse mit Puderzuckerglasur in allen Farben, Kuvertüre und süßen Sachen verzieren.

So viel Zeit muß sein: 3 Stunden, davon 2 Stunden aktiv – ohne die Abkühlzeit über Nacht
Kalorien pro Stück: 90

Basic Tip

Standfeste Glasur: Noch besser deckt sie, wenn man 2 EL geschmolzenes und wieder lauwarm abgekühltes Kokosfett drunterrührt.

Vanillekipferl
Weihnachten ohne die? Unmöglich!

Für etwa 50 Stück

180 g kalte Butter, 70 g Zucker

1 Päckchen echter Vanillezucker

100 g gemahlene Mandeln

250 g Mehl, 1 Prise Salz

Fürs Blech: Backpapier

Zum Wälzen: 3 – 4 Päckchen echter Vanillezucker

Mürbeteig • 12 Min. • 170 Grad

1 Butter mit Zucker, Vanillezucker, Mandeln, Mehl und Salz verkneten. Teig in Folie einpacken und mindestens 1 Stunde kühl stellen.

2 Backblech mit Backpapier auslegen. Den Backofen auf 170 Grad vorheizen (auch schon jetzt einschalten: Umluft 150 Grad). Vom Teig walnußgroße Stücke abnehmen und zu Würsten mit spitzen Enden rollen. Zu Hörnchen biegen und auf das Blech setzen.

3 Die Vanillekipferl auf der mittleren Schiene etwa 12 Minuten nicht zu dunkel backen. Heiß vorsichtig im Vanillezucker wenden.

So viel Zeit muß sein: 2 Stunden, davon 1 Stunde aktiv
Kalorien pro Kipferl: 65

Zimtmakronen
Knusprig und mit weichem Kern

Für etwa 50 Stück

1 Vanilleschote

300 g gemahlene Haselnüsse

2 TL Zimt, 4 Eiweiße

2 TL Zitronensaft, 125 g Puderzucker

Fürs Blech: Backpapier

Baiser • 20 Min. • 160 Grad

1 Vanilleschote aufschlitzen, das Mark rauskratzen. Mit Nüssen und Zimt mischen.

2 Den Backofen auf 160 Grad vorheizen (auch schon jetzt: Umluft 140 Grad). Das Backblech mit Backpapier auslegen.

3 Die Eiweiße gut steif schlagen, dabei den Zitronensaft dazugeben. Dann den Puderzucker untermischen und noch kurz weiterschlagen, bis der Schnee glänzt.

4 Die Nußmischung mit dem Schneebesen unterheben. Von der Masse mit zwei Teelöffeln kleine Häufchen abstechen und auf das Backpapier setzen. Im Ofen auf der unteren Schiene ungefähr 20 Minuten backen.

So viel Zeit muß sein: 40 Minuten, davon die Hälfte der Zeit aktiv
Kalorien pro Makrone: 50

Lebkuchen
Saftig wie vom Nürnberger Spezialisten

Für etwa 28 Stück

100 g Zitronat, 100 g Orangeat, 5 Eier

150 g Zucker, 150 g Honig

3 TL Lebkuchengewürz

abgeriebene Schale und 1 EL Saft von 1 großen unbehandelten Zitrone

500 g gemahlene Mandeln oder Haselnüsse

etwa 28 runde Oblaten (70 mm Ø)

Zum Überziehen: 150 g dunkle Kuvertüre

Lebkuchenteig • 25 Min. • 150 Grad

1 Zitronat und Orangeat ganz fein hacken. Eier mit Zucker, Honig und Lebkuchengewürz schaumig schlagen, Zitronenschale und -saft, Mandeln, Orangeat und Zitronat untermischen. Teig 1 cm dick auf die Oblaten streichen, auf 2 Backblechen 1 Stunde antrocknen lassen.

2 Backofen auf 150 Grad vorheizen (auch schon jetzt: Umluft 130 Grad). Die Lebkuchen 25 Minuten backen. Abkühlen lassen. Kuvertüre schmelzen. Auf die Lebkuchen streichen, trocknen lassen.

So viel Zeit muß sein: 1 Stunde, davon 35 aktiv (ohne Trockenzeit)
Kalorien pro Lebkuchen: 215

Schokostreifen
Kinderleicht

Für etwa 60 Stück

250 g Zartbitter-Schokolade

250 g gemahlene Mandeln

100 g Mehl, 250 g weiche Butter

125 g Zucker, 6 Eier

100 g Halbbitter-Kuvertüre

Fürs Blech: Backpapier

Rührteig • 35 – 40 Min. • 170 Grad

1 Schokolade reiben. Mit Mandeln und Mehl mischen.

2 Den Backofen auf 170 Grad vorheizen (ohne Vorheizen: Umluft 150 Grad). Backblech mit Backpapier auslegen. Butter mit Zucker cremig rühren. Eier nacheinander unterrühren. Schokoladenmischung auch.

3 Den Teig auf das Blech streichen. Auf der mittleren Schiene 35 – 40 Minuten backen. Herausnehmen und noch heiß in Streifen schneiden (ungefähr 1 1/2 cm breit und 4 – 5 cm lang). Abkühlen lassen, dann vom Blech lösen. Kuvertüre schmelzen, Schoko-Nuß-Streifen damit bepinseln.

So viel Zeit muß sein: gut 1 Stunde, davon ungefähr die Hälfte aktiv
Kalorien pro Streifen: 110

Marzipanplätzchen
Gleich aufessen

Für etwa 35 Stück

200 g Marzipan-Rohmasse

100 g gehäutete gemahlene Mandeln

1 Ei, 80 g Puderzucker

2 EL Amaretto

100 g Mehl

Fürs Blech: Backpapier

Zum Bestreichen und Bestreuen:

1 Eigelb, 1 – 2 EL gehackte Mandeln

Knetteig • 12 – 15 Min. • 150 Grad

1 Marzipan würfeln, mit Mandeln, Ei, Puderzucker, Amaretto und Mehl verkneten. Den Backofen auf 150 Grad vorheizen (auch schon jetzt: Umluft 130 Grad). Das Blech mit Backpapier auslegen. Vom Teig walnußgroße Stücke abnehmen, zu Kugeln formen, aufs Blech legen und flacher drücken. Zwischendurch die Hände immer mal feucht machen.

2 Plätzchen mit Eigelb bepinseln und mit gehackten Mandeln bestreuen. Auf der mittleren Schiene 12 – 15 Minuten backen.

So viel Zeit muß sein: 40 Minuten, davon 20 aktiv
Kalorien pro Plätzchen: 70

Orangenrauten
Schmecken nach Orient

Für etwa 40 Stück

100 g Orangeat, 3 unbehandelte Orangen

2 Eier, 250 g Zucker

400 g gehäutete gemahlene Mandeln

2 EL gehackte Pistazienkerne

Fürs Blech: Backpapier

Rührteig • 10 – 12 Min. • 160 Grad

1 Orangeat hacken. Orangenschale abreiben. Saft auspressen und sieben.

2 Den Backofen auf 160 Grad vorheizen (auch schon jetzt: Umluft 150 Grad). Die Eier mit 150 g Zucker schaumig rühren. Mandeln, Orangenschale und Orangeat drunterrühren. Die Masse zwischen Backpapier 1 cm dick ausrollen. Teig in Rauten schneiden. Die Hälfte davon aufs mit Papier belegte Blech setzen und im Ofen (Mitte) 10 – 12 Minuten backen. Zweite Portion genauso backen.

3 Übrigen Zucker und Orangensaft 5 Minuten kräftig kochen, abkühlen lassen. Die Plätzchen je 1 Minute reinlegen, abtropfen lassen und nochmals tränken. Mit Pistazien bestreuen und 1 – 2 Tage trocknen lassen.

So viel Zeit muß sein: 1 1/4 Stunden
Kalorien pro Plätzchen: 100

Löffelbiskuits
Wie vom Pariser Bäcker

Für etwa 60 Stück

4 Eier, 1 Prise Salz

100 g Zucker

1 Päckchen Vanillezucker

125 g Mehl (gesiebt!)

2 EL Puderzucker

Fürs Blech: Backpapier oder

Butter und Mehl

Biskuitteig • 12 Min. • 180 Grad

1 Zuerst das Backblech mit Backpapier auslegen und den Backofen vorheizen: 180 Grad, Umluft 160 Grad. Dann die Eier trennen.

2 Die Eiweiße werden zuerst geschlagen, weil man dann die Schneebesen zwischendurch nicht abspülen muß. Und beim Schlagen gibt man die Prise Salz dazu. Wenn der Eischnee fest ist, ein Drittel vom Zucker dazurieseln lassen und weiterschlagen, bis der Schnee schön glänzt.

3 Eigelbe mit dem übrigen Zucker und dem Vanillezucker schön schaumig schlagen. Mehl und Eischnee in zwei Portionen unter die Eigelbcreme heben.

4 Teig vorsichtig in den Spritzbeutel (Ersatz siehe Seite 23) füllen und etwa 10 cm lange Stränge auf das Backblech spritzen. Die Enden sollen ein wenig dicker sein als die Mitte des Strangs. Puderzucker drüber sieben und die Biskuits auf der mittleren Schiene ungefähr 12 Minuten backen. Sie sollen nur hellgelb werden. Zum Abkühlen auf ein Kuchengitter heben.

So viel Zeit muß sein: 50 Minuten,
davon 35 aktiv
Kalorien pro Biskuit: 20

Chocolate Chip Cookies
Schnell gemacht

Für etwa 50 Stück

200 g Zartbitter-Schokolade

180 g weiche Butter

180 g Zucker

1 Ei

abgeriebene Schale von 1/2 Orange (unbehandelt)

250 g Mehl

1 TL Backpulver

1 Prise Salz

Fürs Blech: Backpapier

Rührteig • 20 Min. • 160 Grad

1 Von der Schokolade 100 g in Stückchen (1/2 cm) schneiden. Die übrige Schokolade im Wasserbad schmelzen. Die Butter cremig rühren, nach und nach Zucker und Ei sowie Orangenschale zugeben und gut verrühren.

2 Den Backofen auf 160 Grad vorheizen (auch schon jetzt: Umluft 150 Grad). Mehl mit Backpulver und der Prise Salz mischen, zur Hälfte über die Buttermasse sieben und samt der handwarmen Schokolade daruntermengen. Die übrige Mehlmischung mit Schoko-Stückchen darunterkneten.

3 Mit einem Teelöffel Teighäufchen in 4 cm Abstand auf mit Backpapier belegte Bleche setzen und die Cookies auf der mittleren Schiene etwa 20 Minuten backen. Auf dem Blech ausdampfen und über Nacht auf einem Kuchengitter auskühlen lassen.

So viel Zeit muß sein: 50 Minuten,
davon 30 aktiv
Kalorien pro Cookie: 80

Variante:

Peanut Chocolate Cookies

50 g Butter durch Erdnußbutter ersetzen, weißen durch braunen Zucker und noch 100 g gehackte Erdnußkerne (ungesalzene!) sowie 2 EL Kakao in den Teig mischen.

Amaretti
Wie aus der italienischen Pasticceria

Für etwa 35 Stück

3 Eiweiße, 1 Prise Salz, 150 g Zucker

350 g gehäutete (!) gemahlene Mandeln

1 Fläschchen Bittermandelaroma

Fürs Blech: Backpapier

Zum Bestäuben: Puderzucker

Baiser • 30 Min. • 140 Grad

1 Den Backofen auf 140 Grad vorheizen (ohne Vorheizen: Umluft 120 Grad). 2 Backbleche mit Backpapier auskleiden.

2 Die Eiweiße zu steifem Schnee schlagen, dabei die Prise Salz zugeben. Wenn der Schnee schon fest ist, den Zucker unterschlagen, bis der Schnee auch noch glänzt.

3 Mandeln und Bittermandelaroma unter den Schnee rühren. Aus dem Teig walnußgroße Kugeln formen – mit zwei Teelöffeln oder mit den Fingern – und auf das Blech setzen.

4 Wem jetzt einfällt, daß er noch was vorhat, der kann das Blech bis zum nächsten Tag stehenlassen. Die Amaretti werden sogar noch besser, wenn sie draußen antrocknen. Aber dann auch den Backofen wieder ausschalten! Wer ungeduldig ist, kann gleich loslegen. Auf der mittleren Schiene ungefähr 30 Minuten backen.

So viel Zeit muß sein: 50 Minuten,
davon 20 aktiv
Kalorien pro Amaretto: 80

Schoko-Ingwer-Plätzchen
Knusprig und saftig zugleich

Für etwa 50 Stück

150 g weiße Schokolade

1 Stück frischer Ingwer (etwa 3 cm lang)

1 EL Pistazienkerne

180 g Butter

1 Päckchen Vanillezucker

1 Päckchen Orangenfrucht mit Zucker (gibt's im Supermarkt)

300 g Mehl

Fürs Blech: Backpapier

Mürbeteig • 10 Min. • 180 Grad

1 Von der Schokolade 50 g klein würfeln und beiseite legen. Den Rest in Stücke brechen und in einer Tasse im warmen Wasserbad schmelzen. Wieder abkühlen lassen.

2 Ingwer schälen und sehr fein hacken oder würfeln und durch die Knoblauchpresse drücken (die aber vorher wirklich gut ausspülen!). Pistazienkerne fein hacken. Butter würfeln und mit beiden Schokoladen, Pistazien, Vanillezucker, Orangenfrucht und Mehl in eine Schüssel füllen. Mit den Knethaken oder mit den Händen gut durchkneten, in Folie einpacken und 1 Stunde in den Kühlschrank legen.

3 Den Backofen auf 180 Grad vorheizen (auch schon jetzt: Umluft 160 Grad). Das Backblech mit Backpapier auskleiden.

4 Aus dem Teig walnußgroße Kugeln formen, etwas flachdrücken und aufs Blech legen. Im Ofen auf der mittleren Schiene ungefähr 10 Minuten backen. Vom Blech lösen und auf einem Kuchengitter abkühlen lassen.

So viel Zeit muß sein: 1 3/4 Stunden,
davon etwa 35 Minuten aktiv
Kalorien pro Stück: 70

Varianten:
Statt frischem Ingwer und Pistazien schmeckt auch das gut: kandierter Ingwer oder kandierte Melonenstücke klein würfeln und untermischen. Ganz fein gehacktes Orangeat (ein bißchen Orangenlikör paßt dann auch gut) oder Backpflaumen oder dunkle Schokostückchen (und etwas Kokoslikör).

Ganz fein

So fein, daß Du sie am liebsten am Stück von der Platte löffeln willst ...

»Wann ist für Dich eine Torte eine Torte?«
Wenn sie richtig voller Creme ist.
»Das ist Bienenstich aber auch.«
Na ja, rund muß sie natürlich schon sein.
»So wie Linzer Torte, oder? Blöd nur, daß die ganz ohne Creme ist!»
Ach die netten Österreicher, die machen selbst aus einem Brötchenjungen einen Herrn Backrat.
»Dann ist die blanke Sachertorte auch nur Kuchen?«
Sacherkuchen? Ich muß doch sehr bitten! Die Sacher ist so voll fetter Wonne, daß sie praktisch Creme pur ist.
»Tarte Tatin – eine Torte? Chocolate Mud Cake – ein Kuchen?«
Das wissen die Franzosen und Amerikaner besser. Du wolltest hören, wie für mich eine Torte sein muß. Also: herrlich rund und stattlich hoch, wunderbar cremig und ganz, ganz fein. So fein, daß Du sie am liebsten am Stück von der Platte löffeln willst.
»Überzeugt. Wann hast Du die fertig?«

Aus dem Kaffeesatz

Tee kochen

Eine Tasse Tee ist auch was Feines, und Grobheiten verkraftet sie weit weniger als zum Beispiel der Kaffee. Solche sind verkochtes Wasser, Spülmittel, Schwermetall, Dosenmilch, Zitronensaft und Wildkirscharoma. Aber Tee deswegen gleich zum schwebenden Etwas zu erklären, bei dessen Zubereitung nur geflüstert werden darf, ist auch Blödsinn. So wird er gemacht:

Zuerst den Tee nehmen. Ob Assam oder Darjeeling, ist eher Geschmackssache. Aromatisiert? Muß wirklich nicht sein. Wieviel? 1 Teelöffel pro Tasse, ab dem halben Liter noch 1 pro Kanne. Die Teekanne: »Nie spülen« und „»immer vorwärmen« rufen die Puristen. Naja, so ab und zu ein Schwung frisches Wasser gegen fuselnde Patina schadet nicht, und auch in der trockenen Kanne aus dem Schrank kriegt Tee keinen Riesenschock.

Wichtiger ist, daß er Platz darin hat. Lose mag er es am liebsten, weil er da seine ganzen Vorzüge ausbreiten kann. Der Teefilter oder selbstgebastelte Teebeutel gehen auch in Ordnung. Im Tee-Ei ist es klar zu eng, zumal Tee kein Metall mag. Und im Fertig-Teebeutel ist meist nichts Gutes drin.

Nun das Wasser. Am besten frisch gezapft minus dem Schluck Standbrühe, der zuvor aus der Leitung gelassen wurde. Dann fix aufkochen – »bis seine Blasen so groß wie die Augen kleiner Fische sind«. Jetzt kommt es in die Kanne (bei grünem Tee aber erst 10 Minuten nach dem Aufkochen) – und der Tee zieht. 2 – 3 Minuten mindestens (grüner höchstens 2), weil dann hat er gerade seinen Grundgeschmack entwickelt und das langsamer, aber nachhaltiger als Koffein wirkende Tein ist ganz auf der Höhe. Ab da wird Tee mehr und mehr bitter sowie erst beruhigend, dann einschläfernd und nach mehr als 5 – 6 Minuten schlicht ungenießbar.

Also nun den Tee entweder durch ein Sieb abgießen oder den Beutel rausnehmen – aber nicht das Ausdrücken der Blätter vergessen. Und nun gleich trinken. Denn auch ohne Blätter zieht Tee nach, wobei eine Viertelstunde nicht so tragisch ist – selbst wenn sie auf dem Stövchen zugebracht wird, was die Puristen auch nicht mögen. Mit einem haben sie allerdings recht: dicke Tassen und Zitrone machen den feinsten Tee kaputt.

Kleine Tortenbaustilkunde

Wie die meisten faszinierenden Bauwerke besteht auch eine gut gebaute Torte nur aus wenigen, gegensätzlichen Materialien. Was dem Wolkenkratzer Stahl und Beton oder dem Fachwerkhaus Holz und Lehm sind, das sind der Torte ihre Böden und die Füllung. Die populärsten Tortenbaustile:

der Butterbrot-Stil
schlicht im Aufbau, oft üppig im Material. Setzt gute Statik voraus, denn hier steht die Füllung (höchstens durch Überzug oder Teigrand gestützt) für sich alleine auf einem Teigboden. Der ist meist aus Mürbeteig, die Füllung wird oft mit Gelatine verstärkt. Typisches Bauwerk: Exotische Reistorte (Seite 122)

der Sandwich-Stil
Fortführung des Butterbrot-Stils, bei dem die noch standfestere Füllung zwischen zwei Teigböden aufragt. Schwierig zu schneiden, wenn der Oberboden zu fest ist, was beim üblichen Biskuit-Sandwich aber nicht der Fall ist. Ansonsten wird der Oberboden vorgeschnitten aufgesetzt (Schwimmbadtorte, Seite 121)

der Clubsandwich-Stil
populärster Stil. Wie beim berühmten Toast wird ein Zwischenboden eingezogen, es können auch mehrere sein. Der gibt schweren Torten Halt und mildert deren Wucht (Buttercremetorte, Seite 124). Auch das Trennen verschiedener Füllungen kann Bauziel sein, ebenso das Wechselspiel zwischen Füllung und Boden (Prinzregententorte, Seite 113). Sonderform ist die Kuppeltorte, bei der der Oberboden eingeschnitten und kuppelförmig über die aufgehäufte Füllung gelegt wird. Club-Torten werden oft überzogen, meist mit dem Füllmaterial (Schwarzwälder, Seite 112)

der Doppel-Whopper-Big-Cake-Stil
wird nur bei besonderen Prachtbauten angewandt und zeichnet sich durch eine Auftürmung von mehreren Club-Torten und eine zum Teil bis zum Kitsch ausschweifende Außengestaltung aus, was vor allem Großfamilien sehr schätzen. Typisches Bauwerk: Hochzeitstorte vom Konditor

der Brotlaib-Stil
das genaue Gegenteil des DWBC-Stils, der auf jeden Schnickschnack verzichtet und einzig intensive Materialien sprechen läßt. Ergebnis ist eine massive Torte aus einem Stück, allenfalls durch Überzug veredelt. Typisches Bauwerk: Sachertorte (Seite 110)

Fünf fixe Ideen für Tortenschmuck

Leute, die Torten nur mit Schokostreuseln und Zuckerblümchen verzieren, leben auch sonst nach Einzelhandel-Art: wohlsortiert, durchkalkuliert und immer alles in Greifhöhe halten. Leute, deren Torten Spaß machen, halten nichts vom Regaldenken und holen sich ihre Ideen von überall her. Fünf Reviere für Tortenschmücker abseits der Backecke:

Das Naschregal

Pralinen auf Schoko-Torten, bei exotisch-fruchtiger Füllung auch Lakritzkonfekt, markieren die einzelnen Stücke. Ebenso Würfel von Schichtnougat, diagonal halbierter Puffreis oder einfach kleine Schokostückchen. Schokolinsen überall. Halbierte Mohrenköpfe ergeben einen witzigen Rand.

Die Gebäckecke

Immer gut sind Löffelbiskuits – im Ganzen zum Stern gelegt, halbiert an Sahnehäubchen, oder ebenfalls als Rand. Fein: Biskuits zum Teil mit Kuvertüre überziehen. Eiswaffeln lassen sich ähnlich einsetzen. Hübsche kleine Plätzchen sind hübsche i-Tüpfelchen. Biskuitböden können in Würfel oder sonstige Formen geschnitten werden, die entweder getränkt oder in Kuvertüre getaucht werden.

Die Tiefkühltruhe

Blätterteig mit Eigelb bepinseln, zuckern und ausstechen. Dann backen und solo, mit Glasur oder Kuvertüre-Überzug zur Verzierung nehmen. Mini-Windbeutel können in Kranzform mit Kuvertüre auf einen fertigen Teigboden gesetzt werden, die Mitte wird mit süßer Vanillesahne gefüllt. Oder halbe Mini-Beutel auf fertige Torte setzen.

Die Gemüseabteilung

Warum nicht Torte mit Kräutern garnieren? Minze paßt zu Schokolade, Zitronenmelisse zu Säuerlich-Süßem und Basilikum (kurz vor dem Servieren drauf) ist lecker zu Erdbeeren, Kirschen, Nektarinen. Gut: Möhren in dünnen Streifen in Aprikosenkonfitüre gedünstet (auf Zitrustorten). Oder grob geraspelt, im Sieb mit flüssiger Kuvertüre übergossen und auf Backpapier getrocknet – Schokosplitter fürs gute Gewissen.

Der Rest des Ladens

Bohnen vom Lieblingskaffee im 200 Grad heißen Ofen gut 5 Minuten rösten, abkühlen lassen und in flüssige weiße Kuvertüre tauchen. Auf Backpapier antrocknen lassen und leicht mit Kakaopulver oder Zimt bestäuben. Ebenso Trockenfrüchte (ohne Rösten), Nüsse oder Kerne überziehen.

S.O.S

Antworten auf alle FAVs (Fragen aus Verzweiflung) von unserer Basic-Backtante

Tortenschneiden!
Ich hab's schon hundert Mal gemacht, aber so ganz hundertprozentig ist es selten. Weil manchmal sieht das gute Stück danach arg bematscht aus, und mit der Einteilung kämpfe ich auch jedes zweite Mal. Daß dabei alle zuschauen, macht es nicht gerade leichter. Wie machst Du das, Tante Ilse?
Elisabeth aus Gramatneusiedl

Tante Ilse rät:

Erstmal, liebe Elisabeth, schneid' ich die Torte in der Küche. Klar, im Grunde sollen alle sehen, wie schön sie ist. Aber sollen sie auch sehen, wie genervt Du dran herumsäbelst? Nicht schön. Der Säbel sollte mindestens tortenlang, fest genug für den geraden Schnitt und nicht zu breit sein, Schärfe vorausgesetzt. Vor dem Schneiden ist wichtig, daß die Torte gut durchgekühlt ist. Liegt unter fester Glasur ein zarter Kern, kommt Ansägen besser als Drücken. Aber dann ist beherztes Schneiden in einem Zug angesagt. Wichtig: Nach jedem Schnitt das Messer heiß abspülen, damit die Creme nicht verschmiert. Und darauf achten, daß die Klinge bis zum Boden und über die Schnittmitte hinaus geht, sonst bleibt ein Stück vom Stück an der Torte kleben.

Die Einteilung. Zuerst zählt, ob man die ganze Torte aufschneiden will (ab sechs Leuten ratsam) oder nur einen Teil davon (dann bleibt der Rest frischer). Für die große Tafel wird die Torte längs und quer halbiert, so daß Viertel entstehen. Werden die nochmal halbiert, sind das acht Tortenstücke – die Obelix-Portion. Werden die wieder halbiert, sind es 16 – die Idefix-Portion. Fürs Dutzend wird aus jedem Viertel ein Stück in der Mitte rausgeschnitten, so daß je drei gleiche entstehen. Wer das kann, kann an den 14er Schnitt (der goldrichtige) gehen: Aus einer Hälfte aus der Mitte ein Stück rausschneiden, dann von den beiden Resten auch je eins aus der Mitte schneiden. Sind sieben gleiche Stücke? Kompliment.

Blitzhochzeits-Torte

Ohne Kneten und Rühren, ohne Backen und Auskühlen

Drei Etagen braucht sie. Die muß eine Hochzeitstorte einfach haben, weil sie sonst nur eine Torte ist, und wenn sie noch so toll aussieht.

Für eine dreistöckige Torte
2 Päckchen Vanille- oder Himbeerpudding-Pulver
knapp 1 l Milch
100 g Zucker
3 Packungen Wiener Tortenböden (3 x 3 Böden; gibt's in fast jedem Supermarkt)
1 kg Sahne
2 Päckchen Vanillezucker
1 Päckchen Sahnesteif
100 g Kokosraspel
1 Tüte rosa Marshmallows
Außerdem:
rosa Zuckerröschen, rote Gummiherzen, grüne Gummifrösche und alles, was die Süßwarenabteilung oder der Candy-Shop sonst hergeben

1 Erstmal den Pudding für die Creme kochen. Das Puddingpulver mit ungefähr 6 EL Milch und dem Zucker verrühren. Die übrige Milch in einen großen Topf schütten und zum Kochen bringen. Angerührtes Puddingpulver reinrühren, mindestens 1 Minute kochen, fertig! In eine Schüssel umfüllen und kalt werden lassen. Dabei immer mal wieder durchrühren, damit's keine Haut gibt.

2 Inzwischen schon mal die Tortenböden aus der Packung holen. Die liegen schon jeweils in drei Schichten drin. Die aus einer Packung bleiben so groß, wie sie sind. Damit die drei Stöcke zu sehen sind, schneidet man vom zweiten Teigpaket rundherum einen Rand von ungefähr 3 cm ab, und das dritte wird nochmal 3 cm kleiner. Die abgeschnittenen Stücke kann man gleich essen oder später zu einem Dessert verwandeln, z. B. mit frischen Beeren und Sahne.

3 Die Sahne mit dem Vanillezucker und dem Sahnesteif (sie soll ja ein bißchen länger gut aussehen) steif schlagen. Ungefähr 4 EL davon unter den Pudding heben. Diese Creme kommt jetzt zwischen alle Tortenbödenschichten. Und dann kann man alle drei auch schon aufeinandersetzen. Und auch schon mal auf eine große Tortenplatte stellen, damit man später nicht mehr rumheben muß. Wer keine Tortenplatte hat, nimmt zum Beispiel einen dicken stabilen Karton und verkleidet den mit passender Folie oder so.

4 Jetzt die Torte rundherum mit der Sahne verkleiden. Muß nicht superglatt und schön sein, eben noch ein bißchen wilde Ehe. Kokosraspel wie Schneeflocken drüber streuen.

5 Und das Verzieren kann losgehen (Festklamotten ruhig schon vorher anziehen): Marshmallows halbieren und mit der Rundung nach außen mit Abstand an die Ränder der zweiten Etage andrücken. Der Rest geht ganz nach Gusto: mit allem verzieren, was gefällt und vor allem, was das Hochzeitspaar gerne hat. Und zu dem kann man sich jetzt auch auf den Weg machen.

So viel Zeit muß sein: 1 1/4 Stunden
Kalorien pro Stück: die spielen in dem Fall also wirklich keine Rolle!

Sachertorte
Eine echte Wienerin

Streng genommen ist sie ja ein Kuchen, aber der ist so eine Wucht, daß ihn jeder Torte nennen darf und ihn auf jeden Fall »mit Schlag« essen muß. Ganz streng sind wir bei der Zubereitung: Kaum ein Gramm Mehl an den Teig und kein Messer an das gute Stück, bevor es auf den Tisch kommt. Also auch keine Füllung, bitteschön! Großes königlich-kaiserliches Ehrenwort!

Zutaten für 14 Stück Torte
200 g Halbbitter-Kuvertüre, 10 Eier
1 Prise Salz, 150 g Zucker
200 g weiche Butter, 50 g Puderzucker
1 Päckchen Vanillezucker
100 g Semmelbrösel, 3 EL Mehl
200 g Aprikosenkonfitüre (ohne Fruchtstücke, oder die Konfitüre pürieren)
Für die Form: Butter
Nach dem Backen:
1 Rezept Sacherglasur (steht im Tip) oder
1 Packung Schokoladenkuchenglasur
Rührteig • 1 Std. • 200 / 180 Grad
Springform, 26 oder 28 cm Ø

1 Für den Teig die Kuvertüre hacken und im Wasserbad schmelzen lassen. Eier trennen. Eiweiße mit der Prise Salz und dem Zucker schnittfest schlagen. Butter mit Puder- und Vanillezucker schaumig rühren und die Eigelbe unterschlagen. Brösel und Mehl mischen.

2 Den Ofen auf 200 Grad vorheizen (auch schon jetzt: Umluft 180 Grad). Die Form buttern. Die flüssige Kuvertüre unter die Buttermasse ziehen. Ein Drittel Eischnee unterrühren, den Rest samt der Bröselmischung behutsam unterheben.

3 Den Teig in der Form glattstreichen und 15 Minuten im Ofen auf der mittleren Schiene anbacken. Die Hitze auf 180 Grad (Umluft 160 Grad) reduzieren und die Torte weitere 45 Minuten backen. Über Nacht in der Form auskühlen lassen und dann auf ein Gitter stürzen.

4 Für den Überzug die Konfitüre erhitzen, bis sie sich streichen läßt und die Torte damit rundum einpinseln. Antrocknen lassen und die Torte auf ein Gitter mit einem Blech darunter setzen. Die Sacherglasur zubereiten; sie sollte schön flüssig sein, so daß die Tortenoberfläche glatt damit bedeckt werden kann.

5 Nun die Glasur über die Torte gießen, so daß die Oberfläche und die Seiten bedeckt sind. Dabei hilft es, die Torte ein wenig schräg zu halten und zu drehen. Wem das alles zu kompliziert ist, der kann die Glasur aber auch nach dem Übergießen einfach mit der Palette glattstreichen. Aber schnell machen, weil sie nicht lange flüssig bleibt.

So viel Zeit muß sein: 2 Stunden,
davon 1 ganz relaxed – und die Ruhezeit nicht mitgezählt
Kalorien pro Stück: 480

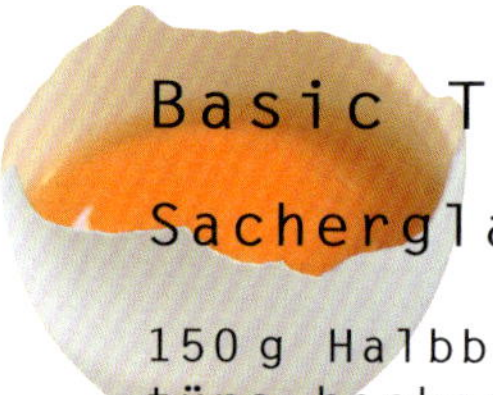

Basic Tip
Sacherglasur

150 g Halbbitter-Kuvertüre hacken und im Wasserbad schmelzen lassen. 200 g Zucker mit $^1/_8$ l Wasser aufkochen und 5 Minuten kochen lassen. Die Zuckerlösung nicht ganz auf Handwärme abkühlen lassen und mit der Kuvertüre behutsam glattrühren. Nun die Glasur abkühlen lassen, so daß sie gerade wieder fest zu werden beginnt und nochmal behutsam auf Handwärme erwärmen. Die Torte damit überziehen.

Double Chocolate Mud Cake

Schokoladiger geht's nicht!

Zu deutsch: feuchter, schwerer, dunkler Kuchen, dessen betörend-betäubende Wirkung durch Füllung und Überzug noch verdoppelt wird. Enthält knapp eine viertel Tafel Schokolade pro Stück. Der Rest ist Butter. Kurz: »Death by Chocolate«.

Für 16 Stück Torte

Für den Teig:

300 g Butter, 300 g Zartbitter-Schokolade

5 Eier, 5 EL Zucker, 1 Prise Salz

150 g Mehl, $^1/_2$ TL Backpulver

Für Creme und Glasur:

400 g Sahne

400 g Halbbitter-Kuvertüre, 30 g Butter

Für die Form:

Backpapier und Kakaopulver

Rührteig • 35 – 45 Min. • 160 Grad

Springform, 26 oder 28 cm Ø

1 Den Ofen auf 160 Grad vorheizen (ohne Vorheizen: Umluft 140 Grad). Die Form mit einem passend zugeschnittenen Stück Backpapier auslegen und mit Kakaopulver ausstreuen.

2 Für den Teig die Butter in einem Topf bei schwacher Hitze schmelzen lassen. Die Zartbitter-Schokolade grob hacken, mit der Butter verrühren und zerlassen.

3 Die Eier mit dem Zucker und 1 Prise Salz schaumig schlagen. Das Mehl mit dem Backpulver mischen und samt der flüssigen Schokobutter unter die Eiercreme ziehen.

4 Die Masse in der Form glattstreichen, im heißen Ofen 35 – 45 Minuten backen. Den Kuchen 15 Minuten in der Form ausdampfen lassen, auf ein Kuchengitter stürzen.

5 Für Creme und Glasur die Sahne bei schwacher Hitze warm werden lassen. Kuvertüre in Stücke schneiden und darin schmelzen lassen. Schokosahne halbieren, in der einen Hälfte die Butter verrühren, bis sie geschmolzen ist. Kuchen und Cremes über Nacht ruhen lassen, Cremes im Kühlschrank.

6 Den Kuchen quer in zwei oder drei Böden teilen (mit dem Messer oder mit dem Zwirn). Die Schokosahne ohne Butter steif schlagen, auf einen oder zwei Kuchenböden streichen und den übrigen drauf setzen. Die Schokosahne mit der Butter sanft erwärmen, so daß sie gerade flüssig wird, und den Kuchen damit rundum einstreichen. Double Chocolate Mud Cake 2 Stunden gut kühlen.

So viel Zeit muß sein: 1 $^1/_2$ Stunden, davon 50 Minuten aktiv – ohne Kühlzeit
Kalorien pro Stück: 525

Schwarzwälder Kirsch

Klein und fein

Aus der kleinen Backform, damit nichts übrig bleibt!

Für 6 Stück Torte

Für den Teig:

4 Eier, 80 g Zucker

75 g Mehl

25 g Speisestärke

25 g Kakaopulver

Für die Füllung:

1 Glas Schattenmorellen (680 g Inhalt)

4 TL Speisestärke

1 Päckchen Vanillezucker

350 g Sahne

$^1/_2$ EL Puderzucker

2 – 3 EL Kirschwasser (wer mag)

Für die Form: Butter

Nach dem Backen: Raspelschokolade

Biskuitteig • 30 Min. • 180 Grad

Springform, 18 cm Ø

1 Die Form nur am Boden fetten. Den Backofen auf 180 Grad vorheizen (ohne Vorheizen: Umluft 160 Grad).

2 Für den Teig die Eier trennen. Zuerst die Eiweiße steif schlagen. Wenn sie schon fest sind, den Zucker, die Eigelbe und 2 TL Wasser untermischen. Mehl mit Speisestärke und Kakao mischen, drüber stäuben. Alles vorsichtig untereinander heben.

3 Teig in der Form glattstreichen. Im Ofen auf der mittleren Schiene ungefähr 30 Minuten backen. Stäbchenprobe nicht vergessen! Tortenboden in der Form erkalten lassen, rauslösen und über Nacht stehenlassen.

4 Dann den Boden quer zweimal durchschneiden. Kirschen abtropfen lassen, Saft auffangen. Speisestärke mit wenig Saft verrühren. Übrigen Saft mit Vanillezucker in einem Topf zum Kochen bringen. Speisestärke dazu und unter Rühren einmal aufkochen, bis der Saft dickflüssiger wird. Vom Herd ziehen. Von den Kirschen ein paar schöne zum Verzieren aussuchen, die restlichen unter den Saft mischen. Abkühlen lassen.

5 Sahne mit Puderzucker steif schlagen. Untersten Teigboden mit der Hälfte der Kirschmasse bestreichen. Zweiten auflegen, mit Kirschwasser beträufeln, die restlichen Kirschen drauf verstreichen und ein bißchen Sahne. Letzten Boden drauflegen, Torte mit der Sahne überziehen. Mit Kirschen und Raspelschokolade verzieren.

So viel Zeit muß sein: 1 1/2 Stunden,
davon 35 Minuten aktiv
Kalorien pro Stück: 420

Prinzregententorte

Geduldsarbeit, die sich lohnt

Für 12 Stück Torte

Für den Teig:

4 Eier, 1 Prise Salz, 1 TL Zitronensaft

200 g weiche Butter, 120 g Zucker

2 Päckchen Vanillezucker, 150 g Mehl

50 g Speisestärke

1 Messerspitze Backpulver

Für die Creme:

2 Eigelbe, 40 g Speisestärke

400 ml Milch, 100 g Zartbitter-Schokolade

150 g Butter, 125 g Puderzucker

Für die Form: Butter

Nach dem Backen: 150 g Schokoglasur

Rührteig • 9mal 6 Min. • 170 Grad

Springformboden, 24 oder 26 cm Ø

1 Zuerst schon mal den Springformboden mit Butter bepinseln. Den Backofen auf 170 Grad vorheizen (auch schon jetzt: Umluft 150 Grad).

2 Die Eier trennen. Die Eiweiße zuerst steif schlagen, dabei Salz und Zitronensaft zugeben. Eischnee kühl stellen.

3 Butter mit Zucker und Vanillezucker schön cremig rühren. Eigelbe nacheinander unterrühren. Mehl mit Speisestärke und Backpulver mischen, unterrühren. Eischnee unterheben.

4 Ungefähr 1 1/2 EL Teig auf dem Formboden glatt verstreichen. Auf der mittleren Schiene in 6 Minuten nicht zu braun backen. Mit dem Bratenwender ablösen und auf ein Kuchengitter zum Abkühlen legen. Zwischendurch den Formboden kurz abspülen und trocknen, nicht mehr fetten. Nach und nach noch ungefähr 8 Teigböden backen.

5 Eigelbe in einem Topf mit Speisestärke und etwas kalter Milch verrühren, dann erst die übrige Milch untermischen. Auf die Kochplatte stellen und bei mittlerer Hitze erwärmen, bis alles einmal aufpufft. Aber: immer rühren und dann sofort runter vom Herd, sonst ist die Creme geronnen. Schokolade in Stücke brechen, in der Creme unter Rühren schmelzen lassen. Creme abkühlen lassen.

6 Die Butter mit dem Puderzucker schaumig rühren. Löffelweise den Schoko-Pudding unterrühren. Alle Teigböden mit der Buttercreme bestreichen – außer den obersten – und zusammensetzen. Glasur nach Packungsangabe schmelzen lassen und die Torte damit überziehen. Trocknen lassen.

So viel Zeit muß sein: 3 Stunden,
davon tatsächlich 2 1/4 aktiv
Kalorien pro Stück: 550

Espresso-Mascarpone-Torte

Eigentlich ganz einfach

Nicht vergessen: Teig für die Torte schon am Vortag backen. Weil der Ruhe haben muß!

Für 12 Stück Torte

Für den Teig:

8 Eier

1 Prise Salz

150 g Zucker

1 Päckchen Vanillezucker

2 EL starker kalter Espresso

abgeriebene Schale von

1 unbehandelten Zitrone

200 g gemahlene Haselnüsse

130 g Mehl

$^1/_2$ TL Backpulver

Zum Tränken:

100 ml starker kalter Espresso

2 EL Grappa (wer mag)

Für die Füllung:

500 g Mascarpone

5 – 6 EL Milch

1 EL Zitronensaft

200 g Sahne

3 Päckchen Vanillezucker

2 EL Raspelschokolade

Für die Form: Butter und Semmelbrösel oder Backpapier

Nach dem Backen: Raspelschokolade und Schoko-Mokkabohnen

Biskuitteig • 1 Std. • 170 Grad

Springform, 26 oder 28 cm Ø

1 Ganz zu Anfang ungefähr $^1/_8$ l Espresso für den Teig und zum Tränken kochen. Die Springform am Boden mit Butter auspinseln und Semmelbrösel reinstreuen. Den Backofen auf 170 Grad vorheizen (ohne Vorheizen: Umluft 150 Grad).

2 Für den Teig die Eier trennen. Zuerst die Eiweiße steif schlagen. Dabei das Salz und etwa ein Drittel vom Zucker einrieseln lassen. Eigelbe mit restlichem Zucker und Vanillezucker mit den Quirlen vom Handrührer gut schaumig schlagen. Espresso und Zitronenschale untermischen.

3 Die Hälfte von den Nüssen unterrühren. Eischnee draufgeben. Übrige Nüsse mit Mehl und Backpulver mischen und auch draufgeben. Alles mit dem Schneebesen locker, aber gründlich untereinander mischen. Teig in die Form füllen, glattstreichen. Kuchen auf der unteren Schiene ungefähr 1 Stunde backen. Stäbchenprobe nicht vergessen! Kurz in der Form stehenlassen, rauslösen und über Nacht ruhen lassen.

4 Dann den Tortenteig zweimal durchschneiden (mit einem langen Messer oder mit dem Zwirn). Auf den unteren und den mittleren Boden den Espresso träufeln (eventuell vorher mit Grappa mischen). Mascarpone mit Milch und dem Zitronensaft cremig rühren. Sahne steif schlagen, den Vanillezucker dabei einrieseln lassen. Sahne mit Raspelschokolade unter die Mascarponecreme ziehen.

5 Jeweils ein Viertel von der Mascarponecreme auf den unteren und den mittleren Tortenboden streichen. Böden zusammensetzen. Übrige Creme rundherum verstreichen. Torte mit Raspelschoko und Mokkabohnen in wilder Folge verzieren! Und jetzt können die Verwandten kommen!

So viel Zeit muß sein: 1 $^3/_4$ Stunden, davon 45 Minuten zu tun, dazu kommt die Ruhezeit über Nacht
Kalorien pro Stück: 265

Birnen-Karamel-Torte

Nostalgisch gut

Für 16 Stück Torte

Für den Teig:

5 Eier, 150 g Zucker

1 Päckchen Orangenfrucht mit Zucker (gibt's im Supermarkt)

125 g Mehl, 75 g Speisestärke

1 TL Backpulver

Zum Belegen:

2 mittelgroße feste, aber reife Birnen (z. B. Santa Maria)

1 EL Zitronensaft, 1/8 l Weißwein

1 Päckchen Vanillezucker, 1 Stück Zimtstange

Für die Karamelcreme:

80 g Zucker, 400 ml Milch

1 Vanilleschote, 2 Eigelbe

25 g Speisestärke

Für die Form: Butter und Semmelbrösel

Nach dem Backen:

125 g Sahne

1/2 Päckchen Vanillezucker

50 g Amarettini

Biskuitteig • 50 Min. • 180 Grad

Springform, 26 oder 28 cm Ø

1 Den Backofen auf 180 Grad vorheizen (ohne Vorheizen: Umluft 160 Grad). Die Springform nur am Boden mit Butter ausstreichen und mit Semmelbröseln bestreuen.

2 Die Eier trennen. Zu den Eiweißen 5 EL kaltes Wasser geben und mit den Quirlen gut steif schlagen. Immer weiterschlagen und Zucker und Orangenfrucht dazurieseln lassen. Handrührer auf niedrige Stufe stellen, Eigelbe unterziehen. Nur so lang, bis keine gelben Spuren mehr zu sehen sind.

3 Mehl, Speisestärke und Backpulver miteinander mischen, drüber stäuben und mit dem Schneebesen locker unterziehen. Teig in die Form füllen, glattstreichen. Auf der unteren Schiene ungefähr 50 Minuten backen. Stäbchenprobe nicht vergessen. In der Form 5 – 10 Minuten ausdampfen lassen, rauslösen und über Nacht stehenlassen.

4 Zum Belegen die Birnen vierteln und schälen, das Kerngehäuse rausschneiden. Birnen der Länge nach in ungefähr 1/2 cm dicke Scheiben schneiden. In einem Topf Zitronensaft, Weißwein, Vanillezucker und Zimt aufkochen lassen. Hitze stark runterschalten, Birnenschnitze einlegen und ungefähr 5 Minuten leicht köcheln lassen. Neben dem Herd im Sud erkalten lassen.

5 Für die Karamelcreme den Zucker im Topf erwärmen, bis er sich aufgelöst hat, leicht braun ist und schäumt. Dabei immer umrühren. Knapp 1/8 l Wasser dazugießen. Keine Angst, es zischt und der Zucker wird hart. Aber mit der Zeit, und wenn man ab und zu durchrührt, wird er wieder flüssig.

6 Von der kalten Milch ein paar Eßlöffel abnehmen. Die übrige Milch in einen Topf schütten. Vanilleschote längs aufschlitzen, Mark rauskratzen. Schote mit Mark und dem Karamel zur Milch geben und erhitzen. Eigelbe mit der kalten Milch und der Speisestärke gut verrühren. Vanilleschote aus der heißen Milch fischen. Topf vom Herd ziehen, Eigelbmasse unterschlagen. Wieder auf den Herd setzen und unter Rühren einmal aufkochen lassen. Sofort vom Herd ziehen, abkühlen lassen. Ab und zu durchrühren.

7 Jetzt den Tortenboden in drei Schichten teilen. Den unteren und den mittleren mit einigen Eßlöffeln vom Birnensud tränken. Diese beiden Böden werden außerdem mit Karamelcreme bestrichen, alle drei Böden zusammensetzen, Torte rundherum mit der übrigen Creme dünn bestreichen. Birnen abtropfen lassen und auf der Oberfläche verteilen. Sahne mit Vanillezucker steif schlagen. Amarettini in eine Plastiktüte geben und mit dem Nudelholz drüber rollen, bis grobe Brösel draus geworden sind. Auf die Torte streuen. Kleine Sahnetupfen oder Häufchen auf die Torte setzen. Schmecken lassen!

So viel Zeit muß sein: 1 Stunde 40 Minuten, davon 40 Minuten aktiv, ohne Kühlzeit
Kalorien pro Stück: 230

Beerige Joghurttorte
Cool an heißen Tagen

Für 14 Stück Torte

Für den Teig:

125 g kalte Butter, 250 g Mehl

75 g Zucker, 1 Ei

Für die Füllung:

700 g gemischte Beeren (z. B. Erdbeeren, Himbeeren, schwarze Johannisbeeren)

150 g Zucker, 8 Blatt Gelatine

400 g Joghurt

100 g Quark (oder Frischkäse)

Zum Verzieren:

1 Päckchen Tortenguß

$^1/_8$ l roter oder violetter Saft (Himbeer, Holunder oder schwarze Johannisbeere)

150 g Sahne

1 EL Zucker

Zum Blindbacken:

Butterbrotpapier und getrocknete Bohnen oder Erbsen

Mürbeteig • 25 Min. • 200 Grad

Springform, 26 oder 28 cm Ø

1 Butter würfeln und mit Mehl, Zucker und Ei zu einem glatten Teig verkneten. Die ungefettete Springform mit dem Teig auskleiden, dabei einen 3 – 4 cm hohen Rand hochziehen. Teig in der Form 1 Stunde kühl stellen.

2 Backofen auf 200 Grad vorheizen (am besten auch schon jetzt vorheizen oder nachher ein bißchen länger backen: Umluft 180 Grad). Aus dem Butterbrotpapier ein rundes Stück zuschneiden, das Teigboden und -rand bedeckt. In die Form auf den Teig legen, so viele Hülsenfrüchte drauf schütten, daß der Boden bis zum Teigrand bedeckt ist.

3 Teig auf der mittleren Schiene ungefähr 25 Minuten backen, bis er schön braun ist. Hülsenfrüchte und Papier entfernen. Teig in der Form fast abkühlen lassen, rauslösen und auf eine Kuchenplatte legen.

4 Für die Füllung Beeren verlesen, also schlechte Früchte, Blätter und ähnliches aussortieren, Beeren am besten nicht waschen. Ungefähr ein Viertel zum Verzieren weglegen, die übrigen Beeren mit 50 g Zucker sehr fein zerdrücken.

5 Gelatine 5 Minuten in kaltes Wasser legen. Joghurt mit Quark und restlichem Zucker gründlich verrühren. Gelatine tropfnaß in ein kleines Töpfchen geben, leicht erwärmen, bis sie flüssig ist. Mit 1 EL von der Joghurtmasse verrühren, dann unter den Rest rühren. Beerenpüree so locker unterheben, daß das Ganze wie Marmor aussieht. In den Teigboden füllen. 3 Stunden in den Kühlschrank stellen, bis alles schnittfest ist.

6 Dann den Tortenguß nach Packungsaufschrift mit dem Fruchtsaft zubereiten. Sahne mit dem Zucker steif schlagen. Übrige Beeren und Sahnetupfen auf der Torte verteilen, mit Guß in Streifen oder lockeren Wellenformen verzieren. Fest werden lassen und essen.

So viel Zeit muß sein: $2\,^1/_4$ Stunden, davon gut 1 Stunde zu tun – ohne die Kühlzeit
Kalorien pro Stück: 285

Basic Tip

Angst vor Gelatine? Wer noch nie was mit ihr gemacht hat, läßt es oft bleiben. Ganz zu Unrecht, weil sie ganz easy ist. Sie will nur Wasser, bis sie weich wird (dauert fünf Minuten) und wenig Hitze (entweder tropfnaß oder in wenig Flüssigkeit), damit sie flüssig wird. (Zu heiß will sie nicht werden, weil dann wird sie auch nicht mehr fest.) Und wenn sie dann erst einmal flüssig ist, verrührt man sie mit 1-2 EL von dem, was sie fest machen soll, dann kommt das unter den Rest. Weil es sich dann auch gleichmäßig drin verteilt.

Pinke Käsesahne
Darauf stehen alle!

Für 16 Stück Torte

Für den Teig:

150 g Mehl

100 g kalte Butter

2 EL Zucker

1 Prise Salz

Für den Belag:

600 g TK-Himbeeren

3 sehr frische Eigelbe

150 g Zucker

1 EL Zitronensaft

500 g Quark oder Topfen

10 Blatt Gelatine

eventuell einige Tropfen rote Speisefarbe

500 g Sahne

3 sehr frische Eiweiße

Außerdem:

Himbeeren zum Garnieren

Puderzucker zum Bestäuben

Mürbeteig • 10 Min. • 200 Grad

Springform, 24 oder 26 cm Ø

1 Für den Belag erstmal die Himbeeren in ein Sieb schütten, über eine Schüssel hängen und auftauen lassen. Das dauert ungefähr 4 Stunden.

2 Den Backofen auf 200 Grad vorheizen (auch schon jetzt: Umluft 180 Grad). Für den Teig Mehl mit Butter in kleinen Stücken, Zucker, Salz und 3 – 4 EL kaltem Wasser gut verkneten. Nur den ungefetteten Springformboden mit dem Teig auskleiden. Mit dem Nudelholz drüber rollen, damit er schön glatt wird. Mit einer Gabel ein paarmal einstechen und im Ofen auf der mittleren Schiene ungefähr 10 Minuten backen, bis er goldbraun ist. Abkühlen lassen.

3 In der Zeit schon mal was für den Belag tun. Eigelbe und Zucker in die große Schüssel füllen und mit den Quirlen gut schaumig schlagen. Zitronensaft und Quark dazurühren.

4 Gelatine in kaltem Wasser 5 – 10 Minuten einweichen, bis sie weich wird. Himbeeren fein zerdrücken. Nicht pürieren, sonst zerschlägt es die Kerne, und das Ganze kann bitter schmecken. Vom abgetropften Himbeersaft 4 EL abmessen und heiß werden lassen. Vom Herd ziehen, Gelatineblätter nacheinander dazugeben und unter Rühren auflösen.

5 Himbeerpüree mit der Quarkcreme verrühren. Die Gelatine mit ein paar Löffeln davon verrühren, dann verteilt sie sich gleichmäßiger im Rest, in den sie jetzt kommt. Wenn die Creme jetzt noch nicht pink genug ist, tropfenweise Lebensmittelfarbe unterrühren. Den Tortenboden vom Formboden lösen und auf eine Tortenplatte oder einen großen Teller legen.

6 Schüssel mit der Himbeercreme ungefähr 5 Minuten in den Kühlschrank stellen, bis sie anfängt, fest zu werden.

7 Um den Tortenboden kommt jetzt entweder ein Tortenring oder einfach der Rand von der Springform. Die Sahne sehr steif schlagen, die Eiweiße auch.

8 Sahne und Eischnee unter die Quarkmasse heben. Masse auf dem Teig im Ring verteilen und glatt verstreichen. Mindestens 2 Stunden in den Kühlschrank stellen, bis die Creme ganz fest ist. Dann den Tortenring entfernen, die Torte mit Himbeeren verzieren und mit Puderzucker bestäuben – oder umgekehrt.

So viel Zeit muß sein: $1\,^1/_4$ Stunden,
davon ungefähr 45 Minuten aktiv,
dazu kommt dann noch die Kühlzeit
Kalorien pro Stück: 285

Basic Tip

Wer Teig mindestens genauso gerne mag wie saftige Füllungen, kann auch obendrauf Teig machen. Dafür aus 200 g Mehl und 100 g Butter, 2 EL Zucker und 1 Prise Salz (eventuell etwas kaltes Wasser dazugeben) einen Mürbeteig kneten und zwei dünne Böden backen. Einen davon gleich nach dem Backen in Tortenstücke schneiden und dann zum Schluß auf die Torte legen.

Flockentorte mit Obst

Leicht wie frisch gefallene Schneeflocken, und das im Sommer!

Für 12 Stück Torte

Für den Teig:

1 EL Zucker, 1 Prise Salz, 80 g Butter

150 g Mehl, 4 Eier

Für die Füllung:

1 kg Früchte (sehr gut: frische Feigen und blaue Weintrauben, auch gut: alle Beeren, Pfirsiche oder Nektarinen)

500 g Sahne, 1 Päckchen Sahnesteif

2 Päckchen Vanillezucker

abgeriebene Schale von 1 unbehandelten Zitrone

Fürs Blech: Backpapier

Nach dem Backen: Puderzucker

Brandteig • 2mal 15 Min. • 220 Grad

1 Für den Teig $^1/_4$ l Wasser mit Zucker und Salz in einen Topf schütten. Butter würfeln, dazu, aufkochen, vom Herd ziehen.

2 Mehl auf einmal dazuschütten und gut rühren. Wieder auf den Herd stellen und weiterrühren und garen, bis der Teig ein Kloß ist. In eine Schüssel legen, 15 Minuten abkühlen lassen. Dann ein Ei nach dem anderen gründlich unterrühren.

3 Den Backofen auf 220 Grad vorheizen (auch schon jetzt: Umluft 200 Grad). Zwei Backbleche mit Backpapier auslegen, auf jedem Blech einen Kreis von 26 cm Durchmesser aufzeichnen. Jeweils ein Viertel vom Teig darauf verstreichen. Tortenböden nacheinander auf der mittleren Schiene jeweils ungefähr 15 Minuten backen. Aber Hände weg von der Backofentür. Bekommt der Teig zu früh kalte Luft ab, fällt er zusammen.

4 Die 4 Tortenböden abkühlen lassen. Früchte waschen. Feigen in Achtel schneiden, Trauben halbieren und entkernen. Oder Beeren verlesen und nur große kleiner schneiden. Oder Pfirsiche häuten oder Nektarinen waschen, halbieren, entsteinen und würfeln.

5 Sahne mit Sahnesteif, Vanillezucker und Zitronenschale steif schlagen. Einen Teigboden mit einem Drittel der Sahne bestreichen und mit Früchten belegen. Wieder einen drauf legen und bestreichen und belegen, dann nochmal einen. Den letzten in Stücke schneiden, drauf legen und mit Puderzucker bestäuben. Bald essen.

So viel Zeit muß sein: 1 Stunde 20 Minuten, davon 1 Stunde aktiv
Kalorien pro Stück: 295

Dreieckstorte

Fast zu schnell für eine Torte

Für 16 Stück Torte

Für den Teig:

4 Eier, 1 Prise Salz, 50 g Zucker

1 Päckchen Vanillezucker, 2 Eigelbe

125 g Mehl, 1 Messerspitze Backpulver

Für die Füllung:

200 g Zartbitter-Schokolade

400 g Sahne, 250 g grüne Weintrauben

250 g Brombeeren oder 300 g Zwetschgen

100 g Preiselbeerkonfitüre (aus dem Glas)

50 g Mandelsplitter

Fürs Blech: Backpapier

Nach dem Backen: Kakaopulver

Biskuitteig • 10–12 Min. • 200 Grad

1 Den Backofen auf 200 Grad vorheizen (auch schon jetzt einstellen: Umluft 180 Grad). Backblech mit Backpapier auslegen.

2 Eier trennen. Eiweiße zu Schnee schlagen. Wenn sie anfangen, fest zu werden, Salz, Zucker und Vanillezucker einrieseln lassen und weiter schlagen, bis der Eischnee fest ist. Nach und nach alle 6 Eigelbe einrühren. Mehl mit Backpulver mischen und darüber streuen, locker unterheben.

3 Teig gleich aufs Backpapier häufen, mit dem Teigschaber verstreichen. Ungefähr 1 cm dick. Teig auf der mittleren Schiene 10 – 12 Minuten backen. Er soll, wenn man mit dem Finger drauf langt, nicht mehr kleben.

4 Während der Teig im Ofen ist, schon mal ein sauberes Küchentuch auf der Arbeitsfläche ausbreiten. Den gebackenen Biskuit sofort auf das Tuch stürzen, Backpapier abziehen. Teigplatte kalt werden lassen.

5 Inzwischen für die Füllung die Schoko in Stücke brechen, in einer Tasse im heißen Wasserbad schmelzen lassen. Die Schokolade in eine Schüssel gießen und kühl werden lassen.

6 Sahne steif schlagen, etwa ein Drittel davon unter die Schokolade rühren, den Rest mit dem Schneebesen unterheben. Schokosahne in den Kühlschrank stellen.

7 Trauben waschen und halbieren. Eventuell die Kerne rausholen. Brombeeren waschen und abtropfen lassen. Oder Zwetschgen waschen, halbieren und den Stein rauslösen. Zwetschgen würfeln.

8 Zurück zum Teig: der wird in ein großes Dreieck geschnitten und in zwei kleine, die zusammen auch ein großes werden. Also am oberen Ende die Mitte finden. Von da aus ein Lineal in die linke untere Ecke legen, mit dem Messer entlang abschneiden. Dann wieder oben an die Mitte gehen und das Lineal jetzt zur rechten unteren Ecke ziehen. Wieder abschneiden. Links und rechts oben liegen jetzt die beiden kleinen Dreiecke. Die setzt man mit zwei von den kürzeren Seiten so aneinander, daß sie so groß sind wie das große in der Mitte.

9 Das große Dreieck liegt unten. Die Preiselbeerkonfitüre darauf verstreichen. Knapp die Hälfte von der Schokosahne auch. Die beiden kleineren Dreiecke aufsetzen, Torte rundherum mit der übrigen Schokosahne verkleiden. Der Rand wird mit Mandelsplittern verziert. Die Früchte kommen in bunter Folge auf die Oberfläche und werden leicht mit Kakao überstäubt.

So viel Zeit muß sein: 50 Minuten
Kalorien pro Stück: 260

Schwimmbadtorte
Schmeckt nach Ferien

Warum die so heißt? Wer das weiß, bekommt einen Preis. Wir vermuten, daß es die Wellen obendrauf sind.

Für 14 – 16 Stück Torte

4 Eier, 100 g weiche Butter

300 g Zucker, 4 EL Milch

125 g Mehl, 2 gestrichene TL Backpulver

1 Päckchen Vanillezucker

60 g Mandelblättchen

2 Dosen Mandarinen (abgetropft etwa 600 g)

400 g Sahne

Für die Form: Backpapier

Rührteig • 2mal 25 – 30 Min. • 200 Grad

Springform, 26 oder 28 cm Ø

1 Die Eier trennen. Die Butter mit 100 g Zucker cremig rühren. Nach und nach die Eigelbe darunterrühren, dann die Milch, und alles schön schaumig rühren. Mehl und Backpulver mischen, darunterziehen. Ofen auf 200 Grad vorheizen (Umluft ohne Vorheizen: 180 Grad). Eiweiße steif schlagen, übrigen Zucker und Vanillezucker unterrühren. Form mit Backpapier auskleiden.

2 Die Hälfte des Teigs dünn in der Form glattstreichen, darauf die Hälfte des Eischnees geben und mit einem angefeuchteten Eßlöffel zu Wellen formen. Die Hälfte der Mandeln darüber streuen und den Boden im Ofen 25 – 30 Minuten backen, bis er leicht gebräunt ist. Auf dieselbe Weise noch einen Boden backen. Beide abkühlen lassen.

3 Mandarinen abtropfen lassen. Sahne steif schlagen. Mandarinen auf einem Teigboden verteilen. Sahne darüber streichen. Den zweiten Boden in 14 – 16 Stücke teilen und obenauf setzen. Am selben Tag essen.

So viel Zeit muß sein: 1 1/2 Stunden, davon ungefähr 35 Minuten zu tun
Kalorien pro Stück (bei 16): 295

Exotische Reistorte
Ganz was Feines

Für 16 Stück Torte

Für den Teig:

50 g kalte Butter

150 g Mehl

3 EL Zucker, 1 Eigelb

Für den Belag:

1 Limette

1 Mango

1 Papaya

100 g Dosenananas im eigenen Saft

350 ml Milch

120 g Milchreis

50 g Zucker

1 Päckchen Vanillezucker

6 Blatt Gelatine

200 g Sahne

$^1/_4$ l Orangensaft

1 Päckchen heller Tortenguß

Zum Blindbacken: Butterbrotpapier und Hülsenfrüchte

Mürbeteig • 25 Min. • 180 Grad

Springform, 26 oder 28 cm Ø

1 Für den Boden die Butter würfeln und mit den übrigen Zutaten verkneten. Den Teig auf dem Boden der Springform flachdrücken, 1 Stunde kühl stellen.

2 Den Ofen auf 180 Grad vorheizen (Umluft auch schon jetzt: 160 Grad). Teig mit einem zugeschnittenen Stück Butterbrotpapier belegen und mit Hülsenfrüchten beschweren. 15 Minuten auf der mittleren Schiene blindbacken, dann Hülsenfrüchte und Papier rausnehmen, Teig noch mal 10 Minuten backen. Aus der Form lösen, abkühlen lassen.

3 Die Limette heiß waschen und die Schale dünn abreiben, den Saft auspressen. Mango schälen, Fruchtfleisch vom Kern schneiden und würfeln. Papaya halbieren, entkernen und schälen, das Fruchtfleisch würfeln. Ananas in Stücke schneiden. Alles Obst mit dem Limettensaft verrühren.

4 Die Milch mit der Limettenschale aufkochen und den Milchreis darin bei schwacher Hitze 25 – 30 Minuten quellen lassen, in den letzten 5 Minuten 30 g Zucker und den Vanillezucker dazu. Gelatine 5 Minuten in kaltem Wasser einweichen, ausdrücken und die Blätter nacheinander unter Rühren im gegarten Milchreis auflösen. Abkühlen lassen und kühl stellen.

5 Die Sahne steif schlagen. Wenn der Milchreis zu gelieren beginnt, also fester wird, die Früchte samt Saft unterrühren und dann die Sahne unterheben. Die Mischung auf den Teigboden in der Form geben, glattstreichen und kühl stellen.

6 Den Orangensaft mit dem übrigen Zucker und dem Tortenguß nach Packungsaufschrift verkochen, etwas abkühlen lassen und auf die Reistorte streichen. Nach Wunsch mit Früchten oder auch mit hübschen Blüten verzieren und mindestens 2 Stunden durchkühlen lassen.

So viel Zeit muß sein: 45 Minuten aktiv, 3 Stunden relaxed
Kalorien pro Stück: 165

Tip

Früchte austauschen ist erlaubt: wer keine Exoten kaufen kann oder will, nimmt zu der Ananas aus der Dose Pfirsiche oder Aprikosen (frisch oder auch aus der Dose). Gut schmecken auch Kirschen, dann aber ohne Ananas.

Baisertorte mit Beeren

Zuckersüß und schmelzend gut

Die muß man noch nicht mal kauen, die läßt man sich einfach auf der Zunge zergehen!

Für 10 Stück Torte

Für den Baiser:

4 ganz frische Eiweiße von großen Eiern

1 TL Zitronensaft

250 g Zucker

Für die Füllung:

600 g gemischte Beeren

100 g Quark

300 g Sahne

30 g Puderzucker

2 TL Zitronensaft

Fürs Blech: Backpapier

Baiser • 45 Min. – 1 Std. • 120 Grad

1 Den Backofen auf 120 Grad vorheizen (ohne Vorheizen: Umluft 100 Grad). Ein Backblech mit Backpapier auslegen.

2 Eiweiße in eine fettfreie Schüssel schütten und mit den Quirlen vom Handrührgerät gut steif schlagen. Zitronensaft dazugeben, der gibt Standfestigkeit. Die Hälfte vom Zucker unter Weiterschlagen löffelweise einrieseln lassen. Rest vom Zucker auf einmal dazuschütten. Noch so lang weiterschlagen, bis die Masse sehr steif, glatt und glänzend ist. Wenn man die Schüssel auf den Kopf stellt, darf nichts raustropfen.

3 Eischnee in einen Spritzbeutel mit glatter Tülle (Ersatz Seite 23) füllen. Auf dem Backpapier mit einem Springformrand von 24 cm Durchmesser zwei Kreise aufzeichnen, von innen nach außen spiralförmig zwei Tortenböden draufspritzen.

4 Baiserböden im heißen Ofen auf der mittleren Schiene in 3/4–1 Stunde mehr trocknen lassen als backen. Dann mit dem Papier vom Blech nehmen und ganz abkühlen lassen.

5 Beeren gut durchsuchen und alle faulen Stücke aussortieren. Beeren lieber nicht waschen, höchstens kurz in stehendem kalten Wasser, aber sie saugen sich schnell voll. Ein paar zum Garnieren weglegen. Ungefähr ein Drittel von den übrigen Beeren fein zerdrücken. Restliche je nach Größe ganz lassen oder kleiner schneiden.

6 Beerenpüree mit Quark verrühren, andere Beeren untermischen. Sahne sehr steif schlagen, dabei den Puderzucker einrieseln lassen und den Zitronensaft auch dazugeben. Unter die Beerenmischung heben.

7 Einen von den Baiserböden auf eine Tortenplatte oder einen großen Teller legen, mit der Hälfte der Beerencreme bestreichen. Anderes Baiser drauf und mit übriger Creme bestreichen. Mit ganzen Beeren verzieren. Bald servieren, damit die Böden nicht durchweichen. Und: Schneiden nur mit einem ganz scharfen Messer – noch besser: Elektromesser.

So viel Zeit muß sein: 1 1/2 Stunden, davon 50 Minuten zu tun
Kalorien pro Stück: 245

Tip

Im Sommer ist die Torte ein tolles Dessert, das sich sogar gut vorbereiten läßt: Baiser schon am Vortag backen, dann braucht vor dem Servieren nur noch schnell die Beerencreme gemischt werden.

Dicke fette Buttercreme-torte

So klein, daß nichts übrig bleibt

Diese süße Sünde kommt aus der kleinen Form: 18 cm Durchmesser.

Für 8 Stück Torte

Für den Teig:

3 Eier

1 Prise Salz

50 g Zucker

1 Päckchen Vanillezucker

50 g Mehl

$^1/_2$ TL Zimt

1 gestrichener EL Speisestärke

$^1/_2$ TL Backpulver

Für die Buttercreme:

1 EL Walnußkerne

1 Eigelb

30 g Speisestärke

$^1/_4$ l Milch

125 g weiche Butter

50 g Puderzucker

Für die Form: Butter und Semmelbrösel

Zum Verzieren:

2 EL Walnußkerne

1 EL Honig oder Ahornsirup

Biskuitteig • 25 Min. • 180 Grad

Springform, 18 cm Ø

1 Den Backofen auf 180 Grad vorheizen (ohne Vorheizen: Umluft 160 Grad). Den Boden der Springform mit Butter bepinseln und mit Bröseln ausstreuen.

2 Die Eier trennen. Zuerst die Eiweiße mit dem Salz steif schlagen. Wenn sie schon fest werden, den Zucker und den Vanillezucker einrieseln lassen. Eigelbe einzeln unterziehen (wenn zwei auf einmal in den Schnee rutschen, ist das auch nicht weiter schlimm). Mehl mit Zimt, Speisestärke und Backpulver mischen und auf die Eimasse rieseln lassen. Mit dem Schneebesen unterziehen.

3 Teig in die Form füllen, glattstreichen. Kuchen im Ofen auf der unteren Schiene ungefähr 25 Minuten backen. Stäbchenprobe machen. Fertigen Teig in der Form 5–10 Minuten stehenlassen, rauslösen und über Nacht oder zumindest ein paar Stunden in Ruhe lassen.

4 Dann für die Creme die Walnußkerne in der Nußreibe oder einer anderen Reibe fein reiben. Mit Eigelb, Speisestärke und etwas kalter Milch in einem Topf gut verrühren. Jetzt erst die übrige Milch unterrühren. Wenn sie gleich ganz dazukommt, wird die Masse nicht so schön glatt.

5 Auf den Herd stellen, unter ständigem Rühren einmal kurz aufkochen lassen, wegziehen und abkühlen. Immer mal wieder durchrühren, sonst schwimmt nachher oben eine dicke Haut.

6 Butter mit dem Puderzucker schön cremig rühren. Walnußmasse löffelweise drunterrühren. Teigboden in drei Schichten schneiden (Zwirn oder Messer).

7 Die zwei unteren Böden ungefähr $^1/_2$ cm dick mit Buttercreme bestreichen, zusammensetzen, den oberen auch auflegen. Torte rundherum mit der übrigen Creme bestreichen. Walnußkerne in kleine Stücke brechen und in einer Pfanne ohne Fett bei mittlerer Hitze anrösten, bis sie fein duften. Honig oder Ahornsirup untermischen. Walnüsse leicht abkühlen lassen, dann auf der Torte verteilen.

So viel Zeit muß sein: gut 1 Stunde, davon 40 Minuten zu tun – ohne die Ruhezeiten
Kalorien pro Stück: 330

Basic Tip

Gleich ist Schluß mit Süßem, und deswegen gibt es jetzt noch ein fettes Extra: Süße Trüffel. Schwere Dinger, die ganz leicht zu machen sind. Das Grundrezept geht so:

Für 30 Trüffel
350 g Kuvertüre (halb Vollmilch, halb Halbbitter) in Stücke schneiden. 125 g Sahne erwärmen, Kuvertüre darin bei schwacher Hitze schmelzen lassen. Wenn die Trüffelmasse abgekühlt ist, kommt sie mit Folie abgedeckt über Nacht in den Kühlschrank.
Am nächsten Tag wird sie schaumig geschlagen und portioniert. Dazu braucht es eine Grundlage (Blech oder Brett), die in den Kühlschrank paßt. Diese mit Backpapier belegen. Von der Trüffelmasse mit einem Teelöffel Portionen abstechen, 1 Stunde kühlen.
Die Stücke mit kalten Händen (öfters kalt waschen, Abtrocknen nicht vergessen) zu Kugeln formen. 250 g Halbbitter-Kuvertüre vorschriftsmäßig schmelzen und die Trüffel eintauchen, mit einer Gabel rausholen und abtropfen lassen. Auf Backpapier setzen und fest werden lassen.

Zum Knabb

Das Leben als Couchpotatoe kann wirklich eine Freude sein ...

ern

Pomme de chaiselongue, Patata di veranda, Sofakartoffel – Couchpotatoe ist überall. Hockt einfach nur so rum, ißt nichts Richtiges, knabbert bloß was aus der Hand. Und freut sich dabei ständig seines Lebens, dieses herrlich faule Stück.

Kommst du nach Italien, streckt er die Füße in den Sand und nascht Focaccia. Bist du in Frankreich, sitzt sie im Straßencafé und beißt ungeniert ins Baguette. Stolperst du in einen Münchner Biergarten, grinsen dich von allen Seiten die Brezn-Beißer an. Bagels im New Yorker Deli, Blinis in der Datscha auf der Krim, Teigtaschen in der griechischen Weinlaube: Couchpotatoes hocken immer da, wo es am schönsten ist. Auch wenn dort keine Couch steht.

Aber die steht dafür zu Hause, wo es doch sowieso am allerschönsten ist. Zumindest Sonntagmorgens. Nette Nacht gehabt, spät aufgewacht und dann gleich mit ein paar selbstgebackenen Brötchen aufs Sofa gekrochen. Das Leben als Couchpotatoe kann wirklich eine Freude sein. Wir haben die Erfolgsrezepte dafür.

Brote für die Welt, Teil II oder Fünf fixe Brotaufstriche

Was bisher geschah: Melina, Nadja, Charles, Sieglinde, Gregory, Lorenza und der rassige Pedro – dieses fidele Sandwich-Septett traf zum ersten Mal in »Basic cooking« auf Seite 40 zusammen. Seitdem sind die fröhlichen Sieben unzertrennlich und haben eine Reihe von turbulenten Verwicklungen und überraschenden Abenteuern erlebt. Doch jetzt wird es erst richtig lustig, denn die Brotaufstrichbande ist nebenan eingezogen. Schauen wir doch gleich mal vorbei ...

Brote für Anton

2 Paar Wiener Würstchen in dünne Scheiben schneiden, mit 2 TL grobem Senf und Schnittlauchröllchen mischen und auf Baguette häufeln. Ergibt etwa 200 g

Brote für Helga

1 Möhre schälen und raspeln, 4 Frühlingszwiebeln fein schneiden. 200 g Doppelrahmfrischkäse und 2 EL Joghurt damit verrühren, dazu kommen noch 4 EL geriebener Käse und etwas Petersilie. Etwas fürs Vollkornbrot. Knapp 300 g

Brote für Dimitri

gekochte Kartoffeln grob mit der Gabel zerdrücken und mit ein wenig Olivenöl, Basilikum und Knoblauch zu einer festen Masse machen. Pinienkerne nach Wunsch anrösten und auf das fertig bestrichene Brot streuen. Raffiniert auf geröstetem Weißbrot

Brote für Erika

1 normale Dose Thunfisch im Sud gut abtropfen lassen und den Fisch zerpflücken. 2 Gewürzgurken würfeln, 1 Äpfelchen schälen und reiben, dies alles mit 1 EL Mayonnaise, 1 EL Joghurt und gehacktem Dill vermengen. Toll auf Roggenbrot. Etwa 200 g

Brote für Gloria

5 EL Honig und 3 EL Sahne erwärmen und darin je 50 g Butter und Nußnougat schmelzen. Da noch 50 g gemahlene Haselnüsse und 1 EL Kakaopulver einrühren, fertig ist der Nougataufstrich fürs Sonntagsbrötchen. Ergibt etwa 250 g

S.O.S

Antworten auf alle FAVs (Fragen aus Verzweiflung) von unserer Basic-Backtante

Ich eß gern Brot, am liebsten ganz frisch. Und oft kauf ich mir dann schon wieder ein neues, wenn das andere noch gar nicht alle ist, aber schon so alt schmeckt. Nicht gut, ich weiß. Aber wie lange bleibt Brot nun eigentlich frisch? Und was kann ich mit dem übrigen anfangen?

Sarah aus Berlin

Tante Ilse rät:

Was heißt schon »frisch«? Manche mögen ihr Sauerteigbrot erst drei Tage nach dem Kauf anschneiden, weil es dann den richtigen Geschmack haben soll. Andere wie Du wollen lieber die krachige Kruste und das saftige, duftende Innere. Aber es hängt auch vom Brot ab, wann seine Zeit gekommen ist. Ein Baguette überlebt den Tag zum Beispiel nicht, weil es schnell hart und trocken wird, ebenso Laugengebäck. Ein Weißbrot bleibt schon mal 2 Tage frisch, ist etwas Roggen dabei, können es 3 – 4 Tage sein. 5 – 6 Tage gebe ich Roggenmischbrot, noch zwei mehr dem reinen, schweren Roggen- oder Vollkornbrot. Toastbrot kann sich im Kühlschrank bis zu 1 Woche halten.

Dein Name sei Brot

Gassenhauer, Hinterwälder Robustlaib, Weltmeisterbrot - Phantasienamen im Backregal, hinter denen oft dieselbe Backmischung vom Großlieferanten steht. Dieser Einfallsreichtum hat - gute - Tradition, wie die Namensbrote zeigen. Das sind entweder süße Hefegebäcke oder schwere Bauernbrote, die an jedem Namenstag anders heißen und wirken. Kein schlechtes Geschenk, wenn man viele Freunde aus katholischem Elternhaus hat. Aber bitte selber backen.

Das Brot, sein Tag, seine Bedeutung

Erhardbrot	8. Januar	schützt vor Viehkrankheiten
Sebastiansbrot	20. Januar	schützt vor Pest
Agathabrot	5. Februar	schützt vor Feuer; hilft bei Brustschmerz; stärkt neues Vieh; schwimmt über Ertrunkenen
Gertraudsbrot	17. März	zur Feier des Frühlingsanfangs
Laurentiusbrot	10. August	Spende an die Armen
Michaelsbrot	29. September	zur Besänftigung der Geister
Hubertusbrot	3. November	heilt Hunde von Tollwut
Martinsbrot	11. November	schützt vor Blitzschlag
Andreasbrot	30. November	Werbegeschenk der Braut an den Bräutigam; nach dem Abgeben kehrt sie ihm nackt die Stube aus
Klausenbrot	6. Dezember	Geschenk an die Armen und Kinder
Luciabrot	13. Dezember	hilft gegen den Biß von tollwütigen Hunden
Stephansbrot	26. Dezember	Lädt ein Mädchen zu diesem Früchtebrot, geht's um die Ehe. Kommt der Bursche nicht, war's das für ihn. Kommt er und bröckelt's beim Anschnitt, war's das für sie. Läuft alles glatt, wird im nächsten Jahr geheiratet

Wer's weltlicher mag, kann auch folgendes schenken:

Windelbrot	fürs Baby zur Geburt, ein Stückchen in der Windel macht ein Leben lang satt
Wochenbettbrot	süßes Brot für die Hebamme als Dankeschön
Dämmerlbrot	zur Taufe, gut als Schnuller, für Jungs mit Käse (fördert Bartwuchs!)
Liebesbrot	sie streicht sich mit Honig ein, wälzt sich in Körnern und bäckt Brot aus dem, was kleben bleibt. Probiert er's, kommt er nie mehr von ihr los
Hochzeitsbrot	wird in den Schrank gelegt. Schimmelt's oben zuerst, lebt die Frau länger. Schimmelt's unten, der Mann
Gewöhnbrot	für die Braut gegen Heimweh, gerne mit eingebackenem Mädchenzimmerstaub. Und dann kommt wieder das Windelbrot

Aus dem Küchenschatz

Der Rest vom Brot

Auch trockene Brotreste sind was Feines, weil man was draus machen kann. Wenn vom Ciabatta was übrig bleibt, kann das mit Tomaten, Mozzarella und Basilikum in eine Form geschichtet werden. Dann kommt eine Marinade drüber, und nach 20 Minuten gibt es das als Antipasti. Oder altes Toastbrot wird entrindet, gewürfelt, mit Kochschinken, Käse und Salbei gemischt und in eine Tarteform gelegt. Drüber kommt Eiermilch mit viel Ei und dann ab in den Ofen damit.

Einfach, aber gut: Mischbrotscheiben durch Pfannkuchenteig ziehen und ausbraten. Schön süß: Brot und Butter Pudding. Dazu 10 Toastscheiben buttern und vierteln. Davon eine Lage in eine Auflaufform geben, mit Rosinen und braunem Zucker bestreuen, und wieder Toast drauf – bis alles alle ist. 4 Eier, 300 ml Milch und $^1/_4$ l Sahne verrühren und gut die Hälfte über die Brote gießen und 30 Minuten stehen lassen. Dann den Rest drauf und 50 Minuten bei 160 Grad backen. Schmeckt toll!

Blättriges Käsegebäck

Zum Knabbern gut

Für 40 Stück

6 Platten TK-Blätterteig (450 g)

2 EL Butter

100 g geriebener Käse (z. B. Emmentaler, Bergkäse, Pecorino oder Gouda)

Fürs Blech: Backpapier

Blätterteig • 12 Min. • 220 Grad

1 Teigplatten aus der Packung nehmen, nebeneinander legen und mit einem Küchentuch abdecken, damit sie beim Auftauen nicht trocken werden. Das Auftauen dauert ungefähr 15 Minuten.

2 Inzwischen schon mal die Butter in einem Topf schmelzen. Und wer Käse am Stück gekauft hat, kann ihn jetzt auch reiben.

3 Eine Teigplatte mit Butter bepinseln und mit etwas Käse bestreuen, zweite drauf legen, wieder bepinseln und bestreuen. Die dritte und letzte kommt pur obendrauf. Und mit den anderen drei Teigplatten nochmal so einen Teigstapel machen.

4 Diese beiden Teigstapel jetzt entweder in den Kühlschrank legen (zugedeckt), wenn man noch länger auf die Gäste warten muß. Oder gleich auf der leicht bemehlten Arbeitsfläche etwa zur doppelten Größe ausrollen. Aus den Teigstücken Streifen von 2 cm Breite und 6 – 8 cm Länge schneiden. Streifen mehrmals um die eigene Achse drehen.

5 Backofen auf 220 Grad vorheizen (auch schon jetzt: Umluft 200 Grad). Backblech mit Backpapier auslegen. Teigspiralen drauf legen und mit Butter bepinseln. Mit dem restlichen Käse bestreuen und auf der mittleren Schiene ungefähr 12 Minuten backen, bis sie aufgegangen und gebräunt sind. Abkühlen lassen.

So viel Zeit muß sein: 50 Minuten
Kalorien pro Stück: 60

Mürbes Käsegebäck

Zum Wein, zum Bier, zum Wohlfühlen

Für etwa 40 Stück

250 g Mehl

Salz, schwarzer Pfeffer

Cayennepfeffer

150 g Roquefort oder Gorgonzola

100 g kalte Butter

50 g Walnußkerne

2 Eier

1 Eigelb

1 EL Milch

Zum Ausrollen: Mehl

Fürs Blech: Backpapier

Mürbeteig • 15 Min. • 200 Grad

1 Mehl mit Salz (nicht zuviel, weil der Käse auch salzig ist), Pfeffer und Cayennepfeffer verrühren. Käse und Butter würfeln. Walnußkerne in kleine Stücke brechen.

2 Käse, Nüsse und Butter mit den 2 Eiern zum Mehl schütten und alles mit den Knethaken oder den Händen gut vermengen. Etwas Mehl über die Hände schütten, Teig halbieren und jedes Stück auf einem Brett mit beiden Händen (nebeneinander) so lange hin und her rollen, bis eine gleichmäßig dicke Rolle – etwa 4 cm groß – dabei rauskommt. Beide Rollen in Klarsichtfolie packen und für circa 1 Stunde in den Kühlschrank legen.

3 Den Backofen auf 200 Grad vorheizen (auch schon jetzt einstellen: Umluft 180 Grad). Das Backblech mit einem Stück Backpapier auslegen.

4 Teigrollen auswickeln, ungefähr 1 cm dicke Scheiben abschneiden und auf das Papier legen. Eigelb und Milch miteinander verrühren, auf die Teigscheiben pinseln.

5 Gebäck im Ofen auf der mittleren Schiene ungefähr 15 Minuten backen, bis es goldbraun ist. Abkühlen lassen.

So viel Zeit muß sein: 40 Minuten, davon 15 Minuten in Ruhe
Kalorien pro Stück: 70

Gefüllte Blätterteig-taschen
Zum Anbeißen

Rechtzeitig dran denken: Spinat braucht eine Weile zum Auftauen, also früh genug aus dem Tiefkühler holen (3–4 Stunden dauert's schon).

Für 8 Stück

300 g TK-Spinat

300 g TK-Blätterteig (4 Platten)

2 Knoblauchzehen

200 g fester Schafkäse oder geriebener Hartkäse

1 Bund Petersilie

1 eingelegte Peperoni (für Freunde scharfer Kost)

2 kleine Eier

2 EL Joghurt oder saure Sahne oder Quark

Salz, schwarzer Pfeffer

1/2 TL gemahlener Koriander

1 Eigelb

1 EL Milch oder Sahne

Zum Ausrollen: Mehl

Blätterteig • 25 Min. • 200 Grad

1 Spinat aus der Packung nehmen, in ein Sieb legen und über eine Schüssel hängen. Auftauen lassen. Wer doch mal vergessen hat, den Spinat rechtzeitig rauszunehmen, muß ihn nach Packungsangabe garen. Dann abkühlen lassen und sehr gut ausdrücken.

2 Blätterteigplatten auch aus der Packung nehmen, nebeneinander ausbreiten und mit einem Küchentuch bedecken. Ungefähr 15 Minuten auftauen lassen.

3 In der Zeit schon mal die Haut vom Knoblauch abziehen, Knoblauch in feine Scheiben schneiden. Schafkäse abtropfen lassen und zerkrümeln. Petersilie waschen und abtrocknen, Blättchen abzupfen und klein hacken. Peperoni kleinschneiden.

4 Den Backofen auf 200 Grad vorheizen (ohne Vorheizen: Umluft 180 Grad). 2 Backbleche unter kaltes Wasser halten, nicht abtrocknen.

5 Den aufgetauten Spinat gut ausdrücken und grob hacken. Mit Knoblauch, Schafkäse, Petersilie, Peperoni, Eiern und Joghurt gut verrühren, mit Salz (nicht zuviel, weil der Käse salzig ist), Pfeffer und Koriander abschmecken.

6 Die Blätterteigplatten einzeln auf wenig Mehl ungefähr doppelt so groß ausrollen. Einmal durchschneiden. Teigstücke auf einer Seite, aber nicht ganz bis zum Rand, mit Spinatmischung belegen, zusammenklappen. Teigränder mit den Zinken von der Gabel zusammendrücken.

7 Taschen auf die Bleche verfrachten, am besten mit der Kuchenschaufel oder dem Pfannenwender. Eigelb und Milch gut verrühren, Taschen damit bepinseln.

8 Im Ofen auf der mittleren Schiene ungefähr 25 Minuten backen, bis der Teig aufgegangen und schön gebräunt ist. Vor dem Essen leicht (sonst gibt's verbrannte Zungen) oder ganz abkühlen lassen.

So viel Zeit muß sein: 1 Stunde, davon 35 Minuten zu tun
Kalorien pro Stück: 250

Und noch mehr Teigtaschen

Mit Linsen-Lauch-Füllung

100 g rote Linsen mit 1/4 l Wasser 10–15 Minuten kochen lassen, bis sie weich sind, gut abtropfen lassen. 1 Stange Lauch waschen, putzen, fein hacken. Mit abgekühlten Linsen, 2 zerdrückten Knoblauchzehen, 3 EL Crème fraîche oder saurer Sahne und 2 Eiern verrühren. 1/2 Bund Schnittlauch fein schneiden, untermischen, mit Salz, Pfeffer und Paprikapulver kräftig abschmecken. Wie beschrieben füllen und backen.

Mit Frischkäsefüllung

50 g gekochten Schinken in Würfeln, 1 Bund Frühlingszwiebeln in Ringen und 1 gewürfelte entkernte Tomate mit 200 g Doppelrahmfrischkäse, 1 Ei und 50 g Sahne mischen. Mit Salz, Pfeffer und Cayennepfeffer kräftig abschmecken. Füllen und backen.

Mit Sauerkrautfüllung

1 kleine Dose Sauerkraut (285 g) ausdrücken und fein schneiden, mit 50 g Speck in kleinen Würfeln, 2 gehackten Frühlingszwiebeln, 1 EL gehackter Petersilie, 2 EL Crème fraîche und 2 kleinen Eiern mischen. Mit Salz, Pfeffer und Paprika abschmecken. Füllen und backen.

Mini Meat Pies

Fürs Picknick und auch gut zum Einfrieren als Notvorrat

Für 12 Stück

Für die Füllung:

350 g Putenbrust, 2 Frühlingszwiebeln

50 g roher Schinken

1 Knoblauchzehe

1 EL Butter, 1 $^1/_2$ EL Mehl

200 ml Hühnerbrühe, Salz, Pfeffer

Für den Teig:

100 ml Milch, 150 g Butter

1 TL Salz, 500 g Mehl

Außerdem:

Mehl zum Ausrollen

Butter für die Formen

2 Eigelbe zum Bestreichen

Knetteig • 50–60 Min. • 160 Grad

Muffinblech

1 Fleisch in 1 cm große Würfel schneiden. Frühlingszwiebeln waschen, putzen und in Ringe schneiden. Schinken grob würfeln.

2 Knoblauch abziehen, hacken und in der Butter glasig dünsten. Mehl darin anschwitzen. Unter Rühren Brühe zugießen und aufkochen lassen. Kräftig salzen und pfeffern, 10 Minuten köcheln, etwas abkühlen lassen. Mit den vorbereiteten Zutaten mischen.

3 Während die Sauce köchelt, schon mal für den Teig 100 ml Wasser, Milch und Butter mit Salz aufkochen. Die heiße Flüssigkeit zum Mehl gießen und alles zu einem glatten Teig verkneten. Handwarm werden lassen.

4 Zwei Drittel vom Teig auf Mehl $^1/_2$ cm dick ausrollen. Daraus 12 Kreise ausschneiden, deren Durchmesser 2 cm größer als die Vertiefungen im Blech sind. Vertiefungen buttern und mit Teig auskleiden, so daß er etwas überlappt.

5 Ofen auf 160 Grad vorheizen (ohne Vorheizen: Umluft 140 Grad). Die Mini Pies zu drei Viertel mit Fleisch samt Sauce füllen und überstehenden Teigrand darüber schlagen. Übrigen Teig ausrollen und zu 12 Deckeln und eventuell Dekostreifen schneiden. Eigelb verquirlen, Ränder damit bestreichen. Deckel aufsetzen und andrücken.

6 Deckel mit Eigelb bestreichen. Die Pies in den Ofen schieben und in 50–60 Minuten knusprig garen. 10 Minuten im ausgeschalteten geöffneten Ofen ruhen lassen, mit einem kleinen Löffel aus der Form heben und essen. Oder fürs Picknick einpacken.

So viel Zeit muß sein: 2 $^1/_4$ Stunden,
davon 1 $^1/_4$ Stunden aktiv
Kalorien pro Pie: 340

Quarkteig-hörnchen

Für Couchpotatoes

Für 16 Stück

Für den Teig:

200 g kalte Butter, 260 g Mehl

$^1/_2$ TL Salz, 250 g gekühlter Magerquark

Für die Füllung:

2 Eigelbe, 2 EL Ölivenöl

2 TL getrocknete Pizza-Kräuter

150 g Salami in dünnen Scheiben

150 g Gouda in dünnen Scheiben

Außerdem:

Mehl zum Ausrollen

1 TL Mohnsamen, 1 TL Sesamsamen

1 TL geriebener Parmesan

Fürs Blech: Butter

Knetteig • 20–25 Min. • 200 Grad

1 Butter würfeln, Mehl mit Salz vermischen. Quark abgetropft mit Butter und Mehl verkneten. In Folie wickeln und 1 Stunde kühlen.

2 Teig auf bemehlter Fläche dünn ausrollen und daraus 16 Quadrate mit 10 cm Seitenlänge schneiden. 1 Eigelb mit 1 EL Öl verquirlen, die Teigplatten damit bestreichen und mit 1 TL Pizza-Kräutern bestreuen.

3 Den Ofen auf 200 Grad vorheizen (auch schon jetzt: Umluft 180 Grad). Salami und Käse auf die Teigquadrate legen, so daß jeweils gut 1 cm Rand bleibt. Die übrigen Kräuter drüber streuen. Den Teig von einer Ecke zur anderen zu Hörnchen aufrollen.

4 Die Hörnchen auf ein gebuttertes Blech setzen. Restliches Eigelb und Olivenöl mit Mohn, Sesam und Parmesan verrühren und die Hörnchen damit bestreichen. Im heißen Ofen 20-25 Minuten golbgelb backen.

So viel Zeit muß sein: 55 Minuten, davon 35 aktiv
Kalorien pro Hörnchen: 255

Mexikanische Käsetaschen
Toller Partysnack

Für etwa 20 Stück

Für den Teig:

200 g weiche Butter, 150 g Sahne

2 Eigelbe, 200 g geriebener Emmentaler

400 g Mehl, 1/2 TL Backpulver

Für die Füllung:

1 Zwiebel, 150 g durchwachsener Räucherspeck, 1 EL Öl

1 TL Tomatenmark, 1 TL Oregano

150 g Tomaten in Stücken (aus dem Tetrapack), Salz, Cayennepfeffer

200 g rote Bohnenkerne (Dose)

150 g Schafkäse, 1 Eigelb

Zum Ausrollen: Mehl

Knetteig • 20 Min. • 200 Grad

1 Butter mit Sahne, Eigelben, Käse, Mehl und Backpulver verkneten. Eingewickelt 1 Stunde kühl stellen.

2 Zwiebel abziehen und würfeln. Speck würfeln und im Öl sanft anbraten. Zwiebel mitdünsten. Tomatenmark samt Oregano kurz mitbraten, mit den Tomaten 15 Minuten einköcheln lassen. Mit Salz und Cayennepfeffer würzen. Bohnen darunterrühren, abkühlen lassen. Schafkäse würfeln, untermengen.

3 Den Ofen auf 200 Grad vorheizen (auch schon jetzt: Umluft 180 Grad). Den Teig auf wenig Mehl 1/2 cm dick ausrollen und in 40 Rechtecke von etwa 10 x 5 cm Seitenlänge schneiden. Die Ränder mit verquirltem Eigelb bestreichen. Je 1 EL Füllung auf ein Rechteck geben, ein zweites darauf legen, die Ränder mit einer Gabel zusammendrücken. Die Käsetaschen aufs Backblech setzen, mit Eigelb bestreichen. Auf der mittleren Schiene in etwa 20 Minuten goldgelb backen.

So viel Zeit muß sein: 1 3/4 Stunden, davon 40 Minuten zu tun
Kalorien pro Tasche: 285

Russische Teigtaschen
Wunderbar einzufrieren

Für etwa 20 Stück

50 g Butter, 2 TL Trockenhefe

250 g Mehl, Salz

200 g junger Weißkohl oder Wirsing

200 g frischer Lachs

1/2 Bund Dill, 2 TL Kümmelkörner

50 g Crème fraîche oder saure Sahne

1 Ei, schwarzer Pfeffer

Zum Ausrollen: Mehl

Fürs Blech: Backpapier

Zum Bestreichen: 1 EL flüssige Butter

Hefeteig • 25 Min. • 180 Grad

1 Butter zerlassen, wieder abkühlen. Hefe mit Mehl, 90 ml lauwarmem Wasser, 1 kräftigen Prise Salz und Butter kräftig durchkneten. Zudecken und 1 Stunde in Ruhe lassen.

2 Kohlblätter ablösen, waschen. So richtig dicke Blattrippen raustrennen. Kohl in Salzwasser ungefähr 5 Minuten kochen lassen, kalt abschrecken. Kohl leicht ausdrücken, fein hacken. Lachs auch fein hacken. Dill waschen und auch fein zerkleinern. Kohl, Lachs und Dill mit Kümmel, Crème fraîche und Ei mischen und mit Salz und Pfeffer würzen.

3 Teig nochmal durchkneten, auf wenig Mehl dünn ausrollen. Mit einem großen Glas Kreise von ungefähr 10 cm Durchmesser ausstechen. Auf einer Seite mit Füllung belegen, zusammenklappen, Ränder zusammendrücken. Backblech mit Backpapier auslegen, Teigtaschen drauf legen.

4 Den Backofen auf 180 Grad vorheizen (auch schon jetzt: Umluft 160 Grad). Teigtaschen mit der Butter bestreichen und auf der mittleren Schiene ungefähr 25 Minuten backen. Am besten lauwarm essen.

So viel Zeit muß sein: 1 3/4 Stunden, davon 1 zu tun
Kalorien pro Tasche: 105

Focaccia mit Rosmarin
Schmeckt nach Urlaub in Italien

Für 4 – 6 Knabberfreunde

500 g Mehl

1 gehäufter TL Salz

8 EL Olivenöl

1/2 Würfel frische Hefe (etwa 21 g)

4 – 5 Zweige frischer Rosmarin

2 – 3 Knoblauchzehen

Fürs Blech: Olivenöl

Zum Ausrollen: Mehl

Zum Bestreuen: grobes Salz

Hefeteig • 20 Min. • 240 Grad

1 Mehl, Salz und 6 EL vom Öl in einer Schüssel verrühren. Hefe zwischen den Fingern zerkrümeln, in 1/4 l lauwarmem Wasser gut verrühren. Zum Mehl schütten, mit den Knethaken oder mit den Händen gut durchkneten. Der Teig löst sich dabei vom Schüsselrand. Zudecken und etwa 1 Stunde ruhig stehenlassen, an einem warmen Platz ohne Zugluft.

2 Zwei Zweige Rosmarin beiseite legen, die restlichen waschen und abtrocknen, die Nadeln abzupfen und hacken. Vom Knoblauch die Haut abziehen, die Zehen halbieren und in feine Scheibchen aufschneiden.

3 Gehackten Rosmarin und Knoblauch unter den Teig kneten. Backblech mit Öl bestreichen. Mehl auf die Arbeitsfläche streuen. Teig zu einer Kugel formen, auf die Arbeitsfläche geben und etwas flach drücken. Mit dem Nudelholz nach allen Seiten möglichst rund ausrollen – ungefähr 1 cm dick. Wenn man an keiner Stelle zu lange hängenbleibt, sondern immer wieder an eine andere geht, gelingt das auch ganz gut. Und perfekt muß es ja sowieso nicht werden.

4 Fladen aufs Blech legen, mit einer Gabel mehrmals einstechen. Restlichen Rosmarin kleinschneiden und auf den Teig legen. Nochmal zudecken und 20 Minuten stehenlassen.

5 Den Backofen auf 240 Grad vorheizen (besser auch schon jetzt: Umluft 220 Grad). Salz auf den Fladen streuen, übriges Öl drüber träufeln. Focaccia im Ofen auf der mittleren Schiene ungefähr 20 Minuten backen, bis sie schön gebräunt ist. Abkühlen lassen, in Stücke brechen und in den Brotkorb legen. Schmeckt besonders gut zu Rotwein oder als Beilage zu gemischten Vorspeisen.

So viel Zeit muß sein: 2 Stunden, davon aber nur 20 Minuten aktiv
Kalorien pro Portion (bei 6): 430

Chapatis
Brot aus der Pfanne

Für 8 Stück

75 g Mehl

125 g Weizenvollkornmehl

Salz, 1 EL Butterschmalz

Zum Abwandeln: Cayennepfeffer oder getrocknete Kräuter unter den Teig kneten

Zum Ausrollen: Mehl

1 Die beiden Mehle mit 1 gestrichenen TL Salz verrühren. Butterschmalz in kleinen Stücken dazugeben. Ungefähr 100 ml lauwarmes Wasser rasch dazuschütten und rühren, bis sich das Mehl zusammenballt. Dann nach und nach noch so viel Wasser unterkneten, bis der Teig schön glatt und geschmeidig ist.

2 Und jetzt kommt die Hauptaufgabe: den Teig 10 – 15 Minuten auf der Arbeitsfläche kräftig durchkneten. Zu einer Kugel formen, in die Schüssel legen und mit einem angefeuchteten Küchentuch abdecken. Ungefähr 30 Minuten ruhen lassen. Inzwischen schon mal die schwerste Pfanne, die zu finden ist, aus dem Schrank holen.

3 Teig in 8 gleich große Stücke teilen und jeweils zu einer Kugel formen. Mehl auf die Arbeitsfläche streuen und die Kugeln darauf einzeln rund und dünn ausrollen – so groß wie die Pfanne, kleiner geht auch.

4 Die Pfanne auf den Herd stellen und richtig heiß werden lassen – ungefähr 5 Minuten lang. Auf mittlere Hitze zurückschalten. Einen Teigfladen reingeben, 2 Minuten backen, wenden und noch 2 Minuten backen. Alle Teigfladen so backen. Zum Warm- und Feuchthalten jeweils in einen Topf legen, Deckel drauf.

So viel Zeit muß sein: 1 1/4 Stunden,
davon 45 Minuten zu tun
Kalorien pro Stück: 95

Blinis
Pfannenbrot auf russische Art

Für etwa 18 kleine Blinis

10 g frische Hefe, 1 TL Zucker

200 ml lauwarme Milch

80 g Buchweizenmehl (Reformhaus oder Naturkostladen), 80 g Weizenmehl

50 g saure Sahne, Joghurt oder Buttermilch

Salz, 1 Ei

Zum Braten: Pflanzenöl

Hefeteig

1 Hefe zwischen den Fingern zerkrümeln, mit Zucker und Milch gut verrühren. 10 Minuten stehenlassen.

2 Beide Mehle mit saurer Sahne, Salz und angerührter Hefe verrühren. Zudecken und über Nacht oder den ganzen Tag lang in den Kühlschrank stellen.

3 Nach dieser Zeit durchrühren, das Ei untermischen und den Teig nochmal 1/2 Stunde stehenlassen.

4 Etwas Öl in einer Pfanne erwärmen. Vom Teig kleine Fladen reinsetzen und bei mittlerer Hitze pro Seite ungefähr 2 Minuten braten. Fertig gebratene Blinis im Ofen bei 50 Grad warm halten. Und was schmeckt jetzt dazu? Außer Crème fraîche und Kaviar auch Lachs, Gurkenscheiben, Frischkäse und vieles mehr.

So viel Zeit muß sein: 55 Minuten, davon 25 zu tun (ohne die Ruhezeit im Kühlschrank)
Kalorien pro Stück: 50

Pizzabrot
Echt ganz einfach

Für 4 gegen den ersten Hunger

200 g Mehl, Salz

10 g frische Hefe, 4 EL Olivenöl

2 geschälte Tomaten (aus der Dose oder 2 EL gehackte Tomaten aus dem Tetrapack – Rest einfrieren oder eine Sauce daraus kochen)

2 Knoblauchzehen

2–3 Zweige frischer Rosmarin

grob gemahlener schwarzer Pfeffer

Fürs Blech: Olivenöl

Zum Ausrollen: Mehl

Hefeteig • 12 Min. • 250 Grad

1 Mehl mit 1 TL Salz verrühren. Hefe zerkrümeln und in ungefähr 100 ml lauwarmem Wasser gut verrühren. Mit 2 EL Öl zum Mehl schütten und gut durchkneten. Teig zudekken und ungefähr 1 Stunde an einen warmen Platz stellen. Er soll doppelt so groß aufgehen.

2 Dann den Backofen auf 250 Grad vorheizen (auch schon jetzt: Umluft 220 Grad). Das Backblech mit Öl auspinseln. Tomaten würfeln, Knoblauch schälen, sehr fein hacken. Rosmarinnadeln abzupfen und auch fein hacken. Tomaten mit Knoblauch und Rosmarin mischen, salzen und pfeffern.

3 Teig nochmal gut durchkneten, auf wenig Mehl zu einem runden dünnen Fladen ausrollen, die Ränder sollen ein bißchen dicker sein. Aufs Blech legen, mit Tomaten bestreichen und mit dem übrigen Öl beträufeln. Pizzabrot im heißen Ofen auf der mittleren Schiene ungefähr 12 Minuten backen. In Tortenstücke schneiden, mit der Hand essen!

So viel Zeit muß sein: 1 1/2 Stunden,
davon nur ungefähr 20 Minuten aktiv
Kalorien pro Portion: 265

Brezen
Schlingkunstwerke

Für 12 knusprige Brezen

500 g Weizen- oder Dinkelmehl

1 Prise Zucker

30 g frische Hefe

1 TL Salz

20 g Natron (4 Päckchen, gibt's in jedem Supermarkt bei den Backzutaten)

Fürs Blech: Backpapier

Zum Bestreuen: grobes Salz oder Sesamsamen

Hefeteig • 20–25 Min. • 220 Grad

1 Mehl mit Zucker in der Schüssel vermischen. Hefe zerkrümeln und in $^1/_4$ l lauwarmem Wasser gut verrühren. Zum Mehl schütten, Salz auch dazugeben. Mit den Knethaken oder den Händen durchkneten, bis der Teig ein Kloß ist.

2 Den läßt man jetzt ruhen: Unter einem schützenden Tuch an einem geschützten Platz, der auch noch warm ist. Ungefähr 1 Stunde lang, bis er doppelt so groß ausschaut.

3 Dann wird er in 12 Stücke geteilt, noch mal durchgeknetet, zu mindestens 40 cm langen Rollen gerollt und zu Brezeln geschlungen.

4 Den Backofen auf 220 Grad vorheizen (auch schon jetzt: Umluft 200 Grad). Das Backblech mit Backpapier auslegen.

5 In einem Topf 1 l Wasser mit dem Natron anrühren und erhitzen. Wenn es kocht, die Hitze reduzieren und die Brezen nacheinander für 1 Minute in das Natronbad tauchen – nicht mit den Fingern, sondern am besten mit der Schaumkelle. Abtropfen lassen, nebeneinander aufs Blech legen und mit Salz oder Sesam bestreuen.

6 Backen müssen die Brezen auf der mittleren Schiene 20 – 25 Minuten. Und schmecken tun sie frisch am allerbesten.

So viel Zeit muß sein: fast 2 Stunden,
aber nur 40 Minuten davon aktiv
Kalorien pro Breze: 140

Partybrötchen
Da geht die Sonne auf!

Für 20 Brötchen

1 kg Mehl (ganz nach Wunsch helles, dunkles oder helles und dunkles gemischt, aber unbedingt Weizen oder Dinkel)

2 Würfel frische Hefe (84 g)

1 Messerspitze Honig

250 g flüssiger Joghurt

knapp 1 EL Salz

10 getrocknete in Öl eingelegte Tomaten

1 EL Kapern

1 EL Pinienkerne

2 – 3 Zweige frischer Rosmarin

2 Knoblauchzehen

50 g frisch geriebener Parmesan

Fürs Blech: Backpapier

Hefeteig • 25 – 30 Min. • 200 Grad

1 Mehl in eine große Schüssel füllen. Hefe zerkrümeln und mit dem Honig und 3/8 l lauwarmem Wasser gründlich verrühren. Mit Joghurt und Salz zum Mehl gießen. Gründlich verkneten, bis der Teig ein zäher Kloß ist und an keiner Seite mehr am Schüsselrand klebt.

2 Küchentuch drüber decken und die Schüssel an einen warmen Platz ohne Zug stellen. Jetzt braucht der Teig ungefähr 1 Stunde Ruhe – bis er etwa doppelt so groß ist.

3 Irgendwann in dieser Zeit kann man eine Viertelstunde lang was tun: Tomaten abtropfen lassen und kleinschneiden, mit Kapern und Pinienkernen mischen. Rosmarin waschen und trockentupfen. Nadeln abzupfen und fein hacken. Knoblauch abziehen und hacken. Beides mit dem Käse verrühren. Und das Blech mit Backpapier auslegen.

4 Wenn der Teig so weit ist, wird er halbiert. Unter eine Hälfte kommt die Tomaten-, unter die andere die Rosmarin-Käse-Mischung. Einfach unterkneten. Aus jedem Teig ungefähr 10 gleich große Kugeln formen. Und die werden jetzt auf dem Blech in lockerer Folge zu einer Sonne (einem Kreis) zusammengelegt. Eins in der Mitte und drumrum alle anderen. Einfach leicht aneinanderdrücken. Tuch drüber und die Brötchen nochmals 15 Minuten ruhen lassen.

5 Den Backofen auf 200 Grad vorheizen (auch schon jetzt: Umluft 180 Grad). Brötchen mit Wasser bepinseln und im Ofen auf der mittleren Schiene 25 – 30 Minuten backen, bis sie schön aufgegangen und gebräunt sind. Abkühlen lassen und als Brötchensonne in die Mitte des Tisches legen.

So viel Zeit muß sein: 1 1/2 Stunden,
davon 35 Minuten zu tun
Kalorien pro Brötchen: 210

Olivenbrötchen
Super zu Antipasti

Für 6 Stück

600 g Weizen- oder Dinkelmehl

150 g Roggenvollkornmehl

2 TL Salz

1 Würfel frische Hefe (42 g)

200 ml Milch, 2 EL Olivenöl

100 g schwarze Oliven

Fürs Blech: Backpapier

Zum Arbeiten und zum Bestäuben: Mehl

Hefeteig • 20 Min. • 220 Grad

1 Beide Mehle mit dem Salz mischen. Hefe zerkrümeln. Milch mit knapp $^{1}/_{4}$ l lauwarmem Wasser mischen. Hefe darin anrühren. Mit dem Olivenöl zum Mehl geben und alles kräftig miteinander verkneten. Teig mit einem Küchentuch abdecken und ungefähr 1 Stunde in Ruhe lassen. Er soll nachher ungefähr doppelt so groß sein.

2 Oliven aufschlitzen und den Stein rausholen. Entsteinte schwarze Oliven gibt's leider fast nie zu kaufen. Außer in Frankreich. Wer also dort ist, Vorrat mitbringen!

3 Oliven unter den Teig kneten, 6 Brötchen daraus formen. Das Backblech mit Backpapier auslegen, Brötchen drauf legen und nochmals 15 Minuten gehen lassen.

4 Den Backofen auf 220 Grad vorheizen (auch schon jetzt: Umluft 200 Grad). Brötchen mit Mehl bestäuben und auf der mittleren Schiene ungefähr 20 Minuten backen.

So viel Zeit muß sein: 2 Stunden,
davon 30 Minuten zu tun
Kalorien pro Brötchen: 475

Bagels
Brötchen auf amerikanisch

Für 10 Stück

1 Würfel frische Hefe (42 g)

2 TL Zucker, 1 TL Salz

1 TL grob gemahlener Pfeffer

700 g Mehl, 1 EL weiche Butter

2 EL zerlassene Butter

Zum Kochen: 50 g Zucker, 5 g Natron

Zum Backen:

1 Eiweiß

2 EL Mohnsamen oder Sesamsamen

Fürs Blech: Backpapier

Hefeteig • 15 Min. • 220 Grad

1 Hefe zerkrümeln und mit Zucker und 400 ml lauwarmem Wasser verrühren. 10 Minuten stehenlassen, dann mit Salz, Pfeffer, Mehl und weicher Butter zu einem glatten Teig verkneten.

2 Teig zu 10 gleich großen Kugeln formen. Ein Blech oder einen großen Teller mit zerlassener Butter bepinseln. Teigkugeln draufgeben, mit zerlassener Butter bepinseln und locker mit einem Küchentuch abdecken. Ungefähr 30 Minuten ruhen lassen, sie sollen nachher etwa doppelt so groß sein.

3 In die Mitte von jeder Teigkugel mit dem Finger ein Loch bohren. Runde Teigkringel formen. In einem Topf 1 l Wasser mit Zucker und Natron verrühren und zum Kochen bringen.

4 Backofen auf 220 Grad vorheizen (auch schon jetzt: Umluft 200 Grad). Zwei feuerfeste Gefäße mit Wasser unten in den Ofen stellen. Blech mit Backpapier auslegen.

5 Teigkringel portionsweise ins heiße, aber nicht mehr kochende Wasser geben. 1 Minute drin lassen, mit dem Schaumlöffel rausholen und auf das Backblech setzen. Wenn alle Bagels auf dem Blech sind, Eiweiß mit 1 TL Wasser verrühren, Bagels damit bestreichen und mit Mohn oder Sesam bestreuen.

6 Auf der mittleren Schiene ungefähr 15 Minuten backen, bis sie schön knusprig sind. Abkühlen lassen.

So viel Zeit muß sein: $1\,^{1}/_{4}$ Stunden,
davon 35 Minuten aktiv
Kalorien pro Bagel: 290

Sonntags-brötchen

Besser als die von der Tankstelle

Damit's nicht jeden Sonntag die gleichen Brötchen gibt: Mal zerkleinerte Walnüsse oder Sonnenblumenkerne unter den Teig mischen. Mal mit Sesam oder Mohn bestreuen.

Für etwa 10 Stück

450 g Mehl

1 TL Salz

1/2 Würfel frische Hefe (21 g)

250 g Buttermilch

Fürs Blech: Backpapier

Zum Bestreuen: 2 EL Milch

Hefeteig • 30 Min. • 200 Grad

1 Mehl mit Salz in einer Schüssel mischen. Hefe zerkrümeln und in der Buttermilch verrühren. Zum Mehl geben und alles gründlich verkneten. Teig in der Schüssel mit einem Küchentuch abdecken und über Nacht in den Kühlschrank stellen.

2 Am nächsten Morgen das Backblech mit Backpapier auslegen. Teig nochmal durchkneten, in 10 gleich große Stücke teilen und rund rollen. Aufs Blech legen, leicht flachdrücken und nochmal 15 Minuten gehen lassen.

3 Den Backofen auf 200 Grad vorheizen (ohne Vorheizen: Umluft 180 Grad). Brötchen einmal oder über Kreuz einschneiden, mit Milch bepinseln und auf der mittleren Schiene ungefähr 30 Minuten backen, bis sie aufgegangen und gebräunt sind. Abkühlen lassen.

So viel Zeit muß sein: 1 Stunde, davon 15 Minuten aktiv – ohne die Ruhezeit über Nacht
Kalorien pro Brötchen: 160

Pikante Muffins

Garantiert nirgends zu kaufen!

Für 12 Stück

50 g Walnußkerne

100 g Pecorino oder Parmesan

1/2 Bund gemischte Kräuter (oder selber zusammenstellen: Petersilie, Basilikum, Majoran und Schnittlauch)

250 g helles Weizen- oder Dinkelmehl

3 TL Backpulver

1 kräftige Prise Salz

1 Ei

250 g Buttermilch

2 EL Pflanzenöl

Für die Form: Butter (oder 24 Papier-Backförmchen für Formlose)

Rührteig • 20 Min. • 200 Grad

Muffinform oder Papierbackförmchen

1 Walnußkerne mit den Fingern zerbrechen. Käse fein reiben. Kräuter waschen und trocknen. Von den Stielen zupfen und fein hacken.

2 Den Backofen auf 200 Grad vorheizen (auch schon jetzt: Umluft 180 Grad). Das Muffinblech fetten. Wer das nicht hat, setzt jeweils 2 Papierförmchen ineinander und stellt sie auf dem Backblech bereit.

3 Mehl mit Backpulver, Käse, Kräutern und Salz mischen. Ei in eine Schüssel aufschlagen, Buttermilch dazuschütten und beides mit den Quirlen gut schaumig schlagen, dann die Mehlmischung löffelweise dazurühren. Ganz zum Schluß kommt noch das Öl in den Teig und die Walnüsse.

4 Teig in die Vertiefungen im Blech oder in die Papierhüllen löffeln, nur so viel, daß der Teig noch Platz hat, aufzugehen. Etwa ein Drittel sollte teiglos sein. Im Ofen auf der mittleren Schiene so etwa 20 Minuten backen, bis alle aufgegangen und gebräunt sind. Abkühlen lassen, raus aus der Form und essen! Am besten mit Salat.

So viel Zeit muß sein: 40 Minuten, davon 20 Minuten nur beobachtend
Kalorien pro Muffin: 155

Helles Krustenbrot
Grüß mir den Bäcker...

Mit Kartoffel-Effekt: die machen's möglich, daß Weißbrot auch nach zwei Tagen noch saftig ist und schmeckt.

Für 1 großen Laib (ungefähr 30 Scheiben Brot)

400 g Kartoffeln

knapp 1 EL Salz

1 $^1/_2$ Würfel frische Hefe (65 g)

3 – 4 EL Olivenöl

600 g helles Weizen- oder Dinkelmehl

Fürs Blech: Backpapier

Hefeteig • 45 Min. • 200 Grad

1 Kartoffeln schälen, waschen und würfeln. In einen Topf legen, mit Wasser bedecken, die Hälfte vom Salz dazuschütten. Zum Kochen bringen und zugedeckt bei mittlerer Hitze ungefähr 15 Minuten kochen, bis die Kartoffeln weich sind.

2 Kartoffeln mit einem Schaumlöffel rausfischen und kalt werden lassen. Kartoffelwasser nicht wegschütten, wird noch gebraucht.

3 Wenn die Kartoffeln kalt sind, die Hefe zerkrümeln. Vom Kartoffelwasser ungefähr 350 ml abmessen. Wenn es weniger ist, einfach mit Wasser auffüllen. Hefe darin anrühren.

4 Kartoffeln ganz fein zerdrücken. Es sollen keine Stücke mehr drin sein. Mit Öl, Mehl und restlichem Salz mischen. Angerührte Hefe gut unterkneten. Teig in der Schüssel zudecken und ungefähr 1 Stunde in Ruhe lassen, bis er deutlich größer geworden ist.

5 Das Backblech mit Backpapier auslegen. Aus dem Teig einen großen länglichen Laib formen, auf das Blech legen und nochmal 15 Minuten gehen lassen.

6 Den Backofen auf 200 Grad vorheizen (ohne Vorheizen: Umluft 180 Grad). Brot der Länge nach einritzen, mit Mehl bestäuben. Auf den Boden des Backofens einige feuerfeste Gefäße mit Wasser stellen. Das Brot auf der mittleren Schiene ungefähr 45 Minuten backen, bis es schön braun ist. Rausholen, mit einem Küchentuch anfassen, umdrehen und draufklopfen. Klingt es hohl, ist es fertig. Abkühlen lassen.

So viel Zeit muß sein: 2 $^1/_2$ Stunden,
davon 30 Minuten aktiv
Kalorien pro Scheibe: 90

Baguette
Echt französisch

Am Vortag 3 Minuten Einsatz:
Mehl mit Wasser anrühren!

Für 2 Baguettes

50 g Weizen- oder Dinkelvollkornmehl

600 g helles Weizen- oder Dinkelmehl

knapp 1 EL Salz

$^1/_2$ Würfel Hefe (21 g)

2 TL Honig

Fürs Blech: Backpapier

Zum Formen: Mehl

Hefeteig • 2mal 30 Min. • 220 Grad

1 Vollkornmehl mit 50 ml Wasser verrühren, mit Klarsichtfolie abdecken und bei Zimmertemperatur 24 Stunden stehenlassen. Das wird sozusagen ein selbstgemachter leichter Sauerteig, der dem Brot ein besonderes Aroma gibt.

2 Dann mit dem restlichen Mehl und Salz in einer Schüssel mischen. Hefe zerkrümeln und mit dem Honig in etwa 300 ml kaltem Wasser verrühren. Dazugeben und alles sehr gründlich miteinander verkneten.

3 Teig zudecken und ungefähr 30 Minuten in Ruhe gehenlassen. Leicht aufgegangenen Teig halbieren, 10 Minuten liegenlassen.

4 Beide Teigstücke auf Mehl zu einer langen Rolle rollen – aber nicht länger als das Backblech. Flachdrücken und eine Längsseite etwas nach innen klappen. Die andere drüber klappen und festdrücken. Das gibt dem Brot dann die typische Form.

5 Backblech mit Backpapier auslegen. Ein Baguette drauf legen, nochmal ungefähr 1 Stunde gehen lassen. Das andere auch schon auf ein Stück Backpapier legen, dann läßt es sich später besser aufs Blech heben.

6 Den Backofen auf 220 Grad vorheizen (auch schon jetzt: Umluft 200 Grad). Baguettes im Abstand von ungefähr 5 cm schräg leicht einritzen – mit einem wirklich scharfen Messer.

7 Auf den Backofenboden $^{1}/_{2}$ Tasse Wasser schütten, Blech in den Ofen auf die mittlere Schiene schieben, Ofen gleich schließen und das Baguette im heißen Dampf ungefähr 30 Minuten backen, bis es goldgelb ist. Das andere genauso backen. Abkühlen lassen und den Franzosen Glauben schenken: Baguette darf nicht älter als einen halben Tag werden. Aber wir wissen's noch besser: nach dem halben Tag noch mal kurz bei 180 Grad aufbacken. Oder gleich einfrieren und nach dem Auftauen auch aufbacken.

So viel Zeit muß sein: 2 $^{1}/_{2}$ Stunden (ohne die 24-Stunden-Ruhe und auch nur 20 Minuten aktiv)
Kalorien pro Scheibe (bei 50): 45

Dinkel-Sonnenblumen-Brot

Besser geht's nicht, einfacher auch nicht

Am Abend vorher 1 Minute investieren: Sonnenblumenkerne in einer Schüssel mit Wasser bedecken.

Für einen großen Laib (ungefähr 40 Scheiben Brot)
125 g Sonnenblumenkerne
500 g Dinkelvollkornmehl
500 g helles Dinkelmehl, Type 630
1 TL gemahlener Kümmel
2 TL gemahlener Koriander
1 EL Salz
1 Würfel frische Hefe (42 g)
150 g Sauerteig (im Beutel aus dem Supermarkt oder Reformhaus)
Fürs Blech: Backpapier

Brotteig • 55 Min. • 200 Grad

1 Wie gesagt, Sonnenblumenkerne einweichen. So werden sie schön weich und nehmen dem Brot keine Feuchtigkeit weg.

2 Am nächsten Tag beide Mehlsorten mit Kümmel, Koriander und Salz mischen. Hefe zerkrümeln, in einem großen Gefäß mit 600 ml kaltem (!) Wasser verrühren. Sauerteig auch untermischen.

3 Mehlmischung zur Hefe-Sauerteig-Mischung geben. Sonnenblumenkerne abtropfen lassen, dazuschütten. Mit den Händen so lange kneten, bis alles gut gemischt ist. Der Teig ist weich und behält seine Form noch nicht ganz.

4 Teig zudecken und 1–2 Stunden stehenlassen, bis er deutlich größer geworden ist. Das Backblech mit Backpapier auslegen.

5 Teig nochmals kurz durchkneten, auf dem Blech zu einem Laib formen. Wieder 15 Minuten gehenlassen. Den Backofen auf 200 Grad vorheizen (erst später einstellen: Umluft 180 Grad). Zwei bis drei feuerfeste Gefäße mit kaltem Wasser füllen und unten in den Ofen stellen.

6 Brot im Ofen auf der mittleren Schiene ungefähr 55 Minuten backen. Jetzt kommt der Hörtest. Brot mit einem doppelt oder dreifach gefalteten Tuch anfassen (heiß!!) und umdrehen. Mit den Fingerknöcheln drauf klopfen. Fertig gebackenes Brot klingt hohl. Auf ein Kuchengitter legen und abkühlen lassen.

So viel Zeit muß sein: 2–3 Stunden (abgesehen vom Einweichen über Nacht), davon ungefähr 20 Minuten aktiv
Kalorien pro Scheibe: 110

Zum Satte

Jetzt könnt's auch mal wieder eine richtige Mahlzeit sein ...

ssen

Nett genascht? Gut geknabbert? Aber jetzt könnt's auch mal wieder eine richtige Mahlzeit sein? Was Deftiges? Etwas, das satt macht. Das aber auch Gemüse hat. Und manchmal noch ein bißchen Fleisch? Was halt in einem gemacht wird? Was aber trotzdem kein Eintopf ist?

Viele Fragen. Hohe Ansprüche. Aber wir hätten da was ...

Aus dem Küchenschatz

Der Rest vom Ei

32 mal ist in Basic baking nur das Weiße vom Ei gefragt. Bleiben 32 Eigelbe übrig. Da allerdings 62 mal in diesem Buch nur das Gelbe gefragt ist, sind die schnell untergebracht. Man muß halt alle Rezepte auf einmal backen. Aber dann werden immer noch 30 Eier extra fürs Eigelb getrennt – bleiben 30 Eiweiße übrig. Werden jetzt die Nur-Eiweiß-Rezepte geschickt vervielfacht, sind auch die weg. Und der Haushalt ist um 365 Kuchen reicher. Zu kompliziert? Einige Alternativen:

Wenn Eiweiß übrig ist:

- Baisers backen (Seite 13)
- fruchtige Tarte mit Baiser überbacken (Seite 76, auch Zitronentarte, Seite 81)
- Makronen mit Kokosflocken, Mandeln usw. backen (Seite 100)
- Blätter- oder Mürbeteig mit Eiweiß statt mit Eigelb zusammenkleben
- Pudding kochen und Eischnee unterziehen (2 Stück auf $^1/_2$ Liter, geht auch bei Grießbrei)
- Mit Eiweiß statt Eigelb panieren
- Rührei mit mehr Eiweiß machen
- Pfannkuchen mit mehr Eiweiß machen

Wenn Eigelb übrig ist:

- Gebäck vor dem Backen damit bestreichen (für Glanz und Farbe)
- Pudding kochen ($^3/_4$ statt $^1/_2$ Liter auf die Packung), zum Schluß 1–2 Eigelbe einrühren
- 1 Teil Eigelb und 1 Teil Milch verrühren, Toast darin einweichen, braten und mit Zimtzucker und Kompott essen
- Pfannkuchen mit mehr Eigelb machen (plus Schuß Milch)
- Eigelb in kochender Brühe verschlagen
- Rühreigelb mit Schuß Milch, als Brotbelag oder stückweise im Salat
- kaltes Kartoffelpüree mit Eigelb verrühren und braten
- Eierlikör: 6 Eigelbe mit 300 g Puderzucker schaumig schlagen, langsam je 350 ml Dosenmilch und Sahne sowie $^1/_4$ l starken Alkohol (z. B. Doppelkorn) unterschlagen und 15 Minuten laufen lassen. 3 Tage in Flaschen kühlen, bis er dick ist

S.O.S

Antworten auf alle FAVs (Fragen aus Verzweiflung) von unserer Basic-Backtante

Wie rolle ich Teig ohne Krisen aus?
Axel aus Bad Nauheim

Tante Ilse rät:

Es kommt auf den Teig an, Axel. Nehmen wir den schwierigsten, Mürbeteig. Der wird zwischen Machen und Ausrollen oft gekühlt. Um es später einfacher zu machen, bringst Du den Teig gleich nach dem Kneten in die gewünschte Form und drückst ihn flach. Dann Folie drum und in den Kühlschrank. Dann kannst Du auf Mehl ausrollen, wenn Du willst. Dazu die Arbeitsfläche schwungvoll damit bestreuen und das Holz einreiben.

Vor allem bei buttrigen Teigen ist es besser, zwischen zwei Schichten Klarsichtfolie auszurollen, da sie so nicht festkleben. Gerollt wird einmal nach oben, einmal nach unten, einmal nach links, einmal nach rechts. Zum Üben ist da Pizzateig gut. Und dann wieder von vorne. Dabei ist es gut, die Folie ab und zu zu drehen, damit alle Seiten gleichmäßig ausgerollt werden (ohne Folie: Teig drehen oder um den Tisch laufen).

Zum Schluß sollte ein einigermaßen rundes, gut in die Form passendes Teigstück daliegen. Rechteckiges wird auf Länge gebracht und durch Ausrollen nach links und rechts verbreitert. Ähnlich ist es bei Blätterteig. Hefeteig kann meistens direkt aufs Blech gerollt werden. In die Form kommt der Teig entweder direkt mit Folie, die dann abgezogen wird, per Hand oder per Teigroller. Dazu wird der Teig daraufgewickelt und über der Form wieder abgerollt. Was übersteht, wird mit dem Messer abgeschnitten.

5 gemütliche Ideen für Pizza

Ok, es gibt TK-Pizza, Take-away-Pizza, Bring-Pizza und die Pizza beim Italiener. Wer schnell eine will, macht da gar nicht erst den Ofen an. Wer sich in Ruhe eine besondere gönnen will, nimmt sich Zeit und macht diese:

Pizza Rocky
Pizzateig mit Tomatensauce, darauf leicht angebratene Speckwürfel, gemischt mit Lauchzwiebelringen. Kleckse von Crème fraîche & Joghurt gemischt drauf und backen

Pizza Rosa
Pizzateig mit Tomatensauce, darauf TK-Blattspinat und nicht zu kleine Lachswürfel, die mit je 1 Stück Butterkäse bedeckt sind. Knoblauchöl drüber und backen. Bei Tisch mit Zitrone beträufeln

Pizza Rajif
Pizzateig mit Tomatensauce (gewürzt mit Curry und Koriandergrün), darauf gekochte Kartoffelscheiben, TK-Erbsen, Mozzarella, Fenchelkörner. Mit flüssiger Butter bestreichen und backen

Pizza Pilz
Pizzateig mit Tomatensauce (inkl. Estragon), drauf Champignons und langsam in Butter weichgeschmorte Zwiebeln, mit Emmentaler und Pinienkernen bestreuen und backen. Dann je 2–3 Scheiben Parmaschinken drauf und essen

Eßt Mehlspeisen!

Was ist eine Mehlspeise? Eine Speise mit Mehl? Salzburger Nockerln haben (fast) keines, und ein Herr Ober nennt auch Eis, Kompott und Käse »Mehlspeis«. Eine süße Speise? Auch Krautfleckerl (Nudelteigplättchen) sind eine österreichische Mehlspeise. Aus Österreich? Der Balkan, Osteuropa und Süddeutschland sind ebenfalls Mehlspeisenheimat. Was Warmes? Auch ein Vanillekipferl gilt als Mehlspeise. So kommen wir nicht weiter! Klare Worte: Mehlspeisen wie wir sie lieben, sind warm und süß und können locker für ein Mittagessen einspringen. Mehlspeisen wie wir sie meinen, können einen ganz schön verwirren. Das Mehlspeisenlexikon versucht, zumindest dieses Wirrwarr zu lichten:

Mehlspeise	anderer bzw. hochdt. Name	was es ist
Buchtel	buchticky (böhm.), Wuchtel (österr.), Rohrnudel (bayr.)	Hefeteiggebäckstücke, die in einem Gefäß nebeneinander im Ofen gebacken werden
Knödel	Kloß (hochdt.)	abgedreht und gefüllt aus Kartoffel-, Topfen-(Quark), Germteig (Hefe, z. B. Zwetschgenknödel)
Koch	–	Auflauf, der trotz des Namens aus einem Teig aus rohen Zutaten oder Gebäck gemacht wird, z. B. Nußkoch, Kipfelkoch
Krapfen	Krebbel (hessisch)	Schmalzgebäck. Steht auch für Plätzchen (Husarenkrapfen), Kaffeegebäck (Punschkrapfen)
Nudel	–	vieles, nur nicht die Nudel zum Kochen. Oft aus Kartoffel- oder Hefeteig (Dampfnudeln)
Palatschinke	palacinka (ung.)	dünner Pfannkuchen, bei dem die Füllung am wichtigsten ist, z. B. Topfenpalatschinke
Povesen	Pofesen, Pavesen	gefüllte Arme Ritter, z. B. Zwetschgenpovesen
Schmarren	–	In der Pfanne angebratener Teig oder Brei, der zerrupft und fertiggebraten wird. Türkentommel ist ein Schmarren aus Polenta (Türkengrieß)
Sterz	Brei (hochdt.)	Türkensterz ist Polenta, Heidensterz ein Brei aus Heidenmehl (Buchweizenmehl)
Strudel	–	schneckenförmig aufgedrehtes gefülltes Gebäck in hauchdünnem Strudelteig bzw. Hefeteig (Potitze, Beugel) oder Blätterteig
Tatschkerl	Tascherl, Tasche	gefüllte gekochte und gebratene Teigtasche, aus Nudel- oder Kartoffelteig, z. B. Powidltatschkerl (mit Pflaumenmus)

Flammkuchen
Vive la fête

Knusperspaß aus dem Elsaß, am besten mit guten Freunden in der Küche direkt vom Blech essen!

Für 2 Backbleche und 4 – 5 Hungrige

450 g Mehl

1/2 Würfel frische Hefe (21 g)

1 Prise Zucker

80 g Sauerteig (aus dem Beutel, den Rest 1 Woche gut verschlossen im Kühlschrank aufheben oder einfrieren)

Salz

200 g durchwachsener Räucherspeck

2 Zwiebeln

400 g Crème fraîche

frisch gemahlener schwarzer Pfeffer

Fürs Blech: Backpapier

Brotteig • 2mal 10 – 12 Min. • 250 Grad

1 Mehl in die Schüssel schütten. Hefe zwischen den Fingern zerbröckeln, mit dem Zucker in ungefähr 220 ml lauwarmem Wasser verrühren. Sauerteig mit 1 TL Salz dazugeben, alles gründlich verkneten. Zugedeckt so ungefähr 1 Stunde gehenlassen. Der Teig soll dann doppelt so groß sein.

2 Inzwischen aber schon mal vom Speck die Schwarte abschneiden, Speck würfeln. Wenn man dabei auf kleine Knorpel trifft, kommen die auch weg. Zwiebeln schälen, vierteln und in schmale Streifen schneiden.

3 Speck in einer Pfanne auf den Herd stellen, auf mittlere Hitze schalten und den Speck unter gelegentlichem Rühren so lange heiß werden lassen, bis die fetten Teile glasig aussehen. Zwiebeln dazugeben und alles noch ungefähr 5 Minuten weitergaren.

4 Wenn die Zwiebelmischung leicht abgekühlt ist, die Crème fraîche drunterrühren und alles mit Pfeffer und Salz (nicht zu heftig, weil der Speck auch schon salzig ist) abschmecken.

5 Den Backofen auf 250 Grad vorheizen (auch schon jetzt einstellen: Umluft 225 Grad). Den Teig nochmal durchkneten, dann halbieren. Backblech mit Backpapier auslegen. Die Hälfte vom Teig auf dem Backblech mit dem bemehlten Nudelholz dünn ausrollen. Die Hälfte von der Speckmischung drauf verstreichen.

6 Flammkuchen in den heißen Ofen (Mitte) schieben und 10 – 12 Minuten backen, bis er knusprig ist. In Stücke schneiden, vom Blech lösen und heiß essen. Dann erst den zweiten ausrollen, belegen und backen.

So viel Zeit muß sein: 1 1/2 Stunden,
davon aber nur 1/2 Stunde aktiv
Kalorien pro Portion (bei 5): 855

Variante aus Südfrankreich

Für **Pissaladière** Teig machen wie gehabt. 800 g Zwiebeln und 3 Knoblauchzehen abziehen, klein würfeln und in 2 EL Olivenöl weich dünsten – bei mittlerer Hitze ungefähr 15 Minuten und immer wieder rühren. Mit 3 TL getrockneten Kräutern der Provence, 1 EL Tomatenmark, Salz und Pfeffer verrühren. Auf den ausgerollten Teig streichen, mit ungefähr 10 Sardellenfilets und genauso vielen schwarzen Oliven belegen, mit 100 g geriebenem Käse (Bergkäse, Gouda oder Emmentaler) bestreuen und bei 220 Grad etwa 20 Minuten backen.

Extrawünsche – voilà

Zusätzlich ein bißchen geriebenen Emmentaler drauf streuen.
Oder fein geschnittene Champignons.
Oder Emmentaler und gehackte Kräuter.

Oder statt Speck Ziegenkäse in kleinen Würfeln.
Oder 4 verschiedene Käse: Emmentaler, Greyerzer, Roquefort und Ziegenkäse.
Oder frische Lachswürfel und Dill.

Zwiebelkuchen

Dick und fett und saftig

Für 1 Backblech und 8 Hungrige

Für den Teig:

350 g Mehl

1/2 TL Salz

1 Prise Zucker

etwa 180 ml Milch

1/2 Würfel frische Hefe (21 g)

50 g weiche Butter, 1 Ei

Für den Belag:

1 kg Zwiebeln

100 g durchwachsener Räucherspeck

1 EL Pflanzenöl

125 g saure Sahne

3 Eier, Salz

1 TL Kümmelkörner (Kümmelhasser lassen ihn einfach weg)

Fürs Blech: Butter oder Öl

Hefeteig • 35 Min. • 200 Grad

1 Mehl mit Salz und Zucker mischen. Milch lauwarm werden lassen. Hefe zwischen den Fingern zerkrümeln und in der Milch gut verrühren. Mit Butter und Ei unter das Mehl kneten. Es soll ein eher weicher Teig werden, der sich aber vom Schüsselrand löst.

2 Teig in der Schüssel zugedeckt ungefähr 1 Stunde in Ruhe lassen, an einem warmen Ort. Er soll ungefähr doppelt so groß werden.

3 Inzwischen geht's um den Belag. Zuerst auf die Suche gehen nach der Ski- oder Taucherbrille. Mit ihr versorgt, kann man tonnenweise Zwiebeln schälen und schneiden, ohne nachher schwer nach Liebeskummer auszuschauen. Also Zwiebeln schälen und in Würfel schneiden. Vom Speck die Schwarte ab, Rest in kleine Würfel.

4 Öl in einer Pfanne erhitzen. Zwiebeln und Speck darin bei mittlerer Hitze ungefähr 10 Minuten dünsten, immer wieder umrühren. Jetzt kann die Taucherbrille wieder weg. Zwiebelmischung leicht abgekühlt mit saurer Sahne und Eiern verrühren, mit Salz und Kümmel würzen.

5 Den Backofen auf 200 Grad vorheizen (erst später einstellen: Umluft 180 Grad). Das Backblech fetten. Den Teig nochmal durchkneten. Auf dem Blech mit dem Nudelholz gleichmäßig dünn ausrollen. An den Seiten einen kleinen Rand hochziehen. Zwiebelmasse drauf schütten und verteilen.

6 Zwiebelkuchen im heißen Ofen auf der mittleren Schiene in ungefähr 35 Minuten braun backen. Leicht abgekühlt essen.

So viel Zeit muß sein: 1 3/4 Stunden, davon ungefähr 40 Minuten zu tun
Kalorien pro Portion: 390

Kartoffelpastete mit Stern

Ideal zum Angeben, weil so gut wie vom Meisterkoch persönlich

Was kann einem passieren, wenn man bei einem Starkoch im Allgäu zur Party eingeladen ist? Diese Kartoffelpastete zum Beispiel: einfach, rustikal und viel zu gut für zahlende Gäste. Danke, Christian Henze.

Für 8 Partygäste

1 kg Lauch, 2 EL Butter

100 ml Weißwein

500 g Sahne

Salz, Pfeffer aus der Mühle, Muskatnuß

800 g TK-Blätterteig

500 g vorwiegend festkochende Kartoffeln

100 g geriebener Käse (z. B. Emmentaler)

Zum Bestreichen:

2 Eigelbe, Salz, 1 EL Pflanzenöl

Zum Ausrollen: Mehl

Fürs Blech: Butter

Blätterteig • 45 Min. • 200 Grad

1 Den Lauch putzen, längs halbieren, waschen und in feine Streifen schneiden. In der Butter anschwitzen. Mit Wein ablöschen, einkochen lassen. 400 g Sahne dazu und den

Lauch in 15 – 20 Minuten bei schwacher Hitze gut weich kochen. Mit Salz, Pfeffer und Muskat würzen und abkühlen lassen.

2 Den Blätterteig auftauen lassen. Kartoffeln schälen, in dünne Scheiben schneiden und mit übriger Sahne vermischen. Alles mit Salz, Pfeffer und Muskat würzen.

3 Jeweils die Hälfte der Teigplatten an den Rändern mit etwas Wasser bestreichen und leicht überlappend auf die leicht bemehlte Arbeitsfläche legen. Mit dem Nudelholz glattrollen. Jede Platte soll jeweils etwas größer als ein Backblech sein.

4 Den Ofen auf 200 Grad vorheizen (ohne Vorheizen: Umluft 180 Grad). Das Backblech mit Butter auspinseln, mit einer Teigplatte belegen. Die Hälfte der Kartoffeln auf dem Teig verteilen, Lauch drüber geben, die restlichen Kartoffeln darauf ausbreiten. Käse darauf streuen.

5 Eigelb mit etwas Salz und dem Öl verrühren. Den überlappenden Teig über die Füllung schlagen, mit Eigelbmischung bestreichen und den Teigdeckel darauf setzen. Diesen ebenfalls mit Eigelb bestreichen. Auf der untersten Schiene in ungefähr 45 Minuten knusprig backen. Vor dem Essen 10 Minuten warten.

So viel Zeit muß sein: 1 3/4 Stunden, davon 45 Minuten abwartend
Kalorien pro Portion: 560

Börek

Türkische Feinkost, die ganz einfach geht

Für 6 Hungrige

500 g junge Zucchini

4 Knoblauchzehen

2 frische rote Chilischoten

je 1 Bund Dill, Petersilie und Minze

400 g Schafkäse, 300 g Joghurt

3 Eier, 50 g Pinienkerne

Salz, schwarzer Pfeffer

5 – 10 Yufka-Teigblätter (aus der Kühltheke vom Türken oder Filloteig vom Griechen)

Zum Bestreichen: 3 EL Olivenöl

Zum Bestreichen: 1 Eigelb

Fertigteig • 25 – 30 Min. • 200 Grad

1 Für die Füllung die Zucchini waschen, beide Enden abschneiden. Zucchini der Länge nach durchschneiden, dann quer in dünne Scheiben. Knoblauch abziehen und hacken, Chillies waschen und den Stiel abschneiden. Schoten der Länge nach aufschlitzen. Samen mit den Trennwänden rausziehen. Schoten in feine Streifen schneiden. Und sofort die Hände gründlich waschen und trotzdem noch ein paar Stunden lang nicht in den Augen reiben. Die Schärfe haftet nämlich noch an den Fingern und kann höllisch brennen.

2 Kräuter waschen, trockenschütteln und fein hacken. Schafkäse grob zerbröckeln, mit Joghurt und Eiern in die Küchenmaschine oder den Mixer füllen und mixen. Wer keins von beiden hat, zerdrückt den Schafkäse mit einer Gabel und verrührt ihn mit Joghurt und Eiern. Von den Pinienkernen 1 EL zur Seite legen, den Rest mit Zucchini, Knoblauch, Chillie und Kräutern unter die Käsecreme rühren, salzen und pfeffern.

3 Backofen auf 200 Grad vorheizen (ohne Vorheizen: Umluft 180 Grad). Eine große und auf jeden Fall feuerfeste Form aus dem Schrank holen, leicht einölen.

4 Packung aufschneiden, Teigblätter herausnehmen und vorsichtig auseinander lösen. Eine oder zwei Teigplatten (das hängt natürlich auch wieder von der Größe ab) in die Form legen. Mit Öl auspinseln. Etwas Käsemasse drauf verstreichen, mit Teig bedecken, ölen. So weitermachen, bis die letzte Teigschicht drauf liegt. Eigelb mit dem übrigen Öl verstreichen, auf den Teig pinseln, übrige Pinienkerne drauf streuen.

5 Börek im Ofen auf der mittleren Schiene 25 – 30 Minuten backen, bis er gebräunt ist. Vor dem Anschneiden 10 Minuten warten.

So viel Zeit muß sein: 25 Minuten aktiv, 35 beobachtend
Kalorien pro Portion: 380

Quicheteig
Einer für (fast) alle

Für eine Springform von 26 – 28 cm Ø

120 g kalte Butter, 240 g Mehl

1 kräftige Prise Salz

1 Butter in kleine Würfel schneiden. Mehl auf die Arbeitsfläche häufen oder in eine Schüssel schütten. Butter und Salz kommen auch dazu und dann kann man schon mal mit Kneten anfangen. Ganz egal, ob mit den Knethaken vom Rührgerät oder mit den Händen.

2 Beim Kneten merkt man schnell, daß noch Flüssigkeit fehlt. Nach und nach also ungefähr 2 EL eiskaltes Wasser unterkneten. Aber wirklich nach und nach, nicht daß der Teig plötzlich zu weich wird.

3 Den Teig zu einer Kugel formen und schon mal ein wenig flachdrücken. In die ungefettete Form legen und mit den Fingern nach allen Seiten hin auseinander drücken. So weit, daß er den Formboden und etwa 3 cm vom Rand ausfüllt.

4 In der Form kommt der Teig für ungefähr 1 Stunde in den Kühlschrank.

So viel Zeit muß sein: 1 1/4 Stunden, davon aber nur 15 Minuten zu tun

Lauchquiche
Lauwarm essen!

Für 4 oder doch für 6?

600 g Lauch, 400 g Champignons

1 EL Butter, 1 Bund Petersilie

200 g Crème fraîche

150 g geriebener Hartkäse (z. B. Bergkäse)

2 Eier, Salz, schwarzer Pfeffer

1 Portion Quicheteig (Rezept siehe links)

40 Min. • 180 Grad

1 Lauch putzen, aufschlitzen, waschen und quer in feine Streifen schneiden. Pilze putzen, in feine Scheiben schneiden.

2 Den Backofen auf 180 Grad vorheizen (ohne Vorheizen: Umluft 160 Grad). Lauch und Pilze in der Butter bei starker Hitze etwa 5 Minuten braten, abkühlen lassen.

3 Petersilie waschen, fein hacken. Mit Crème fraîche, Käse und Eier unter den Lauch mischen, salzen, pfeffern. Die Lauchmasse auf den Teig (steht links) füllen und im Ofen auf der mittleren Schiene ungefähr 40 Minuten backen.

So viel Zeit muß sein: 25 Minuten (für die Füllung)
Kalorien pro Portion (bei 6): 560

Paprikaquiche
Würzig und saftig

Für 4 sehr oder 6 normal Hungrige

3 – 4 rote Paprikaschoten (etwa 500 g)

1/2 Bund Thymian, 2 Knoblauchzehen

400 g fester Schafkäse (Feta)

200 g Quark, 3 Eier, Salz

wer mag: eingelegte Peperoni zum Belegen

1 Portion Quicheteig (Rezept siehe links)

45 – 50 Min. • 180 Grad

1 Paprika waschen, putzen, klein würfeln. Thymian waschen, Blättchen von den Stielen abstreifen. Knoblauch abziehen und fein hacken.

2 Den Backofen auf 180 Grad vorheizen (ohne Vorheizen: Umluft 160 Grad). Schafkäse, Quark und Eier mit dem Pürierstab zerkleinern, mit wenig Salz abschmecken.

3 Paprikawürfel und Thymian mit Knoblauch unter die Schafkäsecreme rühren, auf den gekühlten Teig füllen und eventuell noch mit abgetropften Peperoni belegen. Quiche auf der mittleren Schiene ungefähr 45 – 50 Minuten backen. Leicht abgekühlt essen.

So viel Zeit muß sein: 30 Minuten (für die Füllung)
Kalorien pro Portion (bei 6): 530

Schinkenquiche
Kostet nicht viel

Für 4 ziemlich Hungrige

150 g gekochter Schinken

50 g gemischte Kräuter (z. B. Petersilie, Rucola und Basilikum)

2 Bund Frühlingszwiebeln

100 g geriebener Hartkäse (z. B. Bergkäse)

125 g Sahne, 4 Eier, Salz, Pfeffer

1 Portion Quicheteig (Rezept siehe links)

40 Min. • 180 Grad

1 Schinken in kleine Würfel schneiden. Kräuter waschen, fein hacken. Frühlingszwiebeln waschen, putzen, in Ringe schneiden.

2 Ofen auf 180 Grad vorheizen (ohne Vorheizen: Umluft 160 Grad). Käse mit Sahne und Eiern verrühren, salzen und pfeffern.

3 Schinken mit Kräutern und Frühlingszwiebeln vermischen, leicht salzen und pfeffern und auf den gekühlten Teig füllen. Eiersahne drüber gießen und gleichmäßig verteilen. Quiche auf der mittleren Schiene ungefähr 40 Minuten backen. Kurz gedulden.

So viel Zeit muß sein: 30 Minuten (für die Füllung)
Kalorien pro Portion: 795

Spargelquiche
Vegetarisch

Für 4 Hungrige

500 g grüner Spargel, Salz

400 g Fleischtomaten

1/2 Bund Basilikum, 250 g Mozzarella

50 g geriebener Hartkäse

1 EL Crème fraîche, Pfeffer

1 Portion Quicheteig (Rezept siehe links)

45 Min. • 180 Grad

1 Spargel waschen, alle holzigen Enden abschneiden. Spargel in ungefähr 3 cm lange Stücke schneiden und Spargel in 1/2 l Salzwasser 3–4 Minuten kochen, in ein Sieb schütten und kalt abschrecken. Tomaten häuten und würfeln. Basilikum waschen, fein hacken.

2 Den Backofen auf 180 Grad vorheizen (ohne Vorheizen: Umluft 160 Grad). Mozzarella klein würfeln. Spargel mit Tomaten, Basilikum, Mozzarella, geriebenem Käse und Crème fraîche mischen, salzen, pfeffern. Spargelmischung auf dem gekühlten Teig verteilen. Quiche im Ofen auf der mittleren Schiene ungefähr 45 Minuten backen.

So viel Zeit muß sein: 30 Minuten (für die Füllung)
Kalorien pro Portion: 615

3-Käse-Kuchen
Der Ausreißer mit dem anderen Teig

Für 4–6 neugierige Esser

1 kleiner Kopf Radicchio

250 g Ricotta, 150 g (Ziegen-)Frischkäse

50 g geriebener Parmesan, 3 Eier

1 runde Blätterteigplatte (aus der Kühltheke)

50 g grüne Oliven ohne Stein

Blätterteig • 30–35 Min. • 220 / 180 Grad

1 Radicchio waschen und vierteln. Strunk entfernen, Radicchio in Streifen schneiden.

2 Den Ofen auf 220 Grad vorheizen (auch schon jetzt: Umluft 200 Grad). Ricotta und Frischkäse glattrühren, Parmesan, Eier und Radicchio unterrühren. Die Teigplatte in eine Springform (Durchmesser 26 cm) drücken, dabei kann der Rand ruhig Falten schlagen. Käsemasse einfüllen, Oliven hineindrücken.

3 Den Käsekuchen im heißen Ofen 15 Minuten backen, dann die Hitze auf 180 Grad reduzieren und den Kuchen noch 15-20 Minuten backen, bis die Masse fest geworden ist.

So viel Zeit muß sein: 55 Minuten, davon 20 aktiv
Kalorien pro Portion (bei 6): 250

Pizza rucola
Pizza und Salat in einem

Für 4 Hungrige

300 g Mehl, Salz, 8 EL Olivenöl

$^1/_2$ Würfel frische Hefe (21 g)

1 große Dose geschälte Tomaten (800 g)

3 Knoblauchzehen, schwarzer Pfeffer

3 Beutel Mozzarella (375 g; am besten aus Büffelkuhmilch)

2 Bund Rucola, 1 EL Zitronensaft

Fürs Blech: Olivenöl

Hefeteig • 13 – 15 Min. • 250 Grad

1 Mehl mit 1 TL Salz und 4 EL Olivenöl mischen. Hefe zerkrümeln und in knapp 150 ml lauwarmem Wasser verrühren. Zum Mehl geben, alles gut verkneten. Teig zudecken und ungefähr 45 Minuten stehenlassen. Er soll doppelt so groß werden.

2 Tomaten in der Dose mit der Küchenschere oder einem Messer kleinschneiden. Haut vom Knoblauch abziehen, Zehen fein würfeln, in 1 EL Öl glasig werden lassen. Tomaten dazugeben, ohne Deckel bei mittlerer Hitze ungefähr 30 Minuten köcheln, salzen und pfeffern.

3 Mozzarella in Scheiben schneiden. Ein Backblech mit Öl bepinseln. Den Backofen auf 250 Grad vorheizen (auch schon jetzt: Umluft 220 Grad). Teig nochmal durchkneten, dann auf dem Blech ausrollen. Den Rand etwas dicker formen. Tomatensauce drauf verstreichen, Mozzarella drauf verteilen, 1 EL Olivenöl drüber träufeln. Pizza auf der mittleren Schiene 13 – 15 Minuten backen.

4 Rucola verlesen, waschen und abtropfen lassen. 2 EL Olivenöl mit Zitronensaft, Salz und Pfeffer verquirlen. Rucola auf der Pizza verteilen, mit der Ölmischung beträufeln.

So viel Zeit muß sein: 1 $^1/_2$ Stunden, davon 45 Minuten aktiv
Kalorien pro Portion: 740

Pizza ai funghi
Vegetarisch

Für 4 Hungrige

300 g Mehl, Salz, 5 EL Olivenöl

$^1/_2$ Würfel frische Hefe (21 g)

1 kleine Dose geschälte Tomaten (400 g)

1 TL getrocknete Kräuter

schwarzer Pfeffer, 500 g Champignons

2 Knoblauchzehen, 1 Bund Petersilie

250 g Mozzarella

50 g Parmesan am Stück

Fürs Blech: Olivenöl

Hefeteig • 20 Min. • 220 Grad

1 Mehl mit 1 TL Salz und 4 EL Olivenöl mischen. Hefe zerkrümeln und in knapp 150 ml lauwarmem Wasser verrühren. Zum Mehl geben, alles gut verkneten. Teig zudecken und ungefähr 45 Minuten stehenlassen. Er soll doppelt so groß werden.

2 Kurz bevor die Ruhezeit zu Ende ist, die Tomaten in der Dose kleinschneiden, mit Kräutern, Salz und Pfeffer würzen. Pilze putzen, in feine Scheiben schneiden. Knoblauch abziehen, Petersilie waschen, abzupfen. Beides fein hacken und mit den Pilzen mischen. Salzen und pfeffern.

3 Das Backblech mit Öl ausstreichen. Den Backofen auf 220 Grad vorheizen (auch schon jetzt: Umluft 200 Grad). Den Teig nochmal durchkneten und mit dem Nudelholz direkt auf dem Blech ausrollen. Die Ränder dicker formen.

4 Tomaten auf dem Teig verstreichen, Pilze drauf. Mozzarella in feine Scheiben schneiden und drauf legen. Pizza auf der mittleren Schiene ungefähr 20 Minuten backen. Vom Parmesan mit dem Gurkenhobel oder dem Sparschäler feine Späne abhobeln, auf die Pizza damit, alles mit 1 EL Olivenöl beträufeln!

So viel Zeit muß sein: 1 $^1/_4$ Stunden, davon 30 Minuten aktiv
Kalorien pro Portion: 640

Kartoffelpizza
Süditalienisch

Für 3–4 Hungrige

250 g Mehl, Salz, 6 EL Olivenöl

15 g frische Hefe

600 g festkochende Kartoffeln

4–5 Zweige frischer Rosmarin

125 g Mozzarella

2–3 EL Pesto oder Olivencreme (fertig gekauft), schwarzer Pfeffer

Fürs Blech: Olivenöl

Hefeteig • 20–25 Min. • 220 Grad

1 Mehl mit 1 gestrichenen TL Salz und 3 EL Olivenöl mischen. Hefe zerkrümeln und mit ungefähr 1/8 l lauwarmem Wasser anrühren. Zum Mehl schütten und gut durchkneten. Zugedeckt ungefähr 45 Minuten stehenlassen, bis der Teig doppelt so groß ist.

2 Kartoffeln schälen, waschen und in feine Scheiben hobeln. In kochendem Salzwasser 4 Minuten blanchieren, kalt abschrecken und abtropfen lassen. Rosmarinnadeln abzupfen. Mozzarella klein würfeln.

3 Das Backblech mit Öl auspinseln. Den Backofen auf 220 Grad vorheizen (auch schon jetzt: Umluft 200 Grad). Teig nochmal durchkneten, dann auf dem Blech mit dem Nudelholz ausrollen. Ränder dicker formen.

4 Pesto oder Olivencreme drauf verstreichen, mit Kartoffeln dachziegelartig belegen. Rosmarin und Mozzarella drüber streuen, salzen, pfeffern. 3 EL Öl drüber träufeln. Pizza auf der mittleren Schiene 20–25 Minuten backen, bis die Kartoffeln weich sind.

So viel Zeit muß sein: 1 1/2 Stunden, davon gut die Hälfte aktiv
Kalorien pro Portion (bei 4): 540

Türkische Pizza
Schön würzig

Für 4 Hungrige

300 g Mehl, Salz

1/2 Würfel frische Hefe (21 g)

1 Bund Frühlingszwiebeln

2 Knoblauchzehen, 1 großes Bund Petersilie

1/2 TL gemahlener Kreuzkümmel

1 Prise Chilipulver, 2–3 EL Joghurt

1 EL Tomatenmark, 400 g Rinderhackfleisch

Für die Gurkensauce:

1/2 Salatgurke, Salz, 2 Knoblauchzehen

1/2 Bund Dill, 400 g Joghurt

1 TL Zitronensaft, 1 EL Olivenöl

Fürs Blech: Öl

Hefeteig • 2mal 12 Min. • 250 Grad

1 Mehl mit 1 TL Salz mischen. Hefe zerkrümeln und in knapp 150 ml lauwarmem Wasser anrühren. Zum Mehl gießen, gründlich durchkneten. Teig zugedeckt 45 Minuten gehen lassen, bis er doppelt so groß ist.

2 Für die Sauce die 1/2 Gurke schälen und längs halbieren. Mit einem Löffel die Kerne rauskratzen. Gurkenhälften grob raspeln, mit Salz mischen und ziehen lassen. Nach ungefähr 10 Minuten das Wasser abgießen. Knoblauch abziehen, durch die Presse zur Gurke drücken. Dill waschen, Spitzen abschneiden. Mit Joghurt, Zitronensaft und Olivenöl dazugeben und verrühren. Salzen und kühl stellen.

3 Für den Belag Frühlingszwiebeln waschen, putzen und in Ringe schneiden. Knoblauch abziehen und fein hacken. Petersilie waschen, hacken. Diese drei Zutaten mit Kreuzkümmel, Chillie, Joghurt und Tomatenmark unter das Hack mischen, salzen.

4 Zwei Backbleche mit Öl ausstreichen. Den Backofen auf 250 Grad vorheizen (auch schon jetzt: Umluft 220 Grad). Teig halbieren. Jede Hälfte auf wenig Mehl zu einem länglichen Fladen ausrollen, auf ein Blech legen. Hackmischung drauf verteilen. Fladen nacheinander im Ofen auf der mittleren Schiene ungefähr 12 Minuten backen, bis sie gebräunt sind. Gurkensauce drauf oder daneben anrichten.

So viel Zeit muß sein: knapp 1 1/2 Stunden
Kalorien pro Portion: 590

Calzoni

Ungewöhnlich, aber wahr: schmecken auch kalt!

Für 4 Hungrige

Für den Teig:

400 g Mehl, 1 kräftige Prise Salz

4 EL Olivenöl

1/2 Würfel frische Hefe (21 g)

Für die Füllung:

500 g Zwiebeln, 1 EL Olivenöl

100 g schwarze Oliven

2 EL Kapern, 6 Sardellenfilets

1 kleine Dose geschälte Tomaten (400 g)

1 Bund Basilikum, 125 g Mozzarella

100 g frisch geriebener Pecorino oder

Parmesan, Salz, schwarzer Pfeffer

Fürs Blech und zum Bepinseln: Olivenöl

Zum Ausrollen: Mehl

Hefeteig • 25 Min. • 225 Grad

1 Mehl, Salz und Öl in eine Schüssel füllen. Hefe zerkrümeln, in etwa 200 ml lauwarmem Wasser verrühren. Zum Mehl geben und alles so lange verkneten, bis sich der Teig vom Schüsselrand löst. Teig abdecken und an einem warmen Ort ungefähr 1 Stunde in Ruhe aufgehen lassen, zu doppelter Größe.

2 Inzwischen schon mal für die Füllung was tun: Haut von den Zwiebeln abziehen, Zwiebeln fein hacken. Öl in einer Pfanne warm werden lassen und die Zwiebeln reinschütten. Unter Rühren bei mittlerer Hitze 10 Minuten andünsten. In einer Schüssel abkühlen lassen.

3 Oliven vom Stein schneiden, hacken. Kapern und abgetropfte Sardellen auch hakken. Tomaten abtropfen lassen und fein würfeln, der Saft wird nicht gebraucht. Basilikum waschen und trocknen, Blättchen in Streifen schneiden. Mozzarella abgetropft würfeln. Alles mit dem geriebenen Käse zu den Zwiebeln geben, mischen, salzen und pfeffern.

4 Den Backofen auf 225 Grad vorheizen (auch schon jetzt: Umluft 200 Grad). Das Backblech mit Öl bepinseln.

5 Mehl auf die Arbeitsfläche streuen. Teig halbieren und jede Hälfte zu einem runden Fladen ausrollen. Jeweils mit einer Hälfte aufs Blech legen, Füllung drauf verteilen und die andere Teighälfte drüber klappen. Ränder gut zusammendrücken. Calzoni mit Olivenöl einpinseln. Calzoni nochmal kurz ruhen lassen, dann auf der mittleren Schiene ungefähr 25 Minuten backen, bis sie schön braun sind.

So viel Zeit muß sein: 1 Stunde 40 Minuten, davon 1 1/4 Stunden zu tun
Kalorien pro Portion: 750

Thunfisch-Taschen

Schmecken warm, lauwarm oder kalt

Für 4 Hungrige

Für die Füllung:

je 1 kleine rote und gelbe Paprikaschote

1 Tomate, 1 Bund Rucola

1 rote Zwiebel, 2 Knoblauchzehen

2 Dosen Thunfisch im Sud, 1 EL Kapern

250 g Mozzarella (am besten di buffala)

1 Ei, Salz, Cayennepfeffer

Für den Teig:

150 g Quark, Topfen oder Schichtkäse

6 EL Pflanzenöl, 1 Ei, 1/2 TL Salz

300 g Mehl, 3 TL Backpulver

Fürs Blech: Backpapier

Zum Ausrollen: Mehl

Quark-Öl-Teig • 2 mal 30 Min. • 180 Grad

1 Ausnahmsweise kümmern wir uns erst um die Füllung: Paprikaschoten putzen, waschen, Trennwände rauslösen. Paprika klein würfeln. Tomate waschen und auch würfeln. Rucola verlesen, waschen und hacken. Zwiebel und den Knoblauch abziehen, beides ganz fein hacken.

2 Thunfisch abtropfen lassen, mit zwei Gabeln in Stücke zupfen. Kapern abtropfen lassen und grob hacken. Mozzarella auch abtropfen, dann klein würfeln. Alle zerkleinerten Zutaten und das Ei gut vermischen, mit Salz und Cayennepfeffer kräftig abschmecken.

3 Jetzt zum Teig: Quark, Öl, Ei und Salz mit den Quirlen gründlich verrühren. Mehl mit Backpulver mischen, die Hälfte unterrühren, mit dem Rest geht das nicht mehr, der wird untergeknetet.

4 Den Backofen auf 180 Grad vorheizen (ohne Vorheizen: Umluft 160 Grad). Zwei Backbleche mit Backpapier auskleiden.

5 Mehl auf die Arbeitsfläche schütten. Teig vierteln und jeweils zu einem dünnen Rechteck ausrollen. Auf die Bleche legen, auf einer Seite mit Thunfischfüllung belegen, aber nicht ganz bis zum Rand. Andere Teighälfte darüber klappen und die Ränder gut zusammendrücken. Taschen nacheinander auf der mittleren Schiene ungefähr 30 Minuten backen.

So viel Zeit muß sein: 1 1/2 Stunden, davon 1 Stunde aktiv
Kalorien pro Portion und Tasche: 800
Besonders fein dazu: Tomatensalat

Noch eine Füllung

Parma-Mozzarella

Mozzarella und Ei wie gehabt, 100 g Parmaschinken in kleinen Würfeln, 150 g Artischockenherzen aus dem Glas in Achteln, 6–8 eingelegte getrocknete Tomaten in Streifen und 1 gewürfelte echte Tomate. Würzen mit Salz, Pfeffer und Basilikum.

Chicorée-Roquefort-Törtchen

Von Sabine und Cornelia in England entdeckt. Ungelogen!

Für 2 zum Sattessen oder für 4 als Vorspeise

Für den Teig:

150 g Mehl, 1 Prise Salz, 75 g kalte Butter

Für den Belag:

1 Chicoréestaude (etwa 150 g)

1/4 Bund Petersilie, 100 g Roquefort

1 kleines Ei, 1 EL Crème fraîche

schwarzer Pfeffer

Mürbeteig • 25 Min. • 200 Grad

Tartelettförmchen, 10 cm Ø

1 Für den Teig Mehl mit Salz und Butter in Würfeln glatt verkneten, dazu braucht man wahrscheinlich noch 1–2 EL kaltes Wasser. Teig vierteln, jeweils zur Kugel formen und in vier ungefettete Tartelettförmchen drücken, auch am Rand. Teig in den Förmchen 1 Stunde kühl stellen.

2 So ungefähr nach der Hälfte kann man schon mal den Belag zusammenstellen. Also den Chicorée waschen und in knapp 1 cm breite Stücke schneiden. Strunk nicht mitverwenden. In einem kleinen Topf 4–5 cm hoch Wasser aufkochen, Chicorée reinwerfen und knapp 1 Minute kochen lassen. In ein Sieb schütten, kalt abschrecken, abtropfen.

3 Den Backofen auf 200 Grad vorheizen (auch schon jetzt einstellen: Umluft 180 Grad). Petersilie waschen und trockenschütteln, Blättchen abzupfen, fein hacken. Roquefort ganz klein würfeln. Leichter geht das, wenn man das Messer immer mal kalt befeuchtet.

4 Chicorée, Petersilie, Roquefort, Ei und Crème fraîche mischen, pfeffern. Salz darf nicht rein, davon hat der Käse schon genug. Die Mischung auf den Teig füllen, ab in den Ofen und ungefähr 25 Minuten drin lassen, bis der Belag schön braun ist. Mit einem kleinen spitzen Messer vom Rand der Förmchen lösen, an einer Seite leicht anheben und rauslösen. Mmmhh!!!

So viel Zeit muß sein: 1 3/4 Stunden, davon ungefähr 35 Minuten aktiv
Kalorien pro Törtchen: 400
Das paßt dazu: Rucola-Tomaten-Salat

Waffeln – salzig und süß

Daraus könnte eine Party werden

Für jeweils 12 Waffeln

Für die Speckwaffeln:

100 g durchwachsener Räucherspeck

1 dünne Stange Lauch

1 EL Pflanzenöl, 2 Eier

$^{1}/_{8}$ l helles Bier oder Wein

1 TL Salz

$^{1}/_{2}$ TL gemahlener Kümmel

250 g Mehl

1 TL Backpulver

Für die Kräuter-Käse-Waffeln:

1 kleines Bund gemischte Kräuter (oder selber zusammenstellen: Petersilie, Zitronenmelisse, Basilikum und Schnittlauch)

80 g Parmesan

4 Eier, 150 g weiche Butter

150 g Mehl

1 TL Backpulver

100 ml trockener Weißwein oder Milch

Salz

Cayennepfeffer oder weißer Pfeffer

1 TL abgeriebene unbehandelte Zitronenschale

Für die Buttermilch-Zimt-Waffeln:

200 g Mehl

350 g Buttermilch

40 g Zucker

1 Päckchen Vanillezucker

2 TL Zimt

2 Eier, 1 Prise Salz

Für die Marzipan-Obst-Waffeln:

200 g säuerliche Äpfel, Birnen, Zwetschgen oder Preiselbeeren

200 g Marzipan-Rohmasse

150 g Crème fraîche

150 ml Milch

2 Eier

200 g Mehl

1 Prise Salz

2 EL Zucker

Für alle Waffeln:

Butter oder Öl zum Einfetten

alles Rührteig • jeweils ungefähr 3 Min.

1 Für die Speckwaffeln die Schwarte vom Speck abschneiden, den Rest klein würfeln. Vom Lauch die ganz dunklen und welken Teile und das Wurzelbüschel abschneiden. Den Rest der Stange längs aufschlitzen und unter kaltem Wasser abwaschen, trocknen und fein hacken.

2 Öl in der Pfanne warm machen. Speck und Lauch unter Rühren bei mittlerer Hitze 5 Minuten dünsten, abkühlen lassen.

3 Eier trennen, erst mal das Eiweiß steif schlagen. Dann Eigelbe mit Bier und $^1/_8$ l kaltem Wasser gut schaumig schlagen. Salz, Kümmel, Mehl und Backpulver mischen und drüber verteilen. Speck auch dazugeben und alles miteinander verrühren. Zuletzt den Eischnee unterheben.

4 Waffeleisen heiß machen, mit Butter oder Öl dünn einfetten. Für jede Waffel mit einem kleinen Schöpflöffel Teig reinfüllen, 3 Minuten backen. Heiß essen!

5 Für die Kräuter-Käse-Waffeln die Kräuter waschen, alle dicken Stiele abzupfen, den Rest trockentupfen und fein hacken. Käse fein reiben.

6 Eier trennen. Butter mit den Eigelben schön schaumig schlagen. Mehl mit Backpulver und Käse mischen und mit dem Wein unterrühren. Eiweiße steif schlagen, mit Kräutern, Salz, Cayennepfeffer und Zitronenschale in die Schüssel füllen. Alles locker unterheben.

7 Zum Backen das Waffeleisen heiß machen, dünn einfetten, Teig einfüllen und 3 Minuten backen, bis die knusprigen Teile gleich verteilt werden können.

8 Für die Buttermilch-Zimt-Waffeln Mehl, Buttermilch, Zucker, Vanillezucker und Zimt gründlich mischen. Eier trennen, Eigelbe unter die Mehlmischung rühren. Eiweiße mit Salz zu Schnee schlagen, unterziehen.

9 Waffeleisen heiß werden lassen, mit Butter fetten. Teig einfüllen und 3 Minuten backen. Knusprig frisch essen, am besten mit frischen Beeren und Sahne.

10 Für die Marzipan-Obst-Waffeln das Obst waschen oder schälen, in kleine Stücke schneiden. Nur die Preiselbeeren können ganz bleiben. Das Marzipan zerdrücken und mit der Crème fraîche und der Milch glattrühren.

11 Eier unterrühren. Mehl, Salz und Zucker dazugeben und auch verrühren. Obst unterheben.

12 Wieder mal das Waffeleisen anwerfen, fetten, Teig reingeben und wie immer 3 Minuten backen. Die schmecken warm und kalt gut.

So viel Zeit muß sein: 1. 50 Minuten, 2. 1 Stunde, 3. 45 Minuten, 4. 45 Minuten
Kalorien pro Waffel: 1. 150, 2. 200, 3. 105, 4. 220

Kirsch-Brot-Auflauf
Heißt in Bayern Plotzer. Warum eigentlich?

Für 4 süße Hungrige oder für 6–8 als Nachspeise

3/4 l Milch

abgeriebene Schale von 1 unbehandelten Zitrone

3 Eier

2 Päckchen Vanillezucker

2 EL Zucker

8 Brötchen (besser nicht ganz frisch)

750 g Kirschen

2 EL Butter

Für die Form: Butter

Nach dem Backen: Puderzucker

30 Min. • 200 Grad

1 Milch, Zitronenschale, Eier, Vanillezucker und Zucker gut verrühren. Brötchen in dünne Scheiben schneiden.

2 Kirschen waschen, vom Stiel zupfen und entsteinen (am besten mit dem Kirschentsteiner). Den Backofen auf 200 Grad vorheizen (ohne Vorheizen: Umluft 180 Grad). Eine feuerfeste Form ausbuttern.

3 Brötchen und Kirschen abwechselnd in die Form schichten. Eiermilch drüber gießen, alles 10 Minuten stehenlassen. Butter würfeln und drauf verteilen. Auflauf auf der mittleren Schiene ungefähr 30 Minuten backen, bis er braun ist. Kurz stehenlassen, Puderzucker drüber und los geht's.

So viel Zeit muß sein: 1 Stunde 10 Minuten, davon 25 Minuten zu tun
Kalorien pro Portion (bei 8): 325

Apple Crumble
Knusperspaß für kleine und große Kinder

Für 4 mit Hunger auf Süßes oder für 6–8 als Dessert

100 g kalte Butter, 175 Mehl

100 g Zucker, 1 TL Zimt

100 g Sultaninen

600 g säuerliche Äpfel

5 EL brauner Zucker

2 TL Zitronensaft

Für die Form: Butter

Mürbeteig • 25–30 Min. • 200 Grad

1 Für die Streusel die Butter fein würfeln. Mehl, Zucker und 1/2 TL Zimt dazu, nicht zu kleine Streusel formen, kühl stellen.

2 Den Ofen auf 200 Grad vorheizen (ohne Vorheizen: Umluft 180 Grad). Die Sultaninen heiß abspülen. Äpfel schälen, vierteln und entkernen. In dünne Scheiben schneiden und mit Zucker, Zitronensaft, dem übrigen Zimt und Sultaninen mischen.

3 Eine Gratinform mit Butter ausstreichen und die Apfelmischung reingeben. Streusel darauf verteilen und etwas hineindrücken. Apple Crumble auf der mittleren Schiene 25–30 Minuten backen und warm essen. Dazu schmeckt Vanilleeis.

So viel Zeit muß sein: 50 Minuten, davon 25 Minuten in Aktion
Kalorien pro Portion (bei 8): 325

Kipfelkoch mit Marillensoß
Danach weiß man endlich, warum die Österreicher so berühmt sind

»Kipfel« (nicht Kipferl) heißen die Butterhörnchen fürs Frühstück in Österreich, »Koche« werden in der Mehlspeisenküche die Aufläufe genannt, Aprikosen sind dort »Marillen« und die Sauce »is a Soß«. Aber auch wer Hörnchenauflauf mit Aprikosensauce macht, hat eine feine Sache.

Für 4 Schleckermäuler

Für die Marillensoß:

250 g Marillen (Aprikosen), 100 g Zucker

etwas Zitronensaft

Für den Kipfelkoch:

5 Butterkipfel oder Milchbrötchen (200 g)

100 ml Milch, 3 EL weißer Rum

4 Eier, 70 g weiche Butter

3 EL Zucker

abgeriebene Schale von

$^{1}/_{2}$ unbehandelten Zitrone

Für die Form: Butter

30 Min. • 200 Grad

1 Zuerst die Soß zubereiten. Dazu die Marillen halbieren, entsteinen und mit dem Zucker und Zitronensaft in $^{1}/_{8}$ l Wasser in 3 – 5 Minuten weich kochen. Alles pürieren.

2 Dann den Backofen auf 200 Grad vorheizen (ohne Vorheizen: Umluft 180 Grad). Kipfel in 1 cm dicke Scheiben schneiden. Milch mit Rum und 2 Eiern verrühren, über die Kipfel gießen. Butter schaumig rühren, Zucker, Zitronenschale und die übrigen Eier zugeben. Buttermasse unter die Kipfel ziehen.

3 Das Ganze in eine gebutterte Form geben. Den Kipfelkoch auf der mittleren Schiene in ungefähr 30 Minuten goldgelb backen. Die kalte Soß zum heißen Koch servieren.

So viel Zeit muß sein: 55 Minuten,
davon 25 Minuten zu tun
Kalorien pro Portion: 530

Dampfnudeln

Konnte bisher nur die Oma. Jetzt nicht mehr!

Sie werden geliebt, aber jeder liebt sie anders. Wir haben uns für dieses Rezept entschieden, weil damit eine Hausfrau im hessischen Hinterland regelmäßig zwischen zwei und zwanzig Töchter, Söhne, Schwiegertöchter, Schwiegersöhne, Enkel, Enkelinnen und einen Ehemann in Schach hält. Es »einfach« zu nennen, wäre gelogen. Aber wann macht es einem das Geliebte schon einfach?

Für 20 Dampfnudeln

50 g Butter, $^{1}/_{2}$ Würfel frische Hefe (21 g)

etwa 200 ml lauwarme Milch, 4 EL Zucker

500 g Mehl, 1 Ei, 1 Prise Salz

Außerdem:

Mehl zum Formen, etwa 100 g Zucker, Öl

Hefeteig

1 Die Butter zerlassen. Hefe zerbröckeln und mit Milch und Zucker glattrühren. Dies gründlich mit Mehl verkneten, zum Schluß Butter, Ei und Salz darunterkneten.

2 Den Küchentisch mit Mehl bestreuen, die Hände auch und den Teig zu einer dicken Rolle formen. In 20 Stücke schneiden. Zwei Backbleche mit Mehl bestreuen. Die Teigstücke zu eigroßen Bällen formen, auf die Bleche setzen und etwas flachdrücken. Die »Nudeln« zudecken und an einen warmen Platz stellen und zur doppelten Größe aufgehen lassen, ungefähr 30 Minuten.

3 Etwa 200 ml heißes Wasser mit dem Zucker verrühren, bis er sich aufgelöst hat. In eine große Pfanne mit gut schließendem Deckel so viel Öl gießen, daß der Boden gut bedeckt ist. Bei mittlerer Stufe erhitzen und die erste Runde Dampfnudeln mit genügend Abstand zueinander hineinsetzen.

4 Zwischen die Dampfnudeln langsam etwas Zuckerwasser gießen, den Deckel aufsetzen und 4 Minuten lang nicht mehr runternehmen. Dann – oder spätestens 1 Minute später – sind die Dampfnudeln fertig: oben aufgegangen, unten mit knuspriger Karamelkruste. Die fertigen Nudeln im Ofen bei 50 Grad warm halten.

5 Auf diese Art die übrigen Dampfnudeln fertigmachen und alle mit ordentlich Vanillesauce (wie die geht, steht im Basic cooking auf Seite 154. Wer das nicht hat, ruft die Oma an!) auf den Tisch stellen.

So viel Zeit muß sein: gut 1 Stunde,
davon 35 Minuten zu tun
Kalorien pro Dampfnudel: 145

Allerletzte Basic-Backzusätze

Hatten wir schon gesagt, warum in diesem Buch nichts übers Koagulieren steht und was im nächsten Buch steht? Daß Fertigkuchen nach alten Socken schmeckt? Daß Torte dick machen und Zucker ungesund sein kann? Weiß einer, warum man beim Backen schrecklich ordentlich sein muß und wieso eine Tortenschlacht trotzdem großartig ist? Hier steht das alles – Basic-Backzusätze, die keiner beim Kuchenmachen braucht, ohne die das Ganze aber nur halb so schön wäre.

Aufheben

Das soll es ja geben: Das Kaffeetrinken ist zu Ende und es ist noch Sahnetorte da. Was tun? Haben 20 Leute zusammen 2 Stück gegessen, gibt's nur: Wegwerfen, Weiterüben und das nächste Mal trotzdem zum Konditor einladen. Ansonsten: Aufheben. Kühl und dabei gut geschützt, damit nichts nach Kühlschrank schmeckt. Eine Tortenhaube ist dafür nicht schlecht, aber die übergestülpte Rühr- oder Bowlenschüssel paßt auch. Paßt nicht? Die Torte mit hohen Gläsern umzingeln und das ganze mit Klarsichtfolie dicht überspannen – so hängt die nicht an der Sahne fest. Und spätestens am nächsten Tag wieder zum Kaffeetrinken einladen.

Dolci

Süßes auf italienisch. Kommt es vom Bäcker, ist es eher espresso-klein als milchkaffeegroß (im Verhältnis Vespareifen – Mercedesrad). Wem das nicht reicht und wem davon in diesem Buch zu wenig steckt: Abwarten. Bald fahren die Basics nach Italien.

Einlaßmanier

Hat nichts mit dem Benehmen von Türstehern vor Tanzcafés zu tun. Meint vielmehr das penible Verzieren von Torten per aufwendig temperierter Kuvertüre mit komplizierten Mustern, die dann mit langwierig produzierter Fondantglasur akkurat ausgemalt werden. Überflüssig? Genau, und deswegen haben wir auf solche Konditormeisterwerkelei in diesem Buch verzichtet. Ebenso fehlen: Baumkuchenmaschine, Felsenzucker, Gefrierei, Kettenflug, koagulieren, Mandellack, Rührplunder, Trockenkonservator. Wer das vermißt, ist im falschen Buch.

Fertigkuchen

Wer sagt, daß der wie selbstgebacken schmeckt, wäscht seine Wäsche entweder im Backofen oder verdient sein Geld mit der Herstellung von Schmeckt-alles-gleich-schlecht-Aroma. Wer immer wieder sagt, daß der schmeckt, hat schon zu viel von dem Aroma abbekommen. Tip: Selber backen. Wenn es noch schlimmer schmeckt: selber backen lassen. Rezepte siehe vorne.

Geschirr & Besteck

Selbst ein schlichter Marmorkuchen entwickelt magische Kräfte, wenn er auf den Tisch kommt. Plötzlich fliegt eine Tischdecke ein, aus den hintersten Schrankwinkeln taucht das beste Geschirr auf (und zwar komplett mit Kuchenteller, Tasse und Untertasse), sogar eine Kuchenplatte rollt heran. Kaffeekanne samt Stövchen? Kommt schon, eskortiert von Milchkännchen und Zuckerdose. Löffelchen folgen sogleich. Gäbelchen? Machen Kuchenessen feiner und Tortenessen leichter. Kerzen? Nie falsch. Denn: Kein Siebengangmenü in Vollsilber kann so bezaubern wie selbstgebackener Kuchen auf selbstgedecktem Kaffeetisch. Aber Vorsicht: Wegen so was wird man geheiratet!

Hände

Immer noch die beste und präziseste Küchenmaschine. Zum Beispiel beim Hefeteigkneten oder Tortenbestreuen. Wer aber Biskuitmasse mit der Hand mengt, Schlagsahnereste mit den Fingern aus der Schüssel holt und zu Sahnetorte keine Gabeln auftischt: bitte unter »Ordentlich sein« und »Geschirr & Besteck« nachlesen

Hektik & Chaos

»Die Butter riecht aber komisch. War wohl das Fett vom Fischfondue. Egal, nehm ich eben doppelt so viel Mehl. Die Eier sind gekocht? Auch schon egal. Und jetzt ab damit in den Ofen. Eieiei, Backpulver vergessen. Ein Pfund? Da muß ich noch mal einkaufen gehen. Obwohl Vanillezucker bestimmt auch geht. Aber wo ist denn jetzt schon wieder der Kuchen? Ach, da raucht er ja.« Wer hektisch und chaotisch kocht, kann die Kurve noch kriegen. Wer so bäckt, fliegt raus. Und darf zur Beruhigung dieses Buch lesen.

Kalorien
Laut Konditormeister A. Heckmann braucht es 1 Kalorie, um 1 Kubikzentimeter Wasser von 14 auf 15 Grad zu erwärmen. Was ja nichts Schlimmes ist. Aber woher nimmt die Kalorie das Feuer dazu? Zum Beispiel aus einem Stück Schwarzwälder Kirschtorte. Laut dem Publizisten T. Rubinowitz gibt die so viel Kraft, daß man damit zwei Jahre lang eine kleine Kuhglocke tragen kann. Macht man das aber nicht, macht der Körper erst einmal Fett aus der Torte und speichert darin die Kraft zum Kuhglockentragen. Kommt's nie zu diesem, bleibt das Fett. Und man wird fett. Blöd. Also: Tragt Kuhglocken. Oder eßt keine Torte. Aber was wollt ihr dann eigentlich hier?

Konditorei
Handwerksbetrieb mit angeschlossenem Ladenlokal, in dem von nicht selten unwirschen Personen in Verbindung mit Kaffee (»Auf der Terrasse nur Kännchen!«) das beliebteste Fertigprodukt Deutschlands serviert wird: ein Stück Kuchen oder Torte. Obacht, wenn alles gleich süß und schlecht schmeckt (siehe »Fertigkuchen«). Hochachtung, wenn es schmeckt. Dann ist dies der richtige Platz für Inspirationen, Backpausen und Notfälle (siehe dazu »Aufheben«, »Schwarz«)

Likör usw.
Warum immer nur Kaffee zum Kuchen? Und warum den Likör immer nur in ältere Tanten mit Hut auf dem Kopf und Handtasche im Schoß gießen? Sehr schick ist es zum Beispiel, ein knuspriges Dolci mit einem Gläschen italienischen Süßwein zu nehmen (Vin santo, Marsala). Oder einen Schluck ordentlichen süßen Sekt (ja, den gibt's noch!) zum Gugelhupf zu genießen. Oder Orangenlikör zum Mandelkuchen. Oder Mandellikör zum Orangenkuchen.

Österreich
Heimat des Schlagobers, des Kaffeehauses und der Sachertorte – also von allem, was in der Zuckerbäckerei zählt. Und trotzdem sprachlich vernachlässigt in diesem Buch. Nichts davon, daß ein Dekagramm zehn Gramm wiegt und Obers Sahne heißt. Nichts mit Namen Germ (Hefe), Mehlspeisradl (Teigrad). Und doch, Österreicher, steckt mehr von Euch in diesem deutschen Buch als man denkt. Aber das ist ja mit Deutschland nicht anders.

Ordentlich sein
Schwierig, wir wissen es. Aber ohne das wird Backen vor allem für Anfänger noch viel schwieriger. Also erst mal Platz schaffen und den Rest vom letzten Essen wegräumen. Holen, was nötig ist (Maschine, Mehl, Backbuch z. B.) und am besten schon Abfüllen und Abwiegen, bevor es losgeht (nur dann nicht Backpulver und Vanillezucker verwechseln). Beim Teigmachen mit »eins nach dem anderen« anfangen, der Parallelschwung kommt bald von selbst. Was nicht mehr gebraucht wird, einweichen, was nochmal gebraucht wird, sauber machen. Und die Hände immer sauber halten. Zum Schluß den Wecker stellen. Klingt so brav? Die Belohnung ist aber wunderbar: guter Kuchen, eine saubere Küche und Spaß am Backen. Siehe auch „Hektik & Chaos«

Schwarz
Schlecht. Wenn nur ein bißchen davon den Kuchen überzieht, läßt sich das vom abgekühlten Teil abkratzen und mit Puderzucker oder Glasur bandagieren. Bei mehr Schwarz muß operiert werden – das Messer, bitte. Oft aber sitzt der Brandgeschmack so tief, daß nur der Weg zum Mülleimer und anschließend zur Vertrauenskonditorei bleibt. Gegen Schwarzbacken hilft von oben Alufolie, von unten ein eingeschobenes Blech und insgesamt Wecker stellen, Ofenhitze mit Backthermometer kontrollieren und aufschreiben, wenn der Ofen kühler oder schneller besser bäckt als das Rezept es will.

Tortenschlacht
Großartig. Aber verboten. Fand trotzdem nach dem letzten Foto in diesem Buch statt. Obwohl, gibt es da nicht doch noch ein paar …? Ach so, nur für den harten Kern. Weil eigentlich verboten. War aber trotzdem großartig.

Verbrennen
Ganz schlecht. Traf es nur ganz kurz die Fingerspitzen, bringt schon der Griff ans Ohrläppchen Kühlung. Wurde es etwas länger zu heiß, die Hand ganz lange unter kaltes Wasser halten. Tut es arg weh oder blüht sofort ein Brandblase, gleich zum Arzt, am besten mit Brandsalbe auf der Wunde. Aber dann nicht den Kuchen im heißen Ofen vergessen.

Zähneputzen
Nach dem Kuchenessen nicht vergessen. Danke für die Aufmerksamkeit. Bis zum nächsten Buch.

Register von A - Z

I/J/K

L

M/N

O/P

Q

Low budget

Ohne Backofen

Wenig Arbeit

Backwissen

Impressum

»Kuchen essen mag ich viel lieber als Kuchen backen. Nur leider kenn' ich zu wenig Leute, die Kuchen so backen wie ich ihn essen mag. Deswegen habe ich's hier nochmal ganz selbstlos und genau aufgeschrieben.«

Sebastian Dickhaut, Autor, Journalist und Koch, lebt derzeit in Australien, wo mehr Haferflockenkekse und Schokoladeneier pro Kopf gegessen werden als sonstwo auf der Welt. Geboren bei Frankfurt, aufgewachsen bei Wien sowie in München zu- und abgereist, überlegt er immer noch, ob Streuselkuchen, Sachertorte oder Schmalznudeln das Beste auf der Welt sind. Für dieses Buch hat er die Rundum-Texte geschrieben und Kaffee kochen gelernt. info@sebastian-dickhaut.de

»Teigkneten ist noch viel schöner als im Topf rühren. Aber leider kann ich nicht jeden Tag Zitronentarte, Hefezopf oder Pizza essen. Drum gab es hier in letzter Zeit viel Besuch und die Nachbarn waren ganz besonders freundlich.«

Cornelia Schinharl, Autorin und Journalistin, lebt in Süddeutschland, wo's ohnehin ziemlich süß hergeht. Mit deutlicher Vorliebe für noch mehr Süden steht neben Zitronentarte und Schokoladenkuchen alles Knusprige und Fruchtige ganz oben auf ihrer Favoritenliste. Für dieses Buch hat sie (fast alle) Rezepte geschrieben und Tante Ilse ganz fest ins Backherz geschlossen. (c.schinharl@bluewin.ch)

Sybille Engels hat in München ein Verlagsbüro, zu dessen Kunden Buch- und Zeitschriftenverlage und Unternehmen gehören und für die sie Buchlayouts und -konzepte und Kundenzeitschriften – ob gedruckt oder online – entwickelt. Sie liebt alles, was neue Wege geht, sich was traut und Spaß macht – eben wie die beiden Basics, Basic Cooking und Basic Baking, für die sie zusammen mit Thomas Jankovic das Layout entwickelt hat.

Thomas Jankovic ist Art Direktor und Grafik-Designer in München, der am liebsten Themen rund ums Essen gestaltet und zu dessen Kunden Kochbuchverlage und große Werbeagenturen zählen. Er liebt alles, was geradeheraus ist und Power hat, sowohl in der Grafik als auch in der Küche. Denn er kocht und bäckt auch noch leidenschaftlich gerne – sein Apfelstrudel nach Jankovic-Art ist mindestens ebenso gut wie sein Layout für die Basics.

Barbara Bonisolli ist Foodfotografin. Darüber freuen sich nicht nur viele Zeitschriften, Verlage und Werbeagenturen, die den modernen Stil ihrer Bilder schätzen. Begeistert sind auch ihre Freunde, für die sie oft und gerne kocht und dabei neue Rezepte ausprobiert. Für ihre Aufnahmen nimmt sie sich genauso viel Zeit wie für ein großes Abendessen: Sie inszeniert dann selbst das einfachste Foto mit Raffinesse, mit Liebe zum Detail, mit einem Blick für den guten Geschmack. Weil es Spaß machen soll – und Appetit.

Hans Gerlach ist nicht nur Koch, sondern auch Architekt. Foodstyling ist die eleganteste und logische Konsequenz aus der Vermischung dieser Berufe. Mit stoischer Ruhe und Geduld verwandelt er Kochrezepte in Anleitungen zum Glücklichsein. Er ist Mitinhaber der Agentur »food & text«.

Alexander Walter stieg jetzt zum Bäckermeister auf, nachdem er sich schon bei Basic Cooking fotografische Lorbeeren verdient hat. Aus seiner Kamera kommen die People-, Action- und Stillife-Shots. Im echten Leben schwärmt er, ganz basic, von Zwetschgendatschi mit Schlagsahne.

Unsere Models: **Janna Sälzer, Gabie Schnitzlein, Christian Finger, Markus Röleke**.

Sabine Sälzer, Basic cooking-Autorin und berüchtigter Antibäcker, glaubt erstmals ernsthaft daran, daß diesem Notstand abgeholfen werden kann – und zwar pünktlich mit Erscheinen von Basic baking.

Susanne Mühldorfer, Frau aller in Herstellung und Technik zusammenlaufenden Fäden, hat auch dieses Mal wieder bravourös um den Erscheinungstermin gekämpft. Zum Dank dafür bekommt sie vom Rest des Teams ihren Lieblingskuchen gebacken.

Katharina Lisson, hat die alten Basic-Freunde zum Bristoler Baking Brainstorm eingeladen und dort erste Weichen gestellt für ein fröhliches Backbuch. Mit strengem Lektorenauge hat sie alle Rezepte geprüft und in Gedanken nachgebacken.

Christa Schmedes, der Engel aus der Basic cooking Produktion, hat auch fürs Backbuch wieder ihre rettenden Arme ausgebreitet – zum Kneten von unendlich viel Teig, zum Schnippeln von Strudelfüllungen, zum Dirigieren der Models beim Brezenschwingen.

Sigrid Burghard und Annika Möller, zwei Expertinnen in Sachen schrille Törtchen, Blumendeko, Weihnachtsschmuck, »Welcher Farbtyp bist Du?« und »Wo krieg ich nach Ladenschluß noch schnell ein Waffeleisen her?«. Den Models gaben sie Schminke und dem Rest der Truppe Saures (z. B. jede Menge Essiggurken ...)

Bildnachweis:

Titel-Ei: StockFood/Molly Hunter
Barbara Bonisolli: alle Rezeptfotos außer S. 28, 74;
Stepfotos S. 10, 11, 13, 15, 21, 22, 23 die süßen 16 und die tüchtigen 17, Einklinker S. 82, 104, 126
Alexander Walter: alle People-Fotos, Rezeptfoto S. 74, S. 28/29, Stillife-Einklinker S. 37, 38, 73, 109, 123
StockFood: S. & P. Eising: Zwetschge S. 54, Käse S. 144
Rosenfeld/Maximilian: Praline S. 85, Maximilian Stock: Ei, S. 30, Tomate S. 128, Baguettes S. 129
Privat: S. 84, 168

Syndication: www.jalag-syndication.de

Projektleitung: Sabine Sälzer
Lektorat: Katharina Lisson, Cornelia Schinharl, Sabine Sälzer
Gestaltung und Layout: Sybille Engels und Thomas Jankovic

Herstellung: Susanne Mühldorfer
Satz: Filmsatz Schröter
Repro: Longo AG, Bozen
Druck & Bindung: Printer Trento s.r.l., Trento
ISBN 978-3-7742-1642-6
18. Auflage 2019

DIE GU-QUALITÄTS-GARANTIE

Wir möchten Ihnen mit den Informationen und Anregungen in diesem Buch das Leben erleichtern und Sie inspirieren, Neues auszuprobieren. Alle Informationen werden von unseren Autoren gewissenhaft erstellt und von unseren Redakteuren sorgfältig ausgewählt und mehrfach geprüft. Deshalb bieten wir Ihnen eine 100 %ige Qualitätsgarantie. Sollten wir mit diesem Buch Ihre Erwartungen nicht erfüllen, lassen Sie es uns bitte wissen! Wir tauschen Ihr Buch jederzeit gegen ein gleichwertiges zum gleichen oder ähnlichen Thema um.
Wir freuen uns auf Ihre Rückmeldung, auf Lob, Kritik und Anregungen, damit wir für Sie immer besser werden können.

GRÄFE UND UNZER Verlag
Leserservice
Postfach 86 03 13
81630 München
E-Mail:
leserservice@graefe-und-unzer.de

Telefon: 00800 / 72 37 33 33*
Telefax: 00800 / 50 12 05 44*
Mo–Do: 9.00 – 17.00 Uhr
Fr: 9.00 – 16.00 Uhr
(gebührenfrei in D, A, CH)*

GRÄFE UND UNZER VERLAG
Der erste Ratgeberverlag – seit 1722.

KV

Ein Unternehmen der
GANSKE VERLAGSGRUPPE